A interpretação dos sonhos
volume I

Colaboradores desta edição:

Renato Zwick é bacharel em filosofia pela Unijuí e mestrando em letras (língua e literatura alemã) pela USP. É tradutor de Nietzsche (*O anticristo*, L&PM, 2008; *Crepúsculo dos ídolos*, L&PM, 2009; e *Além do bem e do mal*, L&PM, 2008), de Rilke (*Os cadernos de Malte Laurids Brigge*, L&PM, 2009), de Freud (*O futuro de uma ilusão*, L&PM, 2010; *O mal-estar na cultura*, L&PM, 2010) e de Karl Kraus (*Aforismos*, Arquipélago, 2010), e cotradutor de Thomas Mann (*Ouvintes alemães!: discursos contra Hitler (1940-1945)*, Jorge Zahar, 2009).

Tania Rivera é psicanalista, ensaísta e professora da Universidade Federal Fluminense. Pesquisadora do CNPq e autora de *Cinema, imagem e psicanálise* (2008), *Guimarães Rosa e a psicanálise – Ensaios entre imagem e escrita* (2005) e *Arte e psicanálise* (2002), todos pela editora Jorge Zahar. Dirigiu os vídeo-ensaios *Ensaio sobre o sujeito na arte contemporânea brasileira* (2010), *Imagem se faz com imagens* (2010) e *Who Drives ou o Olhar outro* (2008).

Paulo Endo é psicanalista e professor do Instituto de Psicologia da USP, com mestrado pela PUC-SP, doutorado pela USP e pós-doutorado pelo Centro Brasileiro de Análise e Planejamento/CAPES. É pesquisador-colaborador do Laboratório de Pesquisa em Psicanálise, Arte e Política da UFRGS e do Laboratório Interdisciplinar de Pesquisa e Intervenção Social da PUC-Rio. É autor de *A violência no coração da cidade* (Escuta/Fapesp, 2005; prêmio Jabuti 2006) e *Sigmund Freud* (com Edson Sousa; L&PM, 2009), e organizador de *Novas contribuições metapsicológicas à clínica psicanalítica* (Cabral Editora, 2003).

Edson Sousa é psicanalista, membro da Associação Psicanalítica de Porto Alegre. É formado em psicologia pela PUC-RS, com mestrado e doutorado pela Universidade de Paris VII, e pós-doutorado pela Universidade de Paris VII e pela École des Hautes Études en Sciences Sociales de Paris. Pesquisador do CNPq, leciona nas pós-graduações em Psicologia Social e em Artes Visuais da UFRGS, onde coordena, com Maria Cristina Poli, o Laboratório de Pesquisa em Psicanálise, Arte e Política. É autor de *Freud* (Abril, 2005), *Uma invenção da utopia* (Lumme, 2007) e *Sigmund Freud* (com Paulo Endo; L&PM, 2009), além de organizador de *Psicanálise e colonização* (Artes e Ofícios, 1999) e *A invenção da vida* (com Elida Tessler e Abrão Slavutzky; Artes e Ofícios, 2001).

SIGMUND FREUD

A interpretação dos sonhos
volume I

Tradução do alemão de RENATO ZWICK

Revisão técnica e prefácio de TANIA RIVERA

Ensaio biobibliográfico de PAULO ENDO *e* EDSON SOUSA

www.lpm.com.br

L&PM POCKET

Coleção **L&PM** POCKET, vol. 1060

Texto de acordo com a nova ortografia.

Título original: *Die Traumdeutung*

 A tradução desta obra foi apoiada por um subsídio concedido pelo Goethe-Institut, financiado pelo Ministério das Relações Exteriores alemão.

Primeira edição na Coleção **L&PM** POCKET: agosto de 2012
Esta reimpressão: junho de 2025

Tradução: Renato Zwick
Tradução baseada no vol. 2 da *Freud-Studienausgabe*, 11. ed., Frankfurt am Main, Fischer, 2001
Revisão técnica e prefácio: Tania Rivera
Ensaio biobibliográfico: Paulo Endo e Edson Sousa
Preparação: Caroline Chang
Revisão: Patrícia Yurgel e Lia Cremonese
Capa: Ivan Pinheiro Machado. *Foto*: Sigmund Freud (1921). Akg-Images/Latinstock

CIP-Brasil. Catalogação na Publicação
Sindicato Nacional dos Editores de livros, RJ

F942i
v. 1

Freud, Sigmund, 1856-1939
 A interpretação dos sonhos, volume 1 / Sigmund Freud; tradução do alemão de Renato Zwick, revisão técnica e prefácio de Tania Rivera, ensaio biobibliográfico de Paulo Endo e Edson Sousa. – Porto Alegre, RS: L&PM, 2025.
 400p.   (Coleção L&PM POCKET; v. 1060)

 Tradução de: *Die Traumdeutung*
 Inclui bibliografia e índice
 ISBN 978-85-254-2632-1

 1. Sonhos. 2. Psicanálise. I. Título. II. Série.

12-1760.   CDD: 150.1952
                                            CDU: 159.964.2

© da tradução, ensaios e notas, L&PM Editores, 2012.

Todos os direitos desta edição reservados a L&PM Editores
Rua Comendador Coruja, 314, loja 9 – Floresta – 90.220-180
Porto Alegre – RS – Brasil / Fone: 51.3225.5777

Pedidos & Depto. comercial: vendas@lpm.com.br
Fale conosco: info@lpm.com.br
www.lpm.com.br

Impresso no Brasil
Outono de 2025

Sumário

PRIMEIRO VOLUME:

Itinerário para uma leitura de Freud
Paulo Endo e Edson Sousa..IX

Prefácio
O sonho e o século – *Tania Rivera*......................... XVII

A INTERPRETAÇÃO DOS SONHOS 1

NOTA PRELIMINAR 3
PREFÁCIO À SEGUNDA EDIÇÃO 5
PREFÁCIO À TERCEIRA EDIÇÃO 7
PREFÁCIO À QUARTA EDIÇÃO 9
PREFÁCIO À QUINTA EDIÇÃO 10
PREFÁCIO À SEXTA EDIÇÃO 11
PREFÁCIO À OITAVA EDIÇÃO 12
PREFACE TO THE THIRD (REVISED) ENGLISH EDITION................13

I – A LITERATURA CIENTÍFICA SOBRE OS PROBLEMAS DO SONHO...15
    A – A relação do sonho com a vida de vigília 21
    B – O material onírico – A memória no sonho............25
    C – Estímulos e fontes do sonho 37
        1. Os estímulos sensoriais externos...........................38
        2. Excitação sensorial interna (subjetiva)...............46
        3. Estímulo corporal orgânico e interno.................49
        4. Fontes psíquicas de estímulo.................................56

  D – Por que esquecemos o sonho após o despertar?....60
  E – As particularidades psicológicas do sonho............65
  F – Os sentimentos éticos no sonho..............................84
  G – Teorias do sonho e função do sonho......................94
  H – Relações entre o sonho e as doenças mentais......109
  Apêndice de 1909..114
  Apêndice de 1914..116

II – O método de interpretação dos sonhos: a
  análise de uma amostra onírica 117

III – O sonho é uma realização de desejo 143

IV – A distorção onírica 155

V – O material e as fontes do sonho 184
  A – O recente e o indiferente no sonho 186
  B – O infantil como fonte do sonho 210
  C – As fontes somáticas do sonho 241
  D – Sonhos típicos..263
    α. O sonho embaraçoso de nudez............................264
    β. Os sonhos com a morte de pessoas queridas......270
    γ. Outros sonhos típicos..294
    δ. O sonho com exames..296

VI – O trabalho do sonho 299
  A – O trabalho de condensação....................................301
  B – O trabalho de deslocamento 328
  C – Os recursos figurativos do sonho..........................333

SEGUNDO VOLUME:

  D – A consideração pela figurabilidade.......................363
  E – A figuração por meio de símbolos no sonho –
    Outros sonhos típicos...374

  F – Exemplos – Cálculos e falas no sonho 431
  G – Sonhos absurdos – As produções intelectuais
    no sonho 451
  H – Os afetos no sonho 485
  I – A elaboração secundária 514

VII – Sobre a psicologia dos processos oníricos 535
  A – O esquecimento dos sonhos 539
  B – A regressão 561
  C – Sobre a realização de desejo 578
  D – O despertar pelo sonho – A função do sonho –
    O sonho de angústia 601
  E – Os processos primário e secundário – O
    recalcamento 616
  F – O inconsciente e a consciência – A realidade 637

Bibliografia 649
A. Obras citadas 649
B. Obras sobre o sonho publicadas antes de 1900 674

Índice de sonhos 682
A. Sonhos do próprio Freud 682
B. Sonhos de outras pessoas 684

Índice de símbolos 692
A. Símbolos 692
B. O simbolizado 694

Índice de nomes 697

ITINERÁRIO PARA UMA LEITURA DE FREUD

Paulo Endo e Edson Sousa

Freud não é apenas o pai da psicanálise, mas o fundador de uma forma muito particular e inédita de produzir ciência e conhecimento. Ele reinventou o que se sabia sobre a alma humana (a psique), instaurando uma ruptura com toda a tradição do pensamento ocidental, a partir de uma obra em que o pensamento racional, consciente e cartesiano perde seu lugar exclusivo e egrégio. Seus estudos sobre a vida inconsciente, realizados ao longo de toda a sua vasta obra, são hoje referência obrigatória para a ciência e para a filosofia contemporâneas. A sua influência no pensamento ocidental é não só inconteste como não cessa de ampliar seu alcance, dialogando com e influenciando as mais variadas áreas do saber, como a filosofia, as artes, a literatura, a teoria política e as neurociências.

Sigmund Freud (1856-1939) nasceu em Freiberg (atual Příbor), na região da Morávia, hoje parte da República Tcheca, mas àquela época parte do Império Austríaco. Filho de Jacob Freud e de sua terceira esposa, Amália Freud, teve nove irmãos – dois do primeiro casamento do pai e sete do casamento entre seu pai e sua mãe. Sigmund era o filho mais velho de oito irmãos e era sabidamente adorado pela mãe, que o chamava de "meu Sigi de ouro".

Em 1860, Jacob Freud, comerciante de lãs, mudou-se com a família para Viena, cidade onde Sigmund Freud residiria até quase o fim da vida, quando teria de se exilar em Londres, fugindo da perseguição nazista. De família pobre, formou-se em medicina em 1882. Devido a problemas financeiros, decidiu ingressar imediatamente na clínica médica em vez de se dedicar à pesquisa, uma de suas grandes paixões. À medida que se estabelecia como médico, pôde pensar em propor casamento para Martha Bernays. Casaram-se em 1886 e tiveram seis filhos: Mathilde, Martin, Oliver, Ernst, Sophie e Anna.

Embora o pai tenha lhe transmitido os valores do judaísmo, Freud nunca seguiu as tradições e os costumes religiosos; ao mesmo tempo, nunca deixou de se considerar um judeu. Em algumas ocasiões, atribuiu à sua origem judaica o fato de resistir aos inúmeros ataques que a psicanálise sofreu desde o início (Freud aproximava a hostilidade sofrida pelo povo judeu ao longo da história às críticas virulentas e repetidas que a clínica e a teoria psicanalíticas receberam). A psicanálise surgiu afirmando que o inconsciente e a sexualidade eram campos inexplorados da alma humana, na qual repousava todo um potencial para uma ciência ainda adormecida. Freud assumia, assim, seu propósito de remar contra a maré.

Médico neurologista de formação, foi contra a própria medicina que Freud produziu sua primeira ruptura epistêmica. Isto é: logo percebeu que as pacientes histéricas, afligidas por sintomas físicos sem causa aparente, eram, não raro, tratadas com indiferença médica e negligência no ambiente hospitalar. A histeria pedia, portanto, uma nova inteligibilidade, uma nova ciência.

A característica, muitas vezes espetacular, da sintomatologia das pacientes histéricas de um lado e, de outro, a impotência do saber médico diante desse fenômeno impressionaram o jovem neurologista. Doentes que apresentavam paralisia de membros, mutismo, dores, angústia, convulsões, contraturas, cegueira etc. desafiavam a racionalidade médica, que não encontrava qualquer explicação plausível para tais sintomas e sofrimentos. Freud então se debruçou sobre essas pacientes; porém, desde o princípio buscava as raízes psíquicas do sofrimento histérico e não a explicação neurofisiológica de tal sintomatologia. Procurava dar voz a essas pacientes e ouvir o que tinham a dizer, fazendo uso, no início, da hipnose como técnica de cura.

Em 1895, é publicado o artigo inaugural da psicanálise: *Estudos sobre a histeria*. O texto foi escrito com o médico Josef Breuer (1842-1925), o primeiro parceiro de pesquisa de Freud. Médico vienense respeitado e erudito, Breuer reconhecera em Freud um jovem brilhante e o ajudou durante anos, entre 1882 e 1885, inclusive financeiramente. *Estudos sobre a histeria* é o único material que escreveram juntos e já evidencia o distanciamento intelectual entre ambos. Enquanto Breuer permanecia convicto de que a neurofisiologia daria sustentação ao que ele e Freud já haviam observado na clínica da histeria, Freud, de outro modo, já estava claramente interessado na raiz sexual das psiconeuroses – caminho que perseguiu a partir do método clínico ao reconhecer em todo sintoma psíquico uma espécie de hieróglifo. Escreveu certa vez: "O paciente tem sempre razão. A doença não deve ser para ele um objeto de desprezo, mas, ao contrário, um adversário respeitável, uma parte do seu ser que tem boas razões de existir e que lhe deve permitir obter ensinamentos preciosos para o futuro".

Em 1899, Freud estava às voltas com os fundamentos da clínica e da teoria psicanalíticas. Não era suficiente postular a existência do inconsciente, uma vez que muitos outros antes dele já haviam se referido a esse aspecto desconhecido e pouco frequentado do psiquismo humano. Tratava-se de explicar seu dinamismo e estabelecer as bases de uma clínica que tivesse o inconsciente como núcleo. Há o inconsciente, mas como ter acesso a ele?

Foi nesse mesmo ano que Freud finalizou aquele que é, para muitos, o texto mais importante da história da psicanálise: *A interpretação dos sonhos*. A edição, porém, trazia a data de 1900. Sua ambição e intenção ao alterar a data de publicação era a de que esse trabalho figurasse como um dos mais importantes do século XX. De fato, *A interpretação dos sonhos* é hoje um dos mais relevantes textos escritos no referido século, ao lado de *A ética protestante e o "espírito" do capitalismo*, de Max Weber, *Tractatus Logico-Philosophicus*, de Ludwig Wittgenstein, e *Origens do totalitarismo*, de Hannah Arendt.

Nesse texto, Freud propõe uma teoria inovadora do aparelho psíquico, bem como os fundamentos da clínica psicanalítica, única capaz de revelar as formações, tramas e expressões do inconsciente, além da sintomatologia e do sofrimento que correspondem a essas dinâmicas. *A interpretação dos sonhos* revela, portanto, uma investigação extensa e absolutamente inédita sobre o inconsciente. Tudo isso a partir da análise e do estudo dos sonhos, a manifestação psíquica inconsciente por excelência. Porém, seria preciso aguardar um trabalho posterior para que fosse abordado o papel central da sexualidade na formação dos sintomas neuróticos.

Foi um desdobramento necessário e natural para Freud a publicação, em 1905, de *Três ensaios sobre a teoria da sexualidade*. A apresentação plena das suas hipóteses fundamentais sobre o papel da sexualidade na gênese da neurose (já noticiadas nos *Estudos sobre a histeria*) pôde, enfim, vir à luz, com todo o vigor do pensamento freudiano e livre das amarras de sua herança médica e da aliança com Breuer.

A verdadeira descoberta de um método de trabalho capaz de expor o inconsciente, reconhecendo suas determinações e interferindo em seus efeitos, deu-se com o surgimento da clínica psicanalítica. Antes disso, a nascente psicologia experimental alemã, capitaneada por Wilhelm Wundt (1832-1920), esmerava-se em aprofundar exercícios de autoconhecimento e autorreflexão psicológicos denominados de introspeccionismo. A pergunta óbvia elaborada pela psicanálise era: como podia a autoinvestigação esclarecer algo sobre o psiquismo profundo tendo sido o próprio psiquismo o que ocultou do sujeito suas dores e sofrimentos? Por isso a clínica psicanalítica propõe-se como uma fala do sujeito endereçada à escuta de um outro (o psicanalista).

A partir de 1905, a clínica psicanalítica se consolidou rapidamente e se tornou conhecida em diversos países, despertando o interesse e a necessidade de traduzir os textos de Freud para outras línguas. Em 1910, a psicanálise já ultrapassara as fronteiras da Europa e começava a chegar a países distantes como Estados Unidos, Argentina e Brasil. Discípulos de outras partes do mundo se aproximavam da obra freudiana e do movimento psicanalítico.

Desde muito cedo, Freud e alguns de seus seguidores reconheceram que a teoria psicanalítica tinha um alcance capaz de iluminar dilemas de outras áreas do conhecimento além daqueles observados na clínica. Um dos primeiros textos fundamentais nessa direção foi *Totem e tabu: algumas correspondências entre a vida psíquica dos selvagens e a dos neuróticos*, de 1913. Freud afirmou que *Totem e tabu* era, ao lado de *A interpretação dos sonhos*, um dos textos mais importantes de sua obra e o considerou uma contribuição para o que ele chamou de psicologia dos povos. De fato, nos grandes textos sociais e políticos de Freud há indicações explícitas a *Totem e tabu* como sendo ponto de partida e fundamento de suas teses. É o caso de *Psicologia das massas e análise do eu* (1921), *O futuro de uma ilusão* (1927), *O mal-estar na cultura* (1930) e *O homem Moisés e a religião monoteísta* (1939).

O período em que Freud escreveu *Totem e tabu* foi especialmente conturbado, sobretudo porque estava sendo gestada a Primeira Guerra Mundial, que eclodiria em 1914 e duraria até 1918. Esse episódio histórico foi devastador para Freud e o movimento psicanalítico, esvaziando as fileiras dos pacientes que procuravam a psicanálise e as dos próprios psicanalistas. Importantes discípulos freudianos, como Karl Abraham e Sándor Ferenczi, foram convocados para o front, e a atividade clínica de Freud foi praticamente paralisada, o que gerou dissabores extremos à sua família devido à falta de recursos financeiros. Foi nesse período que Freud escreveu alguns dos textos mais importantes do que se costuma chamar a primeira fase da psicanálise (1895-1914). Esses trabalhos foram por ele intitulados de "textos sobre a metapsicologia", ou textos sobre a teoria psicanalítica.

Tais artigos, inicialmente previstos para perfazerem um conjunto de doze, eram parte de um projeto que deveria sintetizar as principais posições teóricas da ciência psicanalítica até então. Em apenas seis semanas, Freud escreveu os cinco artigos que hoje conhecemos como uma espécie de apanhado denso, inovador e consistente de metapsicologia. São eles: "Pulsões e destinos da pulsão", "O inconsciente", "O recalque", "Luto e melancolia" e "Complemento metapsicológico à doutrina dos sonhos". O artigo "Para introduzir o narcisismo", escrito em 1914, junta-se também a esse grupo de textos. Dos doze artigos previstos, cinco não foram publicados, apesar de

Freud tê-los concluído: ao que tudo indica, ele os destruiu. (Em 1983, a psicanalista e pesquisadora Ilse Grubrich-Simitis encontrou um manuscrito de Freud, com um bilhete anexado ao discípulo e amigo Sándor Ferenczi, em que identificava "Visão geral das neuroses de transferência" como o 12º ensaio da série sobre metapsicologia. O artigo foi publicado em 1985 e é o sétimo e último texto de Freud sobre metapsicologia que chegou até nós.)

Após o final da Primeira Guerra e alguns anos depois de ter se esmerado em reapresentar a psicanálise em seus fundamentos, Freud publica, em 1920, um artigo avassalador intitulado *Além do princípio do prazer*. Texto revolucionário, admirável e ao mesmo tempo mal aceito e mal digerido até hoje por muitos psicanalistas, desconfortáveis com a proposição de uma pulsão (ou impulso, conforme se preferiu na presente tradução) de morte autônoma e independente das pulsões de vida. Nesse artigo, Freud refaz os alicerces da teoria psicanalítica ao propor novos fundamentos para a teoria das pulsões. A primeira teoria das pulsões apresentava duas energias psíquicas como sendo a base da dinâmica do psiquismo: as pulsões do eu e as pulsões de objeto. As pulsões do eu ocupam-se em dar ao eu proteção, guarida e satisfação das necessidades elementares (fome, sede, sobrevivência, proteção contra intempéries etc.), e as pulsões de objeto buscam a associação erótica e sexual com outrem.

Já em *Além do princípio do prazer*, Freud avança no estudo dos movimentos psíquicos das pulsões. Mobilizado pelo tratamento dos neuróticos de guerra que povoavam as cidades europeias e por alguns de seus discípulos que, convocados, atenderam psicanaliticamente nas frentes de batalha, Freud reencontrou o estímulo para repensar a própria natureza da repetição do sintoma neurótico em sua articulação com o trauma. Surge o conceito de pulsão de morte: uma energia que ataca o psiquismo e pode paralisar o trabalho do eu, mobilizando-o em direção ao desejo de não mais desejar, que resultaria na morte psíquica. É provavelmente a primeira vez em que se postula no psiquismo uma tendência e uma força capazes de provocar a paralisia, a dor e a destruição.

Uma das principais consequências dessa reviravolta é a segunda teoria pulsional, que pode ser reencontrada na nova teoria do aparelho psíquico, conhecida como segunda tópica, ou segunda teoria do aparelho psíquico (ego, id e superego, ou eu, isso e supereu), apresentada no texto *O eu e o id*, publicado em 1923. Freud propõe uma instância psíquica denominada supereu. Essa instância, ao mesmo tempo em que possibilita uma aliança psíquica com a cultura, a civilização, os pactos sociais, as leis e as regras, é também responsável pela culpa, pelas frustrações e pelas exigências que o sujeito impõe a si mesmo, muitas delas inalcançáveis. Daí o mal-estar que acompanha todo sujeito e que não pode ser inteiramente superado.

Em 1938, foi redigido o texto *Compêndio de psicanálise*, que seria publicado postumamente em 1940. Freud pretendia escrever uma grande síntese de sua doutrina, mas faleceu em setembro de 1939, antes de terminá-la. O *Compêndio* permanece, então, como uma espécie de inacabado testamento teórico freudiano, indicando a incompletude da própria teoria psicanalítica que, desde então, segue se modificando, se refazendo e se aprofundando.

Curioso talvez que o último grande texto de Freud, publicado em 1939, tenha sido *O homem Moisés e a religião monoteísta*, trabalho potente e fundador que reexamina teses historiográficas basilares da cultura judaica e da religião monoteísta a partir do arsenal psicanalítico. Essa obra mereceu comentários de grandes pensadores contemporâneos como Josef Yerushalmi, Edward Said e Jacques Derrida, que continuaram a enriquecê-la, desvelando não só a herança judaica muito particular de Freud, por ele afirmada e ao mesmo tempo combatida, mas também o alcance da psicanálise no debate sobre os fundamentos da historiografia do judaísmo, determinante da constituição identitária de pessoas, povos e nações.

Esta breve anotação introdutória é certamente insuficiente, pois muito ainda se poderia falar de Freud. Contudo, esperamos haver, ao menos, despertado a curiosidade no leitor, que passará a ter em mãos, com esta coleção, uma nova e instigante série de textos de Freud, com tradução direta do alemão e revisão técnica de destacados psicanalistas e estudiosos da psicanálise no Brasil.

Ao leitor, só nos resta desejar boa e transformadora viagem.

Prefácio

O sonho e o século

Tania Rivera

> A partir do momento em que sonho ao dormir, me é impossível esquecer que existo, que um dia já não existirei.
>
> Pierre Reverdy

O homem sonha. Mesmo que esqueça, ainda que não queira, até quando não sabe. O homem é aquele que sonha, parece afirmar Freud nesta que é considerada sua obra maior e que podemos tomar como inaugural tanto da psicanálise quanto, muito mais amplamente, do próprio século XX.

Publicada em novembro de 1899, mas trazendo a data de 1900, *A interpretação dos sonhos* parecia mesmo destinada a marcar o século vindouro. Ela apresenta a grande descoberta de Freud, uma dessas revelações que, segundo o autor, só acontecem uma vez na vida: o sonho pode ser interpretado, e sua interpretação mostra que ele consiste em uma realização de desejo. O sonho não é um fenômeno acessório ou aleatório, mas um importante e complexo trabalho psíquico. Seu mistério reside no fato de que ele distorce e disfarça o desejo que o impulsiona, com o objetivo de driblar a censura psíquica que se opõe à manifestação das representações ligadas a esse desejo.

Nos sonhos, vivemos, portanto, nossos desejos de modo disfarçado, graças à imobilidade motora e à retirada de interesse pelo mundo externo que caracterizam o estado de sono. Em contrapartida, o sonho é o guardião do sono, ele tenta impedir o despertar. Por isso ele incorpora estímulos externos, como a campainha de um despertador, por exemplo, a seu conteúdo onírico, tornando-os um elemento de sua narrativa (o dobrar de sinos ou a buzina de um carro, digamos).

A interpretação desfaz os disfarces e traz à tona a ligação entre o que aparece como absurdo ou alheio ao sonhador e a vida psíquica deste, fazendo surgirem sentidos em um sonho. O método freudiano consiste simplesmente em fazer com que o sonhador fale sobre o sonho. Isso significa aplicar ao sonho a regra de ouro da psicanálise, a associação livre de ideias – a célebre proposta de que se fale tudo o que vier à cabeça, sem censuras ou restrições. Em vez de um falatório sem nexo, essas associações revelam-se nada livres, mas firmemente ligadas a um encadeamento inconsciente, que a interpretação tenta reconstruir. Cada sonho traz em si, portanto, um gérmen de descoberta, que o trabalho interpretativo desdobra e faz florescer. Nunca, porém, de maneira unívoca e definitiva. A interpretação de um sonho é uma tarefa infinita, é sempre possível recomeçá-la em outra direção e chegar a outros sentidos para um mesmo elemento do sonho. Além disso, ela é interminável no sentido em que resta sempre algo obscuro e desconhecido – isso que Freud curiosamente chama de "umbigo do sonho", o ponto que nos suspende e detém, fazendo da experiência de interpretar mais um estranhamento do eu do que uma plena e racional conquista do inconsciente.

Por ela trazer de forma vívida tal estranhamento como cerne do inconsciente, Freud estava certo de que se tratava de uma teoria revolucionária, a melhor descoberta que teria feito e, como observa em carta a seu amigo Wilhelm Fliess, provavelmente a única que a ele sobreviveria. Em 1931 afirma, no prefácio à terceira edição inglesa do livro, que este "surpreendeu o mundo" quando de sua primeira publicação. Em 1911, contudo, usara a palavra "desprezo" para caracterizar a recepção dessa obra no ano de seu lançamento.

A reação imediata a ela não foi, de fato, muito calorosa. Dos seiscentos exemplares publicados em 4 de novembro de 1899, 123 serão vendidos em seis semanas, e 228 nos dois anos seguintes. Após dezoito meses, nenhuma resenha havia aparecido em periódicos científicos, e apenas duas em outras publicações – uma delas, em um jornal de Viena, era desdenhosa e parece ter derrubado as vendas na cidade. Apenas nove anos depois da primeira aparecerá a segunda edição, e a partir daí as coisas se precipitam: a terceira edição é necessária menos de dois anos mais tarde. Apesar das dificuldades trazidas pela Primeira Guerra Mundial, em 1918 já se preparava a quinta edição do livro. Algumas traduções já haviam então sido feitas, a começar, em 1913, pelo russo e pelo inglês.

Para o próprio Freud, *A interpretação dos sonhos* aparece como o mais firme pilar da teoria psicanalítica. No seu famoso capítulo VII são apresentadas as noções fundamentais que fundam a metapsicologia, a teoria que ele não cessará de modificar ao longo de quase quarenta anos de escritos. Ali serão introduzidos conceitos nucleares da psicanálise, como a distinção entre inconsciente, pré-consciente e consciente como diferentes registros psíquicos. É também na *Interpretação* que vemos surgir o complexo de Édipo, ainda não caracterizado como um "complexo", mas já claramente delineado, no capítulo V, pelo recurso à grande tragédia de Sófocles *Édipo Rei*, e confirmado pelo *Hamlet* de Shakespeare.

Além de consistir na pedra fundamental da psicanálise como teoria do homem e não apenas como método de tratamento de distúrbios neuróticos, *A interpretação dos sonhos* já mostra o grande talento de Freud como escritor, o estilo fluido e agradável que em 1930 o fará receber o prêmio Goethe da cidade de Frankfurt pelo valor tanto científico quanto literário do conjunto da sua obra. Onde a tradução disponível ao leitor brasileiro recobria a poesia original do texto freudiano com um tom científico enxertado pela versão para o inglês de James Strachey, a elegante e fluida tradução de Renato Zwick para esta edição restitui o ritmo coloquial e o charme ao mesmo tempo íntimo e discreto da escrita de Freud.

O sonho, a análise, o sujeito

Desde bastante jovem Freud interessava-se por seus sonhos, afirmava sonhar muito e costumava registrar suas produções oníricas em um caderno, que infelizmente não foi conservado. O *insight* que lhe revelou como interpretar sonhos aconteceu no verão de 1895 nos arredores de Viena, em Bellevue, onde passava o verão com a família e teve o chamado "sonho da injeção de Irma", que se mostrará como uma realização de desejo. Em Bellevue talvez um dia haja uma placa, escreve Freud em tom jocoso a Fliess, indicando que ali "o segredo dos sonhos foi revelado ao Dr. Sigmund Freud em 24 de julho de 1895".[1] Confirmando a previsão freudiana, uma placa semelhante encontra-se hoje, de fato, nesse local.

A ideia de escrever um livro sobre os sonhos data de maio de 1897, pouco antes de Freud iniciar o que ele chama de sua "autoanálise", realizada por meio da interpretação de seus próprios sonhos. Vivia então um período de grande sofrimento, com momentos que nomeia como depressão e com sintomas formando um quadro que qualifica de histeria. A partir de julho de 1897, começa a analisar seus sonhos de forma sistemática e frequentemente relatada a Fliess. Por esse claro endereçamento, costuma-se considerar que o amigo adorado teria ocupado para Freud uma posição próxima daquela do analista, já que é impossível realizar um processo analítico sem transferência, ou seja, sem o apelo a um outro que encarne as figuras essenciais de sua história.

Em *A interpretação dos sonhos*, temos, portanto, a imbricação fundamental entre os achados da (auto)análise de Freud e suas hipóteses teóricas. Tratamento e teoria andam de mãos dadas numa grande aventura da qual *A interpretação dos sonhos* é uma espécie de livro de bordo. É como um passeio na floresta – não sem perigos, entende-se – que ele descreve a Fliess a estrutura do livro: no início estaria uma escura floresta, cheia de impasses (o capítulo I, que traz um extenso levantamento bibliográfico sobre o tema do sonho segundo outros autores). Nos capítulos seguintes, o leitor seria conduzido por um caminho oculto que corresponderia à coleção de sonhos de Freud, com suas "indiscrições" e suas "más piadas", para enfim encontrar "as elevações, a perspectiva e a indagação: 'Aonde você quer ir a partir daqui?'."

---

[1]. As cartas citadas podem ser encontradas em Jeffrey Masson (org.), *Correspondência completa de Sigmund Freud para Wilhelm Fliess*. Rio de Janeiro: Imago, 1986.

A maior parte dos numerosos sonhos nele interpretados é do próprio autor e corresponde àqueles ocorridos durante sua autoanálise. Com exceção de um sonho de sua infância, todos os demais se deram entre 1895 e 1899. Mesmo que as associações de Freud nunca estejam, por óbvios motivos de discrição, expostas na íntegra, temos aí um importante documento clínico. Disso decorre, provavelmente, a força que o autor lhe atribui. Freud confessa que muitas vezes teve dúvidas a respeito da psicanálise durante os longos anos em que foi lidando com os problemas das neuroses. Nessas ocasiões, foi sempre *A interpretação dos sonhos* que lhe devolveu a segurança. A teoria não se alicerça sobre um método *a priori* nem sobre outras teorias, tampouco se confirma diretamente nos resultados clínicos de sua aplicação. A teoria psicanalítica tem como base sutil, e no entanto firme e segura, nada menos que a trajetória de análise de um sujeito, graças ao estranhamento que seus sonhos lhe proporcionam. Freud, o criador da psicanálise, obviamente não contava com outro analista para realizar sua trajetória de análise pessoal, o que faz da sua a única "autoanálise" possível. Cada analista deverá, recorrendo a outros analistas, retomar e refazer de modo próprio, em sua formação, esta articulação fundamental entre a sua vida e a teoria.

Neste livro, Freud evita apoiar seus achados em sonhos de seus pacientes, para impedir que eles sejam ligados a condições anormais de funcionamento psíquico. Por ser universal, o sonho representa uma ponte fundamental entre as doenças neuróticas, em cujo tratamento surge o método freudiano, e os fenômenos psíquicos ditos "normais". Esta via será explorada pelo autor, nos anos subsequentes à escrita de *A interpretação dos sonhos*, com o estudo dos atos falhos, esquecimentos e chistes. A psicanálise põe assim em questão a existência de uma nítida distinção entre o normal e o patológico, mostrando que todo funcionamento psíquico está fundado em um conflito fundamental, uma divisão do eu constitutiva do ser humano.

Ao interpretar seus sonhos, Freud expõe seus próprios conflitos e desejos de maneira corajosa porém cuidadosa, deixando muitas vezes lacunas e reticências. As revelações de sua autoanálise em geral devem ser buscadas nas entrelinhas, nas lacunas, o que faz deste um texto múltiplo, que demanda e permite – assim como o sonho – várias leituras, engajando o leitor a fazer o seu próprio trajeto na "floresta" freudiana.

Apenas dois meses depois de iniciada sua autoanálise, Freud aprende com seus sonhos que estava errado em sua "teoria da sedução", segundo a qual a criança que posteriormente desenvolveria uma neurose teria sofrido abuso sexual por parte do genitor. Ele se surpreende com o fato de que tantos adultos – inclusive seu próprio pai – devessem ser considerados perversos. Além disso, sua análise mostra que a ficção tem, no inconsciente, o mesmo valor que a realidade, e, portanto, a ideia de uma sedução por parte do pai poderia corresponder à fantasia da criança em relação a ele. É sobre esse terreno que *A interpretação dos sonhos* lança as bases do "complexo de Édipo", conceito fundamental que aponta como núcleo da estruturação subjetiva os desejos e as rivalidades, as escolhas e as identificações que a criança vive na relação com seus pais ou com aqueles que ocupam para ela tais papéis.

Ao longo de muitas reedições, entre 1908 e 1930, Freud se preocupa em manter este livro atualizado em relação a suas descobertas posteriores, inserindo trechos – alguns curtos, outros bastante extensos – e notas variadas (como esta edição tem o cuidado de indicar pelo uso da barra vertical na margem e pela datação ao final do trecho ou da nota). É de se estranhar, contudo, que ele deixe de trazer justamente sua mais importante revisão quanto à questão do sonho, aquela realizada em 1920 no texto *Além do princípio do prazer*. A partir da consideração do pesadelo, ele defenderá nessa obra que há no sonho um funcionamento pulsional anterior à realização de desejo: aquele da compulsão à repetição ligada à pulsão de morte.[2] O funcionamento psíquico visaria, originalmente,

---

2. Prefiro manter o termo *pulsão*, consagrado pelo uso e claro em sua diferença quanto ao termo *instinto*, mesmo que a opção editorial tenha sido a de verter *Trieb* por *impulso* na presente edição.

a repetir a cena traumática de modo a encená-la ativamente, e não mais a sofrê-la passivamente.

Se o sonho é, portanto, antes de se tornar encenação do desejo, uma encenação do trauma, devemos atribuir-lhe um papel central na elaboração psíquica. Esse é um ponto muito interessante e pouco explorado da teoria, mas não cabe aqui levá-lo adiante. Me limitarei a indicar que talvez Freud não acrescente ao texto de 1900 as inovações teóricas a respeito da pulsão de morte simplesmente porque já se tratava nele fundamentalmente desta encenação do trauma. Tal encenação é quase explícita na indicação de uma "cena infantil" que buscaria sempre se reapresentar, mas deve se contentar com sua repetição como sonho (como indica Freud no capítulo VII). Sonhamos, a cada noite, a mesma cena marcante de nossa infância, a cada vez refeita, remontada, modificada seguindo as linhas de força do desejo.

A repetição e a remontagem, ou seja, a *encenação* do trauma (um acidente de trem, por exemplo) pelo pesadelo visaria, a partir de um assujeitamento mortífero a um terrível acontecimento externo, a engatar uma posição de sujeito desejante, ou seja, de um sujeito capaz de lidar com essas marcas de modo a fazê-las suas, podendo até mesmo vir a desejar repeti-las. O sonho seria, nessa perspectiva, a "via régia" para o inconsciente (como gostava de dizer Freud) porque permite que *se crie o inconsciente* ao encenar o trauma. Como dizíamos no início deste texto, o homem é aquele que sonha – ou seja, ele é sujeito do inconsciente. Ou ainda, para empregar a célebre frase de Shakespeare no quarto ato de *A tempestade*: "Somos da mesma matéria de que são feitos os sonhos".

Freud e Fliess

Em 1908, no prefácio à segunda edição do livro, Freud assume que este foi parte de sua autoanálise e sublinha também que consistiria numa reação à morte de seu pai, "ou seja, ao acontecimento mais significativo, à perda mais incisiva, na vida de um homem". Tendo este luto como pano de fundo, *A interpretação dos sonhos* sugere uma narrativa implícita na qual Freud tomaria o lugar de Édipo e o de Hamlet. Seja como for, é certo que na relação com Fliess ele revive os principais conflitos que trata em sua análise. Com ele, vive a transformação de uma ligação afetiva extraordinariamente forte em uma inimizade extrema por um homem, o que já manifestara anteriormente (com seu mentor e protetor Joseph Breuer) e não deixaria de reapresentar mais tarde, especialmente com seu discípulo Carl Gustav Jung.

Fliess era autor de uma especulação fabulosa ligando a sexualidade ao funcionamento do nariz, enfatizando a bissexualidade como universal e jogando numericamente com ciclos de 23 e 28 dias de modo esotérico – se não delirante. Ele morava em Berlim e tinha com Freud encontros regulares, muitas vezes para o que nomeavam como seus "congressos" a dois, em cidades distintas daquelas onde residiam. Durante toda a década de 1890 foi este amigo o principal "público" e o grande encorajador do psicanalista, que sofria em Viena uma situação de inconstância financeira, isolamento intelectual e falta de reconhecimento por seus pares – devido, em parte, ao fato de que estes repudiavam o papel que concedia à sexualidade na causalidade das neuroses e, em outra, à relativa segregação que essa cidade já dedicava aos judeus. A consideração aparentemente "científica" que Fliess dava à sexualidade sem dúvida atraiu o psicanalista, de início. Ernst Jones, seu biógrafo oficial, vê como extraordinária a intensa dependência de Freud em relação a um pensador tão claramente inferior a ele, e considera as trocas entre os dois homens, mais do que um real diálogo, dois monólogos que se alternavam.

No momento em que publica o que ele chamava seu "livro dos sonhos", já estava a caminho a ruptura definitiva com Fliess. Em lugar do "sonho da injeção de Irma", o autor contava usar outra produção sua como "sonho modelo", mas o amigo o impediu por achar que esta expunha excessivamente a relação entre os dois. Em 1902 eles romperão definitivamente e será formada, por Freud e outros médicos interessados em suas ideias, a chamada "Sociedade da reunião das quartas-feiras".

O sonho e a arte

O grande feito de *A interpretação dos sonhos* não consiste em dar importância ao sonho e reconhecer nele alguma verdade. Isso sempre esteve presente na cultura – é desnecessário mencionar o poder de predizer o futuro ou o valor oracular a ele atribuído na Antiguidade, ou ainda o elogio que lhe dedica o Romantismo. A atribuição de um poder preditivo sobreviveu aos séculos e mesmo em nossos dias é possível encontrar, em livrarias ou bancas de jornais, códigos para a tradução de símbolos oníricos. *A interpretação dos sonhos* é um marco na história da cultura por conceber um sofisticado modo de funcionamento psíquico que se subtrai às modalidades de racionalidade até então vigentes na filosofia e na ciência. Ao "penso, logo existo" de Descartes, a psicanálise retrucaria que "sonho, logo *ex-isto* (existo fora de mim)".

O sonho é o arauto de tal estranhamento – esse seria o principal motivo para considerá-lo a "via régia" para o inconsciente. A psicanálise é ao mesmo tempo a teoria do homem assim descentrado e uma prática terapêutica de descentramento. Mas tal vacilação na posição do homem não é uma exclusividade dessa disciplina. Pelo contrário, é importante sublinhar que a psicanálise surge no campo ampliado de produções culturais que suscitam e exploram tal vacilação. Nesse campo, tomam posição de destaque as artes e a literatura, e especialmente as rupturas vividas na virada do século XIX para o século XX no domínio das artes visuais (com o surgimento do cinema e da arte moderna, ambos recortando e fragmentando o espaço da representação) e das letras (a partir de Mallarmé e seu descentrado e multívoco *Lance de dados*), para se espraiar nas experimentações das primeiras décadas do século XX.

Não é de se estranhar, portanto, que a abordagem freudiana do sonho forneça uma importante base para um movimento como o surrealista, que já se encantava com o fato de o poeta Saint-Pol Roux pendurar toda noite à sua porta o aviso: "O poeta está trabalhando".

O poeta francês André Breton, que em sua concepção do surrealismo se apropria explicitamente do pensamento freudiano, pergunta em seu Manifesto de 1924: "Quando teremos lógicos e filósofos dormentes?".[3] A lógica e a filosofia sonhadoras são, sem dúvida, a poesia e a arte. E a psicanálise, em certa medida – na medida exata em que o sonho lhe dá seu fundamento.

Pode-se sem dúvida rastrear uma influência direta de *A interpretação dos sonhos* no mundo da arte e da literatura. Os escritores surrealistas fazem do escrito uma espécie de sonho (e às vezes chegam a apresentar o relato de seus sonhos como obras). Além disso, pintores como Max Ernst e Salvador Dalí trazem para as telas uma atmosfera onírica. Mas tudo isso é secundário diante do fato de a literatura e as artes compartilharem com o trabalho do sonho uma importante operação crítica sobre a representação. O sonho é tomado por Freud como pictograma – escrita em imagens –, como um rébus, uma charada que põe em jogo a linguagem, decompondo o signo de maneira a desdobrá-lo em uma notável plurivocidade e assim colocar em questão a dimensão da significação. A linguagem, no trabalho do sonho e na interpretação que visa a refazê-lo, é densa, literal e cheia de nós e "umbigos", pontos cegos que desafiam e vão além da significação para nos atingir como verdadeiros acontecimentos, exatamente como na poesia e na arte. As experimentações do século XX – dos poemas compostos de fonemas sem significado ao *Finnegans Wake* de James Joyce; de Paul Cézanne afirmando que a natureza está no interior até o cubo negro de sete palmos de lado que o escultor americano Tony Smith manda construir em 1957 por telefone e intitula *Die* (*Morra*) – realizam explorações que põem em crise, de maneira análoga, o campo da representação e da linguagem em prol de um forte e poético estranhamento do sujeito.

Todo sonho tem algo de poesia, e toda poesia, toda arte, talvez se aproxime do sonho, nesse sentido. O primeiro é

---

3. André Breton, "Manifesto do surrealismo", in *Manifestos do surrealismo*. Rio de Janeiro: Nau, 2001, p. 25.

radicalmente singular, enquanto os demais formam um campo que se define pelo compartilhamento de uma transformação da linguagem capaz de alterar o homem e o mundo. Em ambos ocorre algo, se explicita um acontecimento em geral sorrateiro, do qual fala o verso de Louis Aragon no poema "Les yeux d'Elsa": "Há sempre um sonho que vela".

Entre os sonhos noturnos e as fantasias pelas quais o sonho se dissemina ao longo de nossos dias, a leitura de *A interpretação dos sonhos* convida a uma aventura muito atual e sempre arriscada: a do encontro com a estranheza de si mesmo.

A INTERPRETAÇÃO DOS SONHOS

Flectere si nequeo superos, Acheronta movebo[1]

---

1. "Já que no céu nada alcanço, recorro às potências do Inferno." Virgílio, *Eneida*, VII, 312. Tradução de Carlos Alberto Nunes. Brasília, UnB, 1983. (N.T.)

Nota preliminar

Ao tentar expor nesta obra a interpretação dos sonhos, creio não ter ultrapassado o âmbito dos interesses da neuropatologia. Pois no exame psicológico o sonho mostra ser o primeiro termo na série das formações psíquicas anormais de cujos termos seguintes – a fobia histérica, as ideias obsessivas e as delirantes – o médico precisa se ocupar por motivos práticos. Como veremos, o sonho não pode exigir uma importância prática similar; tanto maior, porém, é o seu valor teórico como paradigma, e quem não souber explicar a origem das imagens oníricas também se esforçará em vão por compreender as fobias, as ideias obsessivas e as delirantes, e, eventualmente, exercer uma influência terapêutica sobre elas.

No entanto, o mesmo nexo ao qual nosso tema deve a sua importância também pode ser responsabilizado pelas deficiências do presente trabalho. Os pontos de ruptura, que serão encontrados com tanta abundância nesta exposição, correspondem a outros tantos pontos de contato em que o problema da formação do sonho se relaciona com problemas mais amplos da psicopatologia que não puderam ser tratados aqui e que deverão ser elaborados posteriormente se o tempo e as forças o permitirem e se surgir mais material.

Esta publicação também foi dificultada pelas peculiaridades do material usado para exemplificar a interpretação de sonhos. Ficará evidente a partir do próprio trabalho por que todos os sonhos relatados na literatura ou coligidos por fontes desconhecidas tinham de ser inúteis para meus objetivos; eu apenas podia escolher entre os meus próprios sonhos e os de meus pacientes em tratamento psicanalítico. Fui impedido de usar este último material pela circunstância de que nesse caso os processos oníricos estavam sujeitos a uma complicação indesejável causada pela mescla de características neuróticas. Ao comunicar meus próprios sonhos, no entanto, tornou-se inevitável mostrar a desconhecidos mais do que eu gostaria acerca das intimidades de minha vida psíquica e do que normalmente cabe a um autor que não é poeta, e sim investigador da natureza. Foi algo embaraçoso, mas imprescindível; conformei-me com isso, portanto, para não ter de renunciar inteiramente à demonstração dos resultados de minhas pesquisas psicológicas. Não pude, claro, resistir à tentação de aparar as arestas de algumas indiscrições por meio de omissões e substituições; sempre que isso aconteceu, foi indiscutivelmente desvantajoso para o valor dos exemplos que empreguei. Apenas posso manifestar a expectativa de que os leitores deste trabalho se coloquem na minha difícil situação a fim de serem indulgentes comigo, e, além disso, que todas as pessoas que, de alguma forma, se julgarem referidas nos sonhos comunicados permitam que pelo menos a vida onírica desfrute da liberdade de pensamento.

Prefácio à segunda edição

O fato de ter sido necessária uma segunda edição deste livro de difícil leitura, ainda antes de completada uma década, não se deve ao interesse dos círculos especializados aos quais me dirigi na nota anterior. Meus colegas da psiquiatria parecem não ter se dado ao trabalho de superar a estranheza inicial que minha nova concepção do sonho foi capaz de despertar, e os filósofos de ofício, acostumados a tratar os problemas da vida onírica como um apêndice dos estados conscientes, dispensando-os com algumas frases – as mesmas, na maioria das vezes –, parecem não ter percebido que justamente desse ponto podem ser extraídos muitos elementos que devem levar a uma transformação radical de nossas teorias psicológicas. A atitude dos críticos de publicações científicas apenas foi capaz de autorizar a expectativa de que o destino desta minha obra era ser reduzida ao silêncio; tampouco teria esgotado a primeira edição do livro o pequeno grupo de adeptos corajosos que seguem minha orientação no uso médico da psicanálise e que interpretam sonhos segundo meu exemplo a fim de utilizar essas interpretações no tratamento de neuróticos. Sinto-me, pois, agradecido a esse círculo mais amplo de pessoas instruídas e ávidas de conhecimento cujo interesse me proporcionou o desafio, após nove anos, de retomar este trabalho difícil e tão fundamental.

Alegro-me de poder dizer que encontrei poucas alterações a fazer. Aqui e ali intercalei material novo, acrescentei alguns conhecimentos que provêm de minha maior experiência e tentei reelaborar alguns poucos pontos; no entanto, tudo o que é essencial sobre o sonho e sua interpretação, bem como sobre as teses psicológicas daí derivadas, permaneceu inalterado; pelo menos subjetivamente, resistiu à prova do tempo. Quem conhece meus demais trabalhos (sobre a etiologia e o mecanismo das psiconeuroses), sabe que nunca dei algo inacabado por acabado e que sempre me esforcei em modificar as minhas afirmações segundo o avanço de meus conhecimentos; no âmbito da vida onírica, pude me deter nas minhas primeiras comunicações. Nos longos anos de meu trabalho com os problemas das neuroses, fui levado a vacilar repetidas vezes e fiquei desnorteado quanto a muitos deles; nesses momentos, foi sempre *A interpretação dos sonhos* que devolveu minha segurança. Meus numerosos adversários científicos mostram um instinto certeiro, portanto, quando não querem me seguir precisamente no campo da investigação dos sonhos.

Durante a revisão, o material deste livro – sonhos próprios em grande parte desvalorizados ou ultrapassados pelos acontecimentos e que utilizei para ilustrar as regras da interpretação de sonhos – também mostrou uma solidez que resistiu a modificações decisivas. Pois para mim este livro ainda tem uma outra importância subjetiva, que pude compreender apenas após terminá-lo. Ele se mostrou como uma parte de minha autoanálise, como minha reação à morte de meu pai, ou seja, ao acontecimento mais significativo, à perda mais incisiva, na vida de um homem. Depois de reconhecer isso, me senti incapaz de apagar as marcas dessa influência. Para o leitor, no entanto, talvez seja indiferente com que material aprenda a apreciar e a interpretar sonhos.

Quando não consegui encaixar uma observação imperiosa no antigo contexto, indiquei por meio de colchetes que ela se origina desta reedição.[2]

Berchtesgaden, verão de 1908

---

2. Os colchetes foram omitidos nas edições posteriores. [Nota acrescentada em 1914.]

Prefácio à terceira edição

Enquanto o tempo transcorrido entre a primeira e a segunda edição deste livro foi de nove anos, a necessidade de uma terceira já se fez sentir depois de pouco mais de um ano. Devo me alegrar com essa mudança; se antes, porém, eu não quis admitir que a negligência de minha obra por parte dos leitores fosse uma prova de seu desvalor, também não posso aproveitar o interesse agora evidente como prova de sua qualidade.

O avanço do conhecimento científico também não deixou intocada *A interpretação dos sonhos*. Quando a redigi em 1899, a *Teoria sexual* ainda não existia, e a análise das formas mais complexas de psiconeurose ainda estava em seu início. A interpretação de sonhos tinha o propósito de se tornar um recurso para possibilitar a análise psicológica das neuroses; desde então, o entendimento aprofundado das neuroses agiu sobre a concepção do sonho. A própria teoria da interpretação dos sonhos avançou numa direção que não havia sido acentuada suficientemente na primeira edição deste livro. Tanto por experiência própria quanto por meio dos trabalhos de W. Stekel e outros, aprendi desde então a apreciar com mais acerto o alcance e a importância do simbolismo no sonho (ou antes, no pensamento inconsciente). Dessa forma, foi se acumulando no curso dos anos muito material que exigia atenção. Procurei levar em conta essas inovações por meio de numerosas inserções no texto e acréscimo de notas de rodapé. Se agora esses acréscimos ameaçam ocasionalmente extrapolar os limites da exposição ou se não foi possível elevar o texto antigo ao nível de nossos conhecimentos atuais em todas as passagens, peço indulgência em relação a essas deficiências do livro, visto que são apenas consequências e sinais do atual desenvolvimento acelerado de nosso saber. Também me atrevo a prever as outras direções em que as edições posteriores de *A interpretação dos sonhos* – caso sejam necessárias – se afastarão da atual.

Elas deverão, por um lado, buscar uma ligação mais estreita com o rico material da poesia, do mito, do uso linguístico e do folclore, e, por outro, tratar das relações do sonho com a neurose e a perturbação mental ainda mais minuciosamente do que foi possível aqui.

Otto Rank me prestou um serviço valioso na seleção dos acréscimos, cuidando sozinho da revisão das provas tipográficas. Sou grato a ele e a muitos outros por suas contribuições e reparos.

Viena, primavera de 1911

Prefácio à quarta edição

Ano passado (1913), em Nova York, o dr. A.A. Brill conseguiu fazer uma tradução deste livro para o inglês (*The Interpretation of Dreams*, G. Allen & Co., Londres).

Desta vez, o dr. Otto Rank não só cuidou das correções, mas também enriqueceu o texto com duas contribuições independentes (apêndice do capítulo VI).

Viena, junho de 1914

Prefácio à quinta edição

O interesse por *A interpretação dos sonhos* também não arrefeceu durante a Guerra Mundial e ainda antes de seu término tornou necessária uma nova edição. Nela, porém, a nova literatura posterior a 1914 não pôde ser levada em conta na sua totalidade; na medida em que foi publicada em língua estrangeira, ela absolutamente não chegou ao meu conhecimento e ao do dr. Rank.

Uma tradução húngara de *A interpretação dos sonhos*, elaborada pelo dr. Hollós e pelo dr. Ferenczi, está prestes a ser publicada. Em minhas *Conferências de introdução à psicanálise*, publicadas em 1916/1917 (por H. Heller, em Viena), a parte central, abrangendo onze conferências, é dedicada a uma exposição sobre o sonho que se esforça por ser mais elementar e se propõe a estabelecer uma ligação mais estreita com a teoria das neuroses. No todo, ela tem o caráter de um resumo de *A interpretação dos sonhos*, embora, em algumas passagens, seja bastante detalhada.

Não pude me decidir a fazer uma revisão pormenorizada deste livro; isso o colocaria no nível de nossas atuais teses psicanalíticas, mas em compensação destruiria sua peculiaridade histórica. Penso, porém, que em seus quase vinte anos de existência ele cumpriu sua tarefa.

Steinbruch, Budapeste, julho de 1918

Prefácio à sexta edição

As dificuldades em que se encontra atualmente o mercado livreiro tiveram por consequência que esta nova edição fosse publicada apenas muito depois das exigências da demanda, e que seja – pela primeira vez – uma reimpressão inalterada da edição anterior. Apenas a bibliografia no final do livro foi completada e continuada pelo dr. O. Rank.

Minha suposição de que este livro tivesse cumprido sua tarefa em seus quase vinte anos de existência não foi, portanto, confirmada. Eu diria, antes, que ele tem uma nova tarefa a desempenhar. Se antes se tratava de dar algumas explicações sobre a natureza do sonho, agora se torna igualmente importante combater os tenazes mal-entendidos a que essas explicações estão expostas.

Viena, abril de 1921

Prefácio à oitava edição

No intervalo entre a última edição deste livro (a sétima, de 1922) e a presente reedição, a Internationaler Psychoanalytischer Verlag, de Viena, publicou as minhas *Gesammelte Schriften* [*Obras reunidas*]. Nelas, o texto reimpresso da primeira edição constitui o segundo volume, e todos os acréscimos posteriores estão reunidos no terceiro. As traduções publicadas no mesmo intervalo se baseiam na forma avulsa do livro: a francesa, de I. Meyerson, sob o título de *La science des rêves* (na "Bibliothèque de Philosophie contemporaine", 1926), a sueca, de John Landquist (*Drömtydning*, 1927), e a espanhola, de Luis López-Ballesteros y de Torres, que ocupa os volumes VI e VII das *Obras completas*. A tradução húngara, que já em 1918 eu julgava iminente, ainda hoje não foi publicada.

Também na presente revisão de *A interpretação dos sonhos* tratei a obra essencialmente como documento histórico, fazendo nela apenas as modificações sugeridas pela aclaração e pelo aprofundamento de minhas opiniões. Em harmonia com essa orientação, desisti em definitivo de catalogar a literatura sobre os problemas do sonho publicada depois da primeira edição deste livro e omiti as seções correspondentes de edições anteriores. Foram suprimidos, igualmente, os ensaios "Sonho e literatura" e "Sonho e mito", contribuições de Otto Rank às edições anteriores.

Viena, dezembro de 1929

Preface to the Third (Revised) English Edition

In 1909 G. Stanley Hall invited me to Clark University, in Worcester, to give the first lectures on psycho-analysis. In the same year Dr. Brill published the first of his translations of my writings, which were soon followed by further ones. If psycho-analysis now plays a role in American intellectual life, or if it does so in the future, a large part of this result will have to be attributed to this and other activities of Dr. Brill's.

His first translation of *The Interpretation of Dreams* appeared in 1913. Since then much has taken place in the world, and much has been changed in our views about the neuroses. This book, with the new contribution to psychology which surprised the world when it was published (1900), remains essentially unaltered. It contains, even according to my present-day judgement, the most valuable of all the discoveries it has been my good fortune to make. Insight such as this falls to one's lot but once in a lifetime.

Vienna, March 15, 1931[3]

---

3. Prefácio à terceira edição inglesa (revista)
Em 1909, G. Stanley Hall me convidou a fazer as primeiras conferências sobre psicanálise na Clark University, em Worcester. No mesmo ano, o dr. Brill publicou a primeira tradução de meus textos, logo seguida por outras. Se hoje a psicanálise representa algum papel na vida intelectual norte-americana, ou se representar no futuro, grande parte desse resultado deverá ser atribuído a esta e a outras atividades do dr. Brill.
Sua primeira tradução de *A interpretação dos sonhos* foi publicada em 1913. Desde então, muitas coisas aconteceram no mundo e muito mudou em nossa visão sobre as neuroses. Este livro, com a nova contribuição à psicologia que surpreendeu o mundo quando publicado (1900), não sofreu alterações essenciais. Ele contém, mesmo segundo meu julgamento atual, a mais valiosa descoberta que tive a felicidade de fazer. Um *insight* como esse só nos ocorre uma vez na vida. (N.T.)

I

A LITERATURA CIENTÍFICA SOBRE OS PROBLEMAS DO SONHO

Nas páginas seguintes demonstrarei que existe uma técnica psicológica que permite interpretar sonhos e que mediante a aplicação desse procedimento todo sonho se mostra como uma formação psíquica de pleno sentido que pode ser incluída num ponto determinável da atividade psíquica do estado de vigília. Além disso, tentarei explicar os processos dos quais resultam a estranheza e a irreconhecibilidade do sonho e extrair deles uma conclusão sobre a natureza das forças psíquicas de cuja atuação conjunta ou antagônica ele se origina. Nessa altura, minha exposição será interrompida, pois terá atingido o ponto em que o problema do sonho desemboca em problemas mais amplos, cuja solução deve ser abordada a partir de material diverso.

Apresento inicialmente um panorama dos resultados de autores que me precederam, bem como do estado atual dos problemas do sonho na ciência, pois ao longo deste estudo não terei muitas ocasiões de retornar a esses pontos. Apesar de um esforço mais que milenar, a compreensão científica do sonho avançou muito pouco. Isso é admitido de uma maneira tão geral pelos autores que parece supérfluo citar vozes isoladas. Nos textos cuja lista anexei ao final de meu trabalho se encontram muitas observações instigantes e muito material interessante sobre nosso tema, mas nada ou pouco que toque a essência do sonho ou que resolva de maneira definitiva algum de seus enigmas. Menos ainda, é claro, passou ao conhecimento dos leigos instruídos.

Que concepção de sonho se encontrava entre os povos primitivos nas épocas pré-históricas da humanidade e que influência ele pode ter exercido na formação de suas ideias sobre o mundo e a psique? Esse é um tema tão interessante que apenas a contragosto deixo de abordá-lo neste contexto. Indico as conhecidas obras de Sir J. Lubbock, H. Spencer, E.B. Tylor e outros, acrescentando apenas que o alcance desses problemas e especulações só pode se tornar compreensível depois de cumprirmos a tarefa da "interpretação dos sonhos" que temos diante de nós.

Na base da apreciação que os povos da Antiguidade clássica faziam dos sonhos se encontra, de maneira evidente, um eco da concepção primitiva.[4] Eles supunham que os sonhos estivessem relacionados com o mundo de seres sobre-humanos no qual acreditavam e que trouxessem revelações da parte de deuses e demônios. Além disso, se impôs a eles a ideia de que os sonhos tinham um propósito importante para o sonhador; via de regra, comunicar-lhe o futuro. Contudo, a extraordinária diversidade de conteúdos e de impressões do sonho dificultou a criação de uma concepção unitária e obrigou a múltiplas distinções e agrupamentos de sonhos conforme seu valor e sua confiabilidade. Entre os filósofos da Antiguidade, naturalmente, a apreciação do sonho não era independente da posição que estavam dispostos a conceder à *mântica* em geral. [1914]

Nos dois textos de Aristóteles que tratam do sonho, este já se transformou em objeto da psicologia. Segundo eles, o sonho não é enviado pelos deuses, não é de natureza divina, mas demoníaca, visto que a natureza é demoníaca e não divina; ou seja, o sonho não provém de qualquer revelação sobrenatural, mas é consequência das leis do espírito humano, que, no entanto, é aparentado com a divindade. O sonho é definido como a atividade psíquica da pessoa adormecida enquanto dura seu sono.

Aristóteles conhece algumas das características da vida onírica, como o fato, por exemplo, de o sonho reinterpretar pequenos estímulos que ocorrem durante o sono e exagerá-los ("acreditamos passar pelo fogo e nos aquecermos quando o

---

4. O que segue se baseia na meticulosa exposição de Büchsenschütz (1868). [Nota acrescentada em 1914.]

que ocorre é apenas um aquecimento bastante insignificante deste ou daquele membro"), tirando desse comportamento a conclusão de que os sonhos muito bem poderiam revelar ao médico os primeiros sinais, não perceptíveis durante o dia, de uma alteração incipiente no corpo.[5]

Como se sabe, antes de Aristóteles os antigos não consideravam o sonho um produto da psique que sonha, e sim uma inspiração de origem divina, e as duas correntes antagônicas que sempre encontraremos na apreciação da vida onírica já tinham se afirmado entre eles. Fazia-se distinção entre sonhos verdadeiros e valiosos, enviados à pessoa que dorme para adverti-la ou lhe anunciar o futuro, e sonhos insignificantes, enganadores e fúteis, cuja intenção era desorientá-la ou precipitá-la na ruína.

Gruppe (1906, vol. 2, p. 930) reproduz uma dessas classificações de sonhos conforme Macróbio e Artemidoro: "Os sonhos eram divididos em duas classes. A primeira seria influenciada apenas pelo presente (ou pelo passado), mas sem importância para o futuro; ela abrangia os ἐνύπνια, *insomnia*, que reproduzem diretamente a representação dada ou o seu oposto, como a fome ou a sua saciação, por exemplo, e os φαντάσματα, que ampliam de maneira fantástica a representação dada, como, por exemplo, o pesadelo, *ephialtes*. A outra classe, pelo contrário, era considerada determinante para o futuro; a ela pertencem: 1) a profecia direta que se recebe no sonho (χρηματισμός, *oraculum*), 2) a predição de um acontecimento iminente (ὅραμα, *visio*), 3) o sonho simbólico, que requer interpretação (ὄνειρος, *somnium*). Essa teoria se manteve durante muitos séculos". [1911]

A tarefa de uma "interpretação dos sonhos" estava relacionada com essas diferentes apreciações. Visto que em geral se esperava esclarecimentos importantes dos sonhos, mas nem todos eram imediatamente compreendidos, e não se podia saber se determinado sonho incompreensível anunciava ou não algo importante, ganhou ímpeto o esforço de substituir

---

5. Em um capítulo de sua famosa obra, o médico grego Hipócrates trata da relação entre o sonho e as doenças. [Nota acrescentada em 1914.]

o conteúdo incompreensível por outro que fosse inteligível e significativo. No último período da Antiguidade, Artemidoro de Daldis era considerado a maior autoridade na interpretação de sonhos, e sua obra minuciosa tem de nos compensar pelos textos perdidos sobre o mesmo tema.[6][1914]

A concepção pré-científica dos antigos sobre o sonho certamente se encontrava em plena harmonia com toda sua visão de mundo, que costumava projetar no mundo externo, como realidade, aquilo que era real apenas na vida psíquica. Além disso, ela levava em conta a principal impressão que a vida de vigília recebe da lembrança que resta do sonho após o despertar, pois nessa lembrança o sonho se opõe ao conteúdo psíquico restante como algo estranho, que, por assim dizer, provém de um outro mundo. Seria equivocado, aliás, achar que a teoria da origem sobrenatural dos sonhos não tem adeptos em nossos dias; descontando-se todos os escritores místicos e pietistas – que, afinal, fazem bem em ocupar o que resta do outrora vasto território do sobrenatural enquanto ele não for inteiramente conquistado pelas explicações das ciências da natureza –, também encontramos homens perspicazes e avessos a toda excentricidade que procuram apoiar sua crença religiosa na existência e na intervenção de forças espirituais sobre-humanas invocando precisamente o caráter inexplicável dos fenômenos oníricos (Haffner, 1887). A apreciação da vida onírica por parte de algumas escolas filosóficas, como a dos seguidores de Schelling, por exemplo, é um eco nítido da divindade incontestável do sonho na Antiguidade, assim como também não está encerrada a discussão sobre a força divinatória, anunciadora do futuro, própria do sonho, pois

---

6. Sobre os destinos posteriores da interpretação de sonhos na Idade Média, confira Diepgen (1912) e as investigações especializadas de M. Förster (1910 e 1911) e Gotthard (1912), entre outros. Almoli (1848), Amram (1901) e Löwinger (1908) abordaram a interpretação de sonhos entre os judeus, bem como, recentemente, Lauer (1913), que considera o ponto de vista psicanalítico. Temos conhecimento da interpretação árabe de sonhos por Drexl (1909), F. Schwarz (1913) e pelo missionário Tfinkdji (1913); da japonesa por Miura (1906) e Iwaya (1902); da chinesa por Secker (1909-1910) e da indiana por Negelein (1912). [Nota acrescentada em 1914.]

as tentativas de explicação psicológica não bastam para dar conta do material acumulado, por mais inequivocamente que as simpatias daqueles que se dedicam ao pensamento científico se inclinem a rejeitar semelhante asserção.

As dificuldades em escrever uma história de nosso conhecimento científico dos problemas do sonho são tão grandes porque nesse conhecimento, por mais valioso que ele tenha se tornado em alguns pontos, não se pode notar um progresso que siga direções determinadas. Não chegou a se constituir um alicerce de resultados seguros sobre os quais um investigador posterior pudesse continuar construindo, mas cada novo autor aborda outra vez e como que do início os mesmos problemas. Se eu quisesse me ater à ordem cronológica dos autores e comunicar um resumo das opiniões de cada um deles sobre os problemas do sonho, teria de renunciar ao esboço de um panorama do estado atual do conhecimento sobre a vida onírica; por isso, preferi me reportar aos temas e não aos autores em minha exposição, mencionando a propósito de cada um dos problemas do sonho o material existente na literatura para sua solução.

Porém, como não tive êxito em dar conta de toda literatura sobre o assunto, que é tão dispersa e avança sobre outros campos, tenho de pedir a meus leitores que se contentem com a perspectiva de que nenhum fato fundamental e nenhum ponto de vista importante tenham se perdido em minha exposição.

Até pouco tempo atrás, a maioria dos autores se via obrigada a tratar do sono e do sonho no mesmo contexto, acrescentando, via de regra, uma apreciação de estados análogos, que entram no campo da psicopatologia, e de ocorrências oniroides (como as alucinações, as visões etc.). Em compensação, nos trabalhos mais recentes se mostra o empenho de restringir o tema e tomar como objeto, por exemplo, uma questão isolada do âmbito da vida onírica. Quero ver nessa mudança uma expressão da convicção de que em assuntos tão obscuros só se pode obter esclarecimento e concordância por meio de uma série de investigações de detalhe. Não posso oferecer aqui outra coisa senão uma investigação desse tipo, e, para ser mais exato, de natureza especificamente psicológica. Tive poucas oportunidades de me ocupar com o problema do sono, pois ele é essencialmente um problema fisiológico, embora a mudança nas condições de funcionamento do aparelho psíquico deva ser incluída na caracterização do estado de sono. A literatura sobre o sono, portanto, também não é considerada aqui.

O interesse científico pelos fenômenos oníricos em si conduz aos questionamentos seguintes, que em parte se superpõem.

A

A RELAÇÃO DO SONHO COM A VIDA DE VIGÍLIA

O julgamento ingênuo da pessoa desperta supõe que o sonho – ainda que não provenha de um outro mundo – leva a um outro mundo aquele que dorme. O velho fisiólogo Burdach, a quem devemos uma descrição cuidadosa e refinada dos fenômenos oníricos, expressou essa convicção numa passagem bastante citada (1838, p. 499): "(...) a vida diurna, com suas fadigas e prazeres, suas alegrias e dores, jamais se repete; pelo contrário, o sonho busca nos libertar dela. Mesmo quando toda nossa psique esteve ocupada com um assunto, quando uma dor profunda dilacerou nosso íntimo ou uma tarefa exigiu toda nossa energia intelectual, o sonho nos dá algo completamente alheio ou extrai da realidade apenas elementos isolados que emprega em suas combinações, ou apenas se harmoniza com nosso estado de espírito e simboliza a realidade". No mesmo sentido, I.H. Fichte (1864, vol. 1, p. 541) fala expressamente de sonhos complementares e afirma que são um dos benefícios secretos da natureza autocurativa do espírito. [1914] L. Strümpell também se exprime em sentido análogo no seu estudo sobre a natureza e a origem do sonho, respeitado por todos com razão (1887, p. 16): "Quem sonha dá as costas ao mundo da consciência de vigília (...)"; "No sonho se perde praticamente toda memória do conteúdo ordenado da consciência de vigília e de seu comportamento normal (...)" (*ibid.* p. 17); "O afastamento, quase desprovido de memória, da psique mergulhada no sonho em relação ao conteúdo e ao transcurso regular da vida de vigília (...)" (*ibid.* p. 19).

A grande maioria dos autores, porém, defendeu a concepção oposta sobre a relação do sonho com a vida de vigília. Haffner (1887, p. 245) afirma: "Em primeiro lugar, o sonho dá prosseguimento à vida de vigília. Nossos sonhos sempre se associam às representações que pouco antes estiveram na consciência. Uma observação precisa quase sempre encontrará um fio que une o sonho às experiências do dia anterior". Weygandt (1893, p. 6) contradiz de maneira direta a afirmação de Burdach antes citada, "pois podemos observar com frequência, ao que parece na grande maioria dos sonhos, que eles justamente nos reconduzem à vida habitual em vez de nos libertar dela". Maury (1878, p. 51) diz numa fórmula sucinta: *"Nous rêvons de ce que nous avons vu, dit, désiré ou fait"*[7]; Jessen, em sua *Psicologia* (p. 530), publicada em 1855, é um pouco mais detalhado: "Em maior ou menor grau, o conteúdo dos sonhos sempre é determinado pela personalidade individual, pela idade, sexo, classe social, nível de formação, modo de vida habitual e pelos acontecimentos e experiências de toda a vida anterior".

O filósofo J.G.E. Maass (1805) assume uma posição inequívoca quanto a essa questão: "A experiência comprova nossa asserção de que sonhamos mais frequentemente com as coisas que são alvo de nossas paixões mais ardentes. Vemos, a partir disso, que nossas paixões devem ter influência na produção dos sonhos. O ambicioso sonha com os louros que alcançou (talvez apenas em sua imaginação) ou ainda vai alcançar, enquanto o apaixonado se ocupa em seus sonhos com o objeto de suas doces esperanças (...). Todos os apetites sensuais e todas as aversões que dormitam no coração podem, quando estimulados por alguma razão, agir de maneira a produzir um sonho a partir das representações a eles associadas, ou fazer com que essas representações se mesclem a um sonho já existente" (comunicado por Winterstein, 1912). [1914]

Os antigos não pensavam de forma diferente sobre a dependência entre o conteúdo onírico e a vida. Segundo Radestock (1879, p. 134), quando Xerxes, antes de sua campanha contra a Grécia, era dissuadido dessa decisão por um bom conselho, mas repetidamente encorajado a ela por seus sonhos, o velho e sensato intérprete de sonhos dos persas, Artabanos, já lhe dizia com acerto que as imagens oníricas

---

7. "Sonhamos com aquilo que vimos, dissemos, desejamos ou fizemos." (N.T.)

continham, em sua maioria, aquilo que o homem já pensava quando acordado.

No poema didático de Lucrécio, *De rerum natura*, encontramos esta passagem (IV, 962):

> *Et quo quisque fere studio devinctus adhaeret,*
> *aut quibus in rebus multum sumus ante morati*
> *atque in ea ratione fuit contenta magis mens,*
> *in somnis eadem plerumque videmur obire;*
> *causidici causas agere et componere leges,*
> *induperatores pugnare ac proelia obire* (...).[8]

Cícero (*De divinatione*, II, lxvii, 140) diz exatamente o mesmo que Maury tanto tempo depois: "*Maximeque reliquiae earum rerum moventur in animis et agitantur, de quibus vigilantes aut cogitavimus aut egimus*".[9]

A contradição entre essas duas opiniões sobre a relação entre a vida onírica e a vida de vigília parece de fato insolúvel. É oportuno, assim, recordar a exposição de F.W. Hildebrandt (1875, p. 8 e segs.), que opina que as peculiaridades do sonho não podem ser descritas de outro modo senão por meio de uma "série de oposições que aparentemente se intensificam até se transformarem em contradições". "A primeira dessas oposições é constituída, por um lado, pelo *rigoroso afastamento ou isolamento* do sonho em relação à vida real e verdadeira, e, por outro, pela constante *relação* entre eles, pela constante dependência de um em relação ao outro. O sonho é algo inteiramente apartado da realidade experimentada em vigília; poderíamos dizer, uma existência hermeticamente fechada em si mesma, separada da

---

8. "E, sejam quais forem os objetos a que por inclinação cada um se sente preso, é a eles, às coisas em que muito nos demoramos, àquelas em que o espírito mais se ocupou com especial atenção, que, na maior parte das vezes, vemos, segundo nos parece, virem em sonhos ao nosso encontro; acontece ao advogado defender causas e comparar leis, aos generais combater e lançar-se na batalha (...)." Tito Lucrécio Caro, *Da natureza*, p. 142. Prefácio, tradução e notas de Agostinho da Silva. Porto Alegre: Globo, 1962. (N.T.)

9. "Em especial, se movem e se agitam na alma os restos daquilo que pensamos e fizemos quando acordados." (N.T.)

vida real por um abismo intransponível. Ele nos liberta da realidade, apaga em nós a lembrança normal dela e nos coloca num outro mundo e numa história de vida completamente diferente, que, no fundo, nada tem a ver com a real (...)". Depois, Hildebrandt aborda a maneira como o adormecimento faz desaparecer todo o nosso ser, com suas formas de existência, "como que por trás de um alçapão invisível". No sonho, por exemplo, fazemos uma viagem marítima a Santa Helena para oferecer a Napoleão, ali prisioneiro, excelentes vinhos do Mosela. O ex-imperador nos recebe com a maior amabilidade e quase lamentamos que a interessante ilusão seja perturbada pelo despertar. Mas então comparamos a situação onírica com a realidade. Nunca fomos comerciantes de vinhos e também nunca desejamos sê-lo. Nunca fizemos uma viagem marítima e, se fizéssemos, Santa Helena seria o último destino que escolheríamos. Não nutrimos qualquer sentimento de simpatia por Napoleão, antes um ódio patriótico extremo. E, sobretudo, o indivíduo que sonha ainda não tinha nascido quando Napoleão morreu na ilha; travar uma relação pessoal com ele estaria fora dos limites do possível. Assim, a experiência onírica parece uma coisa alheia introduzida entre dois períodos de vida que se ajustam de maneira perfeita entre si e formam uma sequência.

"E, no entanto", prossegue Hildebrandt, "o que parece ser o *oposto* disso é igualmente verdadeiro e correto. Quero dizer que aquele isolamento e aquele afastamento andam de mãos dadas com uma relação e uma ligação das mais estreitas. Podemos dizer que, não importando o que o sonho ofereça, ele toma o material para tanto da realidade e da vida intelectual que se desenrola nessa realidade (...). Por mais extraordinário que seja aquilo que faça com esse material, o sonho jamais pode se separar verdadeiramente do mundo real, e tanto as suas criações mais sublimes quanto as mais burlescas precisam sempre emprestar sua matéria-prima daquilo que passou diante de nossos olhos no mundo sensível, ou que, de algum modo, encontrou lugar no curso de nossos pensamentos de vigília; em outras palavras, daquilo que já experimentamos exterior ou interiormente."

B

O MATERIAL ONÍRICO
A MEMÓRIA NO SONHO

Devemos, pelo menos, considerar conhecimento incontestável que todo o material que compõe o conteúdo onírico provém de alguma forma da experiência e, portanto, que é reproduzido, ou *lembrado*, no sonho. Seria um erro, contudo, supor que essa ligação entre o conteúdo onírico e a vida de vigília se produza sem esforço, como resultado evidente de uma comparação. Ao contrário, essa ligação precisa ser buscada atentamente e, em muitos casos, sabe se ocultar por longo tempo. A razão disso se encontra em algumas peculiaridades que a memória apresenta no sonho e que, embora percebidas por todos, até hoje se esquivaram a qualquer explicação. Vale a pena considerar essas características em pormenor.

Em primeiro lugar, pode surgir no conteúdo onírico um material que, na vida de vigília, não reconhecemos como parte de nossos conhecimentos e experiências. Lembramos bem do que sonhamos, mas não lembramos que foi vivenciado nem quando o foi. Assim, ficamos sem saber de que fonte o sonho bebeu e somos tentados a acreditar que ele tenha uma atividade produtora independente, até que, com frequência muito tempo depois, uma nova experiência devolva a recordação da antiga, que era dada por perdida, e assim revele a fonte do sonho. Precisamos admitir, então, que sabíamos e que lembramos no sonho algo que estava bloqueado à memória de vigília.[10]

Um exemplo especialmente impressionante desse gênero é narrado por Delboeuf a partir de sua própria experiência onírica. Ele viu em sonho o pátio de sua casa coberto de

---

10. Vaschide (1911) afirma também que foi observado com frequência que no sonho falamos línguas estrangeiras com mais fluência e correção do que quando acordados. [Nota acrescentada em 1914.]

neve e encontrou duas pequenas lagartixas meio congeladas e enterradas, que ele, como amigo dos animais que era, recolheu, aqueceu e recolocou no pequeno nicho do muro que lhes era destinado. Além disso, lhes deu algumas folhas de uma pequena samambaia que crescia no muro, e que elas, como sabia, muito apreciavam. No sonho, ele conhecia o nome da planta: *Asplenium ruta muralis*. O sonho continuou, voltou às lagartixas depois de uma intercalação e, para sua surpresa, Delboeuf viu mais duas delas devorando os restos da samambaia. Então ele olhou para o campo aberto e viu uma quinta e uma sexta lagartixas se dirigindo para o buraco no muro, e por fim a rua inteira estava coberta por uma procissão delas, indo todas na mesma direção etc.

Quando desperto, o conhecimento de Delboeuf abrangia apenas alguns poucos nomes latinos de plantas, e não incluía nenhum *Asplenium*. Para sua grande surpresa, ele constatou que existia realmente uma samambaia com esse nome. Sua designação correta, que o sonho tinha deformado um pouco, era *Asplenium ruta muraria*. Não se podia pensar numa coincidência fortuita; no entanto, continuou sendo um enigma para Delboeuf de onde tinha tirado no sonho o conhecimento do nome *Asplenium*.

O sonho havia ocorrido em 1862; dezesseis anos depois, ao visitar um amigo, o filósofo viu um pequeno álbum com flores secas, do tipo que é vendido em algumas regiões da Suíça como suvenir aos estrangeiros. Ocorre-lhe uma lembrança, ele abre o herbário, encontra nele o *Asplenium* do seu sonho e reconhece a própria caligrafia no nome latino ao lado da planta. Agora a ligação podia ser estabelecida. Em 1860 – dois anos antes do sonho com as lagartixas –, durante a viagem de lua de mel, uma irmã desse amigo havia visitado Delboeuf. Naquela ocasião ela tinha consigo esse álbum destinado ao irmão, e Delboeuf se deu ao trabalho de escrever ao lado de cada uma das plantas secas os seus nomes latinos, ditados por um botânico.

O favor do acaso, que torna esse exemplo tão digno de ser comunicado, também permitiu a Delboeuf verificar a fonte esquecida de uma outra parte do conteúdo desse sonho. Certo dia, em 1877, lhe caiu nas mãos um número antigo de uma revista ilustrada na qual viu reproduzido o cortejo de lagartixas com que havia sonhado em 1862. O número era de 1861, e Delboeuf se lembrava de ter sido assinante da revista desde a primeira edição.

O fato de o sonho dispor de lembranças inacessíveis durante a vigília é tão notável e teoricamente significativo que eu gostaria de chamar ainda mais a atenção para ele comunicando outros sonhos "hipermnésicos". Maury conta que, por algum tempo, a palavra *Mussidan* costumava lhe vir à mente durante o dia. Ele sabia que era o nome de uma cidade francesa, e só. Certa noite, sonhou que conversava com uma pessoa que lhe disse vir de Mussidan, e, à sua pergunta sobre a localização da cidade, ela respondeu: Mussidan é uma sede distrital no *Département de la Dordogne*. Acordado, Maury não deu crédito à informação que recebera no sonho; o atlas geográfico, porém, confirmou que era inteiramente correta. Neste caso, o conhecimento superior do sonho foi comprovado, porém a fonte esquecida desse conhecimento não foi descoberta.

Jessen (1855, p. 551) narra o caso de um sonho bastante semelhante sucedido em época mais antiga: "Entra nessa categoria, entre outros, o sonho do velho Scaliger (Hennings, 1784, p. 300), que escrevia um poema em homenagem aos homens célebres de Verona e a quem apareceu em sonhos um homem que dizia se chamar Brugnolus, queixando-se de que fora esquecido. Embora Scaliger não se lembrasse de alguma vez ter ouvido falar dele, ainda assim lhe dedicou alguns versos, e mais tarde seu filho soube em Verona que esse Brugnolus fora outrora um crítico famoso na cidade".

O marquês d'Hervey de St. Denis (citado por Vaschide, 1911, p. 232) narra um sonho hipermnésico que se distingue pela estranha peculiaridade de um sonho posterior completar o reconhecimento da lembrança que de início não fora identificada: "Sonhei certa vez com uma jovem loira que conversava com minha irmã enquanto lhe mostrava um trabalho de bordado. Ela me pareceu muito familiar no sonho e até pensei já tê-la visto muitas vezes. Depois de acordar, ainda tenho esse rosto vivamente diante de mim, mas de forma alguma posso reconhecê-lo. Volto a adormecer, e a imagem do sonho se repete. Nesse novo sonho, dirijo a palavra à dama loira e lhe pergunto se já não tive o prazer de encontrá-la em algum lugar. 'Sem dúvida', responde a dama, 'basta o senhor se lembrar da praia de Pornic'. Acordei de imediato e consigo recordar com toda segurança os detalhes ligados a esse gracioso rosto de sonho".

O mesmo autor (citado por Vaschide, *ibid*., p. 233-234) relata que um músico, seu conhecido, ouviu certa vez em sonhos uma melodia que lhe pareceu inteiramente nova. Apenas muitos anos depois a encontrou registrada numa velha coleção de peças musicais que ele não se lembrava de alguma vez ter pego. [1914]

Em uma fonte a que infelizmente não tenho acesso (*Proceedings of the Society for Psychical Research*), Myers teria publicado uma coleção completa desses sonhos hipermnésicos. Acredito que todos os que se ocupam de sonhos terão de reconhecer como fenômeno bastante comum o fato de o sonho prestar testemunho de conhecimentos e memórias que a pessoa acordada presume não possuir. Nos trabalhos psicanalíticos com pessoas nervosas, dos quais tratarei mais adiante, sou capaz, várias vezes por semana, de provar aos pacientes a partir de seus sonhos que eles realmente conhecem muito bem citações, palavras obscenas etc., e que as empregam no sonho embora as tenham esquecido na vida de vigília. Quero ainda comunicar um caso inocente de hipermnesia onírica, pois nele foi muito fácil encontrar a fonte da qual provinha o conhecimento acessível apenas ao sonho.

Como parte de um encadeamento maior, um de meus pacientes sonhou que pedia uma *Kontuszówka* em um café; depois do relato, porém, me perguntou o que era aquilo, pois nunca tinha ouvido a palavra. Pude responder que *Kontuszówka* era uma aguardente polonesa que ele não poderia ter inventado no sonho, uma vez que eu já conhecia o nome há muito tempo dos cartazes de propaganda. De início, o paciente não quis acreditar em mim. Alguns dias mais tarde, depois de passar num café e transformar seu sonho em realidade, ele percebeu o nome num cartaz, e precisamente numa esquina pela qual há meses tinha de passar pelo menos duas vezes por dia.

Eu mesmo pude observar em relação aos meus sonhos o quanto dependemos do acaso para descobrir a origem de elementos oníricos isolados. Foi assim que, antes da redação deste livro, a imagem de uma torre de igreja de feitio muito singelo me perseguiu durante anos, sem que eu pudesse me lembrar de tê-la visto. Reconheci-a de súbito, e com plena certeza, numa pequena estação entre Salzburgo e Reichenhall. Isso aconteceu na segunda metade dos anos 90, e eu tinha percorrido o trecho pela primeira vez em 1886. Anos depois, quando eu já me ocupava em pormenor do estudo dos sonhos, a imagem onírica recorrente de certo lugar estranho se tornou francamente incômoda para mim. Numa relação espacial precisa com a minha pessoa, à esquerda, eu via um lugar escuro onde se destacavam várias figuras grotescas de arenito. Um vislumbre de recordação, ao qual eu não queria dar crédito, me dizia que se tratava da entrada de uma cervejaria; não consegui, porém, explicar o significado nem a origem dessa imagem onírica. Em 1907 fui por acaso a Pádua, que, infelizmente, não pudera visitar desde 1895. Minha primeira visita à bela cidade universitária fora insatisfatória, pois eu não pudera ver os afrescos de Giotto na Madonna dell'Arena; dei meia-volta na metade do caminho que levava até lá quando me disseram que a capela estava fechada naquele dia. Em minha segunda visita, doze anos depois, lembrei de compensar isso, e a primeira coisa que fiz foi procurar o caminho para a Madonna dell'Arena. Na rua que conduzia até ela, à minha esquerda, provavelmente no lugar em que dei meia-volta, descobri o lugar, com suas figuras de pedra, que tinha visto tantas vezes em sonho. Era, na realidade, a entrada para o jardim de um restaurante. [1909]

Uma das fontes das quais o sonho recebe material para reprodução, material que em parte não é lembrado nem empregado na atividade mental de vigília, é a vida infantil. Citarei apenas alguns dos autores que observaram e acentuaram isso:

Hildebrandt (1875, p. 23): "Já foi admitido de maneira expressa que às vezes o sonho traz fielmente de volta à nossa psique, com espantosa capacidade de reprodução, acontecimentos distantes e mesmo esquecidos das épocas mais remotas".

Strümpell (1877, p. 40): "O assunto se torna ainda mais complexo se observarmos como o sonho, às vezes, por assim dizer das mais profundas e mais espessas camadas que a época recente depositou sobre as experiências juvenis mais antigas, extrai imagens isoladas de coisas, pessoas e lugares inteiramente intactas e com o frescor original. Isso não se restringe apenas àquelas impressões que, por ocasião de seu surgimento, adquiriram uma consciência vívida ou se associaram a valores psíquicos fortes, retornando mais tarde no sonho como lembranças autênticas com as quais se alegra a consciência desperta. As profundezas da memória onírica abrangem, antes, também aquelas imagens de pessoas, coisas, lugares e experiências de época mais antiga que tinham alcançado apenas uma consciência escassa ou tinham pequeno valor psíquico, ou, ainda, que há muito tempo perderam uma coisa e outra, e por isso tanto no sonho quanto após o despertar aparecem como algo inteiramente estranho e desconhecido até que sua origem remota seja descoberta".

Volkelt (1875, p. 119): "É digna de nota, em especial, a facilidade com que recordações da infância e da juventude tomam parte nos sonhos. O sonho nos lembra sem descanso de coisas em que há muito tempo não pensamos mais, que há muito já perderam toda importância para nós".

O domínio do sonho sobre o material da infância, que, como se sabe, se esvai em sua maior parte pelas fendas da memória consciente, dá ocasião ao surgimento de sonhos hipermnésicos interessantes, dos quais também quero comunicar alguns exemplos.

Maury (1878, p. 92) conta que, quando criança, ia com frequência de sua cidade natal, Meaux, para a cidade próxima de Trilport, onde seu pai supervisionava a construção de uma ponte. Certa noite, um sonho o leva de volta a Trilport e permite que brinque outra vez nas ruas da cidade. Um homem se aproxima dele, usando uma espécie de uniforme. Maury pergunta seu nome; ele se apresenta, diz que se chama C. e que é vigia da ponte. Depois de acordar, ainda duvidando da realidade da lembrança, Maury pergunta a uma velha criada, que o acompanha desde a infância, se ela consegue se lembrar de um homem com aquele nome. "Mas é claro", foi a resposta, "ele era o vigia da ponte que o teu pai estava construindo na época".

Maury relata outro exemplo, igualmente bem confirmado, da precisão de uma lembrança infantil que emerge no sonho. Um certo sr. F., que passou a infância em Montbrison, decide visitar a terra natal e os velhos amigos da família, que não via desde que fora embora, 25 anos antes. Na noite anterior à partida, ele sonha que chegou a seu destino e que nas proximidades de Montbrison encontra um homem desconhecido que lhe diz ser o sr. T., um amigo de seu pai. O sr. F. sabia que tinha conhecido um homem com esse nome na infância, mas, quando acordado, não se lembrava mais de sua aparência. Alguns dias depois, já de fato em Montbrison, ele reencontra o lugar do sonho, que julgava desconhecido, e encontra um senhor que reconhece de imediato como sendo o T. do sonho. A pessoa real apenas estava mais velha do que o sonho a mostrou.

Posso contar também um sonho próprio, em que a impressão a ser recordada foi substituída por uma relação. Vi num sonho uma pessoa que eu sabia ser o médico de minha cidade natal. Seu rosto não era nítido, mas se mesclava com a imagem de um de meus professores do ginásio, que ainda hoje encontro vez por outra. Quando acordado, não consegui descobrir a relação entre as duas pessoas. Porém, ao perguntar à minha mãe sobre o médico de meus primeiros anos de infância, soube que era cego de um olho, o que também é o caso do professor ginasial que tinha encoberto o médico no sonho. Fazia 38 anos que eu não via o médico, e até onde sei nunca pensei nele na vida de vigília, embora uma cicatriz no meu queixo pudesse ter me lembrado de sua assistência. [1909][11]

Como se fosse para criar um equilíbrio quanto ao imenso papel das impressões infantis na vida onírica, vários autores afirmam que é possível indicar elementos dos dias mais recentes na maioria dos sonhos. Robert (1886, p. 46) afirma inclusive que, em geral, o sonho normal se ocupa apenas das impressões dos últimos dias. Veremos, contudo, que a teoria do sonho elaborada por Robert exige obrigatoriamente esse recuo das impressões mais antigas para segundo plano e o avanço das mais recentes para o primeiro. Porém, o fato que Robert assinala é legítimo, como posso assegurar pelas minhas próprias investigações. Um autor americano, Nelson, afirma que as impressões mais frequentes no sonho datam do penúltimo ou do antepenúltimo dia anterior ao dia do sonho, como se as impressões do dia imediatamente anterior não fossem atenuadas – ou remotas – o bastante.

Chamou a atenção de vários autores, que não duvidariam da íntima conexão entre o conteúdo onírico e a vida de vigília, que impressões que ocupam de maneira intensa o pensamento de vigília apenas surgem no sonho quando o trabalho mental diurno as deixou de lado em certa medida. Assim, via de regra, não sonhamos com uma pessoa falecida nos primeiros tempos em que o luto nos ocupa inteiramente (Delage, 1891). Entretanto, uma das observadoras mais recentes, a sra. Hallam, também reuniu exemplos do comportamento contrário, defendendo neste ponto o direito da individualidade psicológica (Hallam e Weed, 1896).

A terceira peculiaridade da memória no sonho, a mais estranha e mais incompreensível, se mostra na seleção do material reproduzido, pois não é considerado digno de lembrança apenas o que é mais importante, como na vida de vigília, e sim, ao contrário, também aquilo que é mais indiferente, mais

---

11. [Trecho suprimido a partir de 1922.]

insignificante. Passo a palavra àqueles autores que deram expressão mais enérgica a seu assombro.

Hildebrandt (1875, p. 11): "Pois o estranho é que, via de regra, o sonho não toma seus elementos dos acontecimentos grandes e profundos, dos interesses dominantes e instigadores do dia que passou, e sim de coisas secundárias, das migalhas sem valor, por assim dizer, migalhas do passado vivido recentemente ou mais remoto. O falecimento de um familiar, fato abalador sob cujas impressões dormimos tarde, permanece apagado de nossa memória até que o primeiro momento de vigília permite seu retorno com força desoladora. Em compensação, a verruga na testa de um estranho que passou por nós, e no qual não pensamos mais um instante sequer depois que o deixamos para trás, desempenha um papel em nosso sonho (...)".

Strümpell (1877, p. 39): "(...) esses casos em que a análise de um sonho encontra elementos que provêm das experiências do dia anterior ou do dia anterior a este, mas que foram tão insignificantes e sem valor para a consciência de vigília que, pouco depois da experiência, caíram no esquecimento. Tais experiências, por exemplo, são as frases ouvidas por acaso ou as ações de outra pessoa que observamos superficialmente, percepções apressadas de coisas ou pessoas, pequenos trechos de uma leitura etc.".

Havelock Ellis (1899, p. 727): *"The profound emotions of waking life, the questions and problems on which we spread our chief voluntary mental energy, are not those which usually present themselves at once to dream consciousness. It is, so far as the immediate past is concerned, mostly the trifling, the incidental, the 'forgotten' impressions of daily life which reappear in our dreams. The psychic activities that are awake most intensely are those that sleep most profoundly"*.[12]

---

12. "As emoções profundas da vida de vigília, as questões e os problemas em que empregamos o principal de nossa energia mental voluntária, não são aqueles que normalmente se apresentam de imediato à consciência onírica. Quando se trata do passado imediato, na maioria das vezes são as coisas insignificantes, secundárias, as impressões "esquecidas" da vida cotidiana que reaparecem em nossos sonhos. As atividades psíquicas mais bem acordadas são aquelas que dormem mais profundamente." (N.T.)

Binz (1878, p. 44-45) toma justamente essas peculiaridades da memória no sonho como motivo para manifestar sua insatisfação com as explicações do sonho por ele próprio sustentadas: "E o sonho natural nos coloca questões semelhantes. Por que não sonhamos sempre com as impressões mnêmicas do dia que passou, mas muitas vezes mergulhamos sem qualquer motivo reconhecível no passado distante, quase apagado? Por que a consciência recebe no sonho com tanta frequência a impressão de imagens mnêmicas *indiferentes*, enquanto as células cerebrais, ali onde contêm os registros mais sensíveis da experiência, na maioria das vezes permanecem mudas e paralisadas, a não ser que um avivamento agudo durante a vigília as tenha estimulado pouco antes?".

É fácil compreender como a predileção especial da memória onírica pelo indiferente e, por isso, pelo não percebido nas experiências diurnas teve de levar quase sempre a desconsiderar a dependência do sonho em relação à vida diurna, e, depois, a pelo menos dificultar sua comprovação em cada caso particular. Desse modo, no estudo estatístico de seus sonhos (e dos de seu marido), a sra. Whiton Calkins (1893) observou que em onze por cento do total não era evidente uma relação com a vida diurna. Hildebrandt (1875) por certo tem razão ao afirmar que todas as imagens oníricas seriam explicadas de maneira genética se a cada caso aplicássemos o tempo e a concentração suficientes na investigação de sua origem. Todavia, afirma que essa "é uma tarefa extremamente penosa e ingrata. Pois significa, na maioria dos casos, encontrar toda sorte de coisas sem qualquer valor psíquico nos cantos mais afastados da câmara da memória, extrair do soterramento que talvez já os tenha encoberto na hora seguinte toda sorte de momentos completamente indiferentes de um passado há muito transcorrido". Só posso lamentar que o perspicaz autor tenha deixado de seguir esse caminho de começo tão modesto; ele o teria conduzido diretamente ao centro da explicação dos sonhos.

O comportamento da memória onírica é com certeza de grande interesse para qualquer teoria da memória em geral. Ele ensina que "nada do que alguma vez tenhamos possuído mentalmente se perde por inteiro" (Scholz, 1887, p. 34). Ou, como Delboeuf afirma, *"que toute impression même la plus insignifiante, laisse une trace inaltérable, indéfiniment susceptible de reparaître au jour"*[13], uma conclusão a que tantos outros fenômenos – patológicos – da vida psíquica igualmente obrigam. Não percamos de vista essa capacidade extraordinária da memória no sonho, pois assim sentiremos vivamente a contradição apresentada por certas teorias, a serem mencionadas mais adiante, que pretendem explicar o absurdo e a incoerência dos sonhos por um esquecimento parcial do que sabemos durante o dia.

Talvez pudesse nos ocorrer a ideia de reduzir o fenômeno do sonho em geral ao da memória, vendo no sonho a manifestação de uma atividade reprodutora que não descansa nem mesmo durante a noite e que seria um fim em si mesma. Comunicações como a de Pilcz (1899) concordariam com isso; segundo ele, é possível indicar relações fixas entre o momento e o conteúdo do sonho, de modo que no sono profundo o sonho reproduz impressões mais antigas, e, nas horas próximas ao despertar, impressões recentes. No entanto, a maneira como o sonho procede com o material a ser recordado torna uma concepção como essa improvável de antemão. Strümpell observa com razão que no sonho não ocorrem repetições de experiências. O sonho pode começá-las, mas não mostra o elemento seguinte, que aparece modificado ou é substituído por outro completamente diverso. O sonho traz apenas fragmentos de reproduções. Esta com certeza é a regra, e a tal ponto que permite um aproveitamento teórico. Entretanto, existem exceções em que um sonho repete uma experiência de maneira tão completa quanto nossa memória de vigília é capaz de fazer. Delboeuf conta que um de seus colegas de universidade reviveu em sonho, com todos os detalhes, uma

---

13. "Que toda impressão, mesmo a mais insignificante, deixa um traço inalterável, indefinidamente suscetível de vir à luz outra vez." (N.T.)

perigosa viagem em que escapou de um acidente como que por milagre. A sra. Calkins (1893) menciona dois sonhos cujo conteúdo era a reprodução exata de experiências do dia anterior, e eu próprio terei ocasião de comunicar posteriormente um exemplo, que chegou ao meu conhecimento, do retorno onírico inalterado de uma experiência de infância.[14]

---

14. A partir de minha maior experiência, acrescento que de forma alguma é raro que o sonho repita ocupações simples e triviais do dia, como, por exemplo, fazer as malas, preparar refeições na cozinha etc. A própria pessoa que sonha, no entanto, não acentua o caráter de lembrança, e sim o de "realidade". "Eu realmente fiz tudo isso durante o dia." [Nota acrescentada em 1909.]

C

Estímulos e fontes do sonho

O que devemos entender por estímulos e fontes do sonho pode ser ilustrado por um dito popular: "Os sonhos vêm do estômago". Por trás dessas palavras se oculta uma teoria que compreende o sonho como consequência de uma perturbação do sono. A pessoa não sonharia se algo perturbador não tivesse ocorrido no sono, e o sonho é a reação a essa perturbação.

As discussões sobre as causas estimuladoras dos sonhos ocupam grande espaço nas exposições dos autores. É evidente que esse problema apenas pôde se apresentar depois que o sonho se tornou um objeto da investigação biológica. Os antigos, que consideravam o sonho uma mensagem divina, não precisavam buscar sua fonte estimuladora; o sonho emanava da vontade de poderes divinos ou demoníacos, e o seu conteúdo, do saber ou das intenções desses poderes. Para a ciência, logo se colocou a questão de saber se o estímulo para o sonho é sempre o mesmo ou se ele pode ser múltiplo, e, com isso, a ponderação sobre se a explicação causal dos sonhos cabia à psicologia ou, antes, à fisiologia. A maioria dos autores parece supor que as causas da perturbação do sono – as fontes do sonhar, portanto – podem ser de múltiplas espécies e que tanto estímulos corporais quanto excitações psíquicas podem desempenhar o papel de excitadores do sonho. As opiniões divergem muito na preferência por uma ou outra das fontes do sonho e na sua hierarquização segundo a importância para o surgimento dos sonhos.

Quando a enumeração das fontes do sonho está completa, resultam finalmente quatro espécies, também empregadas na classificação dos sonhos: 1) *excitação sensorial externa (objetiva)*; 2) *excitação sensorial interna (subjetiva)*; 3) *estímulo corporal interno (orgânico)*; 4) *fontes de estímulo puramente psíquicas*.

1. Os estímulos sensoriais externos

O jovem Strümpell, filho do filósofo cuja obra sobre o sonho já nos serviu várias vezes de guia nos problemas oníricos, comunicou, como é sabido, a observação de um paciente que sofria de anestesia geral do tegumento e de paralisia de vários órgãos sensoriais superiores. Quando as suas poucas portas sensoriais ainda abertas para o mundo exterior eram fechadas, ele caía no sono. Quando queremos dormir, todos nós costumamos almejar uma situação semelhante a do experimento de Strümpell. Fechamos as portas sensoriais mais importantes, os olhos, e procuramos impedir qualquer estimulação dos outros sentidos ou qualquer alteração dos estímulos que agem sobre eles. Então pegamos no sono, embora nosso propósito nunca seja inteiramente bem-sucedido. Não conseguimos manter os estímulos completamente afastados dos órgãos sensoriais nem suspender de todo a sua excitabilidade. O fato de sempre podermos ser despertados por estímulos mais fortes demonstra "que mesmo no sono a psique continuou em contato permanente com o mundo extracorpóreo". Os estímulos sensoriais que nos chegam durante o sono podem muito bem se transformar em fontes de sonhos.

Há uma grande série desses estímulos, desde os inevitáveis que o estado de sono implica ou apenas precisa admitir de vez em quando, até o estímulo despertador casual, que é apropriado para, ou destinado a, acabar com o sono. Uma luz forte pode atingir os olhos, um ruído pode se tornar perceptível ou uma substância odorífera pode estimular a mucosa do nariz. Por meio de movimentos involuntários durante o sono podemos descobrir partes do corpo, expondo-as assim a sensações de frio, ou podemos provocar sensações de pressão e de contato em nós mesmos por meio de mudanças de posição. Podemos ser picados por um mosquito ou algum pequeno acidente noturno pode afetar vários sentidos ao mesmo tempo. A atenção dos observadores reuniu toda uma série de sonhos em que o estímulo constatado ao despertar e um fragmento do conteúdo onírico coincidiam a tal ponto que o estímulo pôde ser reconhecido como fonte do sonho.

Apresento agora, conforme Jessen (1855, p. 527-528), uma coleção de sonhos que podem ser atribuídos a estimulações sensoriais objetivas, mais ou menos acidentais: "Todo ruído percebido de maneira indistinta desperta imagens oníricas correspondentes; o ribombar do trovão nos transporta para o meio de uma batalha, o canto de um galo pode se transformar no grito apavorado de uma pessoa, o rangido de uma porta é capaz de produzir sonhos com arrombamentos.

"Quando perdemos nosso cobertor durante a noite, talvez sonhemos que estamos andando nus ou que caímos na água. Quando estamos deitados obliquamente na cama e os pés avançam sobre a beirada, talvez sonhemos que estamos parados na beira de um imenso abismo ou que caímos de uma montanha íngreme. Se, por acaso, nossa cabeça vai parar debaixo do travesseiro, temos a impressão de que uma grande rocha pende sobre nós e está prestes a nos soterrar sob seu peso. Acumulações de esperma geram sonhos voluptuosos, dores localizadas produzem a ideia de que sofremos maus tratos, ataques inimigos ou ferimentos (...).

"Meier (1758, p. 33) sonhou certa vez que foi atacado por várias pessoas que o estenderam de costas no chão e cravaram uma estaca na terra entre seu dedão do pé e o dedo seguinte. Enquanto sonhava com isso, ele acordou e sentiu que havia um talo de palha entre esses dedos. Em outra ocasião, segundo Hennings (1784, p. 258), o mesmo Meier, ao dormir com uma roupa muito apertada no pescoço, sonhou que era enforcado. Em sua juventude, Hoffbauer sonhou que caía de um muro alto, percebendo ao acordar que o estrado de sua cama se desmantelara e que realmente tinha caído (...). Gregory conta que certa vez colocou uma garrafa de água quente junto aos seus pés na cama, e que depois, em sonho, fez uma viagem ao topo do Etna, onde sentiu que o calor do chão era quase insuportável. Outra pessoa, depois de colocar um emplastro na cabeça, sonhou que era escalpelada por um bando de índios; uma terceira, que dormia usando uma roupa úmida, achou que estava sendo arrastada por um rio. Um ataque de podagra durante o sono levou um paciente a acreditar que estava nas mãos da Inquisição e que sofria as dores da tortura (Macnish)."

O argumento que se baseia na semelhança entre o estímulo e o conteúdo onírico admite um reforço quando, mediante a utilização planejada de estímulos sensoriais, é possível produzir sonhos que correspondam a esses estímulos. Segundo Macnish, Girou de Buzareingues já fez experiências desse gênero. "Ele deixou seus joelhos descobertos e sonhou que viajava durante a noite numa diligência. A propósito disso, observou que os viajantes devem saber como os joelhos congelam durante a noite num coche. Em outra ocasião, ele deixou a parte posterior da cabeça descoberta e sonhou que assistia a uma cerimônia religiosa ao ar livre. É que no país onde vivia era costume manter a cabeça sempre coberta, exceto em ocasiões como essa."

Maury (1878) comunica novas observações de sonhos produzidos nele próprio. (Uma série de outros experimentos não deu resultado.)

1) Alguém lhe faz cócegas nos lábios e na ponta do nariz com uma pena. – Ele sonha com uma tortura terrível; aplicam-lhe no rosto uma máscara de piche, que depois é puxada, arrancando também a pele.

2) Alguém amola uma tesoura com uma pinça. – Ele ouve sinos repicando, depois sinos de alarme e se encontra nos dias de junho de 1848.

3) Dão-lhe água-de-colônia para cheirar. – Ele está no Cairo, na loja de Johann Maria Farina. Seguem-se aventuras absurdas que ele não é capaz de reproduzir.

4) Ele é beliscado de leve na nuca. – Sonha que lhe colocam um emplastro e se lembra de um médico que o tratou quando criança.

5) Um ferro quente é aproximado de seu rosto. – Ele sonha com os "foguistas"[15], que entraram furtivamente na casa e forçam os moradores a lhes dar dinheiro enquanto os

---

15. Eram chamados de *chauffeurs* os bandos de ladrões que, no departamento da Vendeia, usavam essa tortura.

obrigam a colocar os pés no braseiro. Depois surge a duquesa de Abrantès, de quem ele é secretário no sonho.

8) Uma gota d'água é pingada na sua testa. – Ele se acha na Itália, sua muito e bebe o vinho branco de Orvieto.

9) Repetidas vezes, deixa-se a luz de uma vela, filtrada por um papel vermelho, incidir sobre seu rosto. – Ele sonha com o clima, com o calor e se encontra novamente numa tempestade marinha pela qual passou certa vez no Canal da Mancha.

Outras tentativas de produzir sonhos de maneira experimental foram feitas por d'Hervey, Weygandt (1893) e outros.

Muitos autores observaram a "surpreendente habilidade do sonho para entretecer em seus produtos as impressões repentinas oriundas do mundo sensível, de modo a que formem neles uma catástrofe que já se preparava e começava aos poucos" (Hildebrandt, 1875). "Em minha juventude", narra esse autor, "às vezes eu me servia de um relógio despertador para acordar sempre numa hora determinada da manhã. Deve ter acontecido uma centena de vezes que o alarme do aparelho se encaixasse num sonho supostamente muito longo e coerente, de tal maneira que se tinha a impressão de que o sonho inteiro era construído com vistas a ele e que encontrava nele o seu verdadeiro clímax logicamente imprescindível, a sua meta naturalmente indicada."

Com outro propósito, ainda citarei mais adiante três desses sonhos com despertador.

Volkelt (1875, p. 108-109) conta: "Um compositor sonhou certa vez que dava aula e queria justamente explicar algo para seus alunos. Ele conclui a explicação e se dirige a um dos garotos com a pergunta: 'Você me compreendeu?'. Este grita como um possesso: '*Oh ja!*' [Oh, sim!]. Irritado com isso, ele repreende o aluno pelos gritos. Mas então a classe inteira já grita: '*Orja!*'. E depois: '*Eurjo!*'. E por fim: '*Feuerjo!*' [Fogo!]. Nesse momento, ele acorda com gritos reais de *Fogo!* na rua".

Garnier (1872), citado por Radestock, relata que Napoleão I acordou de um sonho devido à explosão de uma máquina infernal enquanto dormia em sua carruagem. O sonho o fez reviver a passagem do Tagliamento e o canhoneio dos austríacos, até que levantou assustado, gritando: "Estamos arruinados!".

Um sonho de Maury (1878, p. 161) se tornou famoso. Ele estava doente e de cama em seu quarto; sua mãe estava sentada ao seu lado. Ele sonhou com o período do Terror na época da Revolução, presenciou cenas medonhas de assassinato e, por fim, ele próprio foi intimado a comparecer diante do tribunal. Lá viu Robespierre, Marat, Fouquier-Tinville e todos os tristes heróis daquela época terrível, deu-lhes explicações e, depois de toda espécie de incidentes que não se fixaram em sua memória, foi condenado e levado ao patíbulo enquanto uma multidão imensa o acompanhava. Ele sobe ao cadafalso, o carrasco o amarra na prancha; ela vira; a lâmina da guilhotina cai; ele sente como sua cabeça é separada do tronco, acorda tomado pelo medo mais terrível – e descobre que o dossel de sua cama caíra, atingindo suas vértebras cervicais de um modo realmente parecido ao de uma lâmina de guilhotina.

Esse sonho deu base a uma interessante discussão, iniciada por Le Lorrain (1894) e por Egger (1895) na *Revue philosophique*, sobre se e como seria possível ao indivíduo que sonha comprimir uma quantidade aparentemente tão grande de conteúdo onírico no pequeno intervalo transcorrido entre a percepção do estímulo despertador e o acordar.

Exemplos dessa espécie dão a impressão de que os estímulos sensoriais objetivos durante o sono são a mais garantida entre as fontes oníricas. Essa fonte também é a única a desempenhar um papel no conhecimento do leigo. Se perguntarmos a uma pessoa instruída, mas que desconhece a literatura sobre o tema, como se produzem os sonhos, ela sem dúvida responderá com a referência a algum caso de seu conhecimento em que o sonho foi explicado por um estímulo sensorial objetivo reconhecido após o despertar. A investigação científica não pode se deter nesse ponto; a observação de que o estímulo que atua sobre os sentidos durante o sono não aparece no sonho em sua forma real, mas é substituído por alguma outra representação que se encontra em alguma relação com ele, dá ocasião para que a ciência levante outras questões. Porém, nas palavras de Maury (1853, p. 72), a relação que liga o estímulo onírico ao efeito onírico é *"une affinité quelconque, mais qui n'est pas unique et exclusive"*.[16] Consideremos, por exemplo, três dos sonhos de Hildebrandt provocados por despertadores (1875, p. 37-38); teremos de nos perguntar então por que o mesmo estímulo produz efeitos oníricos tão diferentes e por que precisamente estes:

"Saio para passear numa manhã de primavera e atravesso campos verdejantes até chegar a um povoado vizinho, onde vejo os moradores vestindo roupas de festa, o hinário debaixo do braço, se dirigindo em grande número à igreja. Claro! Afinal é domingo, e a cerimônia matinal logo começará. Decido tomar parte nela, mas antes, por estar um tanto aquecido, vou me refrescar no cemitério que circunda a igreja. Enquanto leio vários epitáfios, ouço o sineiro subindo a torre, e depois, no alto dela, vejo o pequeno sino do povoado que dará o sinal para o início do serviço religioso. Por um bom tempo ele ainda pende imóvel, então começa a oscilar e, de repente, seus toques começam a ressoar altos e penetrantes – tão altos e tão penetrantes que interrompem meu sono. No entanto, os toques de sino vêm do despertador.

"Uma segunda combinação. É um dia claro de inverno; as ruas estão cobertas por uma espessa camada de neve. Prometi que tomaria parte em um passeio de trenó, mas preciso esperar por longo tempo até receber o aviso de que o trenó está à porta. Então é a vez dos preparativos para o embarque – visto o casaco de peles, busco o saco forrado que serve para manter os pés aquecidos – e, por fim, estou sentado em meu lugar. Mas a partida ainda demora até que as rédeas dão o sinal aos cavalos que aguardam. Eles começam a puxar; os guizos, sacudidos com força, começam sua bem conhecida música de janízaros com uma intensidade que rasga instantaneamente

---

16. "Uma afinidade qualquer, mas que não é única nem exclusiva." (N.T.)

a teia do sonho. E mais uma vez não se trata de outra coisa senão o som estridente da campainha do despertador.

"E agora o terceiro exemplo! Vejo uma empregada que vai pelo corredor até a sala de jantar levando algumas dúzias de pratos empilhados. A coluna de porcelana em seus braços me parece prestes a perder o equilíbrio. 'Tome cuidado', advirto, 'a carga inteira vai cair.' Naturalmente, a réplica de sempre não pode faltar: que ela já está acostumada a fazer isso etc., enquanto continuo a acompanhá-la com olhar preocupado. E, de fato, ela tropeça ao chegar à soleira da porta – a louça frágil tilinta e estala em centenas de cacos pelo chão. Porém, o ruído que continua sem cessar, como logo percebo, não é bem um tilintar, e sim um verdadeiro toque de campainha – e esse toque, como então, já acordado, reconheço, era apenas o despertador cumprindo sua função."

A questão de por que a psique confunde a natureza do estímulo sensorial objetivo no sonho foi respondida por Strümpell (1877) – e quase da mesma maneira por Wundt (1874) – com a tese de que, em relação a esses estímulos que a afetam no sono, ela se encontra sob condições favoráveis à formação de ilusões. Uma impressão sensorial é *reconhecida* e *interpretada corretamente* por nós, ou seja, incluída no grupo mnêmico a que pertence de acordo com todas as experiências precedentes, quando é forte, nítida e duradoura o bastante e quando temos à nossa disposição o tempo necessário para essa reflexão. Caso essas condições não sejam preenchidas, confundimos o objeto do qual provém a impressão; com base nela, criamos uma ilusão. "Quando alguém sai para passear em campo aberto e vê um objeto de maneira indistinta à distância, pode acontecer que o tome de início por um cavalo." Ao vê-lo mais de perto, pode se impor a interpretação de que se trata de uma vaca descansando e, por fim, essa representação pode se transformar com segurança na de um grupo de pessoas sentadas. As impressões que a psique recebe no sono, provocadas por estímulos exteriores, são de natureza analogamente imprecisa; e é com base nelas que cria ilusões, pois a impressão evoca um número maior ou menor de imagens mnêmicas que lhe conferem seu valor psíquico. Não é possível, também segundo Strümpell, determinar qual dos muitos grupos mnêmicos a serem considerados fornecerá as imagens correspondentes e qual das possíveis relações associativas entrará em ação; isso ficaria, por assim dizer, entregue aos caprichos da vida psíquica.

Neste ponto nos encontramos diante de uma alternativa. Podemos admitir que realmente não é possível avançar na investigação das leis de formação dos sonhos, desistindo assim de perguntar se a interpretação da ilusão produzida pela impressão sensorial não estaria sujeita a outras condições. Ou podemos levantar a hipótese de que os estímulos sensoriais objetivos que atuam no sono como fontes oníricas representam apenas um papel modesto e que outros fatores determinam a seleção das imagens mnêmicas a serem evocadas. De fato, se examinarmos os sonhos produzidos de maneira experimental por Maury, que por esse motivo comuniquei com tantos detalhes, somos tentados a dizer que o experimento efetuado corresponde, na verdade, à origem de apenas um dos elementos do sonho, e que o conteúdo onírico restante parece independente demais, detalhado demais, para que possa ser explicado apenas pela exigência de concordar com o elemento introduzido de forma experimental. Começamos, inclusive, a duvidar da teoria das ilusões e do poder da impressão objetiva de dar forma ao sonho quando ficamos sabendo que, vez por outra, essa impressão recebe no sonho as interpretações mais estranhas e mais insólitas. Simon (1888), por exemplo, relata um sonho em que via pessoas gigantescas sentadas à mesa e ouvia de maneira nítida o barulho medonho que suas mandíbulas produziam ao mastigar. Quando acordou, ouviu o barulho dos cascos de um cavalo que passava galopando diante de sua janela. Se, neste caso, o ruído de cascos de cavalo evocou precisamente representações do grupo mnêmico de *As viagens de Gulliver*, da estadia entre os gigantes de Brobdingnag e entre os cavalos virtuosos – como, talvez, sem qualquer apoio do autor, eu poderia interpretar –, não deveria a escolha desse grupo mnêmico, tão inusitado para o estímulo, ter sido facilitada também por outros motivos?[17]

2. Excitação sensorial interna (subjetiva)

Apesar de todas as objeções, será preciso admitir que o papel de excitador do sonho desempenhado pelas excitações sensoriais objetivas durante o sono está estabelecido de maneira indiscutível, e se esses estímulos, segundo sua natureza e frequência, talvez pareçam insuficientes para explicar todas as imagens dos sonhos, será indicado procurar outras fontes oníricas, mas que atuem de modo análogo. Não sei quando surgiu pela primeira vez a ideia de, paralelamente aos estímulos sensoriais exteriores, considerar as excitações interiores (subjetivas) dos órgãos sensoriais; é fato, porém, que isso acontece com maior ou menor ênfase em todas as exposições modernas sobre a etiologia onírica. "Além disso, segundo acredito", afirma Wundt (1874, p. 657), "desempenham um papel essencial nas ilusões oníricas aquelas sensações subjetivas visuais e auditivas que conhecemos no estado de vigília como caos luminoso do campo visual escurecido, como sibilo ou zumbido nos ouvidos etc., e, entre elas, sobretudo as excitações subjetivas da retina. Explica-se assim a notável tendência do sonho a nos mostrar, multiplicados, objetos parecidos ou inteiramente idênticos. Vemos pássaros, borboletas, peixes, pérolas coloridas, flores etc. espalhados em grande número diante de nós. Nesse caso, a poeira luminosa no campo visual escurecido assumiu uma forma fantástica, e os numerosos pontos de luz de que ela é formada são materializados pelo sonho em tantas outras imagens singulares que, graças à mobilidade do caos luminoso, são vistas como objetos *móveis*. É nisso

---

17. Pessoas gigantescas no sonho permitem supor que se trata de uma cena da infância do autor. [Nota acrescentada em 1911.] Aliás, essa interpretação baseada numa reminiscência de *As viagens de Gulliver* é um bom exemplo de como não deve ser uma interpretação. O intérprete de sonhos não deve empregar seu próprio engenho e negligenciar o apoio nas ideias que ocorrem ao sonhador. [Acréscimo de 1925.]

que provavelmente também se baseia a grande inclinação do sonho às mais variadas figuras de animais, cuja abundância de formas se adapta facilmente à forma específica das imagens luminosas subjetivas."

Como fontes de imagens oníricas, as excitações sensoriais subjetivas têm a vantagem evidente de não depender do acaso externo tal como as objetivas. Elas estão às ordens da explicação, por assim dizer, sempre que esta precisar. No entanto, há um aspecto em que elas são inferiores aos estímulos sensoriais objetivos, pois é difícil ou mesmo impossível comprovar seu papel de excitadoras do sonho, que no caso daqueles é demonstrado pela observação e pelos experimentos. A principal evidência em favor do poder que as excitações sensoriais subjetivas têm de excitar sonhos é apresentada pelas chamadas alucinações hipnagógicas, descritas por Johannes Müller (1826) como "fenômenos visuais fantásticos". Trata-se de imagens, frequentemente muito vivazes e variadas, que costumam surgir de modo bastante regular para muitas pessoas durante o período do adormecer e que mesmo depois que se abre os olhos podem persistir por um momento. Maury, que era propenso a elas em alto grau, lhes dedicou uma apreciação detalhada e defendeu sua conexão ou, antes, até a sua identidade com as imagens oníricas (como, aliás, já fizera Müller). Para que surjam, afirma Maury, é necessária uma certa passividade psíquica, uma redução da atenção (1878, p. 59-60). Porém, caso se seja predisposto, basta cair por um segundo nessa letargia para ver uma alucinação hipnagógica, depois da qual talvez se acorde, até que o jogo, que se repete várias vezes, acabe com o adormecimento. E, se a pessoa acordar depois de um período não muito prolongado, segundo Maury, acontece com frequência de verificar no sonho as mesmas imagens que viu como alucinações hipnagógicas antes de adormecer (*ibid.*, p. 134-135). Aconteceu assim a Maury, certa vez, com uma série de figuras grotescas, de rostos deformados e penteados estranhos, que o incomodaram com uma insistência inacreditável durante o período do adormecer, e com as quais, depois de acordar, lembrou que tinha sonhado. Outra vez, quando sentia fome porque se impusera uma dieta escassa, viu hipnagogicamente uma travessa e uma mão que segurava um garfo e tirava dela um pouco de comida. No sonho, ele se achava sentado a uma mesa farta, ouvindo o barulho que os comensais faziam com seus garfos. Noutra ocasião, quando adormeceu com os olhos irritados e doloridos, ele teve uma alucinação hipnagógica com símbolos microscopicamente pequenos que tinha de decifrar um a um com grande esforço; ao acordar, uma hora depois, ele se lembrou de um sonho em que aparecia um livro aberto, impresso com caracteres muito pequenos, que tinha de ler com dificuldade.

De maneira muito semelhante a essas imagens também podem surgir hipnagogicamente alucinações auditivas com palavras, nomes etc. que se repetem no sonho, como uma abertura, por assim dizer, que anuncia os motivos condutores de uma ópera.

Um observador recente das alucinações hipnagógicas, G. Trumbull Ladd (1892), segue o mesmo caminho de Müller e Maury. Mediante treinamento, ele foi capaz de acordar de súbito, sem abrir os olhos, entre dois e cinco minutos depois do adormecimento gradativo, e assim teve ocasião de comparar as sensações esvaecentes da retina com as imagens oníricas que permaneciam na memória. Ele garante que em todos os casos pôde reconhecer uma estreita relação entre elas, de tal maneira que as linhas e pontos brilhantes de luz própria da retina formavam o esboço, o esquema, por assim dizer, para as figuras oníricas percebidas psiquicamente. Por exemplo: a um sonho em que via linhas impressas de maneira nítida à sua frente, que ele lia e estudava, correspondia um arranjo em linhas paralelas dos pontos brilhantes na retina. Para dizê-lo com suas palavras: a página claramente impressa que ele leu no sonho se transformou num objeto que, para sua percepção de vigília, pareceu ser o pedaço de uma folha realmente impressa vista de uma grande distância, e que, para ser mais bem distinguida, era observada por um pequeno buraco num pedaço de papel. Ladd afirma, aliás sem subestimar a participação central[18] no fenômeno, que é difícil termos um sonho visual que não se baseie no material dos estados de excitação interna da retina. Isso vale em especial para os sonhos que acontecem pouco depois de se adormecer num quarto escuro, enquanto que para os sonhos que ocorrem ao amanhecer, antes do despertar, a fonte estimuladora é a luz objetiva que atinge os olhos no quarto iluminado. O caráter da excitação da luz própria, caráter variável e capaz de infinitas mudanças, corresponde exatamente à sucessão turbulenta de imagens que nossos sonhos nos apresentam. Se atribuirmos importância às observações de Ladd, não poderemos menosprezar a fecundidade dessa fonte subjetiva de estímulos para o sonho, pois, como se sabe, as impressões visuais constituem o principal elemento de nossos sonhos. A contribuição de outras áreas sensoriais, com exceção da auditiva, é menor e inconstante.

3. Estímulo corporal orgânico e interno

Se estivermos prontos a buscar as fontes oníricas no interior do organismo e não fora dele, temos de nos lembrar que quase todos os nossos órgãos internos, que no estado de saúde raramente dão notícia de sua existência, nos estados de excitação – chamemos assim – ou durante doenças se tornam uma fonte de sensações em sua maioria penosas, fonte que precisa ser colocada no mesmo patamar dos causadores externos de estímulos sensoriais e dolorosos. Experiências muito antigas levaram Strümpell (1877, p. 107), por exemplo, a afirmar: "No sono a psique atinge uma consciência sensorial muito mais profunda e mais ampla de sua corporeidade do que na vigília e é obrigada a receber e a deixar agir sobre si certas impressões estimuladoras oriundas de partes e de modificações de seu corpo das quais nada sabia na vigília".

---

18. Os editores da *Freud-Studienausgabe* (Fischer, Frankfurt am Main, 2001) inserem neste ponto a palavra *cerebral* entre colchetes, que parece esclarecer a passagem. (N.T.)

Aristóteles já declara ser bastante provável que o sonho chame nossa atenção para estados patológicos incipientes dos quais ainda nada se percebe na vigília (devido à ampliação que o sonho proporciona às impressões), e autores médicos, cujos pontos de vista certamente estão distantes da crença nos dons proféticos do sonho, pelo menos admitiram sua importância no anúncio de doenças. (Ver M. Simon, 1888, p. 31, e vários autores mais antigos.[19])

Parece que na época atual também não faltam exemplos comprovados dessa função diagnóstica do sonho. Tissié (1898, citando Artigues, 1884), por exemplo, relata a história de uma mulher de 43 anos que durante alguns anos de saúde aparentemente perfeita foi atormentada por sonhos de angústia e que ao ser submetida a um exame médico apresentou uma afecção cardíaca em estágio inicial, da qual faleceu pouco tempo depois.

Em toda uma série de pessoas, disfunções em estágio avançado dos órgãos internos agem de maneira evidente como excitadoras do sonho. Um fato geralmente apontado é a frequência dos sonhos de angústia em pessoas que sofrem de doenças cardíacas e pulmonares; aliás, essa relação com a vida onírica é tão acentuada por tantos autores que posso me contentar com a mera indicação da literatura (Radestock, Spitta, Maury, M. Simon, Tissié). Tissié afirma inclusive que os órgãos afetados imprimem um cunho característico

---

19. Além desse uso diagnóstico dos sonhos (feito por Hipócrates, por exemplo), é preciso lembrar sua significação terapêutica na Antiguidade.
Entre os gregos havia oráculos de sonhos que costumavam ser visitados por doentes em busca de restabelecimento. O doente se dirigia ao templo de Apolo ou de Esculápio, onde era submetido a diversas cerimônias, banhado, massageado, fumigado e, tendo entrado assim num estado de exaltação, deitado sobre a pele de um carneiro sacrificado. Ele adormecia e sonhava com remédios que lhe apareciam em sua forma natural ou na de símbolos e imagens que depois eram interpretados pelos sacerdotes.
Para mais detalhes sobre os sonhos de cura dos gregos, ver as obras de Lehmann (1908, v.1, p. 74), Bouché-Leclercq (1879-1882), Hermann (1858, § 41, p. 262-263, e 1882, § 38, p. 356), Böttinger (1795, p. 163-164), Lloyd (1877) e Döllinger (1857, p. 130). [Nota acrescentada em 1914.]

ao conteúdo onírico. Os sonhos dos doentes do coração normalmente são muito curtos e terminam com um despertar assustado; quase sempre, a situação de morte sob circunstâncias terríveis representa um papel em seu conteúdo. Os doentes do pulmão sonham com sufocamentos, aglomerações e fugas, além de serem propensos em número surpreendente a um conhecido pesadelo, que Börner (1855), aliás, conseguiu produzir de maneira experimental através da posição de bruços e da obstrução das vias respiratórias. No caso das disfunções digestivas, o sonho contém representações do âmbito do prazer e da repulsa. Por fim, a influência da excitação sexual sobre o conteúdo dos sonhos é bastante palpável na experiência de qualquer pessoa, emprestando à teoria de que os sonhos são provocados por estímulos orgânicos a sua mais forte sustentação.

Quando se estuda a literatura sobre os sonhos, também se torna bem evidente que alguns dos autores (Maury, Weygandt) foram levados a se ocupar com os problemas oníricos pela influência de seus próprios estados patológicos sobre o conteúdo dos seus sonhos.

Aliás, o aumento do número de fontes oníricas resultantes desses fatos sem dúvida estabelecidos não é tão significativo quanto se poderia pensar. O sonho, afinal, é um fenômeno que ocorre a pessoas saudáveis – talvez para todas, talvez todas as noites –, e o adoecimento orgânico não conta evidentemente entre suas condições imprescindíveis. E o que nos interessa não é a origem de sonhos específicos, e sim aquilo que pode ser a fonte de estímulo para os sonhos costumeiros das pessoas normais.

Entretanto, agora só precisamos dar um passo à frente para tropeçarmos numa fonte onírica que jorra com mais abundância do que qualquer outra anterior e que promete não se esgotar de forma alguma. Se for um fato garantido que no estado de doença o interior do corpo se transforma em fonte de estímulos oníricos, e se admitirmos que no estado de sono, apartada do mundo externo, a psique pode prestar maior atenção ao interior do corpo, será natural supor que os órgãos não precisam adoecer para enviar estímulos à psique adormecida, estímulos que de alguma maneira se transformem em imagens oníricas. Aquilo que durante a vigília percebemos de maneira indistinta e apenas qualitativamente como cenestesia, e para o que, segundo a opinião dos médicos, todos os sistemas orgânicos dão a sua contribuição, seria, durante a noite, quando sua influência é maior e seus componentes particulares estão ativos, a fonte mais poderosa e ao mesmo tempo a mais comum para a produção de representações oníricas. Restaria investigar as regras segundo as quais os estímulos orgânicos se convertem em representações oníricas.

Acabamos de tocar na teoria da origem dos sonhos que se tornou a preferida de todos os autores médicos. A escuridão em que o cerne de nossa natureza se oculta ao nosso conhecimento, o *"moi splanchnique"*[20], como Tissié o chama, e a escuridão que envolve a origem dos sonhos se correspondem por demais para não serem relacionadas uma à outra. Além disso, a linha de raciocínio que transforma as sensações orgânicas vegetativas em formadoras do sonho tem um outro atrativo para o médico, a saber, o de permitir que o sonho e a perturbação mental, cujas manifestações mostram tantas coincidências, também sejam unificados etiologicamente, visto que também se atribui grande importância às alterações da cenestesia e aos estímulos provenientes dos órgãos internos para a origem das psicoses. Não é de admirar, portanto, que a teoria dos estímulos corporais possa ser atribuída a mais de um autor que a apresentou de maneira independente.

Para uma série de autores, foi determinante a linha de raciocínio desenvolvida pelo filósofo Arthur Schopenhauer em 1851. Segundo ele, a imagem do mundo é criada pelo nosso intelecto, que transvasa nas formas do tempo, do espaço e da causalidade as impressões que o atingem de fora. Durante o dia, os estímulos do interior do organismo, provenientes do sistema nervoso simpático, mostram no máximo uma influência inconsciente sobre nossa disposição. Durante a noite,

---

20. "Eu esplâncnico", ou seja, "visceral". (N.T.)

porém, quando cessa o efeito ensurdecedor das impressões diurnas, aquelas impressões que chegam do interior são capazes de exigir atenção – assim como ouvimos durante a noite o murmúrio da fonte que o barulho do dia torna imperceptível. De que outro modo, porém, o intelecto deve reagir a esses estímulos a não ser cumprindo a função que lhe é própria? Dessa maneira, ele transformará os estímulos em figuras que ocupam espaço e tempo e se movem seguindo o fio condutor da causalidade; e assim surge o sonho. Posteriormente, Scherner (1861) e, depois dele, Volkelt (1875) buscaram compreender a estreita relação entre estímulos corporais e imagens oníricas, investigações cuja apreciação reservamos à seção sobre as teorias do sonho.

Em uma investigação conduzida de maneira especialmente rigorosa, o psiquiatra Krauss derivou tanto a origem dos sonhos quanto a dos delírios e a das alucinações a partir do mesmo elemento, a *sensação organicamente condicionada*. É difícil imaginar alguma parte do organismo que não possa se tornar o ponto de partida de um sonho ou de uma alucinação. A sensação organicamente condicionada "pode, contudo, ser dividida em duas categorias: 1) a das disposições totais (cenestesia) e 2) a das sensações específicas, imanentes aos sistemas principais do organismo vegetativo, dentre as quais distinguimos cinco grupos: a) as sensações musculares, b) as pneumáticas, c) as gástricas, d) as sexuais e e) as periféricas".

Krauss supõe que o processo de surgimento das imagens oníricas com base nos estímulos corporais seja o seguinte: a sensação despertada evoca uma representação afim conforme alguma lei de associação e se liga a ela numa estrutura orgânica, em relação à qual, porém, a consciência se comporta de maneira diferente da normal. Isso porque ela não dá qualquer atenção à própria sensação, mas a dirige inteiramente às representações que a acompanham, o que explica, ao mesmo tempo, por que esse fato foi mal compreendido por tanto tempo. Krauss também encontra um termo especial para designar o processo, que chama de *transubstanciação* das sensações em imagens oníricas.

Atualmente, quase todos os autores admitem a influência dos estímulos corporais orgânicos na formação dos sonhos, mas respondem à pergunta sobre a lei da relação entre ambos de maneiras muito diferentes, muitas vezes com explicações obscuras. Assim, com base na teoria dos estímulos corporais, a tarefa específica da interpretação dos sonhos consiste em explicar o conteúdo de um sonho a partir dos estímulos orgânicos que o causaram, e, se não admitirmos as regras de interpretação encontradas por Scherner (1861), nos encontramos muitas vezes diante do fato melindroso de que a fonte orgânica de estímulo não se revela de outra forma senão precisamente por meio do conteúdo do sonho.

No entanto, a interpretação de diversas formas de sonhos, que foram chamadas de "típicas" por ocorrerem em muitas pessoas com um conteúdo muito semelhante, se desenvolveu de maneira relativamente unânime. Trata-se dos conhecidos sonhos de que se está caindo de um lugar alto, perdendo os dentes, voando ou constrangido por estar nu ou com pouca roupa. Este último sonho proviria simplesmente da percepção, efetuada durante o sono, de que se deixou cair o cobertor e se está dormindo descoberto. O sonho com a perda dos dentes é explicado por um "estímulo dental", o que não significa, porém, que precise se tratar de um estado patológico de estimulação dos dentes. O sonho de voar, segundo Strümpell, é a imagem adequada que a psique emprega para interpretar o estímulo proveniente dos movimentos de sobe e desce dos pulmões quando, ao mesmo tempo, a sensibilidade cutânea do tórax já se reduziu até o nível da inconsciência. É esta última circunstância que proporciona a sensação associada à representação de flutuar. O motivo para sonhar com a queda de um lugar alto seria o fato de deixarmos um braço cair ou estendermos de súbito uma perna flexionada durante o estado de inconsciência da sensação de pressão cutânea, o que torna essa sensação consciente outra vez; essa passagem à consciência, porém, se corporifica psiquicamente como sonho de queda (Strümpell, *ibid.*, p. 118). O ponto fraco dessas tentativas plausíveis de explicação está obviamente no fato de, sem qualquer outro apoio, imporem à percepção psíquica ou fazerem desaparecer dela este ou aquele grupo de sensações orgânicas até obterem a constelação favorável à explicação. Aliás, mais adiante terei ocasião de voltar a tratar dos sonhos típicos e de sua origem.

A partir da comparação de uma série de sonhos semelhantes, M. Simon tentou derivar algumas regras para a influência dos estímulos orgânicos sobre a determinação de seus efeitos oníricos. Ele afirma (1888, p. 34): "Se, durante o sono, algum aparelho orgânico que normalmente toma parte na expressão de um afeto se encontrar, por algum outro motivo, no estado de excitação em que esse afeto costuma deixá-lo, então o sonho que surge conterá representações condizentes com esse afeto".

Outra regra diz (*ibid.*, p. 35): "Se, durante o sono, um aparelho orgânico se encontrar em atividade, excitação ou perturbação, então o sonho trará representações relacionadas ao desempenho da função orgânica que esse aparelho cumpre".

Mourly Vold (1896) se propôs a demonstrar de maneira experimental, num âmbito particular, a influência que a teoria dos estímulos corporais supõe ocorrer sobre a produção de sonhos. Ele fez experiências em que mudou a posição dos membros de indivíduos que dormiam e comparou os efeitos oníricos com essas mudanças. Ele comunica os resultados nas teses abaixo.

1) A posição de um membro no sonho corresponde aproximadamente à sua posição na realidade, ou seja, sonhamos com um estado estático do membro, estado que corresponde ao real.

2) Quando sonhamos com o movimento de um membro, esse movimento sempre ocorre de tal maneira que uma das posições que assume em sua realização corresponde à posição real.

3) A posição de um membro nosso também pode ser atribuída no sonho a outra pessoa.

4) Também podemos sonhar que o movimento em questão é impedido.

5) O membro na posição em questão pode aparecer no sonho sob a forma de um animal ou um monstro, caso em que se produz uma certa analogia entre ambos.

6) A posição de um membro pode estimular no sonho pensamentos que tenham alguma relação com esse membro. Assim, por exemplo, ao movermos os dedos, sonhamos que estamos contando.

Desses resultados, eu concluiria que também a teoria dos estímulos corporais não é capaz de eliminar de todo a aparente liberdade na definição das imagens oníricas a serem despertadas.[21]

4. Fontes psíquicas de estímulo

Ao tratarmos das relações do sonho com a vida de vigília e da origem do material onírico, verificamos que tanto os mais antigos quanto os mais recentes investigadores do sonho defendem a opinião de que as pessoas sonham com aquilo que fazem durante o dia e que lhes interessa quando estão acordadas. Esse interesse da vida de vigília que continua durante o sono não seria apenas um laço psíquico unindo o sonho à vida, mas também nos oferece uma fonte onírica nada desprezível, que, ao lado daquilo que adquiriu interesse no sono – os estímulos que atuam durante o sono –, bastaria para explicar a origem de todas as imagens oníricas. Contudo, também tomamos conhecimento da tese contrária, a saber, de que o sonho afasta a pessoa adormecida dos interesses diurnos e que sonhamos – na maioria dos casos – com as coisas que mais nos impressionaram durante o dia apenas depois que elas perderam o atrativo da atualidade na vida de vigília. Assim, a cada passo que damos na análise da vida onírica recebemos a impressão de que é inadmissível estabelecer regras universais sem prever restrições por meio de palavras como "com frequência", "via de regra" ou "na maioria dos casos" e sem prepará-las para a validade das exceções.

---

21. Confira adiante maiores detalhes sobre o relatório em dois volumes publicado por esse pesquisador em 1910 e 1912. [Nota acrescentada em 1914.]

Se o interesse de vigília, juntamente com os estímulos internos e externos recebidos durante o sono, bastasse para dar conta da etiologia dos sonhos, deveríamos ser capazes de dar uma explicação satisfatória para a origem de todos os elementos de um sonho; o enigma das fontes oníricas estaria solucionado e ainda restaria a tarefa de delimitar a parcela de estímulos oníricos psíquicos e somáticos em cada sonho. Na realidade, em nenhum caso se obteve essa explicação completa de um sonho, e, para todos que a tentaram, restaram elementos oníricos – na maioria dos casos muito abundantes – sobre cuja origem nada puderam dizer. Evidentemente, o interesse diurno como fonte psíquica de sonhos não tem um alcance tão grande quanto poderíamos esperar das afirmações confiantes de que no sonho todas as pessoas continuam se ocupando de seus assuntos.

Não são conhecidas outras fontes psíquicas de sonhos. Assim, todas as explicações do sonho defendidas na literatura – com exceção, talvez, da de Scherner, que ainda mencionaremos – deixam uma grande lacuna quando se trata da derivação do material de imagens representacionais mais característico do sonho. Em meio a esse embaraço, a maioria dos autores desenvolveu a tendência de diminuir da maior forma possível a parte psíquica na estimulação onírica, parte que é tão difícil de ser verificada. É verdade que a principal classificação que adotam distingue entre *sonhos provocados por estímulo nervoso* e *sonhos de associação,* sendo que a fonte exclusiva destes últimos é a reprodução (Wundt, 1874, p. 657-658), mas eles não conseguem se livrar da dúvida de saber "se esses sonhos ocorrem sem um estímulo corporal incitador" (Volkelt, 1875, p. 127). A caracterização do sonho de associação puro também é insuficiente: "Nos verdadeiros sonhos de associação não se pode mais falar de semelhante núcleo fixo. Nesse caso, mesmo o centro do sonho é formado por um agrupamento solto. A vida representacional, por si mesma já liberta da razão e do entendimento, nesse caso também não mais se conserva coesa mediante aquelas excitações corporais e psíquicas significativas, e, assim, é abandonada aos seus próprios movimentos variados, à sua própria confusão incoerente" (Volkelt, *ibid.*, p. 118). Wundt, por sua vez (1874, p. 656-657), tenta diminuir a parcela psíquica na estimulação onírica ao afirmar que "os fantasmas dos sonhos são injustamente considerados como alucinações puras. É provável que a maioria das representações oníricas seja na realidade ilusão, visto que provêm de impressões sensoriais silenciosas que nunca se apagam durante o sono". Weygandt se apropriou desse ponto de vista e o generalizou (1893, p. 17). Ele afirma que em todas as representações oníricas "a causa primária são estímulos sensoriais; só então se acrescentam associações reprodutoras". Tissié (1898, p. 183) vai ainda mais longe na rejeição das fontes psíquicas de estímulo: "*Les rêves d'origine absolument psychique n'existent pas*"; e, em outro trecho (*ibid.*, p. 6): "*Les pensées de nos rêves nous viennent du dehors*" (...).[22]

Aqueles autores que assumem uma posição intermediária, caso do influente filósofo Wundt, não deixam de observar que estímulos somáticos e incitações psíquicas desconhecidas ou reconhecidas como interesses diurnos agem em conjunto na maioria dos sonhos.

Mais adiante, veremos que o enigma da formação dos sonhos pode ser resolvido pela descoberta de uma insuspeitada fonte psíquica de estímulo. Por enquanto, não nos admiremos com a supervalorização dada aos estímulos para a formação do sonho não provenientes da vida psíquica. Eles não só podem ser descobertos com facilidade e mesmo comprovados por meio de experimentos; a concepção somática da origem dos sonhos também corresponde plenamente ao modo de pensar dominante na psiquiatria de hoje. É verdade que o domínio do cérebro sobre o organismo é acentuado da forma mais enérgica, porém tudo o que possa demonstrar uma independência da vida psíquica em relação a modificações orgânicas verificáveis ou uma espontaneidade nas suas manifestações assusta os psiquiatras de hoje, como se reconhecer isso fosse

---

22. "Não há sonhos de origem absolutamente psíquica"; "os pensamentos de nossos sonhos vêm de fora". (N.T.)

um retorno aos tempos da filosofia da natureza e da doutrina metafísica da psique. A desconfiança do psiquiatra colocou a psique sob tutela, por assim dizer, e agora exige que nenhuma de suas moções revele uma faculdade que lhe seja própria. Esse comportamento, no entanto, não mostra outra coisa senão a pouca confiança na justificabilidade do encadeamento causal que se estende entre o físico e o psíquico. Mesmo onde a pesquisa permite reconhecer que o psíquico é a origem primária de um fenômeno, uma investigação mais profunda saberá encontrar, um dia, a continuação do caminho que leva até a fundamentação orgânica do psíquico. Se, porém, o psíquico deve significar a estação final de nosso conhecimento atual, isso não é motivo para negar sua existência.

D

POR QUE ESQUECEMOS O SONHO APÓS O DESPERTAR?

É um fato proverbial que o sonho se "desfaz" pela manhã. Todavia, ele pode ser lembrado. Afinal, só o conhecemos pela lembrança que temos dele após o despertar; no entanto, muitas vezes acreditamos recordá-lo apenas de maneira incompleta, enquanto à noite seu conteúdo era maior; podemos observar como a lembrança de um sonho, ainda nítida pela manhã, diminui no decorrer do dia até que restem só pequenos fragmentos; muitas vezes sabemos que tivemos um sonho, mas não sabemos com o que, e estamos tão acostumados à experiência de o sonho estar sujeito ao esquecimento que não rejeitaríamos como absurda a possibilidade de que alguém pudesse sonhar e pela manhã nada soubesse sobre o conteúdo do sonho nem sobre o fato de ter sonhado. Por outro lado, ocorre que os sonhos mostrem uma duração extraordinária na memória. Analisei sonhos que pacientes meus tiveram há 25 anos ou mais e posso me lembrar de um sonho que tive há pelo menos 37 anos e que, no entanto, nada perdeu de seu frescor em minha memória. Tudo isso é muito estranho e, a princípio, incompreensível.

Strümpell é o autor que aborda com mais minúcia o esquecimento dos sonhos. Trata-se evidentemente de um fenômeno complexo, pois Strümpell não o atribui a uma só razão, e sim a toda uma série delas.

Em primeiro lugar, todas as razões que provocam o esquecimento na vida de vigília estão ativas no esquecimento dos sonhos. Quando acordados, costumamos esquecer logo uma infinidade de sensações e percepções porque foram muito fracas, porque o grau da excitação psíquica ligada a elas foi muito pequeno. O mesmo acontece em relação a muitas imagens oníricas; elas são esquecidas porque foram muito fracas, enquanto imagens mais intensas nas proximidades delas são recordadas. De resto, o fator da intensidade certamente não é decisivo por si só para a conservação das imagens oníricas; Strümpell, como também outros autores (Calkins, 1893), admite que com frequência esquecemos depressa imagens oníricas que sabemos terem sido bastante intensas, enquanto entre as imagens conservadas na memória há muitas que são vagas, sensorialmente fracas. Além disso, na vigília costumamos esquecer com facilidade aquilo que acontece apenas uma vez e lembrar melhor o que podemos perceber repetidas vezes. A maioria das imagens oníricas, porém, são experiências únicas[23]; essa peculiaridade contribuirá de maneira regular para o esquecimento de todos os sonhos. Um terceiro motivo de esquecimento é ainda mais importante. Para que sensações, representações, pensamentos etc. alcancem uma certa importância mnêmica, é necessário que não permaneçam isolados, mas estabeleçam conexões e associações de tipo apropriado. Se decompusermos um pequeno verso em suas palavras e as misturarmos, será muito difícil lembrar-se dele. "Bem-ordenadas e numa sequência adequada, as palavras ajudam umas às outras, e o todo, dotado de pleno sentido, permanece na memória facilmente e por longo tempo. Em geral, retemos o absurdo com a mesma dificuldade e a mesma raridade com que retemos o confuso e o desordenado" (Strümpell, 1877, p. 83). Só que na maioria dos casos, compreensibilidade e ordem são atributos que faltam aos sonhos. Pela sua própria natureza, as composições oníricas carecem da possibilidade de serem lembradas e são esquecidas porque na sua maioria já se desintegram nos momentos seguintes. Contudo, não se harmoniza inteiramente com essas explicações aquilo que Radestock (1879, p. 168) afirma ter observado, a saber, que retemos melhor justamente os sonhos mais estranhos.

Para Strümpell, outros fatores derivados da relação do sonho com a vida de vigília parecem ainda mais eficazes para o esquecimento do sonho. Aparentemente, o esquecimento dos sonhos pela consciência desperta é apenas a contrapartida

---

23. Sonhos que retornam periodicamente foram observados com frequência; confira a coletânea de Chabaneix (1897).

do fato já mencionado de que o sonho (quase) nunca toma memórias ordenadas da vida de vigília, mas apenas detalhes que arranca das ligações psíquicas habituais em que eles são lembrados quando se está acordado. Assim, a composição onírica não tem lugar na sociedade das séries psíquicas das quais a psique está repleta. Faltam-lhe todos os auxílios mnêmicos. "Dessa maneira, a formação onírica se eleva, por assim dizer, acima do terreno de nossa vida anímica e paira no espaço psíquico como uma nuvem no céu que o primeiro sopro dissipa rapidamente" (1877, p. 87). Atua no mesmo sentido a circunstância de que, ao despertarmos, o mundo sensível requisita imediatamente a atenção, de maneira que apenas pouquíssimas imagens oníricas podem resistir a essa potência. Essas imagens retrocedem diante das impressões do novo dia da mesma forma que o brilho das estrelas diante da luz do sol.

Por fim, é preciso lembrar que o esquecimento dos sonhos é favorecido pelo fato de a maioria das pessoas dispensar pouco interesse a eles. Quem, na condição de pesquisador, por exemplo, se interessar pelos sonhos durante algum tempo também sonhará mais do que o normal, o que significa que se lembrará de seus sonhos com mais facilidade e mais frequência.

Duas outras razões para o esquecimento dos sonhos, acrescentadas por Bonatelli (citado por Benini) àquelas mencionadas por Strümpell, talvez já estejam contidas nessas, a saber: 1) a alteração da cenestesia entre o período de sono e o de vigília é desfavorável à reprodução mútua, e 2) o ordenamento diverso do material de representações no sonho o torna intraduzível, por assim dizer, para a consciência de vigília.

Depois de todas essas razões para o esquecimento, é realmente notável, conforme ressalta o próprio Strümpell, que a memória ainda retenha tanto dos sonhos. Os esforços incessantes dos autores para encontrar as regras da recordação dos sonhos equivalem a uma confissão de que também aí restou algo enigmático e não resolvido. Recentemente, foram assinaladas de maneira especial, e com razão, algumas peculiaridades da recordação dos sonhos, como, por exemplo, a de que podemos nos lembrar no decorrer do dia de um sonho que pela manhã julgamos esquecido, lembrança ocasionada por alguma percepção que toca por acaso no conteúdo – esquecido – do sonho (Radestock, 1879; Tissié, 1898). Todas as lembranças dos sonhos, porém, estão sujeitas a uma objeção capaz de depreciar imensamente o seu valor a um olhar crítico. Podemos perguntar se a nossa memória, que omite tanto do sonho, não falsifica aquilo que retém.

Essa dúvida quanto à exatidão da reprodução do sonho também é manifestada por Strümpell (1877): "Acontece com facilidade que a consciência desperta insira involuntariamente certas coisas na lembrança do sonho: imaginamos ter sonhado com todo tipo de coisas que o sonho que tivemos não continha".

Jessen se exprime de maneira especialmente categórica (1855, p. 547): "Além disso, na investigação e na interpretação de sonhos coerentes e lógicos é preciso observar com atenção uma circunstância que, segundo parece, foi pouco considerada até agora: esses sonhos quase sempre faltam com a verdade, pois, ao recordarmos um sonho, preenchemos e completamos as lacunas das imagens oníricas sem perceber ou querer. Raramente, ou talvez nunca, um sonho coerente foi tão coerente quanto nos aparece na memória. Mesmo a pessoa mais sincera dificilmente consegue narrar um sonho estranho que teve sem qualquer acréscimo e qualquer enfeite: o empenho do espírito humano em ver todas as coisas de maneira coerente é tão grande que, ao recordar um sonho em certa medida incoerente, completa de maneira involuntária as deficiências de coerência".

As observações de V. Egger soam quase como uma tradução dessas palavras de Jessen, embora sem dúvida tenham sido concebidas de maneira independente: "(...) *l'observation des rêves a ses difficultés spéciales et le seul moyen d'éviter toute erreur en pareille matière est de confier au papier sans le moindre retard ce que l'on vient d'éprouver et de remarquer; sinon, l'oubli vient vite ou total ou partiel; l'oubli total est sans gravité; mais l'oubli partiel est perfide; car si l'on se met ensuite à raconter ce que l'on n'a pas oublié, on est exposé à compléter par imagination les fragments incohérents et disjoints fournis par la mémoire (...); on devient artiste à son insu, et le récit périodiquement répété s'impose à la créance de son auteur, qui, de bonne foi, le présente comme un fait anthentique, dûment établi selon les bonnes méthodes (...)*".[24]

Opinião muito semelhante é defendida por Spitta (1882, p. 338), que parece supor que apenas quando tentamos reproduzir o sonho introduzimos ordem nos elementos oníricos frouxamente associados entre si – "da *justaposição* fazemos uma *sucessão*, uma *diferenciação*, ou seja, acrescentamos o processo da ligação lógica que falta no sonho".

Como não possuímos outro controle sobre a fidelidade de nossa memória a não ser um controle objetivo, que, no entanto, não é possível em relação ao sonho, uma experiência pessoal e cuja única fonte conhecida é a memória, que valor ainda tem a nossa lembrança do sonho?

---

24. "(...) a observação dos sonhos apresenta suas dificuldades especiais, e o único meio de evitar qualquer erro em semelhante matéria é confiar ao papel sem a menor demora aquilo que se acabou de experimentar e de observar; caso contrário, o esquecimento sobrevém depressa, total ou parcialmente; o esquecimento total não é grave, mas o esquecimento parcial é pérfido, pois se alguém se põe a relatar em seguida aquilo que não esqueceu, corre o risco de completar por meio da imaginação os fragmentos incoerentes e desconexos fornecidos pela memória (...); a pessoa se torna um artista sem sabê-lo, e o relato periodicamente repetido se impõe à crença de seu autor, que, de boa-fé, o apresenta como um fato autêntico, devidamente estabelecido conforme os métodos corretos (...)." (N.T.)

E

AS PARTICULARIDADES PSICOLÓGICAS DO SONHO

Na investigação científica do sonho, partimos da suposição de que ele é um resultado de nossa própria atividade psíquica; contudo, o sonho acabado nos parece algo estranho, cuja autoria somos tão pouco inclinados a admitir que tanto dizemos "tive um sonho" quanto "eu sonhei".[25] De onde provém essa "estranheza psíquica" do sonho? De acordo com nossas discussões sobre as fontes oníricas, deveríamos acreditar que ela não depende do material que chega ao conteúdo onírico; afinal, em sua maior parte, esse material é comum tanto à vida onírica quanto à vida de vigília. Podemos nos perguntar se alterações dos processos psíquicos durante o sonho não seriam a causa dessa impressão, e, assim, tentar uma caracterização psicológica do sonho.

Ninguém acentuou com mais força a diferença essencial entre a vida onírica e a vida de vigília, nem se valeu dela para tirar conclusões de maior alcance, do que G.T. Fechner em algumas das observações de seus *Elementos de psicofísica* (1889, vol. 2, p. 520-521). Ele afirma que "nem a simples redução da vida psíquica consciente abaixo do limite principal" nem o desvio da atenção em relação às influências do mundo externo bastam para esclarecer as peculiaridades da vida onírica quando comparada à vida de vigília. Ele supõe, antes, que também a *cena dos sonhos é diferente da cena da vida representacional de vigília*. "Se a cena da atividade psicofísica durante o sono e durante a vida de vigília fosse a mesma, então, segundo me parece, o sonho poderia ser meramente uma continuação, num grau menor de intensidade, da vida representacional de vigília, e deveria, de resto, partilhar de sua matéria e de sua forma. Mas as coisas são bem diferentes."

---

25. A primeira dessas expressões tem um caráter muito mais impessoal em alemão: *Mir hat geträumt*, algo como "veio-me um sonho". (N.T.)

Não fica claro o que Fechner quer dizer com essa mudança de lugar da atividade psíquica; nenhum outro autor, até onde sei, seguiu o caminho cujos indícios ele apontou nessa observação. Provavelmente teremos de excluir uma interpretação anatômica no sentido da localização fisiológica cerebral ou mesmo com relação às camadas histológicas do córtex cerebral. Esse pensamento, porém, talvez ainda se revele fértil e engenhoso se o relacionarmos com um aparelho psíquico constituído por várias instâncias encaixadas uma após a outra.

Outros autores se contentaram em destacar uma ou outra das particularidades psicológicas palpáveis da vida onírica e transformá-la em ponto de partida para tentativas de explicação mais abrangentes.

Foi observado com razão que uma das principais peculiaridades da vida onírica já se manifesta no estado de adormecimento, podendo ser definida como um fenômeno preliminar do sono. Segundo Schleiermacher (1862, p. 351), o que caracteriza o estado de vigília é o fato de a atividade de pensamento ocorrer em *conceitos* e não em *imagens*. Ora, o sonho pensa principalmente por imagens, e podemos observar que com a aproximação do sono, na mesma medida em que as atividades voluntárias se mostram dificultadas, surgem *representações involuntárias* que pertencem todas à classe das imagens. A incapacidade para esse trabalho com representações, que percebemos como desejado intencionalmente, e o surgimento de imagens em geral ligado a essa *dispersão* são duas características que persistem no sonho, e que, a partir de sua análise psicológica, somos obrigados a reconhecer como características essenciais da vida onírica. Já ficamos sabendo que essas imagens – as alucinações hipnagógicas – são idênticas às imagens oníricas mesmo quanto ao conteúdo.[26]

O sonho, portanto, pensa de maneira predominante, embora não exclusiva, por imagens visuais. Ele também trabalha

---

26. Com belos exemplos, H. Silberer mostrou como no estado de sonolência mesmo pensamentos abstratos se transformam em imagens nítidas e plásticas que querem expressar a mesma coisa (1909). [Nota acrescentada em 1911.] Voltarei a essas descobertas em outro contexto. [Acréscimo de 1925.]

com imagens auditivas e, em menor escala, com as impressões dos outros sentidos. Muitas coisas, no sonho, também são simplesmente pensadas ou representadas (provavelmente, portanto, substituídas por restos de representações de palavra), de modo idêntico ao que ocorre na vigília. São característicos do sonho, porém, apenas aqueles elementos de seu conteúdo que se comportam como imagens, ou seja, que mais se assemelham a percepções do que a representações mnêmicas. Deixando de lado todas as discussões, bem conhecidas dos psiquiatras, sobre a natureza das alucinações, podemos dizer com todos os autores abalizados que o sonho *alucina*, que substitui pensamentos por alucinações. Nesse sentido, não há diferença entre representações visuais e acústicas; foi observado que, se alguém adormece com a lembrança de uma sequência de notas musicais, ao se mergulhar no sono essa lembrança se transforma numa alucinação da mesma melodia para dar lugar outra vez à representação mnêmica, mais fraca e qualitativamente diferente, assim que a pessoa volta a si, o que pode se alternar várias vezes com o adormecer.

A transformação das representações em alucinações não é a única diferença do sonho em relação a um pensamento de vigília que lhe corresponda. Com essas imagens, o sonho cria uma situação, ele apresenta algo, ele *dramatiza* uma ideia, como afirma Spitta (1882, p. 145). Porém, a caracterização desse aspecto da vida onírica apenas ficará completa se acrescentarmos o fato de que ao sonhar – via de regra; as exceções exigem uma explicação especial – não julgamos pensar, e sim vivenciar, ou seja, damos crédito irrestrito às alucinações. A crítica de que nada vivenciamos, e sim apenas pensamos de uma forma singular – sonhamos –, surge apenas ao despertar. Essa característica distingue o sonho genuíno dos devaneios, que nunca são confundidos com a realidade.

Burdach (1838, p. 502-503) resumiu nas teses seguintes as características da vida onírica que consideramos até agora: "Entre as características essenciais do sonho estão: *a)* o fato de a atividade subjetiva de nossa psique aparecer como objetiva, pois a percepção apreende os produtos da fantasia como se fossem emoções sensíveis; (...) *b)* o sono é uma anulação do arbítrio. Por isso, uma certa passividade faz parte do adormecimento (...). As imagens oníricas dependem da redução do arbítrio".

Trata-se agora de tentar explicar a credulidade da psique em relação às alucinações oníricas, que apenas podem surgir após a suspensão de uma certa atividade do arbítrio. Strümpell (1877) declara que a psique se comporta corretamente e de acordo com o seu mecanismo. Os elementos oníricos não são de forma alguma meras representações, mas *experiências da psique reais* e *verdadeiras*, tais como surgem na vigília pela mediação dos sentidos (*ibid.*, p. 34). Enquanto na vigília a psique representa e pensa por imagens verbais e pela linguagem, no sonho ela representa e pensa por imagens sensoriais reais (*ibid.*, p. 35). Além disso, acrescenta-se no sonho uma consciência espacial, pois, assim como na vigília, sensações e imagens são transpostas para um espaço externo (*ibid.*, p. 36). Precisamos admitir, portanto, que, em relação a suas imagens e percepções, a psique se encontra no sonho na mesma situação da vigília (*ibid.*, p. 43). Se, no entanto, ela se engana, isso se deve ao fato de no estado de sono lhe faltar o único critério que é capaz de distinguir entre percepções sensoriais oriundas de fora e de dentro. Ela não pode submeter suas imagens às únicas provas que demonstram sua realidade objetiva. *Além disso*, ela negligencia a diferença entre imagens *arbitrariamente* intercambiáveis e aquelas em que essa arbitrariedade não existe. Ela se engana porque não pode aplicar a lei da causalidade ao conteúdo de seus sonhos (*ibid.*, p. 50-51). Em suma, o afastamento da psique em relação ao mundo externo também contém a razão para a sua crença no mundo subjetivo dos sonhos.

Depois de explicações psicológicas parcialmente discordantes, Delboeuf (1885, p. 84) chega à mesma conclusão. Acreditamos que as imagens oníricas são reais porque no sono não temos outras impressões com que possamos compará-las, porque estamos separados do mundo externo. Porém, não acreditamos na veracidade de nossas alucinações por estarmos impedidos de submetê-las a provas durante o sono. O sonho pode simular todas essas provas; pode nos mostrar, por exemplo, que tocamos a rosa que vemos, mas ao fazê-lo apenas continuamos sonhando. Segundo Delboeuf, não há critério convincente para determinar se algo é um sonho ou se é realidade de vigília, exceto – e isso apenas numa generalidade prática – o fato do despertar. Declaro que tudo o que vivi entre o adormecer e o despertar é uma ilusão quando percebo ao acordar que estou deitado sem roupa em minha cama. Durante o sono, tomei as imagens oníricas por verdadeiras em consequência do *hábito de pensamento*, que não pode ser adormecido, de supor um mundo externo ao qual contraponho o meu eu.[27]

---

27. Assim como Delboeuf, Haffner (1887, p. 243) tentou explicar a atividade onírica por meio da mudança que uma condição anormalmente introduzida tem de produzir no funcionamento, de outra forma correto, do aparelho psíquico intacto; ele descreveu essa condição, porém, com palavras um pouco diferentes. Segundo ele, a primeira característica do sonho é a ausência de tempo e de espaço, ou seja, o fato de a representação se emancipar do lugar que cabe ao indivíduo na ordem espacial e temporal. A ela se liga a segunda característica básica do sonho: o fato de confundirmos alucinações, produtos da imaginação e combinações da fantasia com percepções externas. "Visto que todas as faculdades psíquicas superiores, em especial a formação de conceitos, o juízo e o raciocínio, por um lado, e a livre autodeterminação, por outro, se ligam às imagens sensoriais da fantasia, que sempre são sua base, tais atividades também tomam parte na desordem das representações oníricas. Dissemos que elas tomam parte pois, em si mesmo, nosso juízo, assim como nossa vontade, de modo algum se altera durante o sono. No que respeita à atividade, somos tão perspicazes e tão livres quanto no estado de vigília. Mesmo no sonho, o homem não pode violar as leis do pensamento em si mesmas, ou seja, não pode considerar iguais coisas que se apresentam a ele como opostas etc. No sonho ele também só pode desejar aquilo que imagina ser um bem (*sub ratione boni*). Porém, nessa aplicação das leis do pensamento e da volição, o espírito humano é enganado no sonho pela confusão de uma representação com outra. Assim, ocorre que pratiquemos no sonho os atos mais contraditórios, enquanto, por outro lado, somos capazes de fazer os juízos mais sagazes, tirar as conclusões mais lógicas e tomar as decisões mais virtuosas e santas. A *falta de orientação* é todo o segredo do voo com que nossa fantasia se move no sonho, e a *falta de reflexão crítica*, bem como de entendimento com outras pessoas, é a principal fonte das extravagâncias irrefreadas tanto de nossos juízos quanto de nossas esperanças e desejos no sonho."

Se, dessa forma, o afastamento em relação ao mundo exterior é elevado à categoria de fator determinante para a cunhagem das características mais notáveis da vida onírica, então é válido citar algumas observações sutis do velho Burdach que lançam luz sobre a relação da psique adormecida com o mundo externo e que são apropriadas para impedir uma supervalorização das deduções anteriores. "O sono apenas ocorre sob a condição", afirma Burdach, "de a psique não ser incitada por estímulos sensoriais, (...) mas a precondição para o sono não é tanto a falta de estímulos sensoriais quanto a falta de interesse por eles[28]; algumas impressões sensíveis são mesmo necessárias na medida em que servem para acalmar a psique, como no caso do moleiro que só dorme quando ouve o matraquear de seu moinho ou como na situação de quem não consegue dormir no escuro porque acha necessário deixar uma vela ardendo por precaução durante a noite (1838, p. 482).

"No sono, a psique se isola do mundo externo e se retira da periferia (...). Entretanto, a relação não é completamente interrompida; se não ouvíssemos e sentíssemos durante o próprio sono, mas apenas após o despertar, não poderíamos ser acordados de forma alguma. Uma prova a mais da continuidade das sensações é o fato de nem sempre sermos acordados pela mera intensidade sensorial de uma impressão, mas por causa das suas relações psíquicas; uma palavra indiferente não acorda a pessoa adormecida, mas, se a chamarmos pelo seu nome, ela desperta (...); portanto, a psique distingue no sono entre as sensações (...). Por isso, também podemos ser despertados pela falta de um estímulo sensorial quando este se refere a um assunto importante para a representação; assim, podemos acordar quando uma vela é apagada durante a noite ou, no caso do moleiro, quando o moinho deixa de funcionar, ou seja, podemos acordar por causa da suspensão da atividade sensorial, e isso pressupõe que ela tenha sido percebida, mas que, sendo indiferente, ou antes satisfatória, não tenha sobressaltado a psique" (*ibid.*, p. 485-486).

---

28. Compare-se com isso o *désintérêt* que Claparède (1905) considera ser o mecanismo do adormecimento. [Nota acrescentada em 1914.]

Mesmo se quisermos abstrair essas objeções, que não são nada desprezíveis, teremos de admitir, contudo, que as características da vida onírica consideradas até agora, e que foram derivadas do afastamento em relação ao mundo externo, não são capazes de explicar inteiramente a sua estranheza. Pois, em outro caso, deveria ser possível reconverter as alucinações do sonho em representações, as situações oníricas em pensamentos, e assim resolver a tarefa da interpretação dos sonhos. Entretanto, não fazemos outra coisa quando, após o despertar, reproduzimos um sonho de memória, e, quer essa retroversão seja inteira, quer apenas parcialmente bem-sucedida, o sonho nada perde de seu caráter enigmático.

Todos os autores também supõem sem hesitar que no sonho ainda ocorreram outras mudanças, e mais profundas, com o material de representações da vigília. Strümpell procura apresentar uma delas na seguinte exposição (1877, p. 27-28): "Quando cessam as impressões sensorialmente ativas e a consciência vital normal, a psique também perde o solo onde se enraízam seus sentimentos, desejos, interesses e ações. Mesmo aqueles estados, sentimentos, valorações e interesses psíquicos aos quais na vigília se ligam imagens mnêmicas estão sujeitos (...) a uma pressão obscurecedora em consequência da qual sua ligação com as imagens se desfaz; as imagens perceptivas de coisas, pessoas, lugares, acontecimentos e ações da vida de vigília são reproduzidas isoladamente em grande número, mas nenhuma delas traz consigo o seu *valor psíquico*. Este é delas separado, e por isso elas flutuam pela psique por conta própria (...)".

Essa privação de valor psíquico sofrida pelas imagens, que também é atribuída ao afastamento em relação ao mundo externo, teria, segundo Strümpell, uma participação capital na impressão de estranheza com que o sonho, em nossa memória, se contrapõe à vida.

Vimos que já o adormecimento provoca a renúncia a uma das atividades psíquicas, a saber, a direção voluntária do fluxo das representações. Assim, se impõe a nós a suposição, além disso evidente, de que o estado de sono também poderia se estender às funções psíquicas. Uma ou outra dessas funções talvez seja inteiramente suspensa; trata-se agora de perguntar se as demais continuam a trabalhar sem perturbações, se elas podem fazer um trabalho normal sob tais circunstâncias. Surge o ponto de vista de que as peculiaridades do sonho poderiam ser explicadas pelo desempenho psíquico reduzido no estado de sono, e a impressão que o sonho causa em nosso juízo de vigília vem ao encontro dessa concepção. O sonho é incoerente, une sem objeção as maiores contradições, admite impossibilidades, deixa de lado conhecimentos importantes para nós durante o dia, nos mostra ética e moralmente estupidificados. Quem se comportasse na vigília como nas situações mostradas pelo sonho seria tomado por louco; quem falasse na vigília como no sonho ou quisesse comunicar as coisas tal como sucedem no conteúdo onírico nos daria a impressão de ser uma pessoa confusa ou um imbecil. Assim, apenas acreditamos dar voz aos fatos quando estimamos que a atividade psíquica no sonho seja muito pequena e, em especial, quando declaramos que nele as faculdades intelectuais superiores estão suspensas ou pelo menos seriamente prejudicadas.

Os autores emitiram tais opiniões com uma unanimidade incomum – trataremos das exceções em outro momento –, opiniões que também conduzem diretamente a uma teoria ou a uma explicação determinada da vida onírica. É chegado o momento de substituir o resumo que acabei de fazer por uma coletânea de sentenças de diversos autores – filósofos e médicos – sobre as características psicológicas do sonho:

Segundo Lemoine (1855), a única característica essencial do sonho é a *incoerência* das imagens oníricas.

Maury lhe dá razão; ele afirma (1878, p. 163): "*Il n'y a pas de rêves absolument raisonnables et qui ne contiennent quelque incohérence, quelque anachronisme, quelque absurdité*".[29]

Segundo Hegel, citado por Spitta, falta ao sonho toda coerência objetiva e racional.

---

29. "Não existem sonhos absolutamente racionais e que não contenham alguma incoerência, algum anacronismo, algum absurdo." (N.T.)

Dugas afirma: "*Le rêve c'est l'anarchie psychique affective et mentale, c'est le jeu des fonctions livrées à elles-mêmes et s'exerçant sans contrôle et sans but; dans le rêve l'esprit est un automate spirituel*".[30]

Mesmo Volkelt (1875, p. 14), em cuja teoria a atividade psíquica durante o sono de forma alguma parece destituída de propósito, admite "o relaxamento, a dissolução e a confusão da vida representacional, mantida coesa durante a vigília pela força lógica do eu central".

O *absurdo* das ligações de representações que ocorrem no sonho dificilmente poderá ser condenado com severidade maior que a de Cícero (*De divinatione*, II): "*Nihil tam praepostere, tam incondite, tam monstruose cogitari potest, quod non possimus somniare*".[31]

Fechner afirma (1889, vol. 2, p. 522): "É como se a atividade psicológica passasse do cérebro de um homem sensato ao de um louco".

Radestock (1879, p. 145): "Parece de fato impossível reconhecer leis fixas nessa agitação insana. Esquivando-se do policiamento rigoroso da atenção e da vontade racional que comanda o curso das representações de vigília, o sonho mistura tudo caleidoscopicamente num jogo insano".

Hildebrandt (1875, p. 45): "Que saltos estranhos o sonhador se permite em seus raciocínios, por exemplo! Com que naturalidade ele vê os mais conhecidos princípios empíricos de pernas para o ar! Que contradições ridículas ele é capaz de tolerar nas ordens da natureza e da sociedade antes de as coisas irem longe demais, como se diz, e o excesso de absurdos causar o despertar! Quando se oferece a ocasião, multiplicamos três por três e obtemos vinte com a maior inocência; não estranhamos de forma alguma que um cão recite um verso para nós, que um morto vá com suas

---

30. "O sonho é a anarquia psíquica, afetiva e mental, é o jogo das funções entregues a si mesmas e se exercendo sem controle e sem meta; no sonho, o espírito é um autômato espiritual." (N.T.)

31. "Não há nada que possamos imaginar de tão confuso, tão desordenado ou tão monstruoso com que não possamos sonhar." (N.T.)

próprias pernas para seu túmulo, que um bloco de rocha flutue na água; encarregados de uma alta missão, vamos com toda seriedade ao ducado de Bernburg ou ao principado de Liechtenstein para observar a marinha de guerra do país, ou nos alistamos como voluntários nos exércitos de Carlos XII pouco antes da Batalha de Poltava".

Referindo-se à teoria dos sonhos que resulta dessas impressões, Binz afirma (1878, p. 33): "De dez sonhos, pelo menos nove têm um conteúdo absurdo. Reunimos neles pessoas e coisas que não têm a menor relação entre si. Já no momento seguinte, como num caleidoscópio, o agrupamento se modificou e, se possível, ficou ainda mais absurdo e mais louco do que já era antes; e assim prossegue o jogo cambiante do cérebro incompletamente adormecido até que acordamos, colocamos a mão na testa e nos perguntamos se de fato ainda possuímos as capacidades racionais de imaginar e pensar".

Para a relação das imagens oníricas com os pensamentos de vigília, Maury (1878, p. 50) encontra uma comparação deveras impressionante para o médico: "*La production de ces images que chez l'homme éveillé fait le plus souvent naître la volonté, correspond, pour l'intelligence, à ce que sont pour la motilité certains mouvements que nous offrent la chorée et les affections paralytiques (...)*".[32] Aliás, para ele o sonho é "*toute une série de dégradations de la faculté pensante et raisonnante*"[33] (*ibid.*, p. 27).

É quase desnecessário citar as palavras dos autores que repetem a tese de Maury aplicando-a às faculdades psíquicas superiores específicas.

Segundo Strümpell, no sonho há um retrocesso – evidentemente também quando o absurdo não salta aos olhos – de todas as operações lógicas da psique que dependem

---

32. "A produção dessas imagens que nascem no homem acordado quase sempre por efeito da vontade corresponde, no âmbito da inteligência, àquilo que são para a motilidade certos movimentos que nos são mostrados pela coreia e pelas afecções paralíticas (...)". (N.T.)

33. "Toda uma série de degradações da faculdade de pensamento e de raciocínio." (N.T.)

de relações e de conexões (1877, p. 26). Conforme Spitta (1882, p. 148), no sonho as representações parecem estar completamente subtraídas à lei da causalidade. Radestock (1879), entre outros, acentua a debilidade de julgamento e de raciocínio própria do sonho. Segundo Jodl (1896, p. 123), não há nenhuma capacidade crítica no sonho, nenhuma correção das séries de percepções pelo conteúdo global da consciência. O mesmo autor afirma: "Todos os tipos de atividade da consciência ocorrem no sonho, mas incompletas, inibidas, isoladas umas das outras". As contradições do sonho em relação ao nosso conhecimento de vigília são explicadas por Stricker (e por muitos outros) pelo esquecimento de fatos no sonho ou pela perda de relações lógicas entre representações (1879, p. 98) etc. etc.

Entretanto, os autores que em geral emitem juízos tão desfavoráveis sobre as faculdades psíquicas no sonho reconhecem que permanece nele um certo resíduo de atividade psíquica. Wundt, cujas teorias se tornaram um modelo para tantos pesquisadores dos problemas oníricos, admite isso de maneira expressa. Poderíamos perguntar de que espécie é e que constituição tem o resíduo de atividade psíquica normal que se manifesta no sonho. Admite-se de modo relativamente geral que a faculdade de reprodução, a memória, parece ser a menos prejudicada no sonho, podendo mostrar até uma certa superioridade quando comparada à mesma função na vigília (ver acima, p. 25 e segs.), embora uma parte dos absurdos do sonho deva ser explicada justamente pelo esquecimento próprio da vida onírica. Segundo Spitta, o que não é atacado pelo sono é a *vida anímica* [*Gemütsleben*] da psique, e é ela que dirige o sonho. Por "ânimo" [*Gemüt*] ele entende "a constante concentração dos sentimentos como essência subjetiva mais íntima do homem" (1882, p. 84-85).

Segundo Scholz (1887, p. 37), uma das atividades psíquicas que se manifestam no sonho é a *reinterpretação alegorizante* a que o material onírico é submetido. Siebeck também constata no sonho a *faculdade de interpretação completiva* da psique (1877, p. 11), faculdade que ela exerce em relação a tudo o que é visto ou percebido. Surge uma dificuldade especial na avaliação do papel que a consciência, supostamente a função psíquica mais elevada, desempenha no sonho. Visto que temos notícia do sonho apenas por meio da consciência, não pode haver dúvida quanto à sua conservação; Spitta (1882), porém, afirma que no sonho apenas a consciência é conservada, o que não ocorre com a *auto*consciência. Delboeuf (1885) declara não ser capaz de compreender essa diferenciação.

As leis de associação segundo as quais as representações se ligam também valem para as imagens oníricas, e no sonho seu domínio inclusive ganha expressão mais pura e mais forte. Strümpell (1877, p. 70): "Segundo parece, ou o sonho transcorre exclusivamente conforme as leis de meras representações ou conforme as leis dos estímulos orgânicos associados a tais representações, quer dizer, sem que a reflexão e o entendimento, o gosto estético e o juízo moral tenham qualquer autoridade nesse caso". Os autores cujas opiniões aqui reproduzo imaginam que a formação dos sonhos ocorra mais ou menos da seguinte maneira: a soma dos estímulos sensoriais que atuam no sono, provenientes das diversas fontes já mencionadas, de início despertam na psique algumas representações que se apresentam como alucinações (segundo Wundt, seria mais correto chamá-las de ilusões, por se originarem dos estímulos internos e externos). Estas se ligam entre si de acordo com as conhecidas leis de associação, evocando, por sua vez, uma nova série de representações (imagens) segundo as mesmas regras. Depois, todo o material é elaborado da melhor maneira possível pelo resíduo ainda ativo da faculdade psíquica ordenadora e pensante (ver, por exemplo, Wundt e Weygandt). Só que ainda não foi possível compreender os motivos determinantes para que a evocação das imagens não oriundas de fora ocorra segundo uma ou outra lei de associação.

Porém, foi observado repetidas vezes que as associações que ligam as representações oníricas são de um tipo muito especial, distintas das que atuam no pensamento de vigília.

Volkelt afirma o seguinte (1875, p. 15): "No sonho, as representações se perseguem e tentam se agarrar umas às outras conforme semelhanças casuais e conexões pouco perceptíveis. Todos os sonhos são atravessados por essas associações desleixadas e irregulares". Maury atribui grande valor a essa característica da ligação entre representações, característica que lhe permite estabelecer uma analogia estreita entre a vida onírica e certas perturbações mentais. Ele reconhece duas características principais do *"délire"*: *"1) une action spontanée et comme automatique de l'esprit; 2) une association vicieuse et irrégulière des idées"* (1878, p. 126). O próprio Maury relata dois excelentes exemplos de sonhos nos quais a mera homofonia das palavras facilita a conexão das representações oníricas. Certa vez ele sonhou que empreendera uma peregrinação (*pèlerinage*) a Jerusalém ou a Meca; depois de muitas aventuras, encontrou-se com o químico *Pelletier*, que, após um diálogo, lhe deu uma pá (*pelle*) de zinco, e esta, num trecho posterior do sonho, se transformou numa grande espada (*ibid.*, p. 137). Noutra ocasião, ele sonhou que caminhava por uma estrada e lia as indicações dos *quilô*metros nas pedras miliárias; depois se encontrou na loja de um comerciante de especiarias que tinha uma grande balança, e um homem colocava pesos de um *quilo* sobre um de seus pratos para pesar Maury; então o comerciante lhe disse: "O senhor não está em Paris, mas na ilha de *Gilolo*". Seguiram-se várias imagens em que viu a flor de uma *lo*bélia, depois o general *Lo*pez, sobre cuja morte tinha lido há pouco; por fim ele acordou jogando uma partida de *lo*to.[34]

No entanto, estamos preparados para o fato de que o menosprezo das faculdades psíquicas do sonho não tenha permanecido sem opositores. É verdade que nesse caso a oposição parece difícil. Também o fato de um dos depreciadores da vida onírica (Spitta, 1882, p. 118) assegurar que as mesmas leis psicológicas vigentes durante a vigília também

---

34. Mais adiante, teremos acesso ao sentido desses sonhos repletos de palavras com as mesmas iniciais e com sílabas iniciais semelhantes. [Nota acrescentada em 1909.]

comandam o sonho ou de outro (Dugas) afirmar que "*le rêve n'est pas déraison ni même irraison pure*"[35] não tem grande importância enquanto ambos não se derem ao trabalho de harmonizar essa avaliação com a anarquia psíquica e com a dissolução de todas as funções no sonho por eles descritas. Outros, porém, parecem ter se dado conta da possibilidade de que a loucura do sonho talvez não seja, afinal, desprovida de método, mas talvez seja apenas dissimulação como a do príncipe da Dinamarca, a cuja loucura se refere o juízo sagaz aqui citado.[36] Esses autores devem ter evitado fazer julgamentos segundo a aparência, ou então a aparência que o sonho lhes oferecia era diferente.

Dessa forma, Havelock Ellis avalia o sonho, sem querer se demorar em seu absurdo aparente, como "*an archaic world of vast emotions and imperfect thoughts*"[37], cujo estudo poderia nos dar a conhecer estágios primitivos de desenvolvimento da vida psíquica.

J. Sully (1893, p. 362) defende a mesma concepção de sonho de uma maneira ainda mais ampla e mais profunda. Suas declarações merecem ainda mais atenção se acrescentarmos que ele, como talvez nenhum outro psicólogo, estava convencido de que os sonhos tinham um sentido oculto. "*Now our dreams are a means of conserving these successive personalities. When asleep we go back to the old ways of looking at things and of feeling about them, to impulses and activities which long ago dominated us.*"[38]

Um pensador como Delboeuf afirma – todavia sem apresentar provas contra o material que contradiz sua tese e,

---

35. "O sonho não é desrazão nem mesmo irracionalidade pura." (N.T.)

36. "Loucura embora, tem lá o seu método." *Hamlet*, ato II, cena 2. Tradução de Millôr Fernandes. Porto Alegre, L&PM, 1997. (N.T.)

37. "Um mundo arcaico de vastas emoções e pensamentos imperfeitos." (N.T.)

38. "Bem, nossos sonhos são um meio de conservar essas personalidades sucessivas. Quando adormecidos, voltamos a maneiras antigas de ver e sentir as coisas, a impulsos e atividades que nos dominavam há muito tempo." (N.T.)

por isso, sem ter razão: "*Dans le sommeil, hormis la perception, toutes les facultés de l'esprit, intelligence, imagination, mémoire, volonté, moralité, restent intactes dans leur essence; seulement, elles s'appliquent à des objets imaginaires et mobiles. Le songeur est un acteur qui joue à volonté les fous et les sages, les bourreaux et les victimes, les nains et les géants, les démons et les anges*"[39] (1885, p. 222). Parece que a depreciação do desempenho psíquico no sonho foi contestada da forma mais enérgica pelo marquês d'Hervey, com quem Maury polemizou vivamente e cuja obra, apesar de todos os esforços, não consegui obter. Maury afirma sobre ele (1878, p. 19): "*M. le Marquis d'Hervey prête à l'intelligence durant le sommeil, toute sa liberté d'action et d'attention et il ne semble faire consister le sommeil que dans l'occlusion des sens, dans leur fermeture au monde extérieur; en sorte que l'homme qui dort ne se distingue guère, selon sa manière de voir, de l'homme qui laisse vaguer sa pensée en se bouchant les sens; toute la différence qui sépare alors la pensée ordinaire de celle du dormeur c'est que, chez celui-ci, l'idée prend une forme visible, objective et ressemble, à s'y méprendre, à la sensation déterminée par les objets extérieurs; le souvenir revêt l'apparence du fait présent*".[40]

Mas Maury acrescenta "*qu'il y a une différence de plus et capitale à savoir que les facultés intellectuelles de*

---

39. "Exceto pela percepção, todas as faculdades do espírito – a inteligência, a imaginação, a memória, a vontade e a moralidade – permanecem intactas em sua essência durante o sono; no entanto, elas se aplicam a objetos imaginários e mutáveis. A pessoa que sonha é um ator que representa à vontade os papéis de loucos e sábios, carrascos e vítimas, anões e gigantes, demônios e anjos." (N.T.)

40. "O senhor marquês d'Hervey atribui à inteligência durante o sono toda a sua liberdade de ação e de atenção, e lhe parece que o sono não é mais que a oclusão dos sentidos, seu fechamento para o mundo exterior; de forma que, segundo sua maneira de ver, o homem adormecido não se distingue muito daquele que deixa vagar seu pensamento enquanto bloqueia os sentidos; assim, toda a diferença que separa o pensamento ordinário do pensamento durante o sono é que neste a ideia adota uma forma visível, objetiva, e se parece, a ponto de se confundir, com a sensação determinada pelos objetos exteriores; a lembrança assume a aparência de um fato presente." (N.T.)

l'homme endormi n'offrent pas l'équilibre qu'elles gardent chez l'homme éveillé".[41]

Na obra de Vaschide (1911, p. 146-147), que nos proporciona um melhor conhecimento do livro de D'Hervey, encontramos o seguinte trecho, em que esse autor trata da aparente incoerência dos sonhos: "*L'image du rêve est la copie de l'idée; la vision n'est qu'accessoire. Ceci établi, il faut savoir suivre la marche des idées, il faut savoir analyser le tissu des rêves; l'incohérence devient alors compréhensible, les conceptions les plus fantasques deviennent des faits simples et parfaitement logiques*". E: "*Les rêves les plus bizarres trouvent même une explication des plus logiques quand on sait les analyser*".[42]

J. Stärcke (1913) chamou a atenção para o fato de que uma solução semelhante para a incoerência onírica foi defendida em 1799 por um autor antigo que eu desconhecia, Wolf Davidson (p. 136): "Todos os saltos estranhos de nossas representações no sonho têm seu fundamento na lei da associação, só que às vezes essa ligação ocorre bastante obscuramente na psique, de maneira que com frequência acreditamos observar um salto da representação onde não há nenhum". [1914]

A escala de avaliação do sonho como produto psíquico tem um grande alcance na literatura; ela vai do mais profundo menosprezo, cujas expressões ficamos conhecendo, passa pela suspeita de um valor ainda não descoberto e chega até a supervalorização que coloca o sonho muito acima das produções da vida de vigília. Hildebrandt, que, como sabemos, esboça a caracterização psicológica da vida onírica em três antinomias, resume na terceira dessas oposições os pontos

---

41. "Que há outra diferença, uma diferença capital, a saber, que as faculdades intelectuais do homem adormecido não mostram o equilíbrio que conservam no homem acordado." (N.T.)

42. "A imagem do sonho é a cópia da ideia. O principal é a ideia; a visão é apenas acessória. Estabelecido isso, é preciso saber acompanhar o curso das ideias, é preciso saber analisar o tecido dos sonhos; então a incoerência se torna compreensível, as concepções mais estranhas se tornam fatos simples e perfeitamente lógicos." E: "Mesmo os sonhos mais bizarros encontram uma explicação das mais lógicas quando se sabe analisá-los". (N.T.)

extremos dessa série (1875, p. 19-20): "É a oposição entre uma *intensificação*, uma *potenciação* que não raras vezes se eleva até o *virtuosismo*, e, por outro lado, uma *redução* e um *enfraquecimento* incontestáveis da vida psíquica que muitas vezes descem a um nível abaixo do humano.

"No que se refere à primeira, quem não poderia confirmar por experiência própria que nas criações e nas tramas do gênio dos sonhos às vezes se manifestam uma profundidade e uma intensidade de emoções, uma delicadeza da sensibilidade, uma clareza da intuição, uma sutileza da observação e uma prontidão do engenho cuja posse constante na vida de vigília negaríamos modestamente? O sonho tem uma poesia extraordinária, uma alegoria perfeita, um humor incomparável, uma ironia deliciosa. Ele vê o mundo sob uma luz singularmente idealizadora e muitas vezes intensifica o efeito de seus fenômenos mediante a mais engenhosa compreensão da essência que lhes serve de fundamento. Ele nos apresenta a beleza terrena com um resplendor verdadeiramente celeste, o sublime com uma majestade suprema, o terrível, tal como o conhecemos pela experiência, sob a forma mais apavorante e o ridículo com uma comicidade indescritivelmente expressiva; e às vezes ainda estamos tão repletos de alguma dessas impressões após o despertar que nos parece que o mundo real jamais nos ofereceu impressões semelhantes."

Podemos nos perguntar: o objeto a que se referem aquelas observações desdenhosas e esse louvor entusiasmado é de fato o mesmo? Será que uns desconsideraram os sonhos absurdos e outros os sonhos profundos e sutis? E se ocorrem as duas coisas – sonhos que merecem este e aquele julgamento –, não parece ocioso buscar uma caracterização psicológica do sonho? Não bastaria dizer que nele tudo é possível, do mais profundo rebaixamento da vida psíquica até uma intensificação da mesma que é incomum na vigília? Por mais cômoda que fosse essa solução, ela tem contra si o fato de que os esforços de todos os investigadores dos sonhos parecem se basear no pressuposto de que existiria uma caracterização dos sonhos, universal em seus traços essenciais, que deveria sobrepujar essas contradições.

É indiscutível que as faculdades psíquicas do sonho encontraram um reconhecimento mais solícito e mais caloroso naquele período intelectual, que agora deixamos para trás, em que a filosofia, e não as ciências naturais exatas, dominava os espíritos. Hoje nos parece difícil compreender declarações como a de Schubert (1814) de que no sonho o espírito se liberta do poder da natureza externa, que nele a psique se solta das cadeias da sensibilidade, bem como juízos semelhantes do jovem Fichte (1864, vol. 1)[43], entre outros autores, que, todos eles, apresentam o sonho como uma ascensão da vida psíquica a um nível superior; na atualidade, tais declarações são repetidas apenas por místicos e devotos.[44] Com o avanço do modo de pensar das ciências da natureza, ocorreu uma reação na avaliação do sonho. Justamente os autores médicos são os mais inclinados a estimar que a atividade psíquica no sonho é insignificante e sem valor, enquanto filósofos e observadores não profissionais – psicólogos amadores –, cujas contribuições precisamente nesse âmbito não podem ser negligenciadas, em sua maioria perseveraram na tese do valor psíquico dos sonhos, no que se encontram na melhor harmonia com as noções populares. Quem tende a desprezar a eficiência psíquica do sonho compreensivelmente privilegiará as fontes somáticas de estímulo na etiologia onírica; quem julga que a psique sonhante conserva a maior parte de suas capacidades de vigília naturalmente não tem por que não lhe conceder também incitações autônomas para o sonhar.

Entre as faculdades superiores que, mesmo numa comparação prosaica, podemos estar tentados a atribuir à vida onírica, a da memória é a mais acentuada; já tratamos em detalhes das experiências, nada raras, que demonstram isso. Outra prerrogativa da vida onírica, muitas vezes exaltada pelos autores antigos – a de que ela é capaz de superar soberanamente as

---

43. Ver Haffner (1887) e Spitta (1882).

44. O espirituoso místico Du Prel, um dos poucos autores por cuja ausência nas primeiras edições deste livro eu gostaria de me desculpar, afirma que a porta de acesso à metafísica, na medida em que esta diz respeito ao homem, não é a vigília, e sim o sonho (1885, p. 59). [Nota acrescentada em 1914.]

distâncias do tempo e do espaço –, pode ser reconhecida com facilidade como ilusão. Tal prerrogativa, conforme observa Hildebrandt (1875), é justamente uma prerrogativa ilusória; o sonho supera o tempo e o espaço de uma maneira que não se distingue daquela do pensamento de vigília, e justamente porque ele é apenas uma forma de pensamento. Quanto à temporalidade, o sonho ainda gozaria de outra prerrogativa; ele ainda seria independente do fluxo do tempo num outro sentido. Sonhos como o da execução por guilhotina relatado por Maury parecem provar que o sonho consegue comprimir muito mais conteúdo perceptivo em um pequeníssimo lapso de tempo do que a nossa atividade psíquica é capaz de dar conta no conteúdo do pensamento de vigília. Entretanto, essa conclusão foi contestada com muitos argumentos; desde os estudos de Le Lorrain (1894) e de Egger (1895) "sobre a duração aparente dos sonhos" se desenvolveu uma interessante discussão que provavelmente ainda não chegou ao esclarecimento definitivo dessa questão difícil e profunda.[45]

De acordo com numerosos relatos e com a coleção reunida por Chabaneix (1897), parece incontestável que o sonho possa assumir os trabalhos intelectuais diurnos e levá-los a uma conclusão não alcançada durante o dia, que ele possa resolver dúvidas e problemas e se tornar a fonte de novas inspirações para escritores e compositores. Porém, se o fato parece incontestável, as concepções a respeito estão sujeitas a muitas dúvidas que tocam em questões fundamentais.[46]

Por fim, a alegada força divinatória do sonho constitui um objeto de disputa em torno do qual se reúnem escrúpulos difíceis de superar e afirmações tenazmente repetidas. Evitamos – e talvez com razão – negar tudo o que há de factual quanto a esse tema, pois para uma série de casos a possibilidade de uma explicação psicológica natural talvez seja iminente.

---

45. Literatura adicional e uma discussão crítica desses problemas podem ser encontradas na dissertação parisiense de Tobowolska (1900). [Nota acrescentada em 1914.]

46. Ver a crítica em H. Ellis (1911, p. 268). [Nota acrescentada em 1914.]

F

Os sentimentos éticos no sonho

Por motivos que apenas poderão se tornar compreensíveis depois de se tomar conhecimento de minhas próprias investigações sobre o sonho, isolei do tema da psicologia do sonho o problema parcial de saber se e em que medida as disposições e os sentimentos morais da vigília se estendem à vida onírica. O mesmo contraste nas exposições dos autores, que observamos com surpresa em relação a todas as demais faculdades psíquicas, também nos deixa perplexos no presente caso. Com a mesma determinação com que uns asseguram que o sonho nada sabe das exigências morais, outros garantem que a natureza moral do homem também se conserva na vida onírica.

A invocação da experiência onírica de todas as noites parece colocar a exatidão da primeira tese fora de qualquer dúvida. Jessen afirma (1855, p. 553): "Não nos tornamos melhores nem mais virtuosos enquanto dormimos; parece, antes, que a consciência moral se cala nos sonhos, pois não sentimos qualquer compaixão e podemos cometer os piores crimes – roubos, homicídios voluntários e involuntários – com total indiferença e sem arrependimento posterior".

Radestock (1879, p. 146): "Cabe considerar que no sonho as associações ocorrem e as representações se ligam sem que a reflexão e o entendimento, o gosto estético e o juízo moral tenham qualquer autoridade nesse caso; o juízo é muito fraco, e o que predomina é a *indiferença ética*".

Volkelt (1875, p. 23): "Porém, como todos sabem, os sonhos são particularmente desenfreados no aspecto sexual. Da mesma forma como o próprio sonhador é impudico ao extremo e perde qualquer sentimento e juízo moral, assim ele também vê todas as demais pessoas, e mesmo as mais respeitáveis, praticando ações que teria vergonha de relacionar com elas na vigília, mesmo que só em pensamento".

F – Os sentimentos éticos no sonho

A oposição mais radical a esses juízos é formada por declarações como a de Schopenhauer, para quem todos agem e falam no sonho em perfeita correspondência com seu caráter. K.P. Fischer (1850; citado por Spitta, 1882) sustenta que os sentimentos e os anseios subjetivos, ou os afetos e as paixões, se manifestam nos caprichos da vida onírica, que as peculiaridades morais das pessoas se refletem em seus sonhos.

Haffner (1887, p. 251): "Descontadas raras exceções, (...) um homem virtuoso também será virtuoso no sonho; ele resistirá às tentações e recusará o ódio, a inveja, a ira e todos os vícios; contudo, o homem pecaminoso encontrará também em seus sonhos, via de regra, as imagens que tinha diante si na vigília".

Scholz (1887, p. 36): "Há verdade nos sonhos; apesar de todas as máscaras vis ou sublimes, reconhecemos o nosso próprio eu (...). Mesmo no sonho, o homem honesto não pode cometer qualquer crime que o desonre, ou, quando isso acontece, ele se horroriza com isso como em relação a algo estranho à sua natureza. O imperador romano que mandou executar um de seus súditos porque este sonhou que mandara decapitar o imperador não estava errado, portanto, ao justificar sua decisão afirmando que se alguém tem sonhos desse tipo também deve ter pensamentos semelhantes quando acordado. É por isso que, com relação a alguma coisa que não pode ter lugar em nosso íntimo, dizemos significativamente que 'isso não me ocorre nem em sonhos'".

Em contraste com isso, Platão opina que os melhores homens são aqueles aos quais ocorre apenas em sonhos aquilo que os outros fazem quando acordados. [1914]

Pfaff (1868; citado por Spitta, 1882, p. 192), variando um conhecido provérbio, afirma: "Conta-me teus sonhos por algum tempo e te direi como é o teu íntimo".

O pequeno livro de Hildebrandt, do qual já extraí tantas citações e que é a contribuição mais bem acabada e mais rica em ideias que pude encontrar na literatura que investiga os problemas oníricos, coloca no centro de seu interesse precisamente o problema da moralidade no sonho. Também para

Hildebrandt é uma regra estabelecida que quanto mais pura for a vida, mais puros os sonhos; quanto mais impura aquela, mais impuros estes.

A natureza moral do homem também persiste nos sonhos: "Porém, enquanto nem o mais evidente erro de cálculo, o mais romântico retrocesso na ciência ou o mais engraçado anacronismo nos choca ou nos parece suspeito, jamais perdemos a distinção entre o bem e o mal, entre o justo e o injusto, entre a virtude e o vício. Por mais que muitas coisas que nos acompanhem durante o dia possam desaparecer nas horas de sono, o imperativo categórico de Kant, como um acompanhante inseparável, nos segue tão de perto que não nos livramos dele nem mesmo enquanto dormimos. (...) Isso apenas pode ser explicado pelo fato de o fundamental da natureza humana, a essência moral, estar arraigado com firmeza demais para que venha a tomar parte no efeito da agitação caleidoscópica a que a fantasia, o entendimento, a memória e as outras faculdades da mesma categoria estão sujeitas no sonho" (*ibid.*, p. 45-46).

Na discussão subsequente do tema, surgiram notáveis deslocamentos e inconsequências nos dois grupos de autores. Falando estritamente, para todos os defensores da opinião de que no sonho a personalidade moral do homem se desintegra, o interesse nos sonhos imorais estaria encerrado com essa explicação. Eles poderiam recusar a tentativa de responsabilizar o sonhador pelos seus sonhos – de inferir uma moção má em sua natureza a partir da maldade de seus sonhos – com a mesma serenidade com que recusariam a tentativa aparentemente equivalente de provar o desvalor de suas faculdades intelectuais de vigília a partir do absurdo de seus sonhos. Os outros, para os quais o "imperativo categórico" se estende também ao sonho, deveriam admitir sem restrições a responsabilidade pelos sonhos imorais; só caberia lhes desejar que seus próprios sonhos de tipo condenável não os fizessem vacilar na avaliação, a que de outro modo se aferram, de sua própria moralidade.

Parece, contudo, que ninguém sabe com tanta segurança a seu próprio respeito em que medida é bom ou mau e que ninguém pode negar que se lembra de seus próprios sonhos imorais. Pois, superando essa oposição no julgamento da moralidade onírica, os autores de ambos os grupos se esforçam por explicar a origem dos sonhos imorais, surgindo uma nova oposição conforme essa origem seja buscada nas funções da vida psíquica ou em danos somaticamente condicionados das mesmas. A força concludente dos fatos, então, leva tanto os defensores da responsabilidade quanto os da irresponsabilidade da vida onírica a coincidirem no reconhecimento de uma fonte psíquica especial para a imoralidade dos sonhos.

No entanto, todos aqueles que fazem a moralidade persistir nos sonhos se resguardam de assumir a inteira responsabilidade por eles. Haffner afirma (1887, p. 250): "Não somos responsáveis pelos sonhos porque nosso pensamento e nossa volição são privados da única base sobre a qual nossa vida tem verdade e realidade (...). Precisamente por isso, nenhuma vontade ou ação no sonho pode ser virtude ou pecado". No entanto, prossegue Haffner, o homem é responsável pelo sonho pecaminoso, uma vez que o provoca de maneira indireta. Assim, ele tem o dever de purificar moralmente a sua psique tanto na vigília quanto em especial antes de ir dormir.

Hildebrandt faz uma análise muito mais profunda dessa mescla de recusa e de admissão da responsabilidade pelo conteúdo moral dos sonhos. Depois de explicar que ao tratarmos da aparência imoral dos sonhos devemos considerar o seu modo de representação dramática, a compressão dos mais complicados processos de reflexão no mais ínfimo lapso de tempo, bem como a depreciação e a mescla, também admitidas por ele, dos elementos representacionais – depois de explicar isso, ele confessa que negar simplesmente toda responsabilidade pelos pecados e culpas do sonho é uma atitude sujeita às mais sérias reservas.

Prossegue Hildebrandt (*ibid.*, p. 49): "Quando queremos repudiar com a devida firmeza alguma acusação injusta, especialmente se ela se referir a nossas intenções e inclinações, dizemos que isso não nos ocorreria nem em sonhos. Com isso expressamos, por um lado, que consideramos a região dos sonhos como a derradeira e a mais remota em que deveríamos responder por nossos pensamentos, pois nela tais pensamentos se relacionam com nossa verdadeira essência de modo tão solto e frouxo que mal ainda poderiam ser considerados como nossos; porém, ao nos sentirmos levados a negar expressamente a existência de tais pensamentos também nessa região, admitimos de maneira indireta que nossa justificação não seria completa se não chegasse até ela. E acredito que, embora de maneira inconsciente, falamos a linguagem da verdade nesse caso".

(*Ibid.*, p. 51 e segs.): "Pois não se pode imaginar nenhum ato acontecido em sonhos cujo primeiro motivo não tenha passado de algum modo pela psique da pessoa desperta, seja como desejo, anseio ou moção". Deveríamos dizer acerca dessa primeira moção que o sonho não a inventou – ele apenas a reproduziu e a desdobrou, apenas elaborou em forma dramática uma pequena porção de material histórico que encontrou em nós; ele colocou em cena as palavras do apóstolo: "Todo aquele que odeia a seu irmão é assassino". E se, após o despertar, conscientes de nossa força moral, podemos sorrir de toda a composição, amplamente desenvolvida, do sonho vicioso, seu material constitutivo original, porém, não oferece nenhum aspecto ridículo. Sentimo-nos responsáveis pelos erros do sonhador; não pela sua totalidade, mas por uma certa porcentagem. "Em suma, se entendermos nesse sentido, difícil de contestar, as palavras de Cristo: 'Do coração procedem maus desígnios' –, então dificilmente poderemos evitar a convicção de que todo pecado cometido em sonhos implica pelo menos um obscuro mínimo de culpa."

Portanto, Hildebrandt encontra a fonte da imoralidade dos sonhos nos germes e nos indícios de moções más que passam por nossa psique durante o dia sob a forma de tentações, não hesitando em incluir tais elementos imorais na avaliação moral da personalidade. São esses mesmos pensamentos e essa mesma avaliação deles, como sabemos, que levaram os devotos e os santos de todas as épocas a se queixar de que eram grandes pecadores.[47]

Não há dúvida quanto à ocorrência universal – na maioria das pessoas e também em outros âmbitos além do ético – dessas representações contrastantes, cujo julgamento, por vezes, foi menos severo. Spitta (1882, p. 194) cita as seguintes palavras de A. Zeller (1818), pertinentes aqui: "Raramente um espírito é organizado de maneira tão feliz que sempre tenha força plena e não seja interrompido repetidas vezes no curso claro e contínuo de seus pensamentos por representações não só insignificantes, mas também inteiramente grotescas e absurdas; mesmo os maiores pensadores se queixaram dessa corja de representações oniroides, zombadoras e desagradáveis, pois ela perturbava suas reflexões mais profundas e seu trabalho intelectual mais sério e mais sagrado".

A posição psicológica desses pensamentos contrastantes recebe uma luz mais intensa de uma longa observação de Hildebrandt, para quem o sonho, por vezes, nos permite ver profundezas e dobras de nosso ser que no estado de vigília nos permanecem quase sempre ocultas (1875, p. 55). Kant, numa passagem de sua *Antropologia*, revela a mesma compreensão ao afirmar que o sonho provavelmente existe para descobrir nossas disposições ocultas e nos revelar não o que somos, mas aquilo que poderíamos ter nos tornado se tivéssemos recebido outra educação; da mesma forma, Radestock (1879, p. 84) afirma que muitas vezes o sonho apenas nos revela aquilo que não queremos confessar a nós mesmos, e que por isso o chamamos, sem razão, de mentiroso e de enganador. J.E. Erdmann diz: "Um sonho jamais me revelou o que se deve pensar de uma pessoa, mas apenas aquilo que penso dela e qual a minha disposição em relação a ela; para

---

47. Não é destituído de interesse conhecer a atitude da Santa Inquisição quanto ao nosso problema. No *Tractatus de Officio sanctissimae Inquisitionis*, obra de Caesare Careña publicada em 1659, encontra-se a seguinte passagem: "Se alguém falar heresias em sonho, os inquisidores devem tomar isso como pretexto para investigar seu modo de vida, pois aquilo que ocupa uma pessoa durante o dia costuma retornar durante o sono". (Dr. Ehniger, St. Urban, Suíça.) [Nota acrescentada em 1914.]

minha grande surpresa, já soube disso algumas vezes por um sonho". A opinião de I.H. Fichte (1864, vol. 1) é semelhante: "O caráter de nossos sonhos é um espelho muito mais fiel de nossa disposição geral do que aquilo que ficamos sabendo sobre ela por meio da auto-observação de vigília". [1914] Observações como as de Benini e de Volkelt chamam nossa atenção para o fato de que o surgimento desses estímulos estranhos à nossa consciência moral apenas é análogo ao uso, que já conhecemos, que o sonho faz de outros materiais representacionais que faltam à vigília ou que desempenham nela um papel insignificante: *"Certe nostre inclinazioni che si credevano soffocate e spente da un pezzo, si ridestano; passioni vecchie e sepolte rivivono; cose e persone a cui non pensiamo mai, ci vengono dinanzi"*[48] (Benini, 1898, p. 149); "Mesmo representações que entraram na consciência de vigília quase despercebidas, e que talvez ela nunca mais tenha retirado do esquecimento, costumam com muita frequência anunciar ao sonho a sua presença na psique" (Volkelt, 1875, p. 105). Por fim, é oportuno relembrar nesse contexto que, segundo Schleiermacher, já o adormecer é acompanhado pelo surgimento de representações (imagens) *involuntárias*.

Sob a denominação de *representações involuntárias* podemos reunir todo o material de representações cuja presença desperta nossa estranheza tanto nos sonhos imorais quanto nos absurdos. Há apenas uma diferença importante no fato de as representações involuntárias no âmbito moral se mostrarem contrárias à nossa sensibilidade normal, enquanto as outras nos parecem apenas estranhas. Até agora não foi dado nenhum passo que nos permitisse suprimir essa distinção por meio de um conhecimento mais profundo.

Contudo, qual o significado do surgimento de representações involuntárias no sonho, que chaves para a psicologia da psique, desperta ou a sonhar, podem ser inferidas desse aparecimento noturno de moções éticas contrastantes? Neste

---

48. "Certas inclinações nossas que acreditávamos sufocadas e extintas há muito tempo voltam a despertar; paixões antigas e sepultadas revivem; coisas e pessoas em que não pensávamos mais aparecem diante de nós." (N.T.)

ponto podemos assinalar uma nova divergência de opinião e um novo agrupamento dos autores. A linha de pensamento de Hildebrandt e de outros defensores de sua tese fundamental não pode ser continuada a não ser que acrescentemos que também na vigília há uma certa força inerente às moções imorais, na verdade impedida de se converter em ação, e que no sono desaparece algo que atuava como uma barreira e nos impedia de perceber a existência dessa moção. Assim, o sonho mostra a verdadeira natureza do homem, ainda que não inteira, e está entre os meios que nos permitem conhecer o núcleo oculto da psique. Somente com base em tais pressupostos Hildebrandt pode atribuir aos sonhos o papel de um *admoestador* que chama nossa atenção para danos morais ocultos sofridos por nossa psique, tal como até agora, segundo admitem os médicos, eles também puderam anunciar à consciência doenças corporais não percebidas. E também Spitta só pode ser guiado por essa concepção quando se refere às fontes de estímulo que, por exemplo, afluem à psique durante a puberdade, e consola o sonhador ao afirmar que ele fez tudo que estava ao alcance de suas forças se levou uma vida rigorosamente virtuosa na vigília e se esforçou em reprimir os pensamentos pecaminosos sempre que ocorriam, sem deixá-los amadurecer e se converter em ações. Segundo essa concepção, poderíamos qualificar as representações *involuntárias* como aquelas *reprimidas* durante o dia, e deveríamos ver em seu surgimento um genuíno fenômeno psíquico.

Segundo outros autores, não teríamos qualquer direito à última conclusão. Para Jessen, as representações involuntárias no sonho, na vigília, nos delírios febris e de outros tipos apresentam "o caráter de uma atividade volitiva em repouso e de uma sequência de imagens e representações, *em certa medida mecânica*, causada por movimentos internos" (1855, p. 360). Um sonho imoral não provaria mais quanto à vida psíquica do sonhador do que o fato de que em dada ocasião, de alguma maneira, ele tomou conhecimento do conteúdo de representações correspondente, que com certeza não seria uma moção psíquica sua. Outro autor, Maury, pode nos levar a pensar que também ele atribui ao estado onírico a capacidade de dividir a atividade psíquica em seus componentes, em vez de destruí-la sem qualquer plano. Ele afirma o seguinte sobre os sonhos em que ultrapassamos os limites da moralidade: *"Ce sont nos penchants qui parlent et qui nous font agir, sans que la conscience nous retienne, bien que parfois elle nous avertisse. J'ai mes défauts et mes penchants vicieux; à l'état de veille, je tâche de lutter contre eux, et il m'arrive assez souvent de n'y pas succomber. Mais dans mes songes j'y succombe toujours ou pour mieux dire j'agis par leur impulsion, sans crainte et sans remords. (...) Evidemment les visions qui se déroulent devant ma pensée et qui constituent le rêve, me sont suggérées par les incitations que je ressens et que ma volonté absente ne cherche pas à refouler"*[49] (1878, p. 113).

Se acreditarmos na capacidade do sonho de revelar uma disposição imoral realmente existente, mas reprimida ou escondida, não poderíamos dar expressão mais precisa a essa opinião do que com as palavras de Maury (*ibid.*, p. 165): *"En rêve l'homme se révèle donc tout entier à soi-même dans sa nudité et sa misère natives. Dès qu'il suspend l'exercice de sa volonté, il devient le jouet de toutes les passions contre lesquelles, à l'état de veille, la conscience, le sentiment de l'honneur, la crainte nous défendent"*.[50] Em outra passagem ele encontra as palavras exatas (*ibid.*, p. 462): *"Dans le songe, c'est surtout l'homme instinctif qui se révèle. (...) L'homme*

---

49. "São nossas inclinações que falam e nos fazem agir, sem que a consciência nos detenha, embora às vezes nos advirta. Tenho meus defeitos e minhas inclinações viciosas; no estado de vigília, me esforço em lutar contra eles e muitas vezes consigo resistir. Mas em meus sonhos eu sucumbo sempre, ou, melhor dizendo, ajo impelido por eles, sem medo nem remorsos. (...) Evidentemente, as visões que se desenrolam diante de meu pensamento e que constituem o sonho me são sugeridas pelas incitações que sinto e que minha vontade ausente não procura recalcar." (N.T.)

50. "Assim, nos sonhos o homem se revela completamente a si mesmo em sua nudez e sua miséria natas. A partir do momento em que suspende o exercício de sua vontade, ele se torna o joguete de todas as paixões contra as quais, no estado de vigília, nos defendem a consciência, o sentimento de honra e o medo." (N.T.)

revient pour ainsi dire à l'état de nature quand il rêve; mais moins les idées acquises ont pénétré dans son esprit, plus les penchants en désaccord *avec elles conservent encore sur lui l'influence dans le rêve*".[51] Depois cita como exemplo o fato de seus sonhos, não raras vezes, mostrarem-no como vítima precisamente da superstição que combateu com mais energia em seus textos.

Contudo, todas essas observações perspicazes de Maury perdem seu valor para o conhecimento psicológico da vida onírica pelo fato de ele não querer ver nos fenômenos que tão bem observou mais do que provas do *automatisme psychologique*, que, segundo acredita, domina a vida onírica. Ele compreende esse automatismo como plena oposição à atividade psíquica.

Eis um trecho dos *Estudos sobre a consciência* (1879), de Stricker: "O sonho não consiste única e exclusivamente em ilusões; se, por exemplo, temos medo de ladrões num sonho, estes sem dúvida são imaginários, mas o medo é real". Isso chama nossa atenção para o fato de o desdobramento dos afetos no sonho não admitir o mesmo julgamento que fazemos do conteúdo onírico restante, o que nos coloca diante do seguinte problema: que parcela dos processos psíquicos do sonho pode ser real, ou seja, que parcela pode exigir sua inclusão entre os processos psíquicos de vigília?

---

51. "No sonho, é sobretudo o homem instintivo que se revela. (...) Quando sonha, o homem retorna, por assim dizer, ao estado de natureza; mas quanto menos as ideias adquiridas penetraram em seu espírito mais *as inclinações em desacordo* com elas ainda conservam sua influência no sonho." (N.T.)

G

Teorias do sonho e função do sonho

Um enunciado sobre o sonho que procure explicar a partir de um único ponto de vista o maior número possível das suas características observadas e que ao mesmo tempo determine o seu lugar numa esfera mais abrangente de fenômenos poderá ser chamado de uma teoria do sonho. As várias teorias do sonho se distinguirão por elevarem uma ou outra característica onírica à categoria de essencial, por tomarem-na como ponto de partida para explicações e relações. Uma teoria não precisará necessariamente permitir a inferência de alguma função, isto é, de alguma utilidade ou algum outro resultado do sonho, mas nossa expectativa de hábito teleológica acolherá melhor aquelas teorias que considerarem que ele tem uma função.

Já tomamos conhecimento de várias concepções do sonho que merecem em maior ou menor grau o nome de teorias do sonho nesse sentido. A crença dos antigos de que o sonho era enviado pelos deuses para guiar as ações humanas era uma teoria do sonho completa, que dava informações sobre tudo o que é digno de se saber sobre ele. Desde que o sonho se tornou um objeto da pesquisa biológica, conhecemos um número maior de teorias, mas entre elas também algumas bastante incompletas.

Se renunciarmos a uma enumeração exaustiva, poderemos tentar o seguinte agrupamento frouxo de teorias conforme a hipótese básica sobre a proporção e o tipo de atividade psíquica no sonho:

1) Teorias segundo as quais a totalidade da atividade psíquica da vigília prossegue no sonho, como a de Delboeuf. Para essas teorias, a psique não dorme, seu aparelho permanece intacto, mas, ao ser submetida às condições do estado

de sono, distintas das de vigília, e sob funcionamento normal, ela deve produzir resultados diferentes daqueles da vigília. A pergunta que se faz quanto a essas teorias é se são capazes de derivar as diferenças entre o sonho e o pensamento de vigília integralmente das condições do estado de sono. Além disso, não oferecem um acesso possível a uma função do sonho; não compreendemos para que sonhamos ou por que o complexo mecanismo do aparelho psíquico continua funcionando mesmo quando colocado em circunstâncias para as quais não parece ter sido planejado. Dormir sem sonhos ou acordar quando ocorrem estímulos perturbadores seriam as únicas reações adequadas em vez da terceira, a de sonhar.

2) Teorias que, ao contrário, supõem que no sonho ocorre uma redução da atividade psíquica, um relaxamento dos nexos, um empobrecimento do material capaz de ser invocado. Segundo essas teorias, a caracterização psicológica do estado de sono deveria ser muito diferente daquela proposta por Delboeuf. O sono se estende de maneira ampla sobre a psique, não consiste apenas num isolamento dela em relação ao mundo externo, mas penetra em seu mecanismo e o deixa temporariamente inutilizável. Se for lícito recorrer a uma comparação com material psiquiátrico, eu diria que as primeiras teorias constroem o sonho como uma paranoia e as segundas o transformam em modelo da debilidade mental ou de uma amência.

A teoria de que na vida onírica ganha expressão apenas uma parcela da atividade psíquica, paralisada pelo sono, é de longe a preferida pelos autores médicos e pelo mundo científico em geral. Tanto quanto se pode pressupor um interesse mais geral pela explicação dos sonhos, podemos designá-la como a teoria *dominante*. Cabe destacar a desenvoltura com que precisamente essa teoria evita o mais terrível escolho a qualquer explicação dos sonhos, a saber, o perigo de naufrágio ao se chocar contra uma das oposições corporificadas pelo sonho. Visto que para ela o sonho é o resultado de uma vigília parcial ("uma vigília gradativa, parcial e ao mesmo tempo muito anômala", como nos diz sobre o sonho a *Psicologia de Herbart*), essa teoria é capaz, por meio de uma série de estados que vão de um despertar crescente até o estado de vigília plena, de dar conta de toda a série que vai do desempenho reduzido do sonho, que se revela pelo absurdo, até o desempenho intelectual plenamente concentrado.

Aqueles para quem o modo fisiológico de exposição se tornou imprescindível ou parece mais científico encontrarão essa teoria do sonho expressa na descrição de Binz (1878, p. 43):

"Porém, esse estado (de letargia) se encaminha gradativamente ao fim apenas nas primeiras horas da manhã. As substâncias fatigadoras acumuladas na albumina cerebral diminuem cada vez mais, e quantidades sempre maiores dessas substâncias são decompostas ou eliminadas pela incansável atividade da corrente sanguínea. Aqui e ali já se distinguem grupos celulares isolados despertos, enquanto ao redor deles tudo ainda se encontra em letargia. Em seguida, o *trabalho isolado dos grupos particulares* se apresenta à nossa consciência enevoada, e lhe falta o controle de outras partes do cérebro, responsáveis pelas associações. Por isso, as imagens criadas, que em sua maioria correspondem às impressões materiais do passado recente, se associam de maneira selvagem e desordenada. O número de células cerebrais livres se torna cada vez maior, e o absurdo dos sonhos, cada vez menor."

Nas obras de todos os fisiólogos e filósofos modernos certamente encontraremos a concepção do sonhar como uma vigília incompleta, parcial, ou traços da influência dessa concepção. Ela é apresentada do modo mais minucioso por Maury, que muitas vezes dá a impressão de imaginar que os estados de vigília ou de sono são deslocáveis de uma região anatômica a outra, ao mesmo tempo em que, não obstante, uma província anatômica e uma determinada função psíquica lhe parecem ligadas entre si. Aqui, no entanto, eu apenas gostaria de indicar que, se a teoria da vigília parcial se confirmar, haverá muito a discutir sobre os detalhes de sua construção.

Naturalmente, essa concepção da vida onírica não permite demonstrar uma função do sonho. Antes, o juízo sobre a posição e a importância do sonho é dado de maneira consequente pelas palavras de Binz (1878, p. 35): "Todos os fatos, segundo vemos, nos obrigam a caracterizar o sonho como um processo *físico*, inútil em todos os casos e em muitos verdadeiramente patológico (...)".

A palavra "físico" usada em relação ao sonho, destacada pelo próprio autor, provavelmente aponta para mais de uma direção. Ela se refere, em primeiro lugar, à etiologia onírica, que afinal era especialmente clara para Binz quando estudou a produção experimental de sonhos por meio da administração de substâncias tóxicas. É próprio das teorias do sonho desse tipo atribuir a incitação para sonhar, sempre que possível, exclusivamente ao aspecto somático. Apresentando as coisas da forma mais extrema, o quadro é o seguinte: depois de termos caído no sono devido à supressão dos estímulos, não haveria nenhuma necessidade e nenhum motivo para sonhar até o momento do amanhecer, quando o despertar gradativo causado pelos novos estímulos que nos chegam poderia se refletir no fenômeno do sonhar. Porém, não se consegue manter o sono a salvo de estímulos; de toda parte, tal como no caso dos germes vitais de que Mefisto se queixa[52], provêm estímulos que se acercam da pessoa que dorme: de fora, de dentro e mesmo de todas aquelas regiões corporais com que nunca nos preocupamos quando acordados. Assim, o sono é perturbado, a psique é sacudida ora de um lado, ora de outro, e funciona por um momento com a parte desperta, contente de poder adormecer outra vez. O sonho seria a reação à perturbação do sono causada pelos estímulos; uma reação, aliás, inteiramente supérflua.

No entanto, chamar o sonho – que em todo caso é um produto do órgão da psique – de processo físico ainda tem outro sentido. O que se pretende com isso é negar ao sonho a *dignidade* de um processo psíquico. A imagem, já bastante

---

52. "Seja na água, na terra ou mesmo nos ares, / Os brotos surgem aos milhares, / No seco, no úmido, no quente ou no frio! / Sem reservar a chama para mim, / Eu não seria quem sou, seria o meu fim." Goethe, *Fausto*, parte 1, cena 3. (N.T.)

antiga em sua aplicação ao sonho, dos "dez dedos de uma pessoa completamente ignorante em música que correm sobre as teclas de um instrumento" (Strümpell, 1877, p. 84) talvez ilustre da melhor maneira possível a apreciação que a atividade onírica recebeu em geral dos representantes das ciências exatas. Nessa concepção, o sonho se torna algo completamente impossível de interpretar; afinal, como os dez dedos do intérprete ignorante em música deveriam produzir uma peça musical?

Desde cedo, não faltaram objeções à teoria da vigília parcial. Eis a opinião de Burdach (1838, p. 508-509): "Quando se afirma que o sonho é uma vigília parcial, isso não explica, em primeiro lugar, nem a vigília nem o dormir e, em segundo, não se diz outra coisa senão que algumas forças da psique atuam no sonho, enquanto outras descansam. Porém, essa disparidade tem lugar durante a vida inteira (...)".

À teoria dos sonhos dominante, que vê no sonho um processo "físico", se apoia uma concepção muito interessante formulada apenas em 1886 por Robert e que é sedutora por ser capaz de atribuir ao sonho uma função, um resultado útil. Robert toma como fundamento de sua teoria dois fatos da observação em que já nos detemos quando apreciamos o material onírico (ver p. 32-34), a saber, que sonhamos com tanta frequência com as impressões mais indiferentes do dia e que seja tão raro levarmos para o sonho nossos grandes interesses diurnos. Robert afirma que é exclusivamente correto que coisas que pensamos até o fim jamais se tornam excitadoras do sonho, mas apenas aquelas que ficam incompletas na mente ou tocam o espírito de maneira fugaz (1886, p. 10). "É por isso que na maioria dos casos não podemos explicar o sonho, pois sua causa são justamente *aquelas impressões sensoriais do dia transcorrido que não chegaram a se tornar suficientemente conhecidas pelo sonhador*". A condição para que uma impressão chegue ao sonho, portanto, é que sua elaboração tenha sido perturbada ou que ela não tenha tido direito a tal elaboração por ser insignificante demais.

Robert apresenta o sonho "como um processo físico de excreção que chega ao nosso conhecimento em sua manifestação intelectual reativa". *Os sonhos são excreções de pensamentos mortos na casca.* "Um homem a quem tirássemos a capacidade de sonhar seria afetado em dado momento por uma perturbação mental, pois em seu cérebro se acumularia uma massa de impressões superficiais e de pensamentos incompletos, não pensados até o fim, sob cujo peso teria de sufocar aquilo que como um todo acabado deveria ser incorporado à memória." O sonho presta ao cérebro sobrecarregado os serviços de uma válvula de segurança. *Os sonhos têm força curativa, aliviante* (*ibid.*, p. 32).

Seria equivocado perguntar a Robert como afinal se pode produzir um alívio da psique por meio da imaginação no sonho. De maneira manifesta, o autor conclui a partir daquelas duas peculiaridades do material onírico que, durante o sono, semelhante eliminação de impressões sem valor se consuma *de alguma forma* como processo somático e que o sonhar não é um processo psíquico especial, e sim apenas a notícia que recebemos dessa eliminação. De resto, uma excreção não é a única coisa que acontece durante a noite na psique. O próprio Robert acrescenta que, além disso, os estímulos do dia são elaborados e que "aqueles pensamentos não digeridos que se encontram no espírito e não podem ser excretados são *amarrados num todo acabado com os fios de pensamento tomados de empréstimo à fantasia* e assim incorporados à memória sob a forma de uma pintura inofensiva da fantasia" (*ibid.*, p. 23).

Porém, é na avaliação das fontes oníricas que a teoria de Robert se opõe da maneira mais acentuada à teoria dominante. Ao passo que segundo esta não se sonha de forma alguma se estímulos sensoriais internos e externos não acordarem a psique a todo momento, na teoria de Robert o estímulo para sonhar se encontra na própria psique, na sua sobrecarga que exige alívio, e Robert julga de maneira perfeitamente consequente que as causas do sonho dependentes do estado físico ocupam um lugar subordinado e que elas de modo algum poderiam provocar sonhos num espírito em que não houvesse nenhum material para a formação dos sonhos tomado à consciência desperta. No entanto, o autor admite que as imagens da fantasia que no sonho se desprendem das profundezas da psique podem ser influenciadas pelos estímulos nervosos (*ibid.*, p. 48). Assim, segundo Robert, o sonho não é, afinal, tão dependente dos fatores somáticos; na verdade, ele não é um processo psíquico e não tem lugar entre os processos psíquicos da vigília; ele é um processo somático que ocorre todas as noites no aparelho da atividade psíquica, cumprindo a função de proteger esse aparelho de superexcitações, ou, se pudermos usar outra imagem, a função de limpar a psique.

Outro autor, Yves Delage, funda sua própria teoria nas mesmas características do sonho que se evidenciam na seleção do material onírico, e é instrutivo observar como uma ligeira mudança na concepção acerca das mesmas coisas produz um resultado final de alcance muito distinto.

Depois da morte de uma pessoa querida, Delage (1891) experimentou por conta própria que *não* sonhamos com aquilo de que nos ocupamos de maneira aprofundada durante o dia, ou só então quando isso começa a dar espaço a outros interesses diurnos. Suas investigações com outras pessoas confirmaram a universalidade desse fato. Delage faz uma bela observação desse tipo, caso se verifique que é universalmente correta, sobre os sonhos dos recém-casados: *"S'ils ont été fortement épris, presque jamais ils n'ont rêvé l'un de l'autre avant le mariage ou pendant la lune de miel; et s'ils ont rêvé d'amour c'est pour être infidèles avec quelque personne indifférente ou odieuse"*.[53] Mas com o que sonhamos, então? Delage reconhece o material que surge em nossos sonhos como consistindo de fragmentos e restos de impressões dos últimos dias e de períodos anteriores. Tudo o que surge em nossos sonhos, e que de início podemos estar inclinados a ver como criação da vida

---

53. "Se eles estavam fortemente apaixonados, quase nunca sonharam um com o outro antes do casamento ou durante a lua de mel; e se tiveram sonhos de amor, foi para serem infiéis com alguma pessoa indiferente ou odiosa." (N.T.)

onírica, se revela a um exame mais atento como reprodução não reconhecida, como *"souvenir inconscient"*. Porém, esse material de representações mostra uma característica comum, a de provir de impressões que provavelmente afetaram nossos sentidos com mais força do que nosso espírito, ou das quais a atenção se desviou logo depois de seu aparecimento. Quanto menos consciente e ao mesmo tempo mais forte uma impressão, tanto maior sua perspectiva de representar um papel no próximo sonho.

No essencial, são as mesmas duas categorias de impressões, as indiferentes e as não elaboradas, destacadas por Robert, porém Delage dá outro sentido ao conjunto afirmando que não é por serem indiferentes que essas impressões se tornam aptas a produzir sonhos, e sim por não terem sido elaboradas. Também as impressões indiferentes não foram, de certo modo, inteiramente elaboradas; também elas, segundo sua natureza de impressões novas, são *"autant de ressorts tendus"*[54] que irão se afrouxar durante o sono. Ainda mais do que a impressão fraca e quase despercebida, terá direito a desempenhar um papel no sonho a impressão forte cuja elaboração foi retardada por acaso ou que foi rechaçada de maneira intencional. A energia psíquica acumulada durante o dia mediante inibição e repressão se torna a mola propulsora dos sonhos durante a noite. No sonho, o psiquicamente reprimido vem à luz.[55]

Infelizmente, o raciocínio de Delage se interrompe nesse ponto; ele concede apenas o papel mais insignificante a uma atividade psíquica independente no sonho, e assim, com sua teoria dos sonhos, volta a se associar de maneira abrupta à

---

54. "Como molas tensionadas." (N.T.)

55. De modo muito semelhante se expressa o escritor Anatole France (*O lírio vermelho*): "*Ce que nous voyons la nuit, ce sont les restes malheureux de ce que nous avons négligé dans la veille. Le rêve est souvent la revanche des choses qu'on méprise ou le reproche des êtres abandonnés*". [Nota acrescentada em 1909.] ["O que vemos à noite são os restos infelizes do que negligenciamos na véspera. O sonho é com frequência a vingança das coisas que desprezamos ou a censura dos seres abandonados." (N.T.)]

teoria dominante do adormecimento parcial do cérebro: "*En somme le rêve est le produit de la pensée errante, sans but et sans direction, se fixant successivement sur les souvenirs, qui ont gardé assez d'intensité pour se placer sur sa route et l'arrêter au passage, établissant entre eux un lien tantôt faible et indécis, tantôt plus fort et plus serré, selon que l'activité actuelle du cerveau est plus ou moins abolie par le sommeil*".[56]

3) Num terceiro grupo podemos reunir aquelas teorias do sonho que atribuem à psique sonhante a capacidade e a inclinação para produções psíquicas especiais que ela de modo algum ou apenas de maneira imperfeita pode executar durante a vigília. Da atuação dessas capacidades resulta na maioria dos casos uma função útil do sonho. As avaliações que o sonho recebeu dos psicólogos antigos entram quase todas nessa categoria. Em vez delas, porém, vou me contentar em citar a afirmação de Burdach de que o sonho "é a atividade natural da psique, atividade que não é limitada pelo poder da individualidade, não é perturbada pela autoconsciência, não é orientada pela autodeterminação, mas é a vitalidade dos pontos centrais sensíveis em livre jogo" (1838, p. 512).

Esse deleite no livre uso das próprias forças é manifestamente imaginado por Burdach e outros autores como um estado em que a psique se revigora e acumula novas forças para o trabalho diurno, ou seja, como uma espécie de período de férias. Por isso, Burdach também cita e aceita as amáveis palavras com que o poeta Novalis enaltece o domínio dos sonhos: "O sonho é um baluarte contra a uniformidade e a trivialidade da vida, um livre recreio da fantasia agrilhoada em que ela mistura todas as imagens da vida e interrompe a

---

56. "Em suma, o sonho é o produto do pensamento errante, sem meta e sem direção, que se fixa sucessivamente sobre as lembranças que guardaram intensidade suficiente para se colocar em seu caminho e impedir sua passagem, estabelecendo entre elas uma ligação ora fraca e imprecisa, ora mais forte e mais estreita segundo a atividade do cérebro no momento seja mais ou menos abolida pelo sono." (N.T.)

constante seriedade do adulto com uma alegre brincadeira infantil. Sem os sonhos, com certeza envelheceríamos mais cedo, e, assim, ainda que não possamos considerar que o sonho nos seja dado diretamente do alto, podemos encará-lo como uma tarefa preciosa, um acompanhante amistoso na peregrinação ao túmulo".[57]

Purkinje (1846, p. 456) descreve a atividade revigorante e curativa do sonho de maneira ainda mais impressionante: "Em especial os sonhos produtivos cumpririam essas funções. Eles são brincadeiras leves da imaginação que não têm qualquer relação com os acontecimentos diurnos. A psique não quer prolongar as tensões da vida de vigília, e sim dissipá-las, refazer-se delas. Ela produz, antes de mais nada, aqueles estados que se opõem aos da vigília. Ela cura a tristeza com a alegria, as preocupações com esperanças e imagens joviais e divertidas, o ódio com o amor e a simpatia, o medo com a coragem e a confiança; ela apazigua a dúvida com a convicção e com a crença firme, a expectativa frustrada com a realização. Muitas feridas do espírito que o dia manteria constantemente abertas são curadas pelo sono enquanto as cobre e protege de novas irritações. É nisso que repousa em parte o efeito terapêutico do tempo". Todos percebemos que o sono é um benefício para a vida psíquica, e essa obscura noção da consciência popular obviamente não se deixa privar do preconceito de que o sonho é um dos caminhos pelos quais o sono concede seus benefícios.

A tentativa mais original e mais ampla de explicar o sonho a partir de uma atividade especial da psique, capaz de se desenvolver livremente apenas no estado de sono, foi empreendida por Scherner em 1861. Escrito num estilo carregado e grandiloquente, com um entusiasmo quase embriagado pelo seu objeto e que deverá ter um efeito repulsivo sobre

---

57. Novalis, *Heinrich von Ofterdingen*, parte 1, cap. 1. Esse trecho é ligeiramente diferente na edição histórico-crítica das obras de Novalis (organização de Paul Kluckhohn e Richard Samuel, Stuttgart, Kohlhammer, 1960-1977), na qual ocorre a expressão *eine göttliche Mitgabe* (um dom divino) em vez de *eine köstliche Aufgabe* (uma tarefa preciosa), como cita Freud. (N.T.)

os leitores que não for capaz de arrastar consigo, o livro de Scherner oferece tais dificuldades a uma análise que recorremos de boa vontade à exposição mais clara e mais breve em que o filósofo Volkelt nos apresenta as teorias schernerianas. "Um raio de sentido pleno de pressentimentos resplandece e brilha em meio a esses aglomerados místicos, a esses cúmulos esplendorosos e reluzentes, só que isso não ilumina a senda do filósofo." A exposição de Scherner recebe essa avaliação de seu próprio discípulo.

Scherner não está entre os autores que permitem à psique levar suas faculdades intactas para a vida onírica. Ele próprio expõe de que forma a centralidade, a energia espontânea do eu, se enfraquece no sonho; de que forma, em consequência dessa descentralização, o discernir, o sentir, o querer e o representar se alteram e de que forma não cabe um verdadeiro caráter mental aos resíduos dessas forças psíquicas, e sim apenas a natureza de um mecanismo. Mas, em compensação, a atividade psíquica que cabe chamar de *fantasia*, liberta de todo domínio do entendimento, e, assim, livre de uma moderação austera, ascende no sonho ao domínio irrestrito. É verdade que ela usa os tijolos mais recentes da memória de vigília, mas com eles constrói prédios que diferem imensamente das construções da vigília; no sonho, ela não se mostra apenas reprodutiva, mas também *produtiva*. Suas peculiaridades conferem à vida onírica as características especiais que esta apresenta. Ela mostra predileção pelo *desmedido*, *exagerado*, *monstruoso*. Ao mesmo tempo, porém, liberta das categorias refreadoras do pensamento, ela ganha maior flexibilidade, agilidade e versatilidade; da maneira mais sutil, ela é sensível aos estímulos delicados do humor e aos afetos revoltosos; ela coloca a vida interior de imediato em imagens plásticas exteriores. À fantasia onírica *falta a linguagem conceitual*; ela precisa pintar plasticamente aquilo que quer dizer, e, como os conceitos não exercem qualquer influência debilitante, ela pinta isso com a abundância, a força e a grandeza da forma plástica. Por isso, sua linguagem, por mais clara que seja, se torna difusa, desajeitada, canhestra. A clareza de sua linguagem é dificultada em especial pelo fato de ela ter aversão a expressar um objeto com a própria imagem deste, dando preferência a uma *imagem estranha*, desde que esta apenas seja capaz de exprimir aquele elemento do objeto cuja figuração lhe interessa. Essa é a *atividade simbolizadora* da fantasia. Além disso, é muito importante o fato de a fantasia onírica não reproduzir os objetos de maneira exaustiva, mas apenas seus contornos, e estes da maneira mais livre. Por isso, suas pinturas parecem inspiradas pelo gênio. No entanto, a fantasia onírica não se detém na mera apresentação do objeto, mas é intrinsecamente obrigada a enredar o eu onírico com ele em maior ou menor grau, criando assim uma ação. O sonho gerado por estímulo visual, por exemplo, pinta moedas de ouro na rua; o sonhador as recolhe, se alegra e as leva consigo.

Segundo Scherner, o material com que a fantasia onírica executa sua atividade artística é predominantemente o dos estímulos corporais orgânicos, tão obscuros durante o dia (ver acima p. 49 e segs.), de modo que a sua teoria, demasiado fantasiosa, e a teoria de Wundt e de outros fisiologistas, talvez sóbria demais – teorias que são antípodas nos demais aspectos –, coincidem inteiramente quanto à hipótese sobre as fontes oníricas e os excitadores do sonho. Porém, se a teoria fisiológica supõe que a reação psíquica aos estímulos corporais internos se esgota com o despertar de quaisquer representações que lhes sejam adequadas, as quais, então, invocam o auxílio de mais algumas outras pela via da associação, e que, chegando nesse estágio, a continuação dos processos psíquicos do sonho parece encerrada, para Scherner, por sua vez, os estímulos corporais apenas dão à psique o material que ela pode colocar a serviço de suas intenções fantasistas. No entender de Scherner, a formação dos sonhos começa apenas no ponto em que para os outros autores ela se esgota.

Não poderemos certamente considerar útil o que a fantasia onírica faz com os estímulos corporais. Ela pratica um jogo zombeteiro com eles, imaginando as fontes orgânicas, das quais provêm os estímulos no sonho correspondente, segundo um simbolismo plástico qualquer. Scherner afirma, no que Volkelt e outros não o seguem, que a fantasia onírica teria uma figuração predileta determinada para todo o organismo; seria a *casa*. Porém, felizmente para suas figurações, ela parece não se prender a esse material; ela pode, ao contrário, utilizar séries inteiras de casas para indicar um único órgão: longas ruas residenciais para indicar o estímulo intestinal, por exemplo. Outras vezes, partes isoladas da casa figurariam, de fato, partes isoladas do corpo; assim, por exemplo, num sonho provocado por uma dor de cabeça, o teto de um aposento (que o sonhador vê coberto por aranhas repulsivas semelhantes a sapos) figuraria a cabeça.

Deixando inteiramente de lado o simbolismo da casa, outros objetos quaisquer são empregados para representar a parte do corpo que envia o estímulo onírico. "Assim, o pulmão a respirar terá como símbolo o fogão chamejante, com o seu ruído pneumático; o coração, caixas e cestos vazios; a bexiga, objetos redondos, em forma de saco ou apenas ocos. O sonho masculino provocado pelo estímulo sexual faz o sonhador encontrar na rua a parte superior de um clarinete, ou a mesma parte de um cachimbo, ou uma pele. O clarinete e o cachimbo representam a forma aproximada do membro masculino; a pele, os pelos pubianos. No sonho sexual feminino, a estreiteza do ponto em que as coxas se unem pode ser simbolizada por um pátio estreito, rodeado de casas, e a vagina, por uma trilha muito estreita, escorregadiamente macia, que atravessa o pátio e que a sonhadora precisa percorrer para, por exemplo, levar uma carta a um homem" (Volkelt, *ibid.*, p. 34). Especialmente importante é que ao final de um desses sonhos gerados por estímulo corporal a fantasia onírica por assim dizer se desmascara ao apresentar sem reservas o órgão causador ou a sua função. Assim, o "sonho de estímulo dentário" termina em geral com o sonhador tirando um dente da boca.

A fantasia onírica, porém, pode não só voltar sua atenção à forma do órgão causador, mas igualmente transformar a substância que ele contém em objeto de simbolização. Assim, por exemplo, o sonho provocado por estímulo intestinal pode conduzir por ruas enlameadas, o sonho provocado por estímulo urinário pode levar até as margens de um lago espumante. Ou o próprio estímulo, o tipo de sua excitação e o objeto que ele deseja são representados de maneira simbólica; ou, ainda, o eu onírico entra em ligação concreta com as simbolizações de seu próprio estado, por exemplo, quando no caso de estímulos dolorosos, lutamos desesperados com cães ferozes ou touros enfurecidos, ou quando, em um sonho de origem sexual, a mulher se vê perseguida por um homem nu. Abstraindo-se de toda a riqueza possível na execução, uma atividade simbolizadora da fantasia permanece como a força central de qualquer sonho. Posteriormente, Volkelt tenta penetrar mais fundo no caráter dessa fantasia e indicar o lugar da atividade psíquica assim reconhecida em um sistema de pensamentos filosóficos; faz isso num livro bela e calorosamente escrito, mas de compreensão muito difícil para aqueles que não estiverem preparados mediante formação prévia para a apreensão intuitiva dos esquemas conceituais da filosofia.

Não há uma função útil ligada à atuação da fantasia simbolizadora de Scherner nos sonhos. Ao sonhar, a psique brinca com os estímulos que lhe são oferecidos. Poderíamos levantar a suspeita de que ela brinca travessamente. Também poderíamos nos perguntar se é possível chegar a algo útil ao nos ocuparmos em pormenor com a teoria scherneriana dos sonhos, cuja arbitrariedade e desconsideração pelas regras de qualquer pesquisa parecem por demais evidentes. Neste ponto seria oportuno opor um veto à rejeição da teoria de Scherner antes de qualquer exame, alegando que essa rejeição seria arrogante demais. Tal teoria é construída sobre a impressão causada pelos próprios sonhos em alguém que lhes deu grande atenção e que parece muito bem-dotado pessoalmente para investigar obscuros objetos psíquicos. Além disso, ela trata de um objeto que pareceu enigmático ao homem durante milênios, mas, ao mesmo tempo, rico em conteúdo e relações, e para cujo esclarecimento a austera ciência não contribuiu com muito mais do que a tentativa, segundo ela própria confessa, de negar conteúdo e importância ao objeto, em inteira oposição à sensibilidade popular. Por fim, sejamos honestos e reconheçamos que parece difícil evitar ideias fantasistas ao tentar explicar o sonho. Também há ideias fantasistas sobre as células ganglionares; o trecho que citamos na seção precedente, de um pesquisador sóbrio e exato como Binz, que descreve como a aurora do despertar se estende sobre os grupos celulares adormecidos do córtex cerebral, não fica atrás em ideias fantasistas – e inverossimilhança – das tentativas de interpretação de Scherner. Espero poder mostrar que por trás destas últimas se encontra algo real que, no entanto, apenas foi reconhecido nebulosamente e não possui o caráter de universalidade que uma teoria do sonho pode reclamar.

Por enquanto, a teoria do sonho scherneriana, em sua oposição à teoria médica, pode nos mostrar os extremos entre os quais a explicação da vida onírica ainda hoje oscila de maneira insegura.

H

RELAÇÕES ENTRE O SONHO E AS DOENÇAS MENTAIS

Quem fala da relação do sonho com as perturbações mentais pode se referir a três coisas: 1) relações etiológicas e clínicas, como, por exemplo, quando um sonho substitui, introduz ou resulta de um estado psicótico, 2) modificações sofridas pela vida onírica no caso de uma doença mental e 3) relações estreitas entre o sonho e as psicoses, analogias que apontam para afinidades essenciais. Como nos mostra a literatura sobre o assunto reunida por Spitta, Radestock, Maury e Tissié, essas múltiplas relações entre as duas séries de fenômenos foram um tema predileto dos autores médicos em épocas anteriores da medicina – e voltaram a sê-lo na atualidade. Não faz muito tempo, Sante de Sanctis voltou sua atenção a esse nexo.[58] No interesse de nossa exposição, bastará tocar apenas ligeiramente esse tema significativo.

Sobre as relações clínicas e etiológicas entre o sonho e as psicoses, quero comunicar as observações que seguem como paradigmas. Hohnbaum relata (citado por Krauss) que a primeira irrupção da loucura muitas vezes resulta de um sonho apavorante, assustador, e que a ideia predominante está relacionada a esse sonho. Sante de Sanctis apresenta observações semelhantes sobre paranoicos e declara que em alguns deles os sonhos são a *"vraie cause déterminante de la folie"*.[59] A psicose pode se manifestar de um só golpe com o sonho causador, que contém a iluminação delirante, ou se desenvolver lentamente por meio de vários sonhos que ainda têm de lutar com a dúvida. Num caso de De Sanctis, o sonho

---

58. Autores posteriores que tratam dessas relações são: Féré, Ideler, Lasègue, Pichon, Régis, Vespa, Giessler, Kazowsky, Pachantoni, entre outros. [Nota acrescentada em 1914.]

59. "Verdadeira causa determinante da loucura." (N.T.)

abalador foi seguido por ataques histéricos brandos e, mais tarde, por um estado de angústia melancólica. Féré (citado por Tissié) deu notícia de um sonho que teve como consequência uma paralisia histérica. Nesse caso, o sonho nos é apresentado como etiologia da perturbação mental, embora igualmente pudéssemos fazer justiça aos fatos afirmando que esta exibiu sua primeira manifestação na vida onírica, que ela irrompeu pela primeira vez no sonho. Em outros exemplos, a vida onírica contém os sintomas mórbidos, ou a psicose se limita a ela. Assim, Thomayer chama a atenção para *sonhos de angústia* que devem ser compreendidos como equivalentes de ataques epilépticos. Allison (citado por Radestock) descreveu uma demência noturna (*nocturnal insanity*) em que os indivíduos parecem perfeitamente sadios durante o dia, enquanto à noite surgem alucinações, acessos de fúria etc. de maneira regular. Observações semelhantes foram feitas por De Sanctis (um equivalente onírico da paranoia em um alcoólatra, que ouviu vozes acusando sua mulher de infidelidade) e por Tissié. Este apresenta um grande número de observações recentes de ações com caráter patológico (baseadas em pressupostos delirantes, impulsos obsessivos [*Zwangsimpulse*]) derivadas de sonhos. Guislain descreve um caso em que o sono foi substituído por uma loucura intermitente.

Não há dúvida de que um dia, ao lado da psicologia do sonho, uma psicopatologia do sonho ocupará os médicos.

Muitas vezes, em casos de convalescença de doenças mentais, torna-se especialmente claro que um funcionamento diurno sadio pode coexistir com uma vida onírica ainda entregue à psicose. Gregory teria sido o primeiro a chamar a atenção para essa ocorrência (citado por Krauss, 1859). Macario (citado por Tissié) relata o caso de um maníaco que, uma semana após o seu completo restabelecimento, reviveu em sonhos a fuga de ideias e os ímpetos passionais de sua doença.

Até o momento, foram empreendidas apenas pouquíssimas pesquisas sobre as modificações que a vida onírica sofre em psicóticos crônicos. Em compensação, o estreito parentesco entre sonho e perturbação mental, que se expressa numa coincidência tão profunda entre as manifestações de ambos, cedo recebeu atenção. Segundo Maury, Cabanis foi o primeiro a chamar a atenção para ele em *Relações entre o físico e o moral do homem* (1802); depois dele, Lélut, J. Moreau (1855) e, de forma muito especial, o filósofo Maine de Biran. A comparação com certeza é ainda mais antiga. Radestock (1879) introduz o capítulo em que trata dela com uma coletânea de sentenças que fazem a analogia entre o sonho e a loucura. Kant afirma em dada passagem: "O louco é alguém que sonha acordado". Krauss (1859): "A loucura é um sonho dentro da vigília dos sentidos". Schopenhauer chama o sonho de uma loucura breve, e a loucura, de um sonho longo. Hagen qualifica o delírio como uma vida onírica que não foi causada pelo sono, e sim por doenças. Em *Psicologia fisiológica*, Wundt afirma: "Na realidade, no sonho podemos viver por conta própria quase todos os fenômenos que encontramos nos hospícios".

Spitta (1882), aliás de modo muito semelhante a Maury (1853), enumera da seguinte maneira os diversos pontos de concordância com base nos quais semelhante comparação se justifica: "1) supressão ou então retardamento da autoconsciência e, por conseguinte, ignorância acerca do estado como tal, ou seja, impossibilidade de se espantar e falta de consciência moral; 2) percepção alterada dos órgãos sensoriais, reduzida no sonho e em geral muito elevada na loucura; 3) ligação das reproduções apenas segundo as leis da associação e da reprodução, ou seja, formação automática de séries e, por isso, desproporção das relações entre as representações (exageros, alucinações); e, como resultado de tudo isso: 4) modificação ou inversão da personalidade e, às vezes, de peculiaridades do caráter (perversões)".

Radestock (1879) ainda acrescenta mais alguns traços (analogias quanto ao material): "É no âmbito dos sentidos da visão e da audição, bem como no da cenestesia, que encontramos a maioria das alucinações e ilusões. Como no sonho, os sentidos do olfato e do paladar fornecem pouquíssimos elementos. No caso do doente febril, emergem nos delírios lembranças do passado remoto, o que também acontece no caso de quem sonha; o que a pessoa acordada ou sadia parecia ter esquecido, aquela que dorme ou está doente se recorda". A analogia entre sonho e psicose alcança seu pleno valor apenas pelo fato de ela se estender como uma semelhança de família à mímica mais fina e inclusive a algumas particularidades da expressão facial.

"O sonho concede à pessoa atormentada por sofrimentos físicos e psíquicos aquilo que a realidade lhe nega: bem-estar e felicidade; da mesma forma, também aparecem ao doente mental as imagens iluminadas da felicidade, da grandeza, da superioridade e da riqueza. A suposta posse de bens e a realização imaginária de desejos, cuja negação ou destruição justamente fornecem uma razão psíquica para a loucura, constituem muitas vezes o conteúdo principal do delírio. A mulher que perdeu um filho querido delira com alegrias maternas; quem perdeu seus bens julga-se extraordinariamente rico; a garota ludibriada se vê amada com ternura."

(Esse trecho de Radestock é o resumo de uma arguta exposição de Griesinger (1861, p. 106), que revela com toda clareza que a *realização de desejo* é uma característica comum às representações do sonho e da psicose. Minhas próprias investigações me ensinaram que neste ponto está a chave para uma teoria psicológica do sonho e das psicoses.)

"Associações barrocas de ideias e debilidade do juízo são as principais características do sonho e da loucura." Tanto nesta quanto naquele, encontramos a *supervalorização* das próprias faculdades intelectuais, que parecem absurdas ao juízo sóbrio; o *fluxo rápido das representações* do sonho corresponde à *fuga de ideias* da psicose. Em ambos falta qualquer *medida do tempo*. A *cisão da personalidade* no sonho, que, por exemplo, divide o próprio conhecimento em duas pessoas, das quais a desconhecida corrige o próprio eu no sonho, é perfeitamente equivalente à conhecida divisão da personalidade na paranoia alucinatória; o sonhador também ouve os próprios pensamentos serem apresentados por vozes desconhecidas. Mesmo para as ideias delirantes contínuas há uma analogia nos sonhos patológicos que retornam de maneira estereotipada (*rêve obsédant*). Depois de se recuperarem de um delírio, não é raro que os doentes digam que o tempo todo sua doença lhes pareceu um sonho, muitas vezes nada desagradável; eles inclusive nos comunicam que ainda durante a doença vez por outra suspeitaram que apenas estavam presos num sonho, exatamente como muitas vezes ocorre nos sonhos normais.

Depois de tudo isso, não é de admirar que Radestock resuma a sua opinião e a de muitos outros afirmando que "cabe considerar a loucura, um fenômeno mórbido e anormal, como uma intensificação do estado onírico normal que retorna de modo periódico" (*ibid.*, p. 228).

Krauss (1859) quis fundar o parentesco entre o sonho e a loucura na etiologia (ou antes, nas fontes excitadoras) de um modo talvez ainda mais estreito do que o possível por meio dessa analogia que se manifesta em seus fenômenos. Segundo ele, o elemento fundamental comum a ambos, conforme já vimos, é a *sensação organicamente condicionada*, a sensação de estímulo corporal, a cenestesia que se origina das contribuições de todos os órgãos (ver Peisse, citado por Maury, 1878, p. 52).

A analogia entre o sonho e a perturbação mental, que não pode ser contestada e chega inclusive a peculiaridades características, se encontra entre os apoios mais fortes da teoria médica da vida onírica, segundo a qual o sonho se apresenta como um processo inútil e perturbador e como expressão de uma atividade psíquica reduzida. Entretanto, não se poderá esperar receber a explicação definitiva sobre o sonho a partir das perturbações psíquicas quando é de conhecimento geral em que estado insatisfatório se encontra nossa compreensão do desenvolvimento destas últimas. Mas é provável que uma concepção diferente do sonho deva influenciar nossas opiniões sobre o mecanismo interno das perturbações psíquicas, de modo que podemos dizer que trabalhamos na explicação das psicoses quando nos esforçamos por esclarecer o mistério do sonho.

Apêndice de 1909

O fato de eu não ter considerado a literatura sobre os problemas oníricos publicada no período entre a primeira e a segunda edição deste livro requer uma justificativa. Tal justificativa poderá parecer pouco satisfatória ao leitor; não obstante, fui guiado por ela. Os motivos que me levaram a expor a abordagem recebida pelo sonho na literatura estavam esgotados com a introdução precedente; uma continuação desse trabalho teria me custado um esforço extraordinário – sem oferecer muito proveito ou instrução. Pois o período de nove anos em questão nada trouxe de novo ou valioso em material factual nem em pontos de vista para a compreensão do sonho. Meu trabalho não foi citado nem considerado na maioria das publicações que vieram à luz desde então; e, naturalmente, quem lhe concedeu menos atenção foram os chamados "investigadores de sonhos", que deram um magnífico exemplo da aversão, própria dos homens de ciência, a aprender algo novo. *"Les savants ne sont pas curieux"*[60], disse o zombador Anatole France. Se na ciência houvesse um direito à represália, eu estaria justificado de também negligenciar a literatura posterior à publicação deste livro. As poucas resenhas que apareceram em periódicos científicos estão tão cheias de incompreensão e de mal-entendidos que eu não poderia dar outra resposta aos críticos a não ser aconselhá-los a relerem o livro. Talvez o conselho pudesse ser o seguinte: lê-lo, simplesmente.

Um grande número de sonhos foi publicado e interpretado segundo minhas prescrições nos trabalhos daqueles médicos e de outros autores que se decidiram a aplicar o tratamento psicanalítico. Na medida em que esses trabalhos vão além da comprovação de minhas hipóteses, incluí seus resultados em minha exposição. Uma segunda bibliografia ao final do volume compila as obras mais importantes publicadas desde a primeira edição deste livro. O alentado livro de Sante de

---

60. "Os sábios não são curiosos." (N.T.)

Sanctis sobre os sonhos (1899), traduzido para o alemão pouco depois de ser publicado, coincidiu com a primeira edição de minha *Interpretação dos sonhos*, de maneira que não tomei conhecimento dele, assim como o autor italiano tampouco tomou conhecimento de mim. Infelizmente, tive de constatar que o seu diligente trabalho era muito pobre em ideias, tão pobre que em sua leitura nem sequer se poderia suspeitar da possibilidade dos problemas que abordei.

Preciso lembrar apenas duas publicações que se aproximam da minha abordagem dos problemas oníricos. Um jovem filósofo, H. Swoboda, que se propôs a estender aos fatos psíquicos a descoberta da periodicidade biológica (em séries de 23 e 28 dias) feita por W. Fliess, quis, numa obra imaginativa (1904), resolver o enigma dos sonhos, entre outros, com essa chave. A importância dos sonhos ficaria bastante prejudicada com isso; o material que constitui seu conteúdo seria explicado pela coincidência de todas aquelas lembranças que, na noite do sonho, completam um dos períodos biológicos pela primeira ou pela enésima vez. De início, uma comunicação pessoal do autor me fez supor que ele próprio não defendia mais seriamente essa teoria. Parece que me enganei ao tirar essa conclusão; numa passagem posterior, comunicarei algumas observações sobre a hipótese de Swoboda, que, no entanto, não me trouxeram um resultado convincente. Muito mais satisfatório foi o acaso de encontrar numa passagem inesperada uma concepção do sonho que coincide inteiramente com o núcleo da minha. As datas excluem a possibilidade de que essa publicação tenha sido influenciada pela leitura de meu livro; devo saudá-la, portanto, como a única na literatura em que as ideias de um pensador independente coincidem com a essência da minha teoria dos sonhos. O livro em que se encontra a passagem sobre os sonhos que tenho em vista teve sua segunda edição publicada em 1900 sob o título *Fantasias de um realista*, da autoria de Lynkeus.[61]

---

61. Ver o ensaio "Josef Popper-Lynkeus e a teoria do sonho" (1923 *f*). [Nota acrescentada em 1930.]

Apêndice de 1914

A justificativa anterior foi escrita em 1909. Desde então a situação mudou; minha contribuição à interpretação dos sonhos não é mais desconsiderada na literatura. Só que essa nova situação impossibilita ainda mais uma continuação deste primeiro capítulo. A interpretação dos sonhos trouxe toda uma série de novas asserções e problemas que agora são discutidos pelos autores das mais diferentes maneiras. E não posso apresentar esses trabalhos antes de desenvolver meus próprios pontos de vista aos quais esses autores se referem. Por isso, o que me pareceu valioso nessa literatura mais recente foi considerado em seu nexo com a exposição que segue.

II

O MÉTODO DE INTERPRETAÇÃO DOS SONHOS: A ANÁLISE DE UMA AMOSTRA ONÍRICA

O título que dei ao meu tratado revela a que tradição na concepção dos sonhos eu gostaria de dar continuidade. Propus-me a demonstrar que eles são passíveis de interpretação, e as contribuições para o esclarecimento dos problemas oníricos de que acabamos de tratar serão apenas um ganho acessório eventual na execução de minha verdadeira tarefa. Com a hipótese de que os sonhos são interpretáveis, entro de imediato em contradição com a teoria dos sonhos dominante e, na verdade, com todas as teorias do sonho exceto a de Scherner, pois "interpretar um sonho" significa indicar o seu "sentido", substituí-lo por alguma coisa que se encaixe como um elo de mesmo peso e de mesmo valor no encadeamento de nossas ações psíquicas. Mas, como vimos, as teorias científicas do sonho não deixam espaço para um problema de interpretação, pois para elas o sonho não é de forma alguma um ato psíquico, e sim um processo somático que se manifesta por sinais no aparelho psíquico. A opinião dos leigos, em todas as épocas, foi diferente. Ela faz uso do seu justo direito de proceder de maneira inconsequente e, embora admita que o sonho seja incompreensível e absurdo, não consegue se decidir a lhe negar todo significado. Guiada por um pressentimento obscuro, ela parece supor que o sonho tem um sentido – ainda que oculto –, que a sua finalidade é substituir um outro processo de pensamento e que se trata apenas de descobrir acertadamente esse substituto para chegar ao significado oculto do sonho.

Por isso, o mundo leigo se esforçou desde sempre em "interpretar" o sonho, empregando para tanto dois métodos diferentes em sua essência. O primeiro desses procedimentos tem em vista o conteúdo onírico como um todo e procura substituí-lo por um outro conteúdo, compreensível e em certo sentido análogo. Essa é a interpretação *simbólica* dos sonhos; naturalmente, ela fracassa desde o princípio com aqueles sonhos que se mostram não apenas incompreensíveis, mas também confusos. Um exemplo de seu procedimento é dado pela interpretação que o José bíblico deu ao sonho do faraó. Sete vacas gordas seguidas por sete vacas magras que devoram as primeiras é um substituto simbólico para a profecia de sete anos de fome que devoram toda a fartura produzida por sete anos férteis na terra do Egito. A maioria dos sonhos artificiais criados por escritores é destinada a essa interpretação simbólica, pois eles reproduzem o pensamento do autor sob um disfarce que é inventado para se adaptar às características dos sonhos que conhecemos pela experiência.[62] A opinião de que os sonhos se ocupam predominantemente com o futuro, cuja configuração preveem – um vestígio da importância profética que lhes era concedida no passado –, transforma-se então em motivo para deslocar ao futuro, mediante um "acontecerá", o sentido encontrado pela interpretação simbólica.

Naturalmente, não é possível ensinar a encontrar o caminho para essa interpretação simbólica. O êxito depende de um lampejo espirituoso, da intuição súbita, razão pela qual a interpretação dos sonhos por meio do simbolismo foi capaz de se elevar à categoria de uma arte que parecia ligada a um talento especial.[63] O outro método popular de interpretação dos

---

62. Numa novela de W. Jensen, *Gradiva*, descobri por acaso vários sonhos artificiais construídos de maneira perfeitamente correta e que podiam ser interpretados como se não tivessem sido inventados, mas sonhados por pessoas reais. Questionado por mim, o escritor confirmou que não tomara conhecimento de minha teoria dos sonhos. Aproveitei essa concordância entre minha investigação e a sua criação como prova do acerto de minha análise dos sonhos. (*A loucura e os sonhos em "Gradiva", de W. Jensen*, Freud, 1907 *a*.) [Nota acrescentada em 1909.]

63. Aristóteles afirmou que o melhor intérprete de sonhos é aquele que melhor apreende semelhanças, pois as imagens oníricas, como as imagens na água, são distorcidas pelo movimento, e aquele que é capaz de reconhecer o verdadeiro na imagem distorcida obtém os maiores êxitos (Büchsenschütz, 1868, p. 65). [Nota acrescentada em 1914.]

sonhos se mantém completamente afastado dessa pretensão. Poderíamos chamá-lo de "método de decifração", visto que trata o sonho como uma espécie de escrita cifrada em que cada signo é traduzido por outro de significado conhecido de acordo com uma chave fixa. Sonhei, por exemplo, com uma carta, mas também com um funeral e outras coisas do gênero; consulto um "livro de sonhos" e descubro que "carta" deve traduzir-se por "aborrecimento" e "funeral" por "noivado". Fica a meu critério, então, estabelecer um nexo entre as palavras-chave que decifrei, e também vou aceitar que ele se refere ao futuro. Uma variação interessante desse processo de decifração, que em alguma medida corrige seu caráter de tradução puramente mecânica, é apresentada na obra de Artemidoro de Daldis sobre a interpretação dos sonhos.[64] Nessa obra, não se leva em

---

64. Artemidoro de Daldis, nascido provavelmente no começo do século II de nossa era, nos legou o mais completo e mais cuidadoso estudo sobre a interpretação dos sonhos no mundo greco-romano. Ele dava importância, como T. Gomperz (1866) ressalta, em basear a interpretação de sonhos na observação e na experiência, e separava rigorosamente a sua arte de outras, enganosas. O princípio de sua arte interpretativa, segundo a exposição de Gomperz, é idêntico à magia, o princípio da associação. Um objeto onírico significa aquilo que ele lembra. Aquilo que lembra ao intérprete, bem entendido! Por isso, da circunstância de que o elemento onírico pode lembrar diversas coisas ao intérprete, e a cada intérprete coisas diferentes, resulta uma fonte de arbitrariedade e de incerteza que não pode ser controlada. A técnica que exponho nas páginas seguintes se afasta da técnica antiga no ponto essencial de impor o trabalho interpretativo à própria pessoa que sonha. Ela não pretende considerar as ideias que ocorrem ao intérprete, e sim aquelas que ocorrem à pessoa acerca do elemento onírico em questão. – Contudo, segundo relatos recentes do missionário Tfinkdji (1913), os intérpretes modernos do Oriente também dão grande importância à colaboração de quem sonhou. Ele afirma o seguinte sobre os intérpretes de sonhos entre os árabes da Mesopotâmia: "*Pour interpréter exactement un songe, les oniromanciens les plus habiles s'informent de ceux qui les consultent de toutes les circonstances qu'ils regardent nécessaires pour la bonne explication (...). En un mot, nos oniromanciens ne laissent aucune circonstance leur échapper et ne donnent l'interprétation désirée avant d'avoir parfaitement saisi et reçu toutes les interrogations désirables*". ["Para interpretar de maneira correta um sonho, os oniromantes mais hábeis se informam com o consulente a respeito de todas as circunstâncias que julgam necessárias para uma boa explicação (...). Numa palavra, nossos oniromantes não deixam escapar nenhuma circunstância e (continua)

conta apenas o conteúdo onírico, e sim também a pessoa e suas condições de vida, de modo que o mesmo elemento onírico não tem para o rico, o casado ou o orador o mesmo significado que para o pobre, o solteiro ou, por exemplo, o comerciante. O essencial nesse procedimento é que o trabalho interpretativo não é dirigido à totalidade do sonho, e sim a cada parte isolada do conteúdo onírico, como se o sonho fosse um conglomerado em que cada fragmento de rocha exigisse uma análise particular. Não há dúvida de que foram os sonhos desconexos e confusos que impulsionaram a criação do método de decifração.[65]

(cont.) não dão a interpretação desejada antes de ter compreendido e assimilado perfeitamente todas as perguntas desejáveis." (N.T.)] Entre essas perguntas, normalmente se incluem aquelas que solicitam informações exatas sobre os parentes mais próximos (pais, mulher, filhos), assim como a fórmula típica: "*Habuistine in hac nocte copulam conjugalem ante vel post somnium?*". ["O senhor manteve relações sexuais com sua mulher antes ou depois do sonho?" (N.T.)] – "*L'idée dominante dans l'interprétation des songes consiste à expliquer le rêve par son opposé.*" ["A ideia dominante na interpretação dos sonhos consiste em explicar o sonho pelo seu oposto." (N.T.)][Nota acrescentada em 1914.]

65. O dr. Alfred Robitsek chamou minha atenção para o fato de os livros orientais de sonhos, dos quais os nossos são deploráveis imitações, praticarem a interpretação dos elementos oníricos quase sempre de acordo com a homofonia e a semelhança das palavras. Visto que esses parentescos têm de se perder na tradução para a nossa língua, surge daí a incompreensibilidade das substituições em nossos "livros de sonhos" populares. – Sobre a extraordinária importância do jogo de palavras e do trocadilho nas antigas culturas orientais, é possível obter informações na obra de Hugo Winckler. [Nota acrescentada em 1909.] – O mais belo exemplo de interpretação de um sonho que nos foi legado pela Antiguidade se baseia num trocadilho. Conta Artemidoro: "Parece-me, porém, que Aristandro também deu uma interpretação extremamente feliz a Alexandre da Macedônia quando este sitiava Tiro e, em razão do grande dispêndio de tempo, irritado e aflito, teve a impressão de ver um sátiro dançando em seu escudo; por acaso, Aristandro se achava nas proximidades de Tiro, no séquito do rei que guerreava os sírios. Ao decompor a palavra *sátiro* em σά e τυρος, ele conseguiu fazer com que o rei intensificasse o cerco, de modo a se tornar senhor da cidade". (Σὰ – Τύρος = Tiro é tua.) – Aliás, o sonho depende tão intimamente da expressão linguística que Ferenczi afirmou com razão que cada língua tem a sua própria linguagem onírica. Via de regra, um sonho é intraduzível para outra língua e, por essa razão, segundo creio, também um livro como o presente. [Acréscimo de 1911.] Não obstante, o dr. A.A. Brill, de Nova York, e outros depois dele, conseguiram fazer traduções de *A interpretação dos sonhos*. [Acréscimo de 1930.]

Para a abordagem científica do tema, a inutilidade de ambos os procedimentos populares de interpretação dos sonhos não pode ser posta em dúvida por um momento sequer. O método simbólico é limitado em sua aplicação, não sendo suscetível a qualquer exposição geral. No caso do método de decifração, só importaria que a "chave", o livro de sonhos, fosse confiável, algo de que não há qualquer garantia. Estaríamos tentados a dar razão aos filósofos e psiquiatras e, juntamente com eles, eliminar o problema da interpretação dos sonhos como uma tarefa imaginária.[66]

No entanto, fui dissuadido dessa atitude. Tive de reconhecer que esse também é um daqueles casos nada raros em que uma crença popular antiquíssima, teimosamente conservada, parece ter chegado mais perto da verdade das coisas do que o juízo da ciência hoje em vigor. Preciso afirmar que os sonhos de fato têm um significado e que é possível um procedimento científico para interpretá-los. Cheguei ao conhecimento desse método da seguinte maneira:

Há anos me ocupo da dissolução de certas formações psicopatológicas – fobias histéricas, ideias obsessivas etc. – com propósito terapêutico; quer dizer, desde que soube, por uma comunicação importante de Josef Breuer, que para essas formações, consideradas como sintomas mórbidos, dissolução e solução vêm a ser a mesma coisa.[67] Se conseguirmos explicar uma dessas representações patológicas pelos elementos dos quais se originou na vida psíquica do paciente, ela se desintegra, e ele se liberta dela. Dada a impotência de nossos esforços terapêuticos usuais, e diante do caráter enigmático desses estados, me pareceu tentador, apesar de todas as dificuldades, avançar pelo caminho aberto por Breuer até chegar a um esclarecimento completo. Noutro momento, terei ocasião de informar em detalhes sobre a forma finalmente assumida

---

66. Depois de concluir meu manuscrito, recebi uma obra de Stumpf (1899) que coincide com meu trabalho na intenção de provar que o sonho tem sentido e é interpretável. Porém, suas interpretações ocorrem por meio de um simbolismo alegorizante, sem garantia de universalidade do procedimento.

67. Breuer e Freud (1895 *d*).

pela técnica do procedimento e sobre os resultados de meus esforços. Foi no decorrer desses estudos psicanalíticos que topei com a interpretação dos sonhos. Os pacientes que obriguei a me comunicarem as ideias e pensamentos que lhes ocorriam a propósito de um determinado tema me narraram seus sonhos e assim me ensinaram que estes podem ser inseridos no encadeamento psíquico a ser seguido retrospectivamente na memória a partir de uma ideia patológica. Era natural tratar o próprio sonho como um sintoma e aplicar-lhe o método de interpretação elaborado para os sintomas.

Para tanto, é necessária uma certa preparação psíquica do paciente. Esforçamo-nos por obter duas coisas dele: um aumento de atenção para suas percepções psíquicas e a suspensão da crítica com que costuma examinar os pensamentos que lhe ocorrem. Para a finalidade de se auto-observar com a atenção concentrada, é proveitoso que ele assuma uma posição de repouso e feche os olhos; é preciso impor-lhe expressamente a renúncia à crítica dos pensamentos observados. Nós lhe dizemos, portanto, que o êxito da psicanálise depende de ele levar tudo em conta e comunicar o que lhe vai pela mente, sem se deixar levar a reprimir ideias porque lhe parecem sem importância ou desligadas do tema ou ainda absurdas. Ele deve se comportar de maneira inteiramente imparcial em relação a suas ideias; pois, caso não consiga encontrar a solução que busca para o sonho, a ideia obsessiva etc., a responsável por isso será justamente a crítica.

Durante os trabalhos psicanalíticos, observei que a disposição psíquica do homem que reflete é muito diferente da do homem que observa seus processos psíquicos. Na reflexão, entra em cena uma ação psíquica a mais do que na mais atenta das auto-observações, como também demonstram a expressão tensa e a testa franzida da pessoa que reflete em oposição ao repouso mímico do auto-observador. Em ambos os casos deve haver uma concentração da atenção, mas a pessoa que reflete também exerce uma crítica devido à qual rejeita uma parte das ideias que lhe surgem depois de tê-las percebido; interrompe outras imediatamente, de modo que não segue os caminhos de pensamento que elas abririam; e, quanto a outras ainda, sabe se comportar de tal maneira que elas de forma alguma se tornam conscientes, ou seja, são reprimidas antes de sua percepção. O auto-observador, em compensação, apenas se esforça por reprimir a crítica; caso tenha êxito, vem à sua consciência um sem-número de ideias que de outro modo teriam permanecido inconcebíveis. Com ajuda desse material novo obtido para a autopercepção, é possível fazer a interpretação tanto das ideias patológicas quanto das formações oníricas. Como vemos, trata-se de produzir um estado psíquico que tem em comum com o estado que precede o adormecer (e certamente também com o estado hipnótico) uma certa analogia na divisão da energia psíquica (da atenção móvel). Durante o adormecer, as "representações involuntárias" vêm ao primeiro plano pela redução de uma certa atividade voluntária (e com certeza também crítica) que deixamos agir sobre o fluxo de nossas representações; como motivo dessa redução costumamos alegar "cansaço"; as representações involuntárias que surgem se transformam em imagens acústicas e visuais. (Ver as observações de Schleiermacher, entre outros, p. 66-68.)[68] No estado que utilizamos para a análise dos sonhos e das ideias patológicas, renunciamos intencional e voluntariamente a essa atividade, e empregamos a energia psíquica poupada (ou uma parte dela) na observação atenta dos pensamentos involuntários que então surgem e que conservam seu caráter de representações (essa é a diferença em relação ao estado de adormecimento). *Assim, transformamos as representações "involuntárias" em "voluntárias".*

Para muitas pessoas, não parece fácil adotar a atitude exigida em relação a ideias que parecem "emergir livremente" e renunciar à crítica de hábito praticada em relação a tais ideias. Os "pensamentos involuntários" costumam desencadear a mais violenta resistência, que pretende impedi-los de surgir. Porém, se dermos crédito ao nosso grande

---

68. Ao observar diretamente essa transformação das representações em imagens visuais, H. Silberer obteve contribuições importantes para a interpretação dos sonhos (1909, 1910 e 1912). [Nota acrescentada em 1919.]

filósofo-poeta Friedrich Schiller, a condição para a produção poética também deve incluir uma atitude muito semelhante. Numa passagem de sua correspondência com Körner, cuja descoberta devo a Otto Rank, Schiller responde à queixa de seu amigo sobre sua escassa produtividade: "A razão de tua queixa, segundo me parece, se encontra na coação que o teu entendimento impõe à tua imaginação. Neste ponto, preciso esboçar um pensamento e lhe dar uma forma sensível por meio de uma imagem. Não parece bom, além de desvantajoso para as obras criativas da alma, quando o entendimento examina com demasiada severidade, já nos portões, por assim dizer, as ideias que chegam. Considerada isoladamente, uma ideia pode ser muito insignificante e muito excêntrica, mas talvez ela se torne importante por meio de outra que venha depois dela; talvez, numa certa ligação com outras ideias que talvez pareçam igualmente insípidas, ela possa resultar num elo bastante útil: o entendimento não pode julgar tudo isso se não conservá-la pelo tempo suficiente para vê-la em ligação com essas outras. Em compensação, numa cabeça criativa, me parece, o entendimento suspende a vigilância dos portões, as ideias entram de maneira desordenada e só então ele observa e avalia a multidão. Vocês, senhores críticos, ou seja lá como for que se chamem, têm medo ou vergonha da loucura momentânea e passageira que se encontra em todos os criadores típicos e cuja maior ou menor duração distingue o artista que pensa do homem que sonha. Daí as queixas de esterilidade, pois vocês rejeitam cedo demais e separam com rigor excessivo". (Carta de 1º de dezembro de 1788.)

E, no entanto, essa "suspensão da vigilância dos portões do entendimento", como a denomina Schiller, esse colocar-se no estado de auto-observação destituído de crítica, de forma alguma é difícil. [1909]

A maioria de meus pacientes é capaz de fazê-lo depois das primeiras instruções; eu mesmo consigo fazê-lo perfeitamente se, enquanto isso, anoto as ideias que me ocorrem. A quantia de energia psíquica que assim é subtraída à atividade crítica, e com a qual podemos elevar a intensidade da auto-observação, oscila consideravelmente conforme o tema em que se deve fixar a atenção.

O primeiro passo na aplicação desse procedimento ensina que não se deve tomar o sonho inteiro como objeto de atenção, mas apenas partes isoladas de seu conteúdo. Se eu perguntar ao paciente ainda sem prática o que lhe vem à mente acerca de um sonho, em geral ele não consegue apreender nada em seu campo de visão intelectual. Preciso lhe mostrar o sonho em partes, e então ele me apresenta uma série de ideias a propósito de cada parte, que podemos chamar de "pensamentos ocultos" dessa parcela onírica. Portanto, já nessa primeira e importante condição, o método por mim praticado se afasta do método popular, histórica e lendariamente famoso, da interpretação mediante o simbolismo, e se aproxima do segundo, o "método de decifração". Como este, ele é uma interpretação *en détail*, e não *en masse*; como este, ele toma o sonho desde o princípio como algo composto, como um conglomerado de formações psíquicas.

No curso de minhas psicanálises de neuróticos já interpretei talvez mais de mil sonhos, mas não gostaria de me servir desse material para introduzir a técnica e a teoria da interpretação dos sonhos. Deixando inteiramente de lado o fato de que me exporia à objeção de serem, afinal, sonhos de neuropatas, que não permitem tirar conclusões sobre os sonhos de pessoas saudáveis, há outro motivo que me obriga a rejeitá-los. O tema para o qual esses sonhos apontam sempre é, naturalmente, a história clínica que está na base da neurose. Isso exigiria para cada sonho uma informação preliminar muito longa, assim como um aprofundamento na natureza e nas condições etiológicas das psiconeuroses, coisas que no fundo são novas e surpreendentes num grau extremo e assim desviariam a atenção do problema do sonho. Minha intenção, ao contrário, é transformar a resolução dos sonhos em um trabalho preliminar para a exploração dos problemas mais difíceis da psicologia das neuroses. Porém, ao renunciar aos sonhos dos neuróticos, meu principal material, não posso ser tão exigente com o resto. Restam apenas aqueles sonhos que me foram contados ocasionalmente por pessoas saudáveis de minhas relações ou aqueles que encontrei registrados, como exemplos, na literatura sobre a vida onírica. Infelizmente, falta-me a análise de todos esses sonhos, sem a qual não posso encontrar o seu sentido. Meu procedimento, afinal, não é tão cômodo quanto o do método popular de decifração, que traduz o conteúdo onírico segundo uma chave fixa; estou preparado, ao contrário, para que o mesmo conteúdo onírico, para pessoas diferentes e em contextos diferentes, também possa ocultar um sentido diverso. Dessa forma, dependo de meus próprios sonhos como de um material abundante e cômodo que provém de uma pessoa mais ou menos normal e se refere a acontecimentos variados da vida cotidiana. Certamente haverá quem levante dúvidas sobre a confiabilidade dessas "autoanálises". A arbitrariedade, diriam, de forma alguma está excluída delas. Segundo meu juízo, as condições para a auto-observação são mais favoráveis do que para a observação de outras pessoas; em todo caso, é lícito experimentar até onde a autoanálise pode nos levar na interpretação dos sonhos. Tenho outras dificuldades a superar em meu próprio íntimo. Temos um receio compreensível de expor tantas coisas íntimas de nossa vida psíquica, além de saber que não estamos a salvo dos erros de interpretação alheios. Mas devemos ser capazes de superar isso. "*Tout psychologiste*", escreve Delboeuf, "*est obligé de faire l'aveu même de ses faiblesses s'il croît par là jeter du jour sur quelque problème obscur.*"[69] E também da parte do leitor, devo supor, o interesse inicial nas indiscrições que preciso cometer logo dará lugar ao aprofundamento exclusivo nos problemas psicológicos que assim são iluminados.[70]

---

69. "Todo psicólogo é obrigado a confessar inclusive as suas fraquezas se acredita lançar luz sobre algum problema obscuro." (N.T.)

70. De qualquer forma, não quero deixar de dizer, numa restrição do que afirmei acima, que quase nunca comuniquei a interpretação completa de meus sonhos. Provavelmente tive razão em não confiar muito na discrição do leitor.

Portanto, vou escolher um de meus próprios sonhos e explicar meu método de interpretação a partir dele. Cada um desses sonhos exige uma informação preliminar. Agora preciso pedir ao leitor que por um bom momento faça seus os meus interesses e mergulhe comigo nos mais ínfimos detalhes de minha vida, pois semelhante transferência é exigida de maneira imperiosa pelo interesse no significado oculto dos sonhos.

Informação preliminar

No verão de 1895, tratei psicanaliticamente uma jovem senhora ligada a mim e à minha família por estreitos laços de amizade. É compreensível que tal mistura de relações possa se tornar uma fonte de múltiplas inquietações para o médico, tanto mais para o psicoterapeuta. O interesse pessoal do médico é maior; sua autoridade, menor. Um fracasso ameaça afrouxar a antiga amizade com os familiares do paciente. O tratamento teve um êxito parcial; a paciente perdeu a sua angústia histérica, mas não todos os seus sintomas somáticos. Naquela ocasião, eu ainda não estava muito certo quanto aos critérios que indicam o desenlace definitivo de um histórico clínico de histeria, e exigi da paciente uma solução que não lhe pareceu aceitável. Nesse desacordo, interrompemos o tratamento por causa do verão. – Certo dia, recebi a visita de um colega mais jovem, um de meus amigos mais próximos, que tinha visitado a paciente – Irma – e sua família em sua casa de campo. Perguntei como a encontrara, e recebi a resposta de que ela estava melhor, mas não inteiramente boa. Sei que as palavras de meu amigo Otto, ou o tom em que foram ditas, me incomodaram. Acreditei perceber nelas uma censura, como se eu tivesse prometido demais à paciente, e – com ou sem razão – atribuí a suposta tomada de partido de Otto contra mim à influência dos familiares da paciente, que, como supunha, nunca tinham visto meu tratamento com bons olhos. De resto, minha sensação desagradável não me ficou clara, e também não lhe dei qualquer expressão. Na mesma noite ainda redigi o histórico clínico de Irma para, numa espécie de autojustificação, repassá-lo ao dr. M., um amigo comum, que na época era a personalidade que dava o tom em nosso círculo. Naquela noite (mais provavelmente ao amanhecer) tive o sonho que segue, anotado logo após o despertar.[71]

Sonho de 23-24 de julho de 1895

Um imenso salão – muitos convidados, que recepcionamos. – Entre eles, Irma, *que logo chamo à parte para, de certa forma, responder sua carta e lhe fazer censuras por ainda não ter aceitado a "solução". Digo-lhe: Se você ainda sente dores,* então *é realmente apenas culpa sua. – Ela responde: Se você soubesse que dores eu sinto agora na garganta, no estômago e no abdômen; isso está me sufocando. – Eu me assusto e a examino. Ela tem uma aparência pálida e inchada; penso que, no fim das contas, estou desconsiderando algo orgânico. Eu a levo até a janela e examino sua garganta. Ela demonstra alguma resistência, como fazem as mulheres que usam dentadura. Penso que ela não precisa agir assim. – Mas a boca se abre com facilidade, e à direita encontro uma grande mancha branca, e noutra parte, sobre estranhas estruturas curvas que imitam de maneira evidente os cornetos nasais, vejo amplas crostas cinza-esbranquiçadas. – Chamo depressa o dr. M., que repete o exame e o confirma... A aparência do dr. M. é muito diferente da habitual; ele está bastante pálido, manca, está sem barba no queixo... E então meu amigo* Otto *também está ao lado dela, e meu amigo* Leopold *a percute sobre o corpete, diz que ela tem uma região surda embaixo, à esquerda, e também aponta para uma parte da pele do ombro esquerdo que está infiltrada (o que, assim como ele, também sinto, apesar do vestido)... M. diz: Não há dúvida, é uma infecção, mas sem importância; ainda virá uma disenteria e a toxina será eliminada... Também sabemos de imediato a origem da infecção. Pouco tempo atrás, quando ela estava*

---

71. Esse foi o primeiro sonho que submeti a uma interpretação detalhada. [Nota acrescentada em 1914.]

se sentindo mal, meu amigo Otto lhe aplicou uma injeção de um preparado de propil, propileno... ácido propiônico... trimetilamina (cuja fórmula vejo em negrito diante de mim)... Não se fazem essas injeções tão levianamente... É provável que a seringa também não estivesse limpa.

Esse sonho tem uma vantagem em relação a muitos outros. Fica claro de imediato a que acontecimentos do dia anterior ele se liga e de que tema trata. A informação preliminar dá informações sobre isso. A notícia que recebi de Otto sobre o estado de Irma e o histórico clínico que fiquei escrevendo até tarde da noite ocuparam minha atividade psíquica também durante o sono. Apesar disso, ninguém que tivesse tomado conhecimento da informação preliminar e do conteúdo do sonho poderia imaginar o seu significado. Eu mesmo não o conheço. Espanto-me com os sintomas de que Irma se queixa, pois não são os mesmos de que a tratei. Sorrio da ideia absurda de uma injeção de ácido propiônico e do consolo oferecido pelo dr. M. Quando se aproxima do final, o sonho me parece mais obscuro e mais denso do que no começo. Para descobrir o significado de tudo isso, preciso me decidir a fazer uma análise minuciosa.

ANÁLISE

O salão – muitos convidados, que recepcionamos. Passávamos aquele verão em Bellevue, uma casa isolada numa das colinas vizinhas ao Kahlenberg. Essa casa fora no passado destinada a ser um estabelecimento de recreio, daí os cômodos extraordinariamente altos e em forma de salão. O sonho também aconteceu em Bellevue, e para ser mais exato, poucos dias antes da festa de aniversário de minha mulher. Durante o dia ela tinha manifestado a expectativa de que vários amigos viriam ao seu aniversário e seriam nossos convidados, entre eles também Irma. Meu sonho, portanto, antecipa essa situação: é o aniversário de minha mulher, e muitas pessoas, entre elas Irma, são nossas convidadas e as recepcionamos no grande salão de Bellevue.

Eu censuro Irma por não ter aceitado a solução; digo-lhe: Se você ainda sente dores, é por sua própria culpa. Isso eu também poderia ter lhe dito, ou lhe disse, na vigília. Naquela época, minha opinião (que mais tarde reconheci incorreta) era de que minha tarefa se limitava a comunicar ao paciente o sentido oculto de seus sintomas; o fato de ele aceitar ou não essa solução, da qual depende o êxito do tratamento, não seria mais responsabilidade minha. Sou grato a esse erro, agora felizmente superado, por ter me aliviado a existência num momento em que, apesar de toda minha inevitável ignorância, se esperava que eu produzisse curas bem-sucedidas. – Na frase que digo a Irma no sonho, porém, observo que, sobretudo, eu não quero ser culpado pelas dores que ela ainda sente. Se a própria Irma é a culpada, então a culpa não pode ser minha. Será que o propósito do sonho deveria ser buscado nessa direção?

As queixas de Irma; dores na garganta, no abdômen e no estômago; sufocações. Dores de estômago pertenciam ao complexo sintomático de minha paciente, mas não eram muito fortes; ela se queixava mais de sensações de enjoo e náusea. Dores de garganta, no abdômen e sufocações mal desempenhavam um papel no seu caso. Fico surpreso por ter escolhido esses sintomas no sonho, e por enquanto também não conheço o motivo.

Ela tem uma aparência pálida e inchada. Minha paciente estava sempre corada. Suponho que nesse ponto uma outra pessoa a substitua.

Eu me assusto ao pensar que, no fim das contas, desconsiderei uma afecção orgânica. Ninguém duvidará que esse seja um medo constante do especialista que atende quase exclusivamente neuróticos e está acostumado a atribuir à histeria tantos sintomas que os outros médicos tratam como orgânicos. Por outro lado, se apodera de mim – vinda não sei de onde – uma ligeira dúvida de que meu susto não é inteiramente sincero. Se as dores de Irma têm um fundamento orgânico, então não tenho obrigação de curá-la. Afinal, meu tratamento elimina apenas dores histéricas. Parece-me, portanto, que eu desejaria um erro de diagnóstico; então a censura pelo fracasso também estaria eliminada.

Eu a levo até a janela para examinar sua garganta. Ela resiste um pouco, como fazem as mulheres que usam dentadura. Penso que ela não precisa agir assim. No caso de Irma, nunca tive ocasião de inspecionar sua cavidade bucal. O ocorrido no sonho me lembra o exame feito há algum tempo em uma governanta, que, de início, dava a impressão de beleza juvenil, mas, ao abrir a boca, tomou diversas providências para esconder a dentadura. A esse caso, relacionam-se outras lembranças de exames médicos e de pequenos segredos que eles revelaram, para desagrado de ambas as partes. – *Ela não precisa agir assim*: em primeiro lugar, é um cumprimento para Irma; suspeito, porém, que haja também outro significado. Numa análise atenta, sentimos se esgotamos ou não os pensamentos ocultos que caberia esperar. A maneira de Irma ficar parada junto à janela me lembra de súbito outra experiência. Irma possui uma amiga íntima que tenho em alta conta. Quando a visito certo dia à tardinha, encontro-a junto à janela na mesma posição reproduzida no sonho, e seu médico, o mesmo dr. M., explicou que ela tinha uma placa difterítica. A pessoa do dr. M. e a placa retornam no curso do sonho. Agora me ocorre que nos últimos meses tive todos os motivos para supor que essa outra senhora também seja histérica. A própria Irma me revelou isso. Mas o que sei de seu estado? Precisamente o fato de que sofre de sufocações histéricas, tal como Irma no sonho. Portanto, no sonho eu substitui minha paciente por sua amiga. Agora me lembro de que várias vezes brinquei com a hipótese de que essa senhora também pudesse recorrer a mim para livrá-la de seus sintomas histéricos. Mas julguei isso improvável, pois ela é de índole muito reservada. Ela *resiste*, como mostra o sonho. Outra explicação seria a *de que ela não tem necessidade disso*; até agora, ela realmente se mostrou forte o bastante para controlar seu estado sem ajuda alheia. Restam apenas alguns traços, que não posso atribuir nem a Irma nem à sua amiga: *pálida, inchada, dentes postiços*.

Os dentes postiços me levaram àquela governanta; agora me sinto inclinado a me contentar com dentes *ruins*. Então me ocorre outra pessoa à qual esses traços poderiam aludir. Ela também não é minha paciente, e eu não gostaria que fosse, pois observei que ela se envergonha diante de mim e não a considero uma paciente dócil. Ela está quase sempre pálida, e quando certa vez passava por uma fase especialmente boa, estava inchada.[72] Portanto, comparei minha paciente Irma com duas outras pessoas que resistiriam da mesma forma ao tratamento. Que sentido pode haver no fato de que no sonho a troquei por sua amiga? Talvez o fato de que eu gostaria de trocá-la; ou a outra desperta simpatias mais fortes em mim, ou tenho uma opinião mais elevada de sua inteligência. É que considero Irma tola por não aceitar minha solução. A outra seria mais inteligente e, portanto, cederia com maior facilidade. *A boca se abre facilmente*; ela contaria mais coisas do que Irma.[73]

O que vejo na garganta: uma mancha branca e cornetos nasais recobertos por uma crosta. A mancha branca lembra difterite, e, assim, a amiga de Irma, mas também a doença grave de minha filha mais velha há mais ou menos dois anos, bem como todos os sobressaltos daqueles tempos difíceis. As crostas nos cornetos nasais fazem lembrar uma preocupação com minha própria saúde. Naquela época, eu fazia uso frequente de cocaína para controlar incômodos inchaços nasais e soubera poucos dias antes que uma paciente que fazia como eu desenvolvera uma extensa necrose da mucosa nasal.

---

72. A queixa de *dores no abdômen*, ainda não explicada, também pode ser atribuída a essa terceira pessoa. Trata-se, naturalmente, de minha própria mulher; as dores no abdômen me fazem lembrar uma das ocasiões em que sua timidez se tornou clara para mim. Tenho de confessar a mim mesmo que nesse sonho não sou muito amável com Irma e com minha mulher, porém observo para me desculpar que meço ambas pelo ideal da paciente dócil e bem-comportada.

73. Suspeito que a interpretação desse trecho não foi longe o bastante para seguir todo o sentido oculto. Se quisesse continuar a comparação entre as três mulheres, eu iria longe. – Todo sonho tem pelo menos um ponto em que é insondável, um umbigo, por assim dizer, que o liga ao desconhecido.

A recomendação do uso de cocaína, que eu fizera em 1884, também me rendera sérias recriminações. Um caro amigo, já falecido em 1895, acelerou o seu fim ao abusar dessa droga.[74]

Chamo depressa o dr. M., que repete o exame. Isso simplesmente corresponde à posição que M. assumiu entre nós. Mas o *depressa* é chamativo o bastante para exigir uma explicação especial. Ele me lembra um triste acontecimento médico. Certa vez, devido à prescrição continuada de uma droga que na época ainda era considerada inofensiva (sulfonal), eu produzira uma grave intoxicação numa paciente, recorrendo depressa ao colega mais velho e mais experiente em busca de auxílio. Uma circunstância acessória confirma que tenho realmente esse caso em vista. A paciente que sucumbiu à intoxicação tinha o mesmo nome de minha filha mais velha. Jamais tinha pensado nisso até o momento; agora quase me parece uma vingança do destino. Como se a substituição de pessoas devesse prosseguir num outro sentido; esta Mathilde por aquela; olho por olho, dente por dente. É como se eu procurasse todas as ocasiões pelas quais pudesse me censurar por falta de probidade médica.

O dr. M. está pálido, sem barba no queixo e manca. O que está correto nisso é que sua má aparência desperta constantes preocupações em seus amigos. As duas outras características devem pertencer a outra pessoa. Lembro-me de meu irmão mais velho, residente no exterior, que não usa barba no queixo e, se bem me lembro, se parece em tudo com o M. do sonho. Alguns dias atrás recebi a notícia de que ele está mancando devido a uma enfermidade artrítica nos quadris. Deve haver uma razão para que no sonho eu funda as duas pessoas numa só. Lembro-me, de fato, que eu estava indisposto com ambos por razões parecidas. Ambos rejeitaram certa proposta que lhes fiz recentemente.

Agora meu amigo Otto está ao lado da paciente, meu amigo Leopold a examina e indica uma região surda embaixo, à esquerda. Meu amigo Leopold, parente de Otto, também é

---

74. Ernst Fleischl von Marxow (1846-1891). (N.R.)

médico. Visto que exercem a mesma especialidade, o destino os transformou em concorrentes que as pessoas comparam sem cessar. Durante anos, os dois me assistiram quando eu ainda dirigia um consultório público que atendia crianças com doenças nervosas. Cenas como a reproduzida no sonho ocorreram muitas vezes ali. Enquanto eu debatia com Otto acerca do diagnóstico de um caso, Leopold tinha examinado a criança outra vez e apresentado uma colaboração inesperada para resolvê-lo. Havia entre eles uma diferença de caráter semelhante à existente entre o inspetor Bräsig e seu amigo Karl.[75] O primeiro se distinguia pela "ligeireza", o outro era lento e ponderado, porém consciencioso. Se no sonho comparo Otto e o cauteloso Leopold, tal acontece de maneira evidente para elogiar este último. É uma comparação semelhante àquela feita acima entre a indócil paciente Irma e sua amiga considerada mais inteligente. Agora também noto uma das vias pelas quais a ligação de pensamentos se desloca no sonho: da criança doente ao hospital infantil. – *A região surda embaixo, à esquerda* me dá a impressão de corresponder em todos os detalhes a um caso particular em que Leopold me surpreendeu por sua meticulosidade. Além disso, penso em algo como uma afecção metastática, mas isso também poderia ser uma relação com a paciente que eu gostaria de ter no lugar de Irma. É que essa senhora, até onde pude ver, imita uma tuberculose.

Uma parte da pele do ombro esquerdo que está infiltrada. Sei de imediato que se trata de meu próprio reumatismo no ombro, que percebo sempre que fico acordado até altas horas da noite. Além disso, as palavras no sonho são ambíguas: *o que, assim como ele, também sinto*. Sinto em meu próprio corpo, entenda-se. De resto, me ocorre como soa incomum a indicação "uma parte da pele que está infiltrada". Estamos acostumados à "infiltração atrás, em cima, à esquerda"; ela se refere ao pulmão e, assim, outra vez à tuberculose.

Apesar do vestido. Isso com certeza é apenas uma intercalação. Naturalmente, no hospital infantil examinávamos

---

75. Protagonistas de um romance autobiográfico de Fritz Reuter (1810-1874). (N.T.)

as crianças despidas; trata-se de algum tipo de oposição ao modo de examinar pacientes adultas. Costumava-se contar de um clínico eminente que sempre fazia o exame físico de suas pacientes através das roupas. O resto é obscuro para mim; falando francamente, não tenho nenhuma inclinação a me aprofundar neste ponto.

O dr. M. diz que é uma infecção, mas sem importância. Ainda virá uma disenteria e a toxina será eliminada. De início, isso me parece ridículo, mas, como todo o resto, precisa ser analisado com cuidado. Visto mais de perto, acaba mostrando uma espécie de sentido. O que encontrei na paciente foi uma difterite local. Recordo-me que na época do adoecimento de minha filha houve uma discussão sobre difterite e difteria. Esta é a infecção generalizada que se origina da difterite local. Leopold indica uma infecção geral desse tipo por meio da região surda, que, portanto, permite pensar num foco metastático. Acredito, na verdade, que precisamente na difteria essas metástases não ocorrem. Elas me fazem lembrar, antes, uma piemia.

Sem importância é um consolo. Penso que se encaixa da seguinte maneira: a última parte do sonho trouxe o conteúdo de que as dores da paciente provêm de uma grave afecção orgânica. Desconfio que também com isso eu só queira me livrar da culpa. O tratamento psíquico não pode ser responsabilizado pela continuidade de dores diftéricas. No entanto, agora me envergonho de atribuir uma doença tão grave a Irma única e exclusivamente para me aliviar. Parece cruel demais. Preciso, portanto, da garantia de um bom desfecho, e não parece má escolha colocar o consolo justamente na boca do dr. M. Porém, neste ponto me mostro superior ao sonho, o que necessita de explicação.

Contudo, por que esse consolo é tão absurdo?

Disenteria: uma remota representação teórica qualquer de que substâncias patogênicas podem ser eliminadas pelo intestino. Será que quero zombar da abundância de explicações pouco convincentes e de estranhas associações patológicas do dr. M.? Ainda me ocorre outra coisa sobre a disenteria. Meses atrás recebi um jovem que apresentava estranhas dores ao evacuar e que outros colegas haviam tratado como um caso de "anemia acompanhada de subnutrição". Reconheci se tratar de uma histeria, não quis experimentar minha psicoterapia nele e o mandei fazer uma viagem marítima. Dias atrás recebi uma carta dele, desesperada, do Egito, onde ele sofrera um novo ataque que o médico declarara se tratar de disenteria. Suspeito que o diagnóstico seja apenas um erro do colega ignorante que se deixa fazer de bobo pela histeria; porém, não pude me poupar recriminações por ter colocado o paciente na situação de contrair uma afecção intestinal orgânica quando já tinha uma histérica. Além disso, disenteria lembra difteria, palavra que não é mencionada no sonho.

Com o prognóstico consolador de que ainda virá uma disenteria etc. devo realmente ter zombado do dr. M., pois me lembro que certa vez, anos atrás, ele contou rindo algo muito parecido de um colega. Ele fora consultado por esse colega a propósito de um paciente gravemente doente, e foi levado a advertir o outro, que parecia muito esperançoso, de que encontrara albumina na urina do paciente. O colega não se deixou desconcertar, mas respondeu tranquilo: *Não tem importância*, caro colega, *o albumina logo será excretado!* – Não tenho mais dúvidas, portanto, de que essa parte do sonho contém uma ridicularização dos colegas que ignoram a histeria. Como que para confirmar isso, me passa agora pela cabeça a seguinte pergunta: será que o dr. M. sabe que os sintomas de sua paciente, a amiga de Irma, que fazem temer uma tuberculose, também se devem à histeria? Será que ele reconheceu essa histeria ou se deixou "tapear" por ela?

Porém, que motivo eu poderia ter para tratar tão mal a esse amigo? É muito simples: o dr. M. está tão pouco de acordo com a "solução" que sugeri a Irma quanto ela própria. Nesse sonho, portanto, já me vinguei de duas pessoas; de Irma, dizendo-lhe que se ela ainda tem dores a culpa é dela, e do dr. M., ao colocar em sua boca as absurdas palavras de consolo.

Sabemos de imediato a origem da infecção. Esse conhecimento imediato no sonho é curioso. Pouco antes nada sabíamos, visto que a infecção foi indicada apenas por Leopold.

Quando ela estava se sentindo mal, meu amigo Otto lhe aplicou uma injeção. Otto realmente contou que durante o breve intervalo que ficara na casa da família de Irma fora chamado ao hotel vizinho para aplicar uma injeção em alguém que de repente se sentira mal. As injeções me recordam outra vez o infeliz amigo que se intoxicou com cocaína. Eu lhe recomendara a droga apenas para uso interno enquanto ele se desintoxicava da morfina, porém ele imediatamente se aplicou injeções de cocaína.

Um preparado de propil... propileno... ácido propiônico. Como cheguei a isso, afinal? Na mesma noite em que redigi o histórico clínico e em que tive o sonho, minha mulher abrira uma garrafa de licor em cujo rótulo constava a palavra *Ananás*[76] e que fora um presente de nosso amigo Otto. Ele tinha o hábito de dar presentes em todas as ocasiões possíveis; tomara que um dia uma mulher o cure disso.[77] Esse licor exalava um cheiro tão forte de álcool amílico que me recusei a prová-lo. Minha mulher sugeriu que déssemos a garrafa de presente aos empregados, e eu, ainda mais cauteloso, impedi isso com a observação filantrópica de que eles também não deveriam se envenenar. O cheiro de álcool amílico (amil...) evidentemente despertou em mim a lembrança de toda a série (propil, metil etc.) que forneceu ao sonho os preparados de propileno. Com certeza fiz uma substituição; sonhei com propil depois de sentir o cheiro de amil, mas substituições desse tipo talvez sejam autorizadas mesmo na química orgânica.

Trimetilamina. Vejo a fórmula química dessa substância no sonho, o que em todo caso atesta um grande esforço de minha memória, e na verdade essa fórmula está impressa em negrito, como se algo especialmente importante devesse ser

---

76. Essa palavra, aliás, tem uma semelhança notável com o sobrenome de minha paciente Irma.

77. Nesse aspecto, o sonho não se mostrou profético. Ele acertou em outro sentido, pois as dores de estômago "não solucionadas" de minha paciente, pelas quais eu não queria ser culpado, foram as precursoras de uma grave formação de cálculos biliares. [Nota acrescentada em 1909 e suprimida a partir de 1925.]

destacado do contexto. A que me leva a trimetilamina, à qual minha atenção fora chamada dessa maneira? A uma conversa com outro amigo, que há anos sabe de todos os meus trabalhos quando ainda estão germinando, assim como sei dos seus. Naquela ocasião, ele me comunicara certas ideias acerca de uma química sexual, mencionando, entre outras coisas, que acreditava reconhecer na trimetilamina um dos produtos do metabolismo sexual. Essa substância me leva assim à sexualidade, àquele fator ao qual atribuo a maior importância para a origem das afecções nervosas que pretendo curar. Minha paciente Irma é uma jovem viúva; se me empenho em me desculpar pelo fracasso de seu tratamento, o melhor que posso fazer é invocar esse fato, que seus amigos bem gostariam de mudar. De resto, como é notável a composição de um sonho desses! A outra mulher que tenho no sonho como paciente em lugar de Irma também é uma jovem viúva.

Suspeito por que a fórmula da trimetilamina ocupa tanto espaço no sonho. Muitas coisas importantes se reúnem nessa palavra: a trimetilamina não é apenas uma alusão ao fator preponderante da sexualidade, mas também a uma pessoa cujo apoio lembro com satisfação quando me sinto abandonado com minhas opiniões. Não deveria esse amigo, que representa um papel tão grande em minha vida, reaparecer na concatenação de pensamentos do sonho? É claro que sim; ele é um grande conhecedor dos efeitos das afecções do nariz e de suas cavidades secundárias, e revelou à ciência algumas relações altamente notáveis entre os cornetos nasais e os órgãos sexuais femininos. (As três estruturas curvas na garganta de Irma.) Pedi-lhe que examinasse Irma para verificar se suas dores de estômago talvez tivessem origem nasal. Ele próprio, porém, sofre de abscessos nasais que me deixam preocupado, e a piemia, na qual penso em função das metástases no sonho, deve aludir a isso.

Não se fazem essas injeções de maneira tão leviana. Aqui a censura de leviandade é lançada diretamente sobre meu amigo Otto. Acredito que à tarde pensei algo semelhante quando ele pareceu atestar sua tomada de partido contra mim por meio de suas palavras e de seu olhar. Foi algo como: com que facilidade ele se deixa influenciar; com que leviandade emite seus juízos. – Além disso, a frase acima volta a aludir ao amigo falecido, que se decidiu tão rápido a tomar injeções de cocaína. Como já disse, eu de forma alguma tinha injeções dessa droga em vista. Com a censura que faço a Otto por lidar levianamente com substâncias químicas, observo que volto a tocar na história daquela infeliz Mathilde, história da qual resulta a mesma censura contra mim. É manifesto que reúno aqui exemplos de minha conscienciosidade, mas também do contrário.

É provável que a seringa também não estivesse limpa. Mais uma censura a Otto, embora tenha outra origem. Ontem encontrei por acaso o filho de uma senhora de 82 anos a quem preciso aplicar diariamente duas injeções de morfina. No momento ela está no campo e, segundo soube, sofre de uma flebite. Logo pensei se tratar de uma infiltração causada por uma seringa contaminada. Orgulho-me de, em dois anos, não lhe ter provocado nenhuma infiltração; minha preocupação constante é manter a seringa limpa. É que sou conscienciso. A flebite me leva outra vez à minha mulher, que durante uma de suas gestações sofreu de congestões venosas, e agora também me vêm à memória três situações parecidas envolvendo minha mulher, Irma e a falecida Mathilde, situações cuja identidade evidentemente me deu razão para substituir as três pessoas entre si.

Completei a interpretação do sonho.[78] Durante esse trabalho, me esforcei por me precaver contra todas as ideias que deviam ser provocadas pela comparação entre o conteúdo do sonho e os pensamentos oníricos ocultos por trás dele. Nesse meio-tempo, também compreendi o "sentido" do sonho. Observei um propósito que foi realizado pelo sonho e que deve ter sido o seu motivo. O sonho realiza alguns desejos que foram despertados em mim pelos acontecimentos da noite

---

78. Embora, como é compreensível, não tenha comunicado tudo o que me veio à mente durante o trabalho de interpretação. [Nota acrescentada em 1909.]

anterior (a notícia de Otto, a redação do histórico clínico). O resultado do sonho é que não sou culpado pelas dores que Irma ainda sente, mas que a culpa é de Otto. Ele me irritou com seu comentário sobre a cura incompleta de Irma, e o sonho me vinga dele ao voltar a censura contra o próprio Otto. O sonho me absolve da responsabilidade pelo estado de Irma ao atribuí-lo a outros fatores (toda uma série de motivações). O sonho apresenta um certo estado de coisas tal como eu poderia desejá-lo; *seu conteúdo, portanto, é uma realização de desejo, e seu motivo, um desejo.*

Tudo isso salta aos olhos. Contudo, também há muitos detalhes do sonho que se tornam compreensíveis sob o ponto de vista da realização de desejo. Não me vingo de Otto apenas por sua precipitação em tomar partido contra mim, atribuindo-lhe uma ação médica precipitada (a injeção), mas também me vingo dele pelo péssimo licor com cheiro de álcool amílico, encontrando no sonho uma expressão que une as duas recriminações: a injeção com um preparado de propileno. Ainda não estou satisfeito, mas prossigo minha vingança ao lhe contrapor o seu concorrente, mais confiável. Com isso pareço dizer: gosto mais dele do que de ti. Porém, Otto não é o único a sentir o peso de minha ira. Também me vingo da paciente rebelde ao trocá-la por uma mais inteligente, mais dócil. Também não deixo passar a oposição do dr. M., mas, numa alusão clara, lhe expresso minha opinião de que ele trata o assunto como um ignorante ("*Virá uma disenteria* etc."). Sim, me parece que lhe dou as costas e apelo a alguém com maiores conhecimentos (meu amigo que me falou da trimetilamina), da mesma forma que me voltei de Irma à sua amiga, de Otto a Leopold. Tirem essas pessoas daqui, troquem-nas por outras três de minha escolha, assim estarei livre das censuras que acredito não merecer! A própria falta de fundamento dessas censuras me é demonstrada no sonho da maneira mais minuciosa. As dores de Irma não são de minha conta, pois ela própria é culpada delas ao se recusar a aceitar minha solução. As dores de Irma não me dizem respeito, pois são de natureza orgânica, de modo algum curáveis por um tratamento psíquico.

A doença de Irma se explica satisfatoriamente por sua viuvez (trimetilamina!), situação que afinal não posso mudar. A doença de Irma foi causada por uma injeção imprudente de Otto com uma substância inapropriada, algo que eu jamais teria feito. A doença de Irma se deve a uma injeção feita com uma seringa suja, tal como a flebite da velha senhora, enquanto eu jamais faço algo errado quando aplico injeções. Observo, é verdade, que essas explicações para a doença de Irma, que coincidem em me aliviar, não concordam entre si, inclusive se excluem. Todo esse discurso de defesa – esse sonho não é outra coisa – lembra vivamente a defesa daquele homem que foi acusado por seu vizinho de lhe ter devolvido uma chaleira em mau estado. Em primeiro lugar, ele a devolveu intacta; em segundo, a chaleira já tinha furos quando a tomou emprestada; e em terceiro, ele jamais emprestou uma chaleira do vizinho. Tanto melhor assim; se apenas uma dessas defesas for reconhecida como válida, o homem deverá ser absolvido.

Ainda entram no sonho outros temas cuja relação com meu desencargo da doença de Irma não é tão transparente: a doença de minha filha e a de uma paciente de mesmo nome, a nocividade da cocaína, a afecção de meu paciente que viaja pelo Egito, a preocupação com a saúde de minha mulher, de meu irmão e do dr. M., meus próprios achaques corporais e a preocupação com o amigo ausente que sofre de abscessos nasais. Contudo, ao considerar o conjunto desses elementos, eles se unem num único grupo de ideias que poderia ter o seguinte rótulo: preocupações com a saúde, própria e alheia, probidade médica. Recordo-me de uma sensação desagradável e confusa quando Otto me trouxe a notícia do estado de Irma. A partir do grupo de ideias que entra em jogo no sonho, eu gostaria de acrescentar *a posteriori* a expressão para essa sensação fugaz. É como se ele tivesse me dito: "Não levas tuas obrigações médicas suficientemente a sério, não és consciencioso, não cumpres tuas promessas". Em consequência disso, teria se colocado à minha disposição o referido grupo de ideias, de maneira que eu pudesse demonstrar o alto grau de minha probidade, o quanto me importa a saúde de meus parentes, amigos e pacientes. Notavelmente, esse material também inclui lembranças dolorosas que falam mais a favor da acusação que atribuo a meu amigo Otto do que a favor de minha inocência. O material é imparcial, por assim dizer, mas há um nexo inequívoco entre esse material mais amplo em que o sonho se apoia e o tema mais restrito do sonho, tema do qual resultou o desejo de ser inocente da doença de Irma.

Não quero afirmar que descobri o sentido completo desse sonho, que sua interpretação não tenha deixado lacunas.

Eu ainda poderia me deter muito tempo nele, extrair mais explicações dele e discutir novos enigmas que ele coloca. Eu mesmo conheço os pontos a partir dos quais se pode seguir outros nexos de pensamento; porém, escrúpulos que entram em consideração quando se trata de nossos próprios sonhos me impedem de fazer o trabalho de interpretação. Quem estiver pronto a me criticar por semelhante reserva, que tente ser mais franco do que eu. Contento-me, por enquanto, com o novo conhecimento obtido: se seguirmos o método de interpretação de sonhos aqui mostrado, descobriremos que o sonho realmente tem um sentido e de forma alguma é a expressão de uma atividade cerebral fragmentada, como querem os autores. *Depois de completado o trabalho de interpretação, o sonho se revela como uma realização de desejo.*

III

O SONHO É UMA REALIZAÇÃO DE DESEJO

Quando passamos por um desfiladeiro estreito e chegamos de súbito a uma colina em que os caminhos se dividem e o mais vasto panorama se abre em diferentes direções, podemos parar por um momento e refletir para onde queremos ir. Depois de realizarmos a primeira interpretação de um sonho, estamos numa situação semelhante. Encontramo-nos em meio à clareza de uma descoberta repentina. O sonho não é comparável aos sons desarmônicos de um instrumento musical atingido pelo golpe de uma força externa em vez de ser tocado pela mão do instrumentista, ele não é desprovido de sentido, não é absurdo, não pressupõe que uma parte de nosso patrimônio de representações durma enquanto outra começa a despertar. Ele é um fenômeno psíquico de plena validade – mais precisamente, uma realização de desejo; ele deve ser incluído na cadeia das ações psíquicas compreensíveis da vigília; ele foi construído por uma atividade intelectual altamente complexa. Porém, no mesmo instante em que queremos nos alegrar com essa descoberta, somos assaltados por uma profusão de perguntas. Se, conforme indicado pela interpretação, o sonho figura um desejo realizado, donde provém a forma chamativa e estranha em que essa realização de desejo se expressa? Que transformação ocorreu aos pensamentos oníricos até que o sonho manifesto, tal como nos lembramos dele ao despertar, tomasse forma a partir deles? Por que vias sucedeu essa transformação? Donde se origina o material que foi elaborado para se transformar em sonho? Donde provêm algumas das peculiaridades que pudemos observar nos pensamentos oníricos, como, por exemplo, o fato de eles poderem se contradizer? (Vide a analogia da chaleira.) Pode o sonho nos ensinar algo novo sobre nossos processos psíquicos interiores, pode o seu conteúdo corrigir opiniões em que acreditamos durante o dia?

Sugiro deixar todas essas questões de lado por enquanto e seguir um único caminho. Ficamos sabendo que o sonho figura um desejo como realizado. Nosso objetivo seguinte deve ser descobrir se essa é uma característica geral dos sonhos ou apenas o conteúdo casual daquele sonho com que começou nossa análise (o "sonho da injeção de Irma"), pois, mesmo se estivermos preparados para o fato de todo sonho ter um sentido e um valor psíquico, ainda precisamos deixar aberta a possibilidade de que esse sentido não seja o mesmo para todos os sonhos. Nosso primeiro sonho foi uma realização de desejo; outro talvez se revele como a realização de um temor; o conteúdo de um terceiro pode ser uma reflexão, um quarto pode simplesmente reproduzir uma lembrança. Há, portanto, ainda outros sonhos de desejo, ou talvez existam apenas sonhos de desejo?

É fácil mostrar que os sonhos muitas vezes revelam sem reservas o caráter de realização de desejo, de maneira que podemos nos admirar que a sua linguagem já não tenha sido compreendida há muito tempo. Há um sonho, por exemplo, que posso produzir sempre que quiser, por assim dizer de maneira experimental. Quando como anchovas, azeitonas ou algum outro alimento muito salgado no jantar, fico com sede durante a noite e ela me acorda. Esse despertar, no entanto, é precedido por um sonho que sempre tem o mesmo conteúdo, a saber, que estou tomando água. Sorvo grandes goles, tão deliciosos como só um gole de água fria pode ser quando estamos mortos de sede, e então acordo e preciso tomar água de fato. O motivo desse sonho simples é a sede, da qual me dou conta ao despertar. Essa sensação produz o desejo de beber água e o sonho mostra esse desejo realizado. Ele serve, assim, a uma função que logo imagino qual seja. Durmo bem e não costumo ser acordado por nenhuma necessidade. Quando consigo aplacar minha sede por meio de um sonho, não preciso acordar para satisfazê-la. Trata-se, portanto, de um sonho de comodidade. O sonho substitui a ação, como em outras situações da vida. Infelizmente, a necessidade de água para saciar a sede não pode ser satisfeita com um sonho como no caso de minha sede de vingança contra meu amigo Otto e contra o dr. M., porém a boa vontade é a mesma. Não faz muito tempo, esse sonho se modificou um pouco. Fiquei com sede já antes de adormecer e esvaziei o copo que fica sobre a mesinha de cabeceira ao lado da minha cama. Algumas horas depois, sobreveio um novo acesso de sede, acompanhado de seus desconfortos. Para conseguir água, eu teria de me levantar e pegar o copo que está sobre a mesinha de cabeceira de minha mulher. Sonhei, apropriadamente, que minha mulher me dava de beber de um recipiente; esse recipiente era uma urna etrusca que eu trouxera de uma viagem à Itália e que mais tarde dei de presente a alguém. Contudo, a água dessa urna tinha um gosto tão salgado (das cinzas, é evidente) que precisei acordar. Percebe-se como o sonho sabe arranjar as coisas de maneira cômoda; visto que a realização de desejo é seu único propósito, ele pode ser completamente egoísta. O amor à comodidade de fato não é compatível com a consideração pelos outros. A intromissão da urna provavelmente é outra realização de desejo; lamento não possuir mais esse recipiente, assim como, aliás, o copo d'água ao lado de minha mulher também não me é acessível. A urna também se ajusta à sensação do gosto salgado que se tornou mais forte e que sei que me obrigará a acordar.[79]

Quando jovem, eu tinha esses sonhos de comodidade com bastante frequência. Desde sempre habituado a trabalhar até tarde da noite, acordar cedo foi sempre um problema. Eu

---

[79]. Weygandt (1893, p. 41) também conhecia os sonhos de sede: "De todas as sensações, justamente a sensação de sede é percebida com a maior precisão: ela sempre gera a representação de ser saciada. – O modo como o sonho representa essa saciação é variado e se especializa segundo uma lembrança facilmente acessível. Outro fenômeno universal é o fato de que logo depois dessa representação surge o desapontamento com o pequeno efeito das supostas bebidas". No entanto, Weygandt não se dá conta da universalidade da reação do sonho ao estímulo. – O fato de outras pessoas, acometidas pela sede durante a noite, acordarem sem antes sonhar não significa uma objeção a meu experimento, mas indica que tais pessoas não dormem bem. – Ver, a propósito, Isaías 29, 8: "Será também como o faminto que sonha que está a comer, mas, acordando, sente-se vazio; ou como o sequioso que sonha que está a beber, mas, acordando, sente-se desfalecido e sedento"...

costumava sonhar que tinha saído da cama e estava de pé junto ao lavatório. Depois de um momento, não podia me esquivar à impressão de que ainda não tinha levantado, mas, nesse meio-tempo, tinha dormido mais um pouco. Um jovem colega, que parece partilhar meu gosto pelo sono, teve o mesmo sonho de indolência sob uma forma especialmente engraçada. A hospedeira em cuja casa ele mora nas proximidades do hospital tinha a incumbência estrita de acordá-lo pontualmente toda manhã, mas também dificuldades para cumpri-la. Certa manhã, o sono estava especialmente delicioso. A hospedeira gritou para dentro do quarto: "Levante, senhor Pepi, o senhor precisa ir ao hospital!". Em consequência, o dorminhoco sonhou com um quarto de hospital, uma cama, na qual ele estava deitado, e uma placa na cabeceira em que se lia: Pepi H., estudante de medicina, 22 anos. Sonhando, ele disse a si mesmo: "Se já estou no hospital, não preciso ir até lá", virou-se e continuou a dormir. Ele admitiu a si mesmo, sem reservas, o motivo do sonho.

Eis um outro sonho, cujo estímulo também agiu durante o próprio sono: uma de minhas pacientes, que teve de se submeter a uma operação de maxilar que não transcorreu bem, recebeu ordem médica para usar dia e noite um aparelho de resfriamento sobre a face afetada. Porém, ela costumava jogá-lo fora tão logo tivesse adormecido. Certo dia me pediram para censurá-la por isso; ela tinha jogado outra vez o aparelho no chão. A paciente se justificou: "Dessa vez realmente não pude fazer nada; foi consequência de um sonho que tive. No sonho eu estava num camarote da ópera e me interessava vivamente pelo espetáculo. Mas o senhor Karl Meyer estava no sanatório e se queixava de dores terríveis no maxilar. Como não tenho essas dores, eu disse, também não preciso do aparelho; por isso o joguei fora". O sonho dessa pobre sofredora soa como a figuração de certa frase que nos vem aos lábios em situações desagradáveis: "Tenho coisa melhor a fazer". O sonho mostra que coisa seria essa. O senhor Karl Meyer, a quem a paciente atribuiu suas dores, era o jovem mais indiferente de quem ela pudesse se lembrar em seu círculo de conhecidos.

Em outros sonhos, que coligi de pessoas saudáveis, também é fácil descobrir a realização de desejo. Um amigo, que conhece minha teoria dos sonhos e a comunicou à sua mulher, me disse certo dia: "Minha mulher pediu que lhe contasse que ontem ela sonhou que tinha menstruado. Você deve saber o que isso significa". É claro que sei; se a jovem sonhou que tinha menstruado, foi porque a menstruação não veio. Posso imaginar que ela teria apreciado sua liberdade por mais algum tempo antes que começassem as fadigas da maternidade. Foi um modo hábil de anunciar sua primeira gravidez. Outro amigo me escreveu que sua mulher sonhara pouco tempo antes que tinha notado manchas de leite em sua blusa. Outro anúncio de gravidez, mas não da primeira; a jovem mãe deseja ter mais alimento para o segundo filho do que teve para o primeiro.

Uma jovem senhora, que durante semanas esteve afastada da vida social por ter de cuidar do filho acometido por uma doença infecciosa, sonhou, depois de sua feliz recuperação, com uma festa em que estavam Alphonse Daudet, Paul Bourget e Marcel Prévost, entre outros, que foram todos muito amáveis com ela e a divertiram extraordinariamente. No sonho, esses autores ostentavam os mesmos traços que mostram os seus retratos; Prévost, de quem ela não conhecia o retrato, se parecia com... o homem que tinha desinfetado o quarto do doente no dia anterior e que fora o primeiro visitante a entrar nele depois de muito tempo. Sem deixar lacunas, poderíamos traduzir esse sonho da seguinte forma: já está na hora de fazer algo mais divertido do que ficar eternamente cuidando de um doente.

Talvez esses exemplos sejam suficientes para demonstrar que com muita frequência e sob as mais variadas condições encontramos sonhos que só podem ser compreendidos como realizações de desejo e que exibem seu conteúdo sem reservas. Em sua maioria, são sonhos curtos e simples, que contrastam de maneira agradável com as composições oníricas confusas e luxuriantes que mais atraíram a atenção dos autores. No entanto, vale a pena nos demorarmos mais um pouco nesses sonhos simples. As formas mais simples de sonho podem ser encontradas nas crianças, cujas produções psíquicas certamente são menos complexas que as dos adultos. Na minha opinião, a psicologia infantil está destinada a prestar à psicologia dos adultos serviços semelhantes àqueles que a investigação da estrutura ou do desenvolvimento dos animais inferiores presta à pesquisa da estrutura das classes de animais superiores. Até agora, foram dados poucos passos consequentes para utilizar a psicologia infantil com esse objetivo.

Os sonhos das crianças pequenas são muitas vezes[80] simples realizações de desejo, e, assim[81], em contraste com os sonhos dos adultos, desprovidos de qualquer interesse. Eles não oferecem enigmas para resolver, mas, naturalmente, são inestimáveis para demonstrar que o sonho, segundo sua essência mais íntima, significa uma realização de desejo. Pude coletar alguns exemplos de sonhos desse tipo no material fornecido pelos meus próprios filhos.

A uma excursão que fizemos à bela Hallstatt no verão de 1896, partindo de Aussee, devo dois sonhos, um deles de minha filha, que então tinha oito anos e meio, e outro de meu filho, de cinco anos e três meses. Como informação prévia, preciso declarar que naquele ano passávamos o verão numa colina próxima a Aussee, da qual tínhamos uma vista magnífica do monte Dachstein quando havia bom tempo. Com o telescópio, era possível reconhecer a cabana Simony. As crianças se esforçaram várias vezes por vê-la pelo telescópio; não sei se conseguiram. Antes do passeio eu lhes dissera que Hallstatt ficava ao sopé do Dachstein. Elas esperaram o dia com grande expectativa. De Hallstatt fomos ao vale de Echern, cuja variedade de paisagens as deixou muito encantadas. Só uma delas, o menino de cinco anos, foi ficando cada vez mais mal-humorada. Sempre que víamos uma nova montanha, ele queria saber se era o Dachstein, e eu tinha de responder que

---

80. ["Muitas vezes": acréscimo de 1911.]

81. ["Assim": até 1911, a expressão utilizada era "por essa razão".]

III – O sonho é uma realização de desejo 149

não, que era apenas um contraforte. Depois de repetir a pergunta algumas vezes, ele emudeceu completamente e se recusou a subir pelo caminho que levava à queda d'água. Achei que estivesse cansado. Porém, na manhã seguinte ele veio todo contente me contar que tinha sonhado que estivéramos na cabana Simony. Só então o entendi; quando falei do Dachstein, ele esperava que escalássemos a montanha na excursão para Hallstatt e ele pudesse conhecer a cabana da qual tanto já se falara quando tentaram vê-la pelo telescópio. Quando percebeu que exigíamos que se contentasse com contrafortes e uma queda d'água, sentiu-se enganado e ficou aborrecido. O sonho o recompensou por isso. Busquei saber detalhes do sonho; eles eram escassos. "A gente sobe degraus por seis horas", que foi o que ele tinha ouvido dizer.

Na menina de oito anos e meio a excursão também despertou desejos que precisaram ser satisfeitos por um sonho. Tínhamos levado conosco para Hallstatt o filho de doze anos de nosso vizinho, um perfeito cavalheiro que, segundo me pareceu, já desfrutava de todas as simpatias da mocinha. Na manhã seguinte, ela contou o seu sonho: "Imaginem só, eu sonhei que o Emil era um de nós, que dizia 'papai' e 'mamãe' para vocês e dormia no quarto grande conosco, como os outros meninos. Depois mamãe entrou no quarto e jogou um punhado de barras grandes de chocolate, com embalagens azuis e verdes, debaixo de nossas camas". Os irmãos, que não herdaram a capacidade de interpretar sonhos, deram a mesma explicação de nossos autores: esse sonho é absurdo. A menina, pelo menos, interveio a favor de uma parte do sonho, e é valioso para a teoria das neuroses saber qual foi: "É absurdo que o Emil seja um de nós, mas isso das barras de chocolate, não". Precisamente essa última parte era obscura para mim. A mãe me forneceu a explicação. No caminho da estação ferroviária para casa, as crianças pararam diante de uma máquina e queriam justamente essas barras de chocolate embaladas em papel metalizado que, segundo sua experiência, a máquina vendia. A mãe achou com razão que aquele dia tinha trazido realizações de desejo suficientes, deixando esse desejo para os sonhos. A breve cena me escapara. Quanto à parte do sonho que minha filha proscreveu, foi fácil de entender. Eu próprio tinha ouvido o amável convidado exortar as crianças a esperar pelo pai ou pela mãe durante o passeio. Desse pertencimento temporário, o sonho da pequena fez uma adoção permanente. Sua ternura ainda não conhecia outras formas de convivência além das mencionadas no sonho, derivadas da convivência fraternal. E, sem perguntar à criança, naturalmente não foi possível explicar por que as barras de chocolate foram jogadas debaixo da cama.

Um sonho muito parecido com o de meu filho me foi contado por um amigo. Foi o sonho de uma menina de oito anos. O pai empreendera um passeio a Dornbach, levando várias crianças para conhecer a cabana Rohrer, mas deu meia-volta porque ficara muito tarde, tendo prometido às crianças compensá-las por isso noutra ocasião. No caminho de volta, passaram pela placa que indica o caminho ao monte Hameau. As crianças pediram então para serem levadas ao Hameau, mas, pela mesma razão, tiveram de deixar o passeio para outro dia. Na manhã seguinte, a menina de oito anos contou satisfeita ao pai: "Papai, sonhei que você estava conosco na cabana Rohrer e no Hameau". Sua impaciência, portanto, antecipou a realização da promessa feita pelo pai.

Outro sonho, despertado em minha filhinha de três anos e três meses pela beleza da paisagem de Aussee, foi igualmente direto. Era a primeira vez que ela atravessava o lago do lugar, e a viagem transcorrera muito depressa para ela. Quando chegamos ao desembarcadouro, ela não quis deixar o barco e chorou amargamente. Na manhã seguinte ela contou: "Essa noite eu passeei no lago". Esperemos que a duração dessa viagem onírica a tenha deixado mais satisfeita.

Meu filho mais velho, então com oito anos, já sonhava com a realização de suas fantasias. Ele andou numa carruagem com Aquiles, e Diomedes era o condutor. Naturalmente, ele se entusiasmara dias antes com um volume de lendas gregas que a irmã mais velha recebera de presente.

Caso me seja concedido que o fato de as crianças falarem enquanto dormem também pertence ao âmbito do sonho, posso comunicar um dos mais precoces de minha coleção. Minha filha caçula, então com dezenove meses de idade, vomitara certa manhã e por isso fora mantida em jejum durante o resto dia. Na noite que se seguiu a esse dia de fome, nós a ouvimos gritar excitada enquanto dormia: "Anna Feud, molango, molango silveste, ovo mexido, mingau". Naquela época ela usava o próprio nome para expressar posse; o cardápio incluía tudo que lhe devia parecer desejável; o fato de nele aparecerem duas variedades de morangos era um protesto contra a polícia sanitária doméstica e tinha seu motivo na circunstância acessória, que ela bem observara, de que a babá tinha atribuído sua indisposição ao consumo excessivo de morangos; ela se vingou no sonho, portanto, contra esse parecer incômodo.[82]

Embora exaltemos a infância como uma época feliz por ainda não conhecer o apetite sexual, não devemos desconsiderar o quanto o outro grande impulso vital [*Lebenstrieb*] pode ser para ela uma fonte abundante de desilusão, renúncia e, assim, de estimulação onírica.[83] Eis um segundo exemplo. Por ocasião de meu aniversário, meu sobrinho de 22 meses recebeu a incumbência de me felicitar e me presentear com uma cestinha de cerejas, que naquela época do ano ainda eram temporãs. Isso lhe pareceu difícil, pois repetia sem parar "celejas dentlo" e não queria largar a cestinha. Mas ele soube como compensar isso. Até então, ele costumava contar toda

---

82. O mesmo feito da neta foi repetido em sonho pouco depois pela avó, cuja diferença de idade em relação à criança é de quase setenta anos. Depois que fora obrigada a passar um dia inteiro sem comer por causa de seu rim flutuante, ela sonhou, num deslocamento evidente para a época feliz da juventude florescente, que fora convidada para duas refeições principais, e em cada uma delas lhe foram servidas as porções mais saborosas.

83. Todavia, ao nos ocuparmos mais a fundo com a vida psíquica das crianças, aprendemos que as forças impulsoras sexuais, sob uma conformação infantil, representam um papel bastante grande, por longo tempo desconsiderado, na atividade psíquica da criança, o que nos faz duvidar um pouco da felicidade da infância tal como os adultos a imaginam posteriormente. (Ver, do autor, os *Três ensaios de teoria sexual*, 1905 *d*.) [Nota acrescentada em 1911.]

manhã à sua mãe que tinha sonhado com o "soldado blanco", um oficial da guarda usando sobretudo que admirara certa vez na rua. Um dia depois do sacrifício do aniversário, ele acordou alegre com a notícia que só podia ter sua origem num sonho: "Helmann comeu todas celejas!".[84]

---

84. Não devemos deixar de mencionar que as crianças pequenas logo começam a ter sonhos mais complexos e menos transparentes, e que, por outro lado, sonhos de caráter tão simples e infantil às vezes também ocorrem com frequência em adultos. Os exemplos de minha "Análise da fobia de um menino de cinco anos" (1909 *b*) e de Jung (1910) mostram o quanto os sonhos de crianças com idades entre quatro e cinco anos já podem ser ricos em conteúdos inesperados. [Nota acrescentada em 1911.] Ver outros sonhos infantis submetidos à interpretação analítica em Von Hug-Hellmuth (1911 e 1913), Putnam (1912), Van Raalte (1912), Spielrein (1913), Tausk (1913); outros em Bianchieri (1912), Busemann (1909 e 1910), Doglia e Bianchieri (1910 a 1911) e especialmente em Wiggam (1909), que acentua a sua tendência à realização de desejo. – Por outro lado, parece que os sonhos de tipo infantil voltam a ocorrer com especial frequência em adultos que se encontram em condições de vida incomuns. Em seu livro *Antarctic* (1904), Otto Nordenskjöld narra o seguinte sobre a tripulação que invernou com ele (v. 1, p. 336-337): "Nossos sonhos, que nunca foram mais vivazes e mais numerosos do que naquele período, eram muito característicos da direção de nossos pensamentos mais íntimos. Mesmo aqueles camaradas que costumavam sonhar apenas excepcionalmente tinham longas histórias para contar pela manhã, quando trocávamos nossas últimas experiências oriundas desse mundo fantástico. Todas tratavam daquele mundo exterior que agora estava tão longe de nós, mas com frequência eram adaptadas às nossas condições de então. Um sonho especialmente característico foi o de um camarada que se viu de volta à escola, onde recebeu a tarefa de esfolar pequeníssimas miniaturas de foca, expressamente preparadas para fins didáticos. De resto, comer e beber eram os centros em torno dos quais os nossos sonhos giravam com mais frequência. Um dos nossos, que era *brilhante* em participar de grandes almoços noturnos, ficava felicíssimo quando podia contar pela manhã que "tomara parte numa refeição de três pratos"; outro sonhava com tabaco, com montes inteiros de tabaco; outro sonhava com a embarcação que chegava de velas enfunadas pelo mar aberto. Outro sonho também merece ser mencionado: o carteiro chega com a correspondência e dá uma longa explicação dos motivos da grande demora; ele a entregara por engano e só depois de grande esforço tinha conseguido reavê-la. Naturalmente, nos ocupávamos no sonho de coisas ainda mais impossíveis, mas era bastante chamativa a falta de imaginação de quase todos os sonhos que eu mesmo tive ou ouvi os outros contarem. Seria com certeza de grande interesse psicológico se todos esses sonhos tivessem sido registrados. Será fácil de entender, porém, o quanto (continua)

Com o que os animais sonham, eu não sei. Um provérbio cuja menção devo a um de meus alunos afirma sabê-lo, pois coloca a seguinte pergunta: "Com o que sonha o ganso?", e responde: "Com o milho".[85] Toda a teoria de que o sonho é uma realização de desejo está contida nessas duas frases.[86]

Agora percebemos que também teríamos chegado à nossa teoria do sentido oculto dos sonhos por um caminho mais curto se apenas tivéssemos consultado o uso idiomático. É verdade que a sabedoria idiomática às vezes fala com bastante desprezo dos sonhos – acreditamos que quer dar

---

(cont.) ansiávamos pelo sono, visto que ele podia nos oferecer tudo o que cada um de nós desejava da maneira mais ardente." – Ainda cito Du Prel (1885, p. 231): "Mungo Park, quase a morrer de sede numa viagem à África, sonhava sem parar com os prados e os vales de águas abundantes da sua pátria. Da mesma forma, Trenck, atormentado pela fome na fortaleza de Magdeburgo, via-se rodeado por fartas refeições, e George Back, membro da primeira expedição de Franklin, quase a morrer de fome em consequência de terríveis privações, sonhava sempre e monotonamente com refeições abundantes." [Acréscimo de 1914.]

85. Um provérbio húngaro, citado por Ferenczi, afirma de modo mais completo que "o porco sonha com bolotas; o ganso, com milho". [Nota acrescentada em 1911.] Um provérbio judaico diz: "Com o que sonha a galinha? Com o milheto" (Bernstein e Segel, 1908, p. 116). [Acréscimo de 1914.]

86. Estou longe de afirmar que jamais antes de mim um autor pensou em derivar um sonho de um desejo. (Ver as frases iniciais do próximo capítulo.) Quem dá valor a semelhantes indícios já poderia citar o médico Herófilo, que viveu na Antiguidade sob o reinado de Ptolomeu I, e, segundo Büchsenschütz (1868, p. 33), distinguia três tipos de sonhos: os enviados pelos deuses, os naturais, surgidos quando a alma cria uma imagem daquilo que lhe é proveitoso e que acontecerá, e os mistos, que surgem de maneira espontânea pela aproximação de imagens quando vemos aquilo que desejamos. J. Stärcke (1913) destaca um sonho da coleção de exemplos de Scherner, designado pelo próprio autor como realização de desejo. Scherner afirma: "A fantasia cumpriu de imediato o desejo de vigília da sonhadora simplesmente porque ele estava presente de forma vívida em seu espírito". Esse sonho se encontra entre os "sonhos humorais"; próximos deles se encontram os sonhos para o "anseio amoroso masculino e feminino" e para o "mau humor". Como vemos, não há menção de que Scherner atribua aos desejos uma importância distinta da que atribui a outros estados psíquicos de vigília para a formação do sonho, muito menos que ele tenha relacionado o desejo com a essência do sonho. [Nota acrescentada em 1914.]

razão à ciência quando sentencia que "os sonhos são espuma" [*Träume sind Schäume*] –; porém, para o uso idiomático o sonho é sobretudo um amável realizador de desejos. "Eu não teria imaginado isso nem em sonhos", exclama encantado aquele que vê suas expectativas superadas pela realidade.

IV

A DISTORÇÃO ONÍRICA

Ao apresentar a tese de que a realização de desejo é o sentido de *todos* os sonhos, ou seja, de que não pode haver outros sonhos além dos sonhos de desejo, estou certo de antemão de que enfrentarei a mais decidida oposição. Dirão: "O fato de haver sonhos que cabe compreender como realizações de desejo não é novo, mas foi observado há muito tempo pelos autores. (Ver Radestock, 1879, p. 137-138; Volkelt, 1875, p. 110-111; Purkinje, 1846, p. 456; Tissié, 1898, p. 70; M. Simon, 1888, p. 42, sobre os sonhos de fome do barão Trenck no calabouço; e o trecho em Griesinger, 1845, p. 89.)[87] Que não devam existir outros sonhos além dos sonhos de cumprimento de desejo é uma generalização ilegítima, felizmente fácil de refutar. Afinal, é grande o bastante o número de sonhos que revelam os conteúdos mais desagradáveis, sem qualquer traço de alguma realização de desejo. O filósofo pessimista Eduard von Hartmann se encontra o mais longe possível da teoria da realização de desejo. Em sua *Filosofia do inconsciente* (1890, vol. 2, p. 344) ele afirma: 'Quanto ao sonho, ele leva todas as fadigas da vida de vigília ao estado de sono, exceto a única coisa capaz de reconciliar um pouco o homem culto com a vida: o deleite científico e artístico...'. Mas também observadores menos descontentes ressaltaram que no sonho a dor e o desprazer são mais frequentes do que o prazer, entre eles Scholz (1887, p. 33) e Volkelt (1875, p. 80). Com base em seus próprios sonhos, as senhoras Sarah Weed e Florence Hallam inclusive colocaram em cifras a predominância do desprazer no sonho (1896). Segundo elas, 57,2% dos sonhos são desagradáveis e apenas 28,6% são positivamente agradáveis. Além dos sonhos que continuam no

---

87. Já o neoplatônico Plotino afirma: "Quando o apetite desperta, a fantasia se aproxima e como que nos apresenta o objeto do mesmo" (Du Prel, 1885, p. 276).

sono as múltiplas sensações desagradáveis da vida, também há os sonhos de angústia, em que a mais horrenda das sensações de desprazer nos sacode até acordarmos, e são justamente as crianças, nas quais o senhor encontrou sonhos de desejo sem disfarces, que são atormentadas por eles com mais facilidade (ver Debacker, 1881, sobre o *pavor nocturnus*)".

De fato, precisamente os sonhos de angústia parecem tornar impossível uma generalização da tese, extraída dos exemplos do capítulo anterior, de que o sonho é uma realização de desejo; eles inclusive parecem condenar essa tese como absurda.

No entanto, não é muito difícil se esquivar dessas objeções aparentemente concludentes. Considere-se apenas que nossa teoria não se apoia na apreciação do conteúdo onírico manifesto, mas se refere ao conteúdo dos pensamentos que é reconhecido por trás do sonho mediante o trabalho de interpretação. Façamos a contraposição entre *conteúdo onírico manifesto* e *latente*. É correto que há sonhos cujo conteúdo manifesto é dos mais desagradáveis. Mas alguém tentou interpretar esses sonhos, descobrir o seu conteúdo de pensamento latente? Em caso negativo, as duas objeções não mais nos atingem; em todo caso, é possível que mesmo sonhos desagradáveis e sonhos de angústia se revelem como realizações de desejo após a interpretação.[88]

---

88. É incrível a tenacidade com que leitores e críticos permanecem inacessíveis a essa observação e desconsideram a distinção fundamental entre conteúdo onírico manifesto e latente. [Nota acrescentada em 1909.] – No entanto, nenhuma afirmação registrada na literatura se aproxima mais de minha tese do que uma passagem de J. Sully no ensaio The Dream as a Revelation (1893, p. 364), cujo mérito não deve ser diminuído pelo fato de citá-la apenas agora: "*It would seem, then, after all, that dreams are not the utter nonsense they have been said to be by such authorities as Chaucer, Shakespeare and Milton. The chaotic aggregations of our night-fancy have a significance and communicate new knowledge.* Like some letter in cypher, the dream-inscription when scrutinized closely loses its first look of balderdash and takes on the aspect of a serious, intelligible message. Or, to vary the figure slightly, we may say that, like some palimpsest, the dream discloses beneath its worthless surface-characters traces of an old and precious communication". [Acréscimo de 1914.] ["Parecerá, por fim, que os sonhos não são o (continua)

Quando a solução de um problema no trabalho científico é difícil, muitas vezes pode ser vantajoso acrescentar um segundo problema, mais ou menos como é mais fácil partir duas nozes juntas do que separadamente. Assim, não estamos apenas diante da questão de como os sonhos desagradáveis e os sonhos de angústia podem ser realizações de desejo, mas, a partir das discussões sobre o sonho feitas até aqui, também podemos levantar uma segunda pergunta: por que os sonhos de conteúdo indiferente, que acabam por se mostrar como realizações de desejo, não mostram o seu sentido sem reservas? Tomemos o sonho da injeção de Irma, do qual tratamos em pormenor: sua natureza de modo algum é desagradável, e a interpretação permite reconhecê-lo como uma realização evidente de desejo. Mas para que, afinal, ele precisa de uma interpretação? Por que o sonho não diz diretamente o que significa? Na realidade, também o sonho da injeção de Irma não dá, de início, a impressão de figurar o cumprimento de um desejo do sonhador. O leitor não terá recebido essa impressão, e eu próprio não sabia disso antes de analisá-lo. Caso chamemos esse comportamento do sonho, que faz com que necessite de interpretação, de *o fato da distorção onírica*, coloca-se uma segunda pergunta: Qual a origem dessa distorção?

Se considerarmos as primeiras ideias que nos ocorrem a respeito, poderíamos chegar a diversas soluções possíveis – por exemplo, que durante o sono há uma incapacidade de dar expressão adequada aos pensamentos oníricos. Só que a análise de certos sonhos nos obriga a admitir uma outra explicação para a distorção onírica. Quero mostrar isso com outro de meus sonhos, o que mais uma vez exige muitas

(cont.) completo absurdo que autoridades como Chaucer, Shakespeare e Milton afirmaram ser. Os agregados caóticos de nossa fantasia noturna têm um significado e comunicam novos conhecimentos. *Tal como uma carta cifrada, a inscrição onírica perde sua aparência inicial de disparate quando examinada mais de perto e ganha o aspecto de uma mensagem séria e inteligível. Ou, para usar uma imagem ligeiramente diferente, podemos dizer que o sonho, tal como o palimpsesto, revela traços de uma comunicação antiga e preciosa debaixo de seus caracteres superficiais desprovidos de valor.*" O destaque é de Freud. (N.T.)]

indiscrições, um sacrifício pessoal compensado por um aclaramento fundamental do problema.

Informação preliminar

Na primavera de 1897, soube que dois professores de nossa universidade sugeriram minha nomeação para o cargo de professor adjunto. Essa notícia me surpreendeu e me causou viva alegria como expressão do reconhecimento da parte de dois homens eminentes que não podia ser explicado por relações pessoais. Disse-me de imediato, porém, que não devia associar nenhuma expectativa a esse fato. Nos últimos anos, o ministério tinha desconsiderado sugestões desse gênero, e vários colegas, mais velhos que eu e com pelo menos os mesmos méritos, aguardavam em vão por suas nomeações. Eu não tinha qualquer razão para supor que me sairia melhor. Portanto, decidi me consolar. Até onde sei, não sou ambicioso e desempenho minha atividade médica com êxito satisfatório mesmo que um título não me recomende. De resto, não se tratava de forma alguma de dizer que as uvas estavam verdes ou maduras, visto que indubitavelmente estavam fora do meu alcance.

Certa tarde recebi a visita de um colega e amigo, uma das pessoas cujo destino me servira de advertência. Há muito tempo candidato à promoção ao cargo de professor, que em nossa sociedade eleva o médico à categoria de semideus para seus pacientes, e menos resignado que eu, ele costumava se apresentar de tempos em tempos nos escritórios do alto ministério para apressar sua causa. Ele vinha de uma dessas visitas. Contou-me que dessa vez tinha colocado o alto senhor contra a parede e lhe perguntado com franqueza se o adiamento de sua nomeação realmente se devia a motivos confessionais. Ele recebeu a resposta de que sem dúvida – considerando a tendência atual – Sua Excelência não estava em condições no momento etc. "Agora pelo menos sei a que me ater", disse meu amigo concluindo sua narrativa, que nada me trouxe de novo, mas só podia me fortalecer na minha resignação. Afinal, os mesmos motivos confessionais também são aplicáveis ao meu caso.

IV – A distorção onírica

Na madrugada que se seguiu a essa visita, tive o seguinte sonho, que também era notável quanto à sua forma. Ele consistiu de dois pensamentos e duas imagens, de tal maneira que se alternavam um pensamento e uma imagem. Narro, porém, apenas a primeira metade do sonho, visto que a segunda nada tem a ver com o propósito ao qual deve servir a comunicação do sonho.

I. ... *meu amigo R. é meu tio. – Sinto grande ternura por ele.*

II. *Vejo o seu rosto um tanto modificado diante de mim. É como se tivesse sido esticado, e uma barba amarela que o cobre se destaca com especial nitidez.*

Seguem-se então as duas outras partes, também um pensamento e uma imagem, que omito.

A interpretação do sonho é a seguinte:
Quando me lembrei do sonho durante a manhã, comecei a rir e disse a mim mesmo que era absurdo. Mas ele não me deixou em paz e me perseguiu o dia todo, até que à noitinha, enfim, me censurei: "Se algum de teus pacientes nada soubesse dizer durante a interpretação de um sonho a não ser que ele é absurdo, você o repreenderia e faria a suposição de que por trás do sonho se esconde uma história desagradável de que ele não quer tomar conhecimento. Proceda contigo próprio da mesma maneira; tua opinião de que o sonho é absurdo significa apenas uma resistência interna contra a interpretação dos sonhos. Não te deixes deter". Comecei então a interpretá-lo.

"R. é meu tio." O que pode significar isso? Afinal, eu só tive um tio, o tio Josef.[89] E com ele houve uma triste história. Certa vez, há mais de trinta anos, ele se deixou induzir, movido pela ganância, a um negócio que a lei pune severamente, tendo sido condenado por isso. Meu pai, que naquela ocasião

---

89. É estranho como nesse ponto minha memória – durante a vigília – se limita para os fins da análise. Conheci cinco de meus tios; amei e venerei um deles. Porém, no momento em que superei a resistência à interpretação do sonho, digo para mim mesmo: "Só tive um tio, justamente esse que é mencionado no sonho".

ficara grisalho de desgosto em poucos dias, sempre costumava dizer que o tio Josef nunca fora um homem ruim, apenas um imbecil; era essa a expressão que ele usava. Portanto, se meu amigo R. é meu tio Josef, quero dizer que R. é um imbecil. Difícil de acreditar e bastante desagradável! Mas aí está aquele rosto que vejo no sonho, com as feições alongadas e a barba amarela. O rosto de meu tio era de fato assim, alongado, coberto por uma bela barba loura. Meu amigo R. tinha cabelos bem pretos, mas quando pessoas de cabelos pretos começam a ficar grisalhas, pagam o preço pelo esplendor de seus anos de juventude. Um a um, os fios pretos da barba passam por uma desagradável mudança de cor; primeiro ganham um tom castanho-avermelhado, depois castanho-amarelado e só então ficam definitivamente grisalhos. É nesse estágio que agora se encontra a barba de meu amigo R.; aliás, a minha também, como observo com descontentamento. O rosto que vejo no sonho é ao mesmo tempo o de meu amigo R. e o de meu tio. É como uma das fotografias mistas de Galton, que, para constatar semelhanças de família, fotografava vários rostos na mesma chapa. Portanto, não há qualquer dúvida de que realmente penso que meu amigo R. é um imbecil – tal como meu tio Josef.

Ainda não faço a menor ideia de por que estabeleci essa relação contra a qual preciso me defender sem parar. Afinal, ela não é muito profunda, pois meu tio era um criminoso e meu amigo R. é irrepreensível. Exceto pela punição por ter derrubado, com sua bicicleta, um aprendiz. Será que me refiro a essa infração? Isso significaria levar a comparação ao ridículo. Mas então me ocorre outro diálogo que tive alguns dias atrás com outro colega, N., e sobre o mesmo tema. Encontrei N. na rua; ele também foi indicado para o cargo de professor, soube da homenagem que recebi e me parabenizou por ela. Recusei os parabéns com firmeza. "Justamente o senhor não deveria fazer essa brincadeira, já que conhece por conta própria o valor da indicação." Provavelmente sem falar a sério, ele respondeu: "Isso não se sabe. Afinal, existe algo específico contra mim. O senhor não sabe que certa vez uma mocinha apresentou uma queixa contra mim? Não preciso lhe assegurar que a investigação foi suspensa; era uma tentativa vulgar de chantagem; ainda me esforcei por livrar a própria acusadora de uma punição. Mas talvez eles façam esse caso valer contra mim no ministério para não me nomear. Mas o senhor, o senhor é irrepreensível". Eis aí o criminoso e, ao mesmo tempo, também a interpretação e a tendência de meu sonho. Meu tio Josef figura os dois colegas que não foram nomeados professores, um deles como imbecil e o outro como criminoso. Agora também sei para que preciso dessa figuração. Se motivos "confessionais" são determinantes para o adiamento da nomeação de meus amigos R. e N., então a minha nomeação também está posta em questão; no entanto, se posso atribuir a rejeição de ambos a outras razões, que não me atingem, minha esperança não é perturbada. Esse é o procedimento do meu sonho; ele transforma um deles, R., em imbecil, e o outro, N., em criminoso; mas não sou uma coisa nem outra; nada temos em comum, devo esperar pela minha nomeação ao cargo de professor e me esquivo da desagradável aplicação à minha própria pessoa daquilo que, segundo a notícia de R., o alto funcionário lhe confessou.

Preciso continuar me ocupando com a interpretação desse sonho. Tenho a sensação de que ele ainda não está explicado de maneira satisfatória; ainda não estou tranquilo com a facilidade com que degradei dois colegas respeitados para manter livre o meu caminho para a cátedra. Contudo, a insatisfação com minha atitude já diminuiu desde que sei avaliar o valor das afirmações do sonho. Eu contestaria diante de qualquer pessoa que realmente considero R. um imbecil e que não acredito no que N. disse sobre aquele caso de chantagem. Tampouco acredito que Irma ficou gravemente doente por causa de uma injeção dada por Otto com um preparado de propileno; tanto neste quanto naquele caso, o sonho apenas expressa meu *desejo de que as coisas fossem assim*. A afirmação em que meu desejo se realiza soa menos absurda no segundo sonho do que no primeiro; ela ganha forma com a utilização mais habilidosa de pontos de apoio factuais, mais ou menos como uma calúnia benfeita que "tem algum fundamento", pois meu amigo R. tinha então contra si o voto de um professor especialista e meu amigo N. havia me fornecido de modo ingênuo, ele próprio, o material para denegri-lo. Contudo, repito, o sonho ainda necessita de explicações adicionais.

Agora me recordo de que o sonho contém mais uma parte que a interpretação até agora não considerou. Depois de me ocorrer a ideia de que R. é meu tio, sinto por ele uma cálida ternura no sonho. De onde saiu esse sentimento? Naturalmente, nunca tive sentimentos ternos pelo meu tio Josef. Meu amigo R. me é caro e estimado há anos; porém, se me dirigisse a ele e expressasse minha afeição em palavras que correspondessem mais ou menos ao grau de minha ternura no sonho, ele sem dúvida ficaria assombrado. Minha ternura por ele me parece falsa e exagerada, da mesma forma que meu juízo sobre suas qualidades intelectuais, o qual expresso ao fundir sua personalidade com a de meu tio; porém, ela é exagerada no sentido contrário. Mas agora começo a compreender um fato novo. A ternura do sonho não pertence ao conteúdo latente, aos pensamentos que se encontram por trás do sonho; ela se encontra em oposição a esse conteúdo; ela é apropriada para ocultar o conhecimento obtido com a interpretação do sonho. É provável que a sua finalidade seja precisamente essa. Lembro-me com que resistência comecei a fazer a interpretação, por quanto tempo quis adiá-la e que declarei que o sonho era puro absurdo. A partir de meus tratamentos psicanalíticos, sei como interpretar um juízo de repúdio como esse. Ele não tem nenhum valor cognitivo, a não ser o de exprimir uma emoção. Quando minha filhinha não quer uma maçã que lhe oferecemos, ela diz que a maçã tem um gosto amargo, mesmo que nem a tenha provado. Quando meus pacientes se comportam como a pequena, sei que se trata de uma representação que querem *recalcar*. O mesmo vale para o meu sonho. Não quero interpretá-lo porque a interpretação contém algo a que resisto. Depois de completada a interpretação, fico sabendo a que eu resistia; era a afirmação de que R. é um imbecil. Não posso atribuir a ternura que sinto por R. aos pensamentos oníricos latentes, mas a essa minha resistência. Se, em comparação com o seu conteúdo latente, meu sonho está distorcido neste ponto, e distorcido em seu contrário, então a ternura manifesta serve a essa distorção, ou, em outras palavras, a *distorção* mostra ser intencional, mostra ser um meio de *dissimulação*. Meus pensamentos oníricos contêm um insulto contra R.; para que eu não o perceba, surge no sonho o oposto, um sentimento de ternura por ele.

Essa descoberta poderia ser generalizada. Como mostraram os exemplos do capítulo III, há sonhos que são realizações evidentes de desejo. Quando a realização de desejo é irreconhecível, quando é disfarçada, deve ter havido uma tendência à defesa contra esse desejo e, em consequência dela, o desejo não poderia se manifestar de outra forma a não ser distorcido. Quero buscar na vida social o equivalente desse processo da vida psíquica interior. Onde encontramos na vida social uma distorção semelhante de um ato psíquico? Apenas ali onde se tratar de duas pessoas das quais uma possui um certo poder e a outra precisa levar esse poder em consideração. Essa segunda pessoa passa a distorcer seus atos psíquicos, ou, como também podemos dizer, ela *dissimula*. A cortesia que pratico todos os dias é em boa medida uma dissimulação desse tipo; quando interpreto meus sonhos para o leitor, sou obrigado a praticar distorções semelhantes. O poeta também se queixa da coação a tais distorções:

O melhor que podes saber
Não deves contar aos meninos.[90]

Em situação semelhante se encontra o escritor político que tem verdades desagradáveis a dizer aos poderosos. Se as disser com franqueza, o déspota reprimirá sua manifestação – posteriormente se ela for verbal, com antecipação caso deva ser comunicada por via impressa. O escritor precisa temer a censura, e por isso modera e distorce a expressão de sua opinião. De acordo com o rigor e a sensibilidade dessa censura, ele se verá obrigado a apenas evitar certas formas de

---

90. Goethe, *Fausto*, parte 1, cena 4. (N.T.)

ataque ou a falar por meio de alusões em vez de ser direto, ou precisará ocultar seu comunicado inconveniente por trás de um disfarce de aparência inofensiva; ele poderá, por exemplo, narrar os incidentes ocorridos entre dois mandarins chineses quando tem em vista os funcionários de seu país. Quanto mais severa a censura, mais amplo será o disfarce e mais engenhosos, muitas vezes, os meios que colocarão o leitor na pista do verdadeiro significado.[91]

---

91. Em 1915, a doutora H. von Hug-Hellmuth comunicou um sonho que talvez seja apropriado como nenhum outro para justificar minha terminologia. Nesse exemplo, a distorção onírica trabalha com o mesmo recurso da censura postal para apagar os trechos que lhe parecem inconvenientes. A censura postal risca esses trechos e os torna ilegíveis, a censura onírica os substitui por murmúrios incompreensíveis.
Para a compreensão do sonho, seja dito que a mulher que o teve, uma senhora culta e respeitada, tem cinquenta anos, é viúva de um alto oficial falecido há cerca de doze anos e mãe de filhos adultos, dos quais um deles se encontrava no campo de batalha na época do sonho.
Eis o sonho dos "favores". "Ela vai ao Hospital Militar Nº 1 e diz ao guarda do portão que precisa falar com o médico-chefe... (ela menciona um nome que desconhece), pois quer prestar favores no hospital. Ao dizer isso, ela acentua a palavra 'favores' de tal maneira que o suboficial logo compreende do que se trata. Visto que ela é uma mulher de idade, ele hesita um pouco antes de deixá-la passar. Porém, em vez de ir falar com o médico-chefe, ela entra numa sala grande e sombria em que muitos oficiais e médicos militares se encontram sentados ou em pé ao redor de uma longa mesa. Ela se dirige com seu pedido a um médico do estado-maior, que já a compreende depois de poucas palavras. Sua fala no sonho é a seguinte: 'Eu e numerosas outras mulheres e moças de Viena estamos dispostas a... (nesse trecho se ouvem apenas murmúrios) os soldados, sem fazer distinção entre a tropa e os oficiais'. Porém, as fisionomias dos oficiais, em parte constrangidas, em parte maliciosas, lhe mostram que os murmúrios foram muito bem compreendidos por todos os presentes. A senhora continua: 'Sei que nossa decisão soa estranha, mas ela é da maior seriedade. Ao soldado no campo de batalha também não se pergunta se quer morrer ou não.' Seguem-se minutos de embaraçoso silêncio. O médico do estado-maior coloca o braço em volta de sua cintura e diz: 'Minha senhora, suponha que realmente se chegaria a...' (murmúrios). Ela se desvencilha de seu braço com o pensamento de que um é igual ao outro, e replica: 'Meu Deus, sou uma senhora de idade e talvez nem seja capaz. Aliás, uma condição deveria ser respeitada: a idade deveria ser levada em conta; não deveria acontecer que uma mulher de idade e um rapaz bem jovem... (murmúrios); isso seria horrível'. O médico do estado-maior: 'Compreendo perfeitamente'. Alguns oficiais, entre eles um que a cortejara na juventude, caem na (continua)

A correspondência entre os fenômenos da censura e da distorção onírica, que chega até os detalhes, nos autoriza a presumir condições semelhantes para ambos. Podemos, assim, supor que os autores da formação onírica são duas forças psíquicas (correntes, sistemas) no indivíduo, das quais uma delas dá forma ao desejo expresso pelo sonho, enquanto a outra exerce uma censura sobre esse desejo onírico, obrigando por meio dessa censura a uma distorção de sua expressão. Cabe perguntar no que consiste a autoridade dessa segunda instância graças à qual ela pode exercer sua censura. Se nos recordarmos que os pensamentos oníricos latentes não são conscientes antes da análise, mas que o conteúdo onírico manifesto que deles deriva é recordado de maneira consciente, não é difícil supor que a prerrogativa da segunda instância consiste precisamente em permitir o acesso à consciência. Nada que se origine no primeiro sistema poderia chegar à consciência sem passar pela segunda instância, e esta nada deixaria passar sem exercer seus direitos e impor aos candidatos à consciência as modificações que lhe parecessem adequadas. Com isso revelamos uma concepção bem precisa da "essência" da consciência; o tornar-se consciente é para nós um ato psíquico particular, distinto e independente do processo de composição ou de representação, e a consciência nos parece um órgão sensorial que percebe um conteúdo que existe em outro lugar. É possível demonstrar que a psicopatologia simplesmente não pode prescindir dessas

---

(cont.) gargalhada, e a senhora quer ser levada ao médico-chefe, seu conhecido, para que tudo se esclareça. Nisso, para sua grande perturbação, lhe ocorre que não sabe o nome dele. Não obstante, o médico do estado-maior lhe indica com grande cortesia e respeito que se dirija ao segundo andar subindo por uma escada de caracol muito estreita, de ferro, que leva diretamente da sala aos andares superiores. Durante a subida, ela ouve um oficial dizer: 'Essa é uma decisão formidável, pouco importa se a mulher é jovem ou velha; tiro meu chapéu!'.

Com a sensação de simplesmente cumprir seu dever, ela sobe por uma escada interminável.

Esse sonho se repete mais duas vezes no intervalo de poucas semanas com variações inteiramente insignificantes e absurdas, conforme observa a senhora." [Nota acrescentada em 1919.]

hipóteses básicas. Podemos nos reservar uma apreciação mais detalhada delas para uma passagem posterior.

Se eu conservar a ideia das duas instâncias psíquicas e de suas relações com a consciência, posso estabelecer uma analogia perfeitamente congruente entre a vida política humana e a chamativa ternura que sinto no sonho pelo meu amigo R., tão depreciado na interpretação. Transporto-me para a vida de um Estado em que um monarca cioso de seu poder e uma opinião pública ativa lutam entre si. O povo se revolta contra um funcionário que lhe é antipático e exige sua demissão; para mostrar que não precisa levar em conta a vontade do povo, o tirano confere ao funcionário uma elevada distinção que em outras circunstâncias não teria motivo para conceder. Assim, minha segunda instância, que controla o acesso à consciência, distingue meu amigo R. com uma efusão de imensa ternura porque as aspirações de desejo do primeiro sistema gostariam de insultá-lo como imbecil em razão de um interesse especial que acalentam naquele momento.[92]

Neste ponto talvez sejamos tomados pela suspeita de que a interpretação dos sonhos seja capaz de nos dar explicações sobre a estrutura de nosso aparelho psíquico que até agora esperamos em vão da filosofia. Não seguiremos essa pista, mas, depois de termos explicado a distorção onírica, voltaremos ao nosso problema inicial. Perguntávamos de que modo, afinal, os sonhos de conteúdo desagradável podem ser

---

92. Tais sonhos hipócritas não são ocorrências raras para mim nem para outras pessoas. Enquanto me ocupo de certo problema científico, sou incomodado durante várias noites, em curtos intervalos, por um sonho um tanto confuso cujo conteúdo é a reconciliação com um amigo que deixei de lado há muito tempo. Na quarta ou na quinta vez, finalmente consigo compreender o sentido desses sonhos. Ele reside no encorajamento a abandonar o último resto de consideração pela referida pessoa, a livrar-me inteiramente dela, e se disfarçou em seu oposto dessa maneira tão hipócrita. Num artigo, comuniquei um "sonho edipiano hipócrita" no qual as moções hostis e os desejos de morte dos pensamentos oníricos foram substituídos por uma ternura manifesta ("Exemplo típico de um sonho edipiano disfarçado", 1910 *l*). Outro tipo de sonho hipócrita será mencionado mais adiante (cap. VI). [Nota acrescentada em 1911.]

explicados como realizações de desejo. Vemos agora que isso é possível quando ocorreu uma distorção onírica, quando o conteúdo desagradável apenas serve para disfarçar um conteúdo desejado. Considerando nossas hipóteses sobre as duas instâncias psíquicas, também podemos dizer agora que os sonhos desagradáveis de fato contêm algo que é desagradável para a segunda instância, mas que ao mesmo tempo também cumpre um desejo da primeira. Eles são sonhos de desejo na medida em que todo sonho é resultado da primeira instância, e a segunda se comporta apenas de maneira defensiva, e não criativa, em relação a ele.[93] Se nos limitarmos a considerar aquilo que a segunda instância acrescenta ao sonho, jamais poderemos compreendê-lo. Nesse caso, persistiriam todos os enigmas que os autores observaram no sonho.

O fato de o sonho realmente ter um sentido oculto, que consiste numa realização de desejo, precisa ser provado em cada caso pela análise. Por isso, selecionarei alguns sonhos de conteúdo desagradável e tentarei fazer sua análise. Em parte, trata-se de sonhos de pacientes histéricos que exigem uma longa informação preliminar e, por vezes, uma incursão nos processos psíquicos da histeria. Porém, não posso evitar essa dificultação da exposição.

Quando emprego o tratamento analítico no caso de um psiconeurótico, seus sonhos normalmente se tornam tema de conversa, como já mencionei. Nessas ocasiões, preciso lhe dar todas as explicações psicológicas com cujo auxílio eu próprio cheguei a compreender seus sintomas, e ao fazê-lo fico exposto a uma crítica implacável como não poderia esperar mais severa da parte de meus colegas de profissão. Meus pacientes sempre contradizem a tese de que todos os sonhos seriam realizações de desejo. Eis alguns exemplos do material onírico que me é apresentado como contraprova.

---

93. Posteriormente também tomaremos conhecimento do caso em que, ao contrário, o sonho expressa um desejo dessa segunda instância. [Nota acrescentada em 1930.]

"O senhor sempre diz que o sonho é um desejo realizado", começa uma paciente espirituosa. "Quero lhe contar um sonho cujo conteúdo, pelo contrário, mostra que um desejo *não* é realizado. Como o senhor harmoniza isso com sua teoria?" O conteúdo do sonho é o seguinte:

"Quero oferecer um jantar, mas a única coisa que tenho na despensa é um pouco de salmão defumado. Penso em fazer compras, mas me lembro que é domingo à tarde, quando todas as lojas estão fechadas. Quero telefonar para alguns entregadores, mas o telefone está com defeito. E assim preciso renunciar ao desejo de oferecer um jantar."

Respondo, naturalmente, que apenas a análise pode decidir sobre o sentido do sonho, embora admita que à primeira vista ele pareça sensato e coerente, assemelhando-se ao oposto de uma realização de desejo. "Porém, de que material se deriva esse sonho? A senhora sabe que o estímulo para um sonho sempre se encontra nas experiências da véspera."

Análise

O marido da paciente, um açougueiro competente e honesto, havia lhe dito no dia anterior que estava ficando muito gordo e por isso queria começar uma dieta de emagrecimento. Ele vai levantar cedo, fazer exercícios, manter uma dieta rigorosa e sobretudo não aceitará mais convites para jantar. Rindo, ela continuou contando que, no restaurante que sempre frequenta, ele conheceu um pintor que queria retratá-lo a todo custo, pois nunca tinha encontrado uma cabeça tão expressiva. Porém, com seu jeito grosseiro, seu marido respondeu que agradecia e que estava plenamente convencido de que o pintor preferiria uma parte do traseiro de uma garota ao seu rosto inteiro.[94] Ela diz que agora está muito apaixonada pelo marido e que faz gracejos com ele. Ela também pediu a ele para não lhe dar caviar. O que significa isso?

---

94. Posar [*sitzen*] para o pintor. Goethe: "E se não tem traseiro, / Como poderá o nobre sentar-se [*sitzen*]?".

Fazia tempo que ela desejava comer um pão com caviar todas as manhãs, mas não se permitia esse gasto. Naturalmente, ela receberia de imediato o caviar de seu marido se lhe pedisse. Mas, ao contrário, ela lhe pediu para não lhe dar caviar para que possa fazer gracejos com ele por mais tempo.

(Essa razão não me convence. Por trás dessas informações insatisfatórias costumam se ocultar motivos inconfessáveis. Pensemos nas pessoas hipnotizadas por Bernheim que cumprem uma tarefa pós-hipnótica e quando interrogadas acerca dos motivos não respondem, por exemplo, que não sabem por que fizeram aquilo, mas precisam inventar uma razão manifestamente insuficiente. Com o caviar de minha paciente deve ocorrer algo parecido. Percebo que ela é obrigada a arranjar um desejo insatisfeito em sua vida. Seu sonho também mostra que o desejo não é realizado. Mas para que ela precisa de um desejo não realizado?)

As ideias comunicadas até então não foram suficientes para interpretar o sonho. Insisto para que ela continue. Depois de uma breve pausa, como corresponde precisamente à superação de uma resistência, ela também conta que no dia anterior visitou uma amiga da qual no fundo sente ciúmes porque seu marido sempre faz grandes elogios a essa mulher. Por sorte, essa amiga é bastante franzina e magra, e seu marido é um apreciador das formas opulentas. E do que fala essa amiga magra? Naturalmente, de seu desejo de ficar um pouco mais corpulenta. Ela também lhe perguntou: "Quando você vai nos convidar outra vez? Sempre comemos tão bem na sua casa".

Agora o sentido do sonho está claro. Posso dizer à paciente: "É como se, quando interrogada, a senhora tivesse pensado: 'Ora, é claro que vou convidá-la para se empanturrar em minha casa, ficar cheia e agradar ainda mais ao meu marido! Prefiro não oferecer mais jantar algum'. Então o sonho lhe diz que a senhora não pode dar um jantar, cumprindo assim o seu desejo de não ajudar em nada no arredondamento das formas de sua amiga. O fato de que se possa engordar com a comida oferecida nas festas lhe é indicado pela intenção de seu marido de não aceitar mais convites para jantar no interesse de seu emagrecimento". Agora falta apenas alguma coincidência que confirme a solução. O salmão defumado do conteúdo onírico ainda não foi explicado. "Como foi que a senhora chegou ao salmão que é mencionado no sonho?" "Salmão defumado é o prato preferido dessa minha amiga", responde ela. Por acaso também conheço essa senhora e posso confirmar que ela não se permite o salmão da mesma forma que minha paciente não se permite o caviar.

O mesmo sonho também admite outra interpretação mais sutil, que uma circunstância acessória inclusive torna necessária. As duas interpretações não se contradizem, mas se sobrepõem e fornecem um belo exemplo da habitual ambiguidade dos sonhos e de todas as demais formações psicopatológicas. Ficamos sabendo que ao mesmo tempo em que sonhou com o desejo não realizado, a paciente estava empenhada em arranjar um desejo frustrado na realidade (o pão com caviar). A amiga também manifestou um desejo, a saber, o de engordar, e não nos causaria admiração se nossa paciente tivesse sonhado que o desejo da amiga não se realizara. Pois é seu desejo que um desejo da amiga – o de aumentar de peso – não se realize. Mas, em vez disso, ela sonha que um de seus próprios desejos não se realiza. O sonho recebe uma nova interpretação caso ela não se refira nele a si mesma, mas à amiga, caso tenha se colocado no lugar da amiga, ou, como podemos dizer, se *identificado* com ela.

Acredito que ela realmente fez isso, e como sinal dessa identificação criou o desejo frustrado na realidade. Porém, qual é o sentido da identificação histérica? Explicar isso requer uma exposição detalhada. A identificação é um dos fatores mais importantes no mecanismo dos sintomas histéricos; por essa via, os pacientes conseguem expressar em seus sintomas as experiências de um grande número de pessoas, e não apenas as próprias; eles conseguem sofrer por toda uma multidão, poderíamos dizer, e representar todos os papéis de uma peça apenas com seus recursos pessoais. Surgirá a objeção de que essa é a conhecida imitação histérica, a capacidade dos histéricos de imitar todos os sintomas que lhes causem impressão nos outros, uma compaixão intensificada até a reprodução, por assim dizer. Isso, porém, apenas indica o caminho seguido pelo processo psíquico na imitação histérica; o caminho e o ato psíquico que segue esse caminho são coisas diferentes. Tal ato é um pouco mais complexo do que se gosta de imaginar que seja a imitação dos histéricos; ele corresponde a uma dedução inconsciente, como um exemplo deixará claro. Um médico que, no mesmo quarto de hospital, junto com outras doentes, tem uma paciente acometida por determinado tipo de espasmo não se mostra surpreso ao constatar certa manhã que esse ataque histérico específico foi imitado. Ele simplesmente diz a si mesmo: "As outras viram o ataque e o imitaram; isso é infecção psíquica". Correto, mas essa infecção ocorre mais ou menos da seguinte maneira. Em geral, as pacientes sabem mais umas sobre as outras do que o médico sobre cada uma delas, e, quando a visita médica chega ao fim, elas se interessam umas pelas outras. Uma delas é acometida pelo seu ataque; logo as outras ficam sabendo que a causa é uma carta vinda de casa, a renovação de um desgosto amoroso etc. Isso desperta sua compaixão e elas tiram a seguinte conclusão, que não chega a se tornar consciente: "Se ataques assim podem ter essas causas, também posso ser acometida por eles, pois tenho os mesmos motivos". Se essa conclusão fosse capaz de se tornar consciente, provavelmente desembocaria no *medo* de ser acometido pelo mesmo ataque; porém, ela ocorre em outro terreno psíquico e por isso resulta na realização do sintoma temido. A identificação, portanto, não é simples imitação, e sim *apropriação* baseada na mesma reivindicação etiológica; ela expressa um "assim como" e se refere a algo comum que permanece no inconsciente.

A identificação é usada com muita frequência na histeria para expressar um ponto sexual comum. Em seus sintomas, a histérica se identifica de preferência – embora não de maneira exclusiva – com as pessoas com quem manteve relações sexuais ou com aquelas que mantêm relações sexuais com as mesmas pessoas que ela. A linguagem igualmente leva tal concepção em conta. Dois amantes são "um". Na fantasia histérica assim como no sonho, basta para a identificação que se pense em relações sexuais, sem necessidade de que sejam reais. Assim, a paciente apenas segue as regras dos processos histéricos de pensamento quando manifesta seu ciúme (que ela própria, aliás, reconhece como injustificado) em relação à amiga colocando-se em seu lugar no sonho e identificando-se com ela mediante a criação de um sintoma (o desejo frustrado). O processo também poderia ser explicado da seguinte maneira: ela se coloca no lugar da amiga no sonho porque esta se coloca no lugar dela junto ao marido, porque gostaria de tomar o lugar da amiga na apreciação do marido.[95]

No caso de outra paciente, a mais espirituosa de todas as minhas sonhadoras, a oposição à minha teoria dos sonhos se resolveu de uma maneira mais simples e, no entanto, também segundo o esquema de que a não realização de um desejo significa a realização de outro. Certo dia, expliquei-lhe que o sonho é uma realização de desejo; no dia seguinte, ela me contou um sonho *em que viajava com sua sogra rumo à casa de campo em que passariam as férias juntas*. Eu sabia que ela tinha resistido com veemência a passar o verão na companhia da sogra; também sabia que nos últimos dias tinha escapado de maneira feliz da estadia comum ao alugar uma casa de campo localizada a grande distância do lugar em que a sogra ficaria. Agora o sonho anulava essa solução desejada; essa não seria a oposição mais decidida à minha teoria da realização de desejos pelo sonho? Bastou extrair a consequência desse sonho para chegar à sua interpretação. De acordo com ele, eu estava errado; *portanto, era seu desejo que eu estivesse errado, e o sonho mostrou a sua realização*. Porém, o desejo de que eu estivesse errado, que se realizou com o tema da casa de campo, referia-se na verdade a outro

---

95. Eu próprio lamento a intercalação desses trechos da psicopatologia da histeria que, devido à sua exposição fragmentária e fora de contexto, não podem ser lá muito esclarecedores. Se forem capazes de indicar as estreitas relações entre o tema do sonho e as psiconeuroses, terão cumprido o propósito com que os incluí.

assunto, mais sério. Na mesma época eu concluíra a partir do material resultante de sua análise que em certo período de sua vida deveria ter ocorrido algo significativo para seu adoecimento. Ela contestou essa conclusão, pois não se recordava de nada. Logo descobrimos que eu estava certo. Seu desejo de que eu estivesse errado, transformado no sonho de que viajava com a sogra para o campo, correspondia, assim, ao desejo justificado de que as coisas das quais eu então apenas suspeitara nunca tivessem acontecido.

Sem análise, apenas mediante uma suposição, permito-me interpretar um pequeno acontecimento envolvendo um amigo que foi meu colega durante os oito anos do ginásio. Certa vez ele ouviu num pequeno grupo uma de minhas conferências sobre a novidade de que o sonho é uma realização de desejo, foi para casa, sonhou *que perdera todos os seus processos* – ele era advogado – e se queixou disso para mim. Recorrendo a uma evasiva, eu lhe disse que não se pode ganhar todos os processos, mas pensei cá comigo: se durante oito anos, na condição de primeiro aluno da classe, me sentei no primeiro banco, enquanto ele mudava de lugar lá pelo meio, não pode ter lhe ficado daqueles anos da adolescência o desejo de que alguma vez eu fosse ridicularizado a valer?

Outro sonho de caráter mais sombrio me foi igualmente comunicado por uma paciente como objeção à teoria dos sonhos de desejo. A paciente, uma jovem, começou: "O senhor recorda que agora minha irmã tem só um filho, o Karl; ela perdeu o mais velho, Otto, quando eu ainda morava na casa dela. Otto era meu preferido; no fundo, fui eu que o criei. Também gosto do menor, mas nem de longe tanto quanto gostava do falecido. Pois bem, noite passada sonhei *que via o Karl morto diante de mim. Ele estava deitado em seu pequeno caixão, as mãos postas, velas em torno, em resumo, exatamente da mesma maneira que o pequeno Otto, cuja morte tanto me abalou*. Agora me diga o senhor, o que significa isso? O senhor me conhece; será que sou uma pessoa tão má a ponto de desejar que minha irmã perca o único filho que ainda tem? Ou o sonho significa que eu preferiria a morte de Karl a de Otto, de quem eu gostava muito mais?".

Assegurei-lhe que essa última interpretação estava fora de questão. Depois de refletir um pouco, pude lhe dar a interpretação correta, que ela então confirmou. Isso foi possível porque eu conhecia todo o histórico da paciente.

Órfã precocemente, a jovem tinha crescido na casa da irmã, bem mais velha, e entre os amigos e visitantes da casa também conheceu o homem que deixou uma marca duradoura em seu coração. Por um momento, pareceu que aquelas relações mal pronunciadas devessem acabar em casamento, mas esse desfecho feliz foi frustrado pela irmã, cujos motivos nunca foram inteiramente explicados. Depois do rompimento, o homem amado pela nossa paciente evitou a casa; ela própria, algum tempo depois da morte do pequeno Otto, a quem nesse meio-tempo tinha voltado sua ternura, se tornou independente. No entanto, não conseguiu se livrar da dependência em que caíra devido à sua inclinação pelo amigo da irmã. O orgulho ordenava evitá-lo, porém não lhe foi possível transferir seu amor a outros pretendentes que surgiram depois disso. Quando o homem amado, que pertencia à classe dos literatos, anunciava uma conferência em algum lugar, ela podia ser encontrada sem falta entre os ouvintes, além de aproveitar todas as outras oportunidades para vê-lo à distância. Recordo-me que na véspera ela me contara que o professor iria a um determinado concerto, ao qual ela também queria ir para desfrutar a felicidade de vê-lo outra vez. Isso foi no dia anterior ao sonho, e o concerto seria no dia em que me contou sobre ele. Assim, pude construir facilmente a interpretação correta e lhe perguntei se ela recordava algum acontecimento sucedido após a morte do pequeno Otto. Ela respondeu de imediato: "Claro, daquela vez o professor voltou depois de longa ausência e o revi junto ao caixão do pequeno Otto". Era exatamente o que eu tinha esperado. Assim, interpretei o sonho da seguinte maneira: "Se o outro menino morresse agora, aconteceria a mesma coisa. A senhora passaria o dia na casa de sua irmã, o professor com certeza viria para dar seus pêsames e a senhora o reveria nas mesmas circunstâncias da outra vez. O sonho não significa outra coisa senão o desejo de revê-lo, que a senhora combate em seu íntimo. Sei que a senhora leva no bolso o ingresso para o concerto de hoje. Seu sonho é um sonho de impaciência, ele antecipou em algumas horas a possibilidade de rever o professor que deve se realizar hoje".

Para encobrir seu desejo, ela manifestamente escolheu uma situação em que tais desejos costumam ser reprimidos, uma situação em que se está tão tomado pelo luto que não se pensa em amor. No entanto, é bem possível que mesmo na situação real, que o sonho copia de maneira fiel, junto ao caixão do primeiro menino, de quem gostava mais, ela não tenha podido reprimir os sentimentos ternos pelo visitante, cuja falta sentia há tanto tempo.

Explicação distinta recebeu um sonho semelhante de outra paciente, que na juventude se sobressaíra pela graça vivaz e pelo bom humor, e que agora, pelo menos, ainda dava mostras dessas qualidades nas ideias que lhe ocorriam durante o tratamento. No contexto de um sonho mais longo, essa senhora viu sua filha única de quinze anos morta dentro de uma caixa. Ela tinha certa vontade de transformar essa visão onírica numa objeção à teoria da realização de desejo, mas ela própria suspeitava que o detalhe da caixa devia indicar o caminho para uma outra compreensão do sonho.[96] Durante a análise, lhe ocorreu que na festa da noite anterior haviam falado da palavra inglesa *box* e de suas variadas traduções para o alemão: *Schachtel, Loge, Kasten, Ohrfeige* [caixa, camarote, arca, bofetada] etc. A partir de outros elementos do mesmo sonho, foi possível complementar que ela tinha descoberto o parentesco do inglês *box* com o alemão *Büchse* [caixinha, boceta], sendo então incomodada pela lembrança

---

96. Tal como o salmão defumado no sonho do jantar que não se realizou.

de que *Büchse* também era usada para designar vulgarmente os genitais femininos. Com alguma indulgência pelos seus conhecimentos de anatomia topográfica, era possível supor, portanto, que a criança na "caixa" significava um feto no ventre materno. Esclarecida quanto a isso, ela não negou que a imagem onírica realmente correspondia a um desejo seu. Como tantas mulheres jovens, ela de maneira alguma ficara feliz por engravidar, e confessou a si mesma mais de uma vez o desejo de que a criança morresse em seu ventre; num ataque de fúria que se seguiu a uma cena violenta com o marido, ela chegou a esmurrar o próprio corpo para atingir a criança. A criança morta, portanto, era de fato uma realização de desejo, mas a realização de um desejo que deixara de lado há quinze anos, e não deve causar admiração que essa realização não seja mais reconhecida ao ocorrer com tamanho retardo. Nesse meio-tempo, muita coisa havia mudado.

O grupo a que pertencem os dois últimos sonhos, cujo conteúdo é a morte de familiares queridos, deverá ser considerado mais uma vez quando tratarmos dos sonhos típicos. Fazendo uso de novos exemplos, poderei mostrar que todos esses sonhos, apesar do conteúdo indesejado, devem ser interpretados como realizações de desejo. Não a um paciente, mas a um inteligente jurista de meu círculo de conhecidos, devo o seguinte sonho, que também me foi contado com o propósito de me impedir de fazer a generalização precipitada da teoria do sonho de desejo: "*Sonhei*", relata meu informante, "*que chegava à minha casa de braço dado com uma senhora. Lá aguardava uma carruagem fechada; um senhor veio em minha direção, apresentou-se como agente da polícia e exigiu que o acompanhasse. Pedi-lhe algum tempo para colocar meus assuntos em ordem.* Será que o senhor acredita que eu deseje ser preso?" – Certamente não, preciso admitir. Será que o senhor sabe sob que acusação foi preso? – "Sim, acho que por infanticídio." – Infanticídio? Mas o senhor sabe que esse crime só pode ser cometido por uma mãe contra o seu recém-nascido. – "Correto."[97] – E sob que circunstâncias o senhor sonhou? O que aconteceu na noite anterior? – "Não gostaria de lhe contar isso, é um assunto delicado." – Mas preciso saber, caso contrário devemos renunciar à interpretação do sonho. – "Vou lhe contar, então. Não passei a noite em casa, mas com uma senhora que significa muito para mim. Quando acordamos pela manhã aconteceu novamente algo entre nós. Então voltei a dormir e sonhei isso que contei." – É uma mulher casada? – "Sim." – E o senhor não quer ter filhos com ela? – "Não, não, isso poderia nos denunciar." – Portanto, o senhor não pratica o coito normal? – "Tomo o cuidado de tirar antes da ejaculação." – Posso supor que o senhor praticou esse truque várias vezes nessa noite e, depois de repeti-lo ao amanhecer, ficou um pouco inseguro quanto ao êxito? – "É possível." – Então o seu sonho é uma realização de desejo. Ele dá ao senhor a tranquilidade de que não gerou um filho, ou, o que é quase a mesma coisa, de que o senhor matou uma criança. Posso lhe mostrar facilmente os termos intermediários. O senhor recorda que alguns dias atrás falávamos sobre as misérias do casamento e sobre a inconsequência de ser permitido praticar o coito de tal maneira que não ocorra fecundação enquanto qualquer intervenção que aconteça após o esperma e o óvulo se encontrarem e formarem um feto é punida como crime. Em seguida, também recordamos a controvérsia medieval acerca do exato momento em que a alma entra no feto, pois só a partir desse momento o conceito de assassinato se torna admissível. Com certeza o senhor também conhece o horripilante poema de Lenau que equipara o infanticídio e a contracepção. – "Curiosamente, pensei em Lenau hoje pela manhã como que por acaso." – Outro eco de seu sonho. E agora ainda quero lhe mostrar nele uma pequena realização secundária de desejo. O senhor chega de braço dado com a

---

97. Ocorre com frequência que um sonho não seja contado na íntegra e que apenas durante a análise emerja a lembrança dessas partes omitidas. Esses fragmentos inseridos posteriormente fornecem em geral a chave para a interpretação do sonho. Confira, adiante, a seção sobre o esquecimento dos sonhos (cap. VII).

senhora à sua casa. O senhor a *leva para casa*[98], em vez de, na realidade, passar a noite na casa dela. O fato de a realização de desejo que constitui o núcleo do sonho se ocultar numa forma tão desagradável provavelmente tem mais de uma razão. Por meio de meu artigo sobre a etiologia da neurose de angústia, o senhor pode ficar sabendo que considero o *coitus interruptus* como um dos fatores causais no surgimento da angústia neurótica. Estaria em harmonia com isso que após várias relações desse tipo lhe ficasse um sentimento de mal-estar que então se tornou um elemento da composição do sonho. O senhor também se serve dessa indisposição para encobrir o cumprimento de desejo. De resto, a menção do infanticídio não está esclarecida. Como foi que o senhor chegou a esse crime especificamente feminino? – "Preciso confessar que certa vez, anos atrás, estive envolvido com um assunto desse tipo. Fui responsável por uma jovem ter feito um aborto para se proteger das consequências de um caso comigo. Nada tive a ver com a execução desse propósito, mas por muito tempo fiquei com um receio compreensível de que a coisa fosse descoberta." – Entendo; essa lembrança forneceu uma segunda razão para que lhe fosse desagradável a suspeita de que o seu truque tivesse sido malfeito.

Um jovem médico, que me ouviu contar esse sonho numa conferência, deve ter se sentido afetado por ele, pois se apressou em sonhá-lo também, aplicando sua forma de pensamento a outro tema. No dia anterior ele entregara sua declaração de renda, que estava perfeitamente correta, visto que tinha pouco a declarar. Ele sonhou que *um conhecido vinha da audiência da comissão de impostos e lhe comunicava que todas as outras declarações de renda não foram contestadas, mas que a sua despertara desconfiança geral e lhe acarretaria uma multa considerável*. O sonho é a mal disfarçada realização do desejo de ser considerado um médico de alta renda. Ele lembra, aliás, a conhecida história daquela jovem que é desaconselhada a

---

98. O verbo alemão *heimführen* pode significar tanto "levar para casa" quanto "casar-se". (N.T.)

aceitar seu pretendente por ele ser um homem irascível que com certeza a espancaria depois de casada. A resposta da moça: "Quem dera já tivesse começado!". Seu desejo de casar é tão ardente que ela se resigna ao provável desgosto ligado a esse casamento e inclusive o eleva à categoria de desejo.

Se eu reunir os sonhos desse tipo, que ocorrem com tanta frequência e parecem contradizer de modo direto minha teoria – visto que seu conteúdo é a frustração de um desejo ou a ocorrência de algo evidentemente indesejado –, sob a designação de *sonhos de oposição ao desejo*, então vejo que em geral eles podem ser atribuídos a dois princípios, um dos quais ainda não foi mencionado, embora desempenhe um papel importante tanto na vida quanto nos sonhos das pessoas. Uma das forças motrizes desses sonhos é o desejo de que eu esteja errado. Esses sonhos ocorrem em geral no decorrer do tratamento, quando o paciente se opõe a mim, e tenho grande certeza de poder produzi-los depois de apresentar-lhe a teoria de que o sonho é uma realização de desejo.[99] Posso esperar, inclusive, que o mesmo suceda a muitos de meus leitores; eles se negarão prontamente um desejo no sonho apenas para realizar o desejo de que eu esteja errado. O último sonho terapêutico desse tipo que quero comunicar mostra mais uma vez a mesma coisa. Uma jovem, que lutou arduamente para continuar o tratamento comigo, contrariando a vontade de seus familiares e as autoridades consultadas, sonhou que *em casa a proibiam de continuar vindo ao meu consultório*. Ela apela então à promessa que lhe fiz de tratá-la de graça em caso de necessidade, e lhe digo: *"Em questões de dinheiro não posso mostrar consideração"*.

Realmente não é fácil demonstrar a realização de desejo aí, mas em todos esses casos ainda encontramos um segundo enigma, cuja solução também ajuda a resolver o primeiro.

---

[99]. "Sonhos de oposição ao desejo" semelhantes me foram comunicados repetidamente nos últimos anos por meus alunos como reação ao seu primeiro contato com a "teoria do desejo do sonho". [Nota acrescentada em 1911.]

Donde provêm as palavras que ela coloca em minha boca? Naturalmente, nunca lhe disse algo semelhante, mas um de seus irmãos, e justo aquele que exerce maior influência sobre ela, teve a gentileza de fazer esse julgamento a meu respeito. O objetivo do sonho, portanto, é dar razão ao irmão, e ela não quer fazê-lo apenas no sonho; esse é o conteúdo de sua vida e o motivo de seu adoecimento. [1909]

Um sonho que à primeira vista cria grandes dificuldades para a teoria da realização de desejo foi sonhado e interpretado por um médico (Stärcke, 1911): "Tenho e vejo em meu indicador esquerdo uma afecção primária sifilítica na última falange". Talvez se evite analisar esse sonho ao considerar que mesmo em seu conteúdo indesejado ele parece claro e coerente. Só que, se não temermos o esforço de uma análise, descobriremos que a afecção primária pode ser equiparada a uma *prima affectio* (primeiro amor) e que a ulceração repulsiva, segundo as palavras de Stärcke, "se mostra como representante de realizações de desejo recobertas por grande afeto". [1914]

O outro motivo dos sonhos de oposição ao desejo é tão claro que facilmente corremos o risco de não enxergá-lo, como aconteceu comigo mesmo por muito tempo. Na constituição sexual de muitas pessoas, há um componente masoquista que surgiu da inversão de um componente agressivo, sádico. Chamamos tais pessoas de masoquistas "ideais" quando não buscam o prazer na dor física que lhes é infligida, e sim na humilhação e na tortura psíquica. É fácil de compreender que essas pessoas possam ter sonhos de desprazer e de oposição ao desejo, sonhos que para elas, no entanto, não são outra coisa senão realizações de desejo, a satisfação de suas inclinações masoquistas. Eis um desses sonhos. Um jovem, que anos antes atormentara intensamente seu irmão mais velho, por quem nutria uma afeição homossexual, teve o seguinte sonho, em três partes, depois de uma radical mudança de caráter: *I. Seu irmão mais velho o "importuna"; II. Dois adultos se cortejam com propósitos homossexuais; III. O irmão vendeu a empresa cujo comando o sonhador tinha se reservado para o futuro*. Ele acordou do último sonho com as sensações mais desagradáveis e, no entanto, é um sonho masoquista de desejo, cuja tradução poderia ser: seria bem feito para mim se meu irmão fizesse essa venda como punição por todos os tormentos que teve de suportar de minha parte. [1909]

Espero que os exemplos anteriores sejam suficientes – até que surjam novas objeções – para que pareça digno de crédito que os sonhos de conteúdo desagradável também devam ser explicados como realizações de desejo.[100] Além disso, ninguém verá como manifestação do acaso que na interpretação desses sonhos sempre topemos com temas dos quais não se gosta de falar ou nos quais não se gosta de pensar. O sentimento desagradável que esses sonhos despertam é simplesmente idêntico à relutância que pretende nos impedir – quase sempre com sucesso – de tratar ou considerar esses temas e que precisa ser superada por cada um de nós quando nos vemos obrigados, apesar de tudo, a abordá-los. Porém, esse sentimento de desprazer que retorna no sonho não exclui a existência de um desejo; cada pessoa tem desejos que não gostaria de contar aos outros e desejos que não quer admitir a si mesma. Por outro lado, nos encontramos autorizados a relacionar o caráter de desprazer de todos esses sonhos com o fato da distorção onírica e a concluir que esses sonhos se encontram tão distorcidos e que a realização de desejo está disfarçada neles até a irreconhecibilidade porque há uma relutância, um propósito recalcador em relação ao tema do sonho ou ao desejo dele extraído. A distorção onírica, portanto, se mostra realmente como um ato de censura. Porém levaremos em conta tudo o que a análise dos sonhos de desprazer revelou se alterarmos da seguinte maneira nossa fórmula que

---

100. Assinalo que esse tema não está encerrado aqui e que voltaremos a tratar dele.

deve expressar a natureza do sonho: *o sonho é a realização (disfarçada) de um desejo (reprimido, recalcado).*[101]

Ainda restam os sonhos de angústia, uma subespécie particular de sonhos de conteúdo desagradável que as pessoas não esclarecidas não se mostrarão dispostas a compreender como sonhos de desejo. No entanto, posso dar conta dos sonhos de angústia com a maior brevidade; eles não mostram um novo aspecto do problema dos sonhos, mas o que está em questão neles é a compreensão da angústia neurótica em geral. A angústia que sentimos num sonho se explica apenas aparentemente pelo conteúdo desse sonho. Se submetermos o

---

101. Um dos grandes escritores vivos, que, segundo me foi dito, nada quer saber de psicanálise e de interpretação de sonhos, no entanto encontrou por conta própria uma fórmula quase idêntica para a natureza do sonho: "Surgimento não autorizado de ardentes desejos reprimidos sob rostos e nomes falsos" (Spitteler, 1914, p. 1). [Acréscimo de 1914.]
Cito antecipadamente a ampliação e a modificação da fórmula básica acima, feita por Otto Rank: "Sobre a base e com o auxílio de material sexual infantil recalcado, o sonho normalmente apresenta a realização de desejos atuais, em geral também desejos eróticos, sob uma forma dissimulada e expressa de modo simbólico" (Rank, 1910). [Nota acrescentada em 1911.]
Em parte alguma afirmei ter adotado como minha essa fórmula de Rank. A versão mais curta, apresentada no texto, me parece suficiente. Mas o simples fato de mencionar a modificação de Rank bastou para render à psicanálise a crítica inúmeras vezes repetida de que ela afirma que *todos os sonhos têm conteúdo sexual*. Quando se entende essa frase como cabe entendê-la, ela apenas demonstra quão pouca conscienciosidade os críticos costumam empregar em suas atividades e como os adversários gostam de ignorar as declarações mais claras quando não servem às suas tendências agressivas, pois poucas páginas antes mencionei as variadas realizações de desejo dos sonhos infantis (fazer uma excursão pelo campo ou um passeio num lago, recuperar uma refeição perdida etc.) e em outros trechos tratei dos sonhos de fome, dos sonhos causados pela sede ou por estímulos excretórios e dos meros sonhos de comodidade. Mesmo Rank não faz qualquer afirmação absoluta. Ele afirma "em geral também desejos eróticos", e isso pode ser perfeitamente confirmado na maioria dos sonhos de adultos.
O caso é outro quando se emprega "sexual" no sentido de "Eros", agora usual na psicanálise. Porém, meus adversários mal prestaram atenção ao interessante problema de saber se todos os sonhos são criados por forças impulsoras "libidinosas" (em contraste com as "destrutivas"). [Acréscimo de 1925.]

conteúdo onírico à interpretação, observaremos que a angústia do sonho não é mais bem justificada pelo conteúdo onírico do que o medo numa fobia se justifica pela representação a que essa fobia está ligada. É verdade, por exemplo, que podemos cair de janelas e que por isso temos razão em tomar um certo cuidado nas suas proximidades, mas não se pode compreender por que na fobia correspondente o medo é tão grande e persegue o doente muito além dos motivos para tanto. Assim, a mesma explicação se mostra válida tanto para a fobia quanto para o sonho de angústia. Em ambos os casos, a angústia está apenas *soldada* à representação que a acompanha e provém de outra fonte.[102]

Devido a essa ligação íntima entre a angústia onírica e a neurótica, preciso explicar aquela me referindo a esta. Num pequeno artigo sobre a "neurose de angústia" (1895 *b*), afirmei que a angústia neurótica provém da vida sexual e corresponde a uma libido desviada de seu destino e que não chegou a ser utilizada. Desde então, essa fórmula se mostrou sempre mais plausível. Dela se pode derivar a tese de que os sonhos de angústia são sonhos de conteúdo sexual cuja libido correspondente se transformou em angústia. Posteriormente, teremos ocasião de apoiar essa afirmação com a análise de alguns sonhos de neuróticos. Além disso, nas tentativas posteriores de me aproximar de uma teoria do sonho, voltarei a tratar da condição para os sonhos de angústia e de sua compatibilidade com a teoria da realização de desejo.

---

102. O termo que nesta passagem traduzimos ora por "angústia", ora por "medo" é um só em alemão: *Angst*. Quando *Angst* tem um objeto definido, como no caso da fobia, não faria sentido usar o termo "angústia". Por outro lado, nos demais contextos, "medo" parece estreitar demais a abrangência de *Angst*. (N.T.)

V

O MATERIAL E AS FONTES DO SONHO

Quando a análise do sonho da injeção de Irma nos levou a concluir que o sonho é uma realização de desejo, fomos de início cativados pelo interesse de saber se com isso tínhamos descoberto um caráter geral do sonho e silenciamos provisoriamente qualquer outra curiosidade científica que pudesse ter surgido em nós durante esse trabalho de interpretação. Agora que atingimos nossa meta seguindo um caminho, podemos retornar e escolher um novo ponto de partida para nossas incursões pelos problemas do sonho, embora percamos de vista por um momento o tema da realização de desejo, de modo algum inteiramente esgotado.

Desde que o emprego de nosso procedimento de interpretação dos sonhos nos possibilitou descobrir um conteúdo onírico *latente* cuja importância é muito maior do que a do conteúdo onírico *manifesto*, impõe-se a nós retomar os problemas oníricos particulares para tentar resolver de maneira satisfatória os enigmas e as contradições que pareciam inabordáveis enquanto conhecíamos apenas o conteúdo onírico manifesto.

No capítulo introdutório, comunicamos em pormenor as informações dos autores sobre a relação do sonho com a vida de vigília, bem como sobre a origem do material onírico. Também recordamos aquelas três peculiaridades da memória onírica que tantas vezes foram percebidas, mas que não receberam explicação:

1. O sonho prefere claramente as impressões dos últimos dias (Robert, Strümpell, Hildebrandt e também Hallam e Weed);

2. O sonho pratica uma seleção de acordo com princípios diferentes daqueles de nossa memória de vigília, pois não recorda o essencial e o importante, mas o secundário e o despercebido;

3. O sonho tem à sua disposição as nossas mais precoces memórias infantis e inclusive traz à tona particularidades desse período da vida que também nos parecem triviais e que na vigília são consideradas esquecidas há muito tempo.[103]

Naturalmente, essas peculiaridades na seleção do material onírico foram observadas pelos autores no conteúdo onírico manifesto.

---

103. Fica claro que a concepção de Robert de que o sonho se destina a aliviar nossa memória das impressões diurnas desprovidas de valor não mais se sustenta caso surjam no sonho com alguma frequência imagens mnemônicas indiferentes de nossa infância. Deveríamos concluir disso que o sonho costuma cumprir a tarefa que lhe cabe de maneira muito insatisfatória.

A

O RECENTE E O INDIFERENTE NO SONHO

Se agora consulto minha própria experiência no que respeita à origem dos elementos que surgem no conteúdo onírico, devo afirmar de início que em cada sonho se pode encontrar uma ligação com as experiências do *dia anterior*. Seja qual for o sonho que eu examine, próprio ou alheio, esse fato sempre se confirma. Tendo conhecimento disso, talvez possa começar a interpretação do sonho investigando qual foi a experiência diurna que o ocasionou; em muitos casos, esse é inclusive o caminho mais curto. Nos dois sonhos que submeti a uma análise meticulosa nos capítulos anteriores (o da injeção de Irma e o do meu tio de barba amarela), a relação com o dia anterior é tão evidente que não necessita de qualquer elucidação adicional. Porém, para mostrar com que regularidade essa relação pode ser demonstrada, quero examinar uma parte de minha própria crônica onírica. Comunicarei apenas os trechos necessários para a descoberta da fonte onírica buscada.

1. *Visito uma casa em que sou admitido apenas com dificuldades etc. e deixo uma mulher me* esperando *enquanto isso.*
Fonte: conversa com uma parenta à tardinha em que lhe disse que uma compra que ela quer fazer terá de *esperar* até etc.
2. *Escrevi uma* monografia *sobre certa espécie de planta.*
Fonte: pela manhã, vi uma *monografia* sobre o gênero *Cyclamen* na vitrine de uma livraria.
3. *Vejo duas mulheres na rua*, mãe e filha, *das quais a última é minha paciente.*
Fonte: à tardinha, uma paciente me comunicou as dificuldades que a sua *mãe* estava colocando à continuidade do tratamento.
4. *Na livraria de S. e R., faço a assinatura de um periódico que custa* vinte florins *ao ano.*

Fonte: durante o dia, minha mulher me lembrou que ainda lhe devo *vinte florins* para as despesas da semana.

5. *Recebo um* ofício *do* comitê *social-democrata em que sou tratado como* membro.

Fonte: recebi, ao mesmo tempo, *ofícios* do *comitê* eleitoral liberal e da presidência da associação humanitária, da qual realmente sou *membro*.

6. *Um homem sobre um* rochedo alcantilado no meio do mar, à maneira de Böcklin.

Fonte: *Dreyfus* na *Ilha do Diabo*, e, ao mesmo tempo, notícias de meus parentes da *Inglaterra* etc.

Poderíamos perguntar se a ligação onírica ocorre de maneira infalível com os acontecimentos do dia anterior ou se ela pode se estender a impressões de períodos mais longos do passado recente. Esse assunto provavelmente não pode reivindicar importância fundamental, mas eu me pronunciaria a favor do privilégio exclusivo do dia anterior ao sonho (o dia do sonho). Sempre que julguei descobrir que uma impressão de dois ou três dias antes foi a fonte do sonho, pude me convencer por meio de um exame mais atento que essa impressão fora lembrada outra vez na véspera, portanto, que uma reprodução demonstrável se introduziu no dia anterior entre o dia do acontecimento e o momento do sonho, e pude, além disso, demonstrar o motivo recente que levou à lembrança da impressão mais antiga.

Em compensação, não pude me convencer de que transcorra um intervalo regular de importância biológica entre a impressão diurna estimuladora e seu retorno no sonho (o primeiro intervalo desse tipo, segundo H. Swoboda, seria de dezoito horas).[104] [1909]

---

104. Swoboda, segundo comuniquei nos apêndices do primeiro capítulo, aplicou em larga escala aos fatos psíquicos os intervalos biológicos de 23 e 28 dias descobertos por W. Fliess e afirmou, em especial, que esses períodos são decisivos para o aparecimento dos elementos oníricos nos sonhos. A interpretação dos sonhos não seria modificada de maneira essencial caso isso se comprovasse, mas haveria uma nova fonte de material onírico. Não faz muito tempo, averiguei alguns de meus sonhos para testar a aplicabilidade da "teoria periódica" ao material onírico, e para (continua)

(cont.) isso escolhi elementos especialmente chamativos de seu conteúdo, cujo surgimento na vida de vigília pode ser determinado cronologicamente com segurança.

I. Sonho de 1º-2 de outubro de 1910

(Fragmento) ... *Em algum lugar da Itália. Três filhas me mostram pequenas preciosidades, como se estivéssemos num antiquário, e ao fazê-lo sentam-se em meu colo. A propósito de uma das peças eu digo: "Mas isso eu lhe dei". Vejo nitidamente uma pequena máscara de perfil com as feições angulosas de Savonarola.*

Quando foi a última vez que vi o retrato de Savonarola? De acordo com meu diário de viagem, estive em Florença nos dias 4 e 5 de setembro; lá pensei em mostrar ao meu acompanhante o medalhão com as feições do monge fanático no calçamento da Piazza Signoria, no lugar em que ele morreu na fogueira, e creio que no dia 3, pela manhã, chamei sua atenção para esse medalhão. Dessa impressão até o seu retorno no sonho transcorreram 27+1 dias, um "período feminino", segundo Fliess. Infelizmente para a força comprobatória desse exemplo, preciso mencionar que *no próprio dia do sonho* esteve comigo (pela primeira vez desde meu regresso) o competente mas sombrio colega que anos atrás apelidei de "rabino Savonarola". Ele me apresentou um paciente que se acidentara no trem para Pontebba, no qual eu mesmo viajara oito dias antes, e assim reconduziu meus pensamentos para a última viagem à Itália. O aparecimento no conteúdo onírico do chamativo elemento "Savonarola" é explicado por essa visita do colega no dia do sonho; o intervalo de 28 dias perde sua importância explicativa.

II. Sonho de 10-11 de outubro

Volto a fazer experiências químicas no laboratório da universidade. O conselheiro da corte L. me convida para ir a algum lugar e vai à minha frente pelo corredor levando uma lâmpada ou algum outro instrumento de maneira penetrante (?) (perspicaz?) na mão erguida, numa postura peculiar, com a cabeça para a frente. Depois atravessamos um lugar aberto... (esqueci o resto).

O mais chamativo no conteúdo desse sonho é a maneira como o conselheiro da corte L. segura a lâmpada (ou lupa) diante de si, o olhar perscrutando a distância. Faz anos que não vejo L., mas agora já sei que ele é apenas um substituto para outra pessoa, mais importante, para Arquimedes junto à fonte de Aretusa, em Siracusa, que tem exatamente a mesma postura que ele no sonho e manipula o espelho ustório da mesma forma, perscrutando o exército sitiador dos romanos. Quando foi a primeira (e a última) vez que vi esse monumento? Segundo minhas anotações, foi no dia 17 de setembro à tardinha, e dessa data até o sonho transcorreram de fato 13+10=23 dias, um "período masculino", de acordo com Fliess.

Infelizmente, também nesse caso o aprofundamento na interpretação do sonho elimina uma parte do caráter necessário dessa relação. O motivo para o sonho foi a notícia, recebida no dia do sonho, de que a clínica em cujo auditório dou minhas palestras como convidado deverá se mudar em breve. Supus que a nova localização seria bastante inadequada, e disse a mim mesmo que seria como se não tivesse auditório algum à minha disposição, e a partir desse ponto meus pensamentos devem ter retrocedido até o início de meu período (continua)

H. Ellis (1911, p. 227), que prestou atenção a essa questão, também afirma que não pôde encontrar tal periodicidade de reprodução em seus sonhos, "apesar de ficar alerta". Ele narra um sonho em que se encontra na Espanha e quer ir a um lugar chamado *Daraus, Varaus* ou *Zaraus*. Ao acordar, não conseguiu se lembrar desse nome e deixou o sonho de lado. Alguns meses depois, ele descobriu que o nome *Zaraus* na verdade pertencia a uma estação entre San Sebastian e Bilbao pela qual tinha passado de trem 250 dias antes do sonho. [1914]

(cont.) de docência, quando eu realmente não tinha um auditório e, em meus esforços para conseguir um, me deparei com a escassa boa vontade dos abastados senhores conselheiros da corte e dos professores. Naquela ocasião, procurei L., que então ocupava o cargo de decano e que eu julgava que fosse um mecenas, para me queixar de minhas dificuldades. Ele me prometeu auxílio, mas depois não deu mais notícias. No sonho ele é Arquimedes, que me dá um ποῦ στώ [ponto de apoio] e me acompanha pessoalmente até outro local. O intérprete experiente perceberá com facilidade que não faltam sede de vingança nem consciência de grandeza ao pensamento onírico. No entanto, preciso considerar que, sem o referido motivo para o sonho, Arquimedes dificilmente teria entrado nos sonhos dessa noite, e não tenho certeza se a impressão forte e ainda recente da estátua de Siracusa também não teria se manifestado se o intervalo de tempo fosse outro.

III. Sonho de 2-3 de outubro de 1910

(Fragmento) ... *Algo sobre o prof. Oser, que fez pessoalmente o cardápio para mim, o que é muito tranquilizador* (o restante foi esquecido).
O sonho é a reação a um distúrbio digestivo desse dia que me levou a considerar se não devia consultar um colega para que me prescrevesse uma dieta. O fato de no sonho recorrer a Oser, falecido no verão, se relaciona à morte de outro professor universitário, bastante estimado por mim, ocorrida pouco antes (1º de outubro). Porém, quando foi que Oser morreu, e quando fiquei sabendo de sua morte? De acordo com o jornal, no dia 22 de agosto; visto que então eu me encontrava na Holanda, para onde cuidei que a *Wiener Zeitung* me fosse mandada regularmente, devo ter lido a participação de falecimento no dia 24 ou 25 de agosto. Porém, esse intervalo não corresponde mais a nenhum período; ele abrange 7+30+2=39 dias, ou talvez 40. Não consigo me lembrar de ter falado de Oser ou de ter pensado nele nesse meio-tempo. Tais intervalos, que a teoria periódica não pode aproveitar sem fazer manipulações, são muito mais frequentes em meus sonhos do que os regulares. Constante é apenas a relação, mencionada no texto, com uma impressão do próprio dia do sonho. [Nota acrescentada em 1911.]

Acredito, assim, que para cada sonho há um excitador entre as experiências sobre as quais "ainda não consultamos o travesseiro".

As impressões do passado recente (com exceção do dia anterior à noite do sonho) não mostram, portanto, uma relação diferente com o conteúdo onírico do que outras impressões de qualquer momento mais remoto. O sonho pode escolher seu material de qualquer momento da vida, bastando apenas que um fio de pensamento ligue as experiências do dia do sonho (as impressões "recentes") com as experiências mais antigas.

Mas por que essa preferência pelas impressões recentes? Chegaremos a algumas hipóteses acerca desse ponto se submetermos um dos sonhos mencionados a uma análise mais minuciosa. Escolho o

Sonho da monografia botânica

Escrevi uma monografia sobre certa planta. O livro está diante de mim e folheio uma lâmina colorida dobrada. Cada exemplar é acompanhado por um espécime dessecado da planta, semelhante aos espécimes de um herbário.

Análise

Durante a manhã, vi um livro novo na vitrine de uma livraria intitulado *O gênero Cyclamen* – obviamente, uma *monografia* sobre essa planta.

O ciclâmen é a *flor predileta* de minha mulher. Censuro-me por lembrar tão raras vezes de lhe *dar flores*, algo que ela deseja. – A propósito do tema *dar flores*, recordo-me de uma história que, não faz muito tempo, contei no meu círculo de amigos e que usei como prova a favor de minha tese de que o esquecimento com frequência é a execução de um propósito do inconsciente e, em todo caso, permite tirar conclusões sobre os sentimentos ocultos do esquecidiço. Uma jovem senhora, acostumada a receber um buquê do seu marido no dia do aniversário, sente falta desse sinal de ternura numa dessas ocasiões festivas e cai no choro por causa disso. O marido fica sem saber a razão do choro até ela lhe dizer que é seu aniversário. Ele coloca a mão na testa e exclama: "Me desculpe, eu esqueci completamente", e quer sair para buscar *flores* para ela. Mas a mulher não se deixa consolar, pois vê no esquecimento do marido uma prova de que não representa mais o mesmo papel de antes nos seus pensamentos. – Essa senhora, L., encontrou minha mulher há dois dias, disse-lhe que se sentia bem e perguntou por mim. Ela foi minha paciente anos atrás.

Um novo ponto de partida: em dada ocasião, realmente escrevi algo semelhante a uma *monografia* sobre uma planta, a saber, um artigo sobre a *coca* que chamou a atenção de K. Koller para as propriedades anestésicas da cocaína. Eu próprio aludi a esse uso do alcaloide em minha publicação, mas não fui minucioso o bastante para continuar investigando o assunto. Ocorre-me a propósito disso que na manhã do dia seguinte ao sonho (para cuja interpretação apenas encontrei tempo à noite) pensei na cocaína em uma espécie de fantasia diurna. Se algum dia eu tivesse glaucoma, viajaria a Berlim e lá me deixaria operar incógnito na casa de meu amigo berlinense por um médico que ele me recomendasse. O cirurgião, que não saberia quem é seu paciente, se gabaria de como essas operações se tornaram fáceis desde a introdução da cocaína; eu não daria o menor indício de que tive participação nessa descoberta. A essa fantasia se ligaram pensamentos a respeito de como é incômodo para o médico recorrer aos serviços de seus colegas. Eu poderia pagar o oftalmologista berlinense, que não me conheceria, como qualquer outra pessoa. Só depois de me lembrar desse devaneio percebo que por trás dele se esconde a lembrança de uma experiência determinada. Pouco após a descoberta de Koller, meu pai adoeceu de glaucoma; ele foi operado por um amigo, o oftalmologista dr. Königstein, enquanto o dr. Koller providenciou a anestesia com cocaína e observou que se encontravam reunidas as três pessoas que tomaram parte na introdução dessa droga.

Meus pensamentos prosseguem até a última vez em que me lembrei dessa história com a cocaína. Isso foi há alguns dias, quando caiu em minhas mãos a publicação comemorativa com que alunos agradecidos celebraram o jubileu de seu professor e diretor do laboratório. Entre os méritos do laboratório, também encontrei o registro de que nele ocorrera a descoberta das propriedades anestésicas da cocaína por K. Koller. De repente, me dou conta de que meu sonho se relaciona com uma experiência do dia anterior, à tardinha. Eu acabara de acompanhar o dr. Königstein até a sua casa e tinha entrado com ele numa conversa sobre um assunto que me irrita vivamente sempre que abordado. Enquanto me encontrava com ele no vestíbulo, chegou o prof. *Gärtner* [jardineiro] com sua jovem esposa. Não pude deixar de cumprimentar os dois pelas suas aparências *florescentes*. Bem, o prof. Gärtner é um dos autores da publicação comemorativa de que falei há pouco, e por certo me fez recordá-la. A senhora L., cuja desilusão de aniversário narrei acima, também foi mencionada na conversa com o dr. Königstein, embora em outro contexto.

Quero tentar a interpretação dos outros elementos do conteúdo onírico. Um *espécime dessecado* da planta acompanha a monografia, como se ela fosse um *herbário*. A essa palavra se liga uma lembrança de ginásio. Certa vez, o diretor de nosso ginásio convocou os alunos das classes adiantadas para lhes confiar a vistoria e a limpeza do herbário da instituição. Haviam sido encontradas pequenas *brocas* – brocas-dos-livros. Parece que ele não mostrou confiança em minha assistência, pois me entregou apenas poucas folhas. Ainda hoje me lembro que eram crucíferas. Jamais tive uma relação especialmente íntima com a botânica. Em meu exame preliminar de botânica, também recebi uma crucífera para classificar – e não a reconheci. As coisas teriam ido mal para mim se meus conhecimentos teóricos não tivessem me auxiliado. – Das crucíferas passo às compostas. A alcachofra também é uma composta, e, mais precisamente, aquela que eu poderia chamar de *minha flor predileta*. Mais generosa do que eu, minha mulher costuma me trazer essa flor predileta do mercado.

Vejo a monografia que escrevi *diante de mim*. Aí também não falta uma referência. Meu amigo visual me escreveu ontem de Berlim: "Ando muito ocupado com o teu livro sobre os sonhos. *Eu o vejo acabado diante de mim e o folheio*". Como o invejei por esse dom visionário! Se eu também já pudesse vê-lo pronto diante de mim!

A lâmina colorida dobrada: quando eu era estudante de medicina, sofri bastante por causa do impulso [*Impuls*] de querer aprender apenas a partir de *monografias*. Apesar de meus recursos limitados, eu tinha vários arquivos de medicina cujas *lâminas coloridas* eram meu deleite. Eu tinha orgulho dessa inclinação à objetividade. Quando eu próprio comecei a publicar também tive de desenhar as lâminas para os meus ensaios, e lembro que uma delas ficou tão lamentável que um colega benevolente me ridicularizou por sua causa. Acrescenta-se a isso, não sei bem como, uma lembrança de infância bastante precoce. Certa vez, meu pai fez a brincadeira de entregar a mim e à maior das minhas irmãs um livro com *lâminas coloridas* (uma descrição de uma viagem a Pérsia) para que o destruíssemos. Algo de difícil justificação pedagógica. Naquela ocasião eu tinha cinco anos, minha irmã ainda não fizera três e a imagem de como desfolhamos exultantes esse livro (folha por folha *como a uma alcachofra*, devo dizer) é praticamente a única dessa época que me ficou numa lembrança plástica. Quando então me tornei estudante, desenvolvi uma predileção acentuada por colecionar e possuir livros (análoga à tendência de estudar monografias, uma *paixão*, tal como ela já aparece nos pensamentos oníricos com relação ao ciclâmen e à alcachofra). Eu me tornei um *devorador de livros* (ver *herbário*). Desde que reflito sobre mim mesmo, sempre atribuí essa primeira paixão de minha vida a essa impressão de infância, ou, antes, reconheci que essa cena da infância é uma "lembrança encobridora" de minha posterior bibliofilia.[105] Naturalmente, também descobri bem cedo que as paixões facilmente nos causam sofrimento. Aos dezessete anos de idade eu tinha uma conta considerável na livraria, mas nenhum dinheiro para saldá-la, e meu pai mal considerou como desculpa o fato de minhas inclinações não

---

105. Ver meu artigo "Sobre as lembranças encobridoras".

terem se lançado sobre algo pior. Porém, a menção a essa experiência de juventude logo me traz de volta à conversa com meu amigo, o dr. Königstein, pois nela também tratamos da mesma crítica que recebi naquela época, a de que sou muito condescendente com minhas *paixões*.

Por razões que não vêm ao caso, não quero prosseguir a interpretação desse sonho, mas apenas indicar o caminho que leva até ela. Durante o trabalho de interpretação, me lembrei da conversa com o dr. Königstein, e, na verdade, de vários trechos dela. Se tiver presentes os assuntos que foram tocados nessa conversa, consigo entender o sentido do sonho. Todas as cadeias de ideias começadas – sobre as minhas paixões e as de minha mulher, a cocaína, as dificuldades de tratamento médico entre colegas, a minha predileção por estudos monográficos e minha negligência com relação a determinados campos como a botânica – ganham uma continuação e desembocam em algum dos fios daquela conversa tão ramificada. O sonho ganha mais uma vez o caráter de uma justificação, de uma defesa de meus direitos, tal como o primeiro sonho analisado, o da injeção de Irma; ele inclusive leva adiante o tema começado neste último e o esclarece a partir do material novo que foi acrescentado no intervalo entre os dois sonhos. Mesmo a forma de expressão aparentemente indiferente do sonho recebe uma ênfase. Agora ela quer dizer: "Ora, eu sou o homem que escreveu um ensaio valioso e bem-sucedido" (sobre a cocaína), da mesma forma como naquela outra ocasião aleguei para me justificar: "Ora, eu sou um estudante capaz e aplicado"; em ambos os casos, portanto: "Posso me permitir isso". Contudo, nesse ponto posso interromper a interpretação do sonho, pois me decidi a comunicá-lo apenas para investigar mediante um exemplo a relação do conteúdo onírico com a experiência causadora do dia anterior. Enquanto conheço apenas o conteúdo manifesto desse sonho, fica evidente apenas uma relação com uma impressão diurna; depois de fazer a análise, encontro uma segunda fonte onírica em outra experiência do mesmo dia. A primeira impressão a que o sonho se refere é indiferente, um pormenor. Vejo um livro numa vitrine cujo título me toca de passagem e cujo conteúdo dificilmente poderia me interessar. A segunda experiência tinha um elevado valor psíquico; conversei animadamente com meu amigo oftalmologista por mais ou menos uma hora, fiz alusões que deviam sensibilizar a ambos e despertei recordações em mim que me deixaram perceber as mais variadas emoções de meu íntimo. Além disso, essa conversa não fora concluída, pois fomos interrompidos pela chegada de conhecidos. Bem, e qual a relação das duas impressões diurnas entre si e com o sonho ocorrido durante a noite?

No conteúdo onírico encontro apenas uma alusão à impressão indiferente, e assim posso confirmar que o sonho prefere incorporar coisas secundárias da vida em seu conteúdo. Na interpretação, ao contrário, tudo conduz à experiência importante que com razão provocou o sonho. Se eu julgar o sentido do sonho, como cabe fazê-lo, segundo o conteúdo latente trazido à luz pela análise, chego de maneira inesperada a uma nova e importante descoberta. Vejo que se desfaz o enigma representado pelo fato de o sonho se ocupar apenas dos fragmentos insignificantes da vida diurna; também preciso contradizer a afirmação de que a vida psíquica da vigília não prossegue no sonho, e que ele, em compensação, desperdiça atividade psíquica com material irrisório. O contrário é verdadeiro; o que nos ocupou durante o dia também domina os pensamentos oníricos, e só nos damos ao trabalho de sonhar com aqueles assuntos que durante o dia nos deram o que pensar.

A explicação mais evidente para o fato de eu sonhar com a impressão diurna indiferente, quando o que me leva com razão a sonhar é a impressão diurna estimuladora, é a de que aqui temos outra vez um fenômeno de distorção onírica, que acima atribuímos a uma força psíquica que age como censura. A lembrança da monografia sobre o gênero *Cyclamen* é usada como se fosse uma *alusão* à conversa com meu amigo, assim como no sonho do jantar malogrado a menção da amiga é substituída pela alusão "salmão defumado". Cabe perguntar por meio de que termos intermediários a impressão da monografia é capaz de entrar numa relação de alusão com a conversa com o oftalmologista, visto que tal relação não é perceptível de início. No exemplo do jantar malogrado, a relação é dada desde o princípio; o "salmão defumado", sendo o prato predileto da amiga, pertence sem maiores problemas ao grupo de representações que a pessoa da amiga é capaz de despertar na sonhadora. Em nosso novo exemplo, trata-se de duas impressões isoladas que de início nada têm em comum a não ser o fato de terem ocorrido no mesmo dia. A monografia chama minha atenção pela manhã; a conversa ocorre à tardinha. A resposta dada pela análise é a seguinte: tais relações de início inexistentes entre as duas impressões são estabelecidas posteriormente entre o conteúdo de representações de uma e de outra. No texto da análise já destaquei os termos intermediários em questão. Se não ocorressem outras influências, é provável que à representação da monografia sobre o ciclâmen se ligasse apenas a ideia de que é a flor preferida de minha mulher, talvez ainda a lembrança do buquê esquecido da senhora L. Não acredito que esses pensamentos ocultos teriam bastado para causar um sonho.

> *There needs no ghost, my lord, come from the grave*
> *To tell us this*

lemos em *Hamlet*.[106] Mas, vejam, na análise sou lembrado que o homem que atrapalhou nossa conversa se chamava *Gärtner* [jardineiro] e que achei sua esposa *florescente*; agora também me recordo que uma de minhas pacientes, que tem o belo nome de *Flora*, também esteve no centro de nossa conversa por um momento. As coisas devem ter se sucedido de tal maneira que a ligação entre as duas experiências diurnas, a indiferente e a causadora, tenha ocorrido por meio dos termos intermediários do grupo de representações da botânica. Depois se estabeleceram outras relações, como a da cocaína, que com toda razão pode servir de intermediária entre a pessoa do dr. Königstein e uma monografia botânica que escrevi, e fortaleceram a fusão dos dois grupos de representações, de

---

106. "Não é preciso que um fantasma, meu senhor, saia da tumba / Para nos dizer isso" (ato 1, cena 5). (N.T.)

maneira que um fragmento da primeira experiência pôde ser utilizado como alusão à segunda.

Estou preparado para o fato de que essa explicação será contestada como arbitrária ou artificial. O que teria acontecido se o professor Gärtner não houvesse chegado com sua florescente esposa, se a paciente da qual falamos não se chamasse *Flora*, mas *Anna*? E, no entanto, a resposta é fácil. Se não houvessem ocorrido essas relações de ideias, outras provavelmente seriam escolhidas. É muito fácil produzir tais relações, como as charadas e adivinhas com que animamos nosso dia podem provar. O alcance do chiste é ilimitado. Para dar um passo adiante: se entre as duas impressões do dia não tivessem se produzido relações intermediárias suficientes, o sonho teria sido diferente; outra impressão indiferente do dia, dentre as muitas que nos chegam e são esquecidas, tomaria o lugar da "monografia" no sonho, entraria em relação com o conteúdo da conversa e a substituiria no conteúdo onírico. Como nenhuma outra impressão a não ser a da monografia teve esse destino, ela provavelmente foi a mais adequada para essa relação. Não precisamos seguir o exemplo do Joãozinho Esperto de Lessing e nos admirar com o fato "de que os ricos do mundo possuem a maior quantidade de dinheiro".

Ainda nos deve parecer questionável e estranho o processo psíquico por meio do qual, segundo nossa exposição, a experiência indiferente se torna substituta da experiência psiquicamente valiosa. Numa seção posterior, nos veremos diante da tarefa de explicar melhor as peculiaridades dessa operação aparentemente incorreta de nosso entendimento. Aqui trataremos apenas do resultado do processo cuja suposição somos obrigados a fazer em razão das inúmeras experiências que se repetem com regularidade na análise dos sonhos. Nesse processo, é como se ocorresse um *deslocamento* – da ênfase psíquica, digamos – pela via daqueles termos intermediários, até que representações inicialmente carregadas com intensidade *fraca*, ao assumirem a carga daquelas de início investidas *mais intensamente*, adquirem uma força que as torna capazes de forçar acesso à consciência. Tais deslocamentos de modo algum nos deixam admirados quando se trata de empregar quantidades de afeto ou realizar ações motoras. O fato de a virgem que ficou sozinha transferir sua ternura para os animais, de o solteirão se tornar um colecionador apaixonado, de o soldado defender uma tira de pano colorido, a bandeira, com seu sangue, de numa relação amorosa o aperto de mão prolongado por alguns segundos gerar felicidade ou de no *Otelo* um lenço perdido provocar um ataque de fúria – todos esses são exemplos de deslocamentos psíquicos que nos parecem incontestáveis. No entanto, o fato de pela mesma via e segundo os mesmos princípios se tomar uma decisão sobre o que chegará à nossa consciência e o que lhe será ocultado, ou seja, sobre o que pensamos, nos dá a impressão de algo doentio, e o chamamos de erro de raciocínio quando ocorre na vida de vigília. Revelemos aqui o resultado de considerações a serem feitas mais adiante: o processo psíquico que reconhecemos no deslocamento onírico não se mostrará perturbado patologicamente, mas distinto do normal e de natureza mais *primária*.

Assim, interpretamos o fato de o conteúdo onírico acolher restos de experiências secundárias como uma expressão da *distorção onírica* (por deslocamento) e lembramos ter reconhecido nessa distorção uma consequência da censura que controla o trânsito entre duas instâncias psíquicas. Ao mesmo tempo, esperamos que a análise dos sonhos nos revele de maneira regular a fonte onírica real, psiquicamente significativa, na vida de vigília, cuja lembrança deslocou seu acento para a lembrança indiferente. Mediante essa concepção, nos colocamos em inteira oposição à teoria de Robert, que se tornou inútil para nós. O fato que Robert quis explicar não existe; a suposição desse fato repousa num mal-entendido, em omitir a substituição do conteúdo onírico aparente pelo verdadeiro sentido do sonho. Podemos fazer outra objeção à teoria de Robert: se o sonho de fato tivesse a tarefa de livrar nossa memória das "escórias" das recordações de vigília por meio de um trabalho psíquico especial, nosso sono teria de ser mais atormentado e mais trabalhoso do que nossa vida mental de vigília. Pois o número de impressões diurnas indiferentes das quais teríamos de proteger nossa memória é evidentemente incomensurável; a noite não seria longa o bastante para dar conta de todas. É muito mais provável que o esquecimento das impressões indiferentes ocorra sem intervenção ativa de nossas forças psíquicas.

Não obstante, algo nos adverte a não nos despedirmos das ideias de Robert sem maiores considerações. Deixamos sem explicar o fato de uma das impressões indiferentes do dia – mais precisamente, do dia anterior – sempre fornecer uma contribuição ao conteúdo onírico. As relações entre essa impressão e a verdadeira fonte onírica no inconsciente nem sempre existem de antemão; como vimos, elas são estabelecidas apenas *a posteriori* durante o trabalho do sonho, como que a serviço do deslocamento pretendido. Deve haver, portanto, uma coação para abrir caminho justamente rumo à impressão recente, embora irrelevante: esta deve oferecer uma aptidão especial para isso devido a uma qualidade qualquer. Caso contrário, seria igualmente fácil os pensamentos oníricos deslocarem sua ênfase para um elemento insignificante de seu próprio grupo de representações.

As experiências seguintes podem nos colocar no caminho que leva à explicação. Quando um dia nos trouxe duas ou mais experiências que são dignas de provocar sonhos, o sonho une a menção às duas num todo único; ele obedece a uma *coação a formar uma unidade a partir delas*; por exemplo: numa tarde de verão, entrei no compartimento de um vagão no qual encontrei dois conhecidos que, no entanto, não se conheciam entre si. Um deles era um colega influente, e o outro, membro de uma família ilustre para a qual eu prestava meus serviços médicos. Apresentei os senhores um ao outro; durante toda a longa viagem, porém, fiz o papel de intermediário entre eles, de maneira que ora tratava de um assunto com um deles, ora com outro. Pedi ao colega que recomendasse um conhecido comum, que acabara de abrir seu consultório. O colega respondeu que estava convencido da competência do jovem, mas que sua figura apagada não facilitaria a entrada em casas distintas. Repliquei que justamente por isso ele precisava da recomendação. Logo depois, perguntei ao outro conhecido sobre o estado de sua tia – a mãe de uma de minhas pacientes –, que então se encontrava gravemente enferma. Na noite que se seguiu a essa viagem, sonhei que o jovem amigo para quem eu tinha pedido proteção se encontrava num salão elegante e, com os gestos de um homem de sociedade, pronunciava um discurso fúnebre em homenagem à velha senhora (já falecida no sonho), tia do segundo companheiro de viagem, diante de um grupo seleto em que incluí todas as pessoas nobres e ricas que conheço. (Confesso com franqueza que eu não tinha boas relações com essa senhora.) Portanto, meu sonho novamente encontrou ligações entre duas impressões do dia e compôs por meio delas uma única situação.

Com base em muitas experiências semelhantes, sou obrigado a estabelecer a tese de que o trabalho do sonho se encontra sob uma espécie de coação a combinar numa unidade todas as fontes de estímulo onírico existentes.[107]

Agora quero discutir a questão de saber se a fonte excitadora do sonho à qual a análise nos conduz sempre precisa ser um acontecimento recente (e significativo) ou se uma experiência interna, ou seja, a lembrança de um acontecimento psiquicamente valioso ou uma sequência de ideias, pode assumir o papel de excitadora do sonho. A resposta dada por inúmeras análises é categórica e indica a segunda alternativa. O excitador do sonho pode ser um processo interno que, por assim dizer, se tornou recente por meio do trabalho do pensamento diurno. Este deve ser o melhor momento para organizar um esquema das diversas condições mostradas pelas fontes oníricas.

A fonte onírica pode ser:

---

107. A tendência do trabalho do sonho a dar tratamento único aos elementos interessantes que se apresentem simultaneamente já foi observada por vários autores, por exemplo, Delage (1891, p. 41) e Delboeuf (1885, p. 237), que usa a expressão *rapprochement forcé* [aproximação forçada]. [Nota acrescentada em 1909 e suprimida após 1922.]

a) Uma experiência recente e psiquicamente significativa que é substituída de maneira direta no sonho.[108]

b) Várias experiências recentes e significativas que são combinadas numa unidade pelo sonho.[109]

c) Uma ou mais experiências recentes e significativas que são substituídas no conteúdo onírico pela menção a uma experiência do mesmo período, porém indiferente.[110]

d) Uma experiência interna e significativa (lembrança, sequência de ideias) que é *regularmente* substituída no sonho pela alusão a uma impressão recente, porém indiferente.[111]

Como vemos, a interpretação dos sonhos deve considerar, sem exceção, a condição de que um elemento do conteúdo onírico repita uma impressão recente da véspera. Esse elemento destinado à substituição no sonho pode pertencer ao grupo de representações do verdadeiro excitador do sonho – como elemento essencial ou insignificante desse grupo – ou provir do âmbito de uma impressão indiferente que entrou em relação com o grupo do excitador do sonho por meio de ligações mais ou menos numerosas. A aparente pluralidade de condições é apenas a *alternativa* entre *um deslocamento ocorrer ou não ocorrer*, e percebemos que essa alternativa nos oferece a mesma facilidade para explicar os contrastes do sonho que a série que vai da vigília parcial à vigília completa das células cerebrais oferece à teoria médica do sonho (ver p. 95 e segs.).

Além disso, percebemos nessa série que o elemento psiquicamente valioso, porém não recente (a sequência de ideias, a lembrança), pode ser substituído para os fins da formação do sonho por um elemento recente, mas psiquicamente indiferente, bastando que apenas duas condições sejam cumpridas, a saber, que 1) o conteúdo onírico guarde uma ligação com experiências recentes e 2) que o excitador do sonho permaneça

---

108. O sonho da injeção de Irma; o sonho do amigo que é meu tio.

109. O sonho do discurso fúnebre do jovem médico.

110. O sonho da monografia botânica.

111. A maioria dos sonhos de meus pacientes durante a análise é desse tipo.

sendo um processo psiquicamente valioso. Num único caso (*a*) as duas condições são preenchidas pela mesma impressão. Se, além disso, considerarmos que essas mesmas impressões indiferentes aproveitadas pelo sonho enquanto são recentes perdem essa aptidão tão logo tenha se passado um dia (ou no máximo alguns), somos obrigados a levantar a hipótese de que o frescor de uma impressão lhe confere um certo valor psíquico na formação do sonho que de alguma maneira equivale à importância de lembranças ou sequências de ideias carregadas de afeto. Apenas mediante reflexões psicológicas posteriores poderemos descobrir em que se baseia esse valor das impressões *recentes* para a formação dos sonhos.[112]

De passagem, nossa atenção recai sobre o fato de durante a noite, e sem que nossa consciência perceba, poderem ocorrer modificações importantes com nosso material de lembranças e de representações. A exigência de consultar o travesseiro antes de tomar uma decisão definitiva parece completamente justificada. Observamos, porém, que nesse ponto deixamos a psicologia do sonho e entramos na do sono, um passo que ainda teremos ocasião de dar mais vezes.[113]

---

112. Ver a passagem sobre a "transferência" no capítulo VII.

113. Uma contribuição importante relacionada ao papel do material recente na formação dos sonhos é oferecida por O. Pötzl num trabalho rico em pontos de partida (1917). Pötzl pediu a várias pessoas que desenhassem o que tinham percebido conscientemente de uma imagem taquistoscópica. Depois prestou atenção aos sonhos que as pessoas tiveram na noite seguinte, pedindo-lhes que igualmente desenhassem partes apropriadas deles. O resultado incontestável foi que os detalhes não percebidos da imagem exposta forneceram material para a formação dos sonhos, enquanto os detalhes percebidos conscientemente e registrados nos desenhos após a exposição não voltaram a aparecer no conteúdo onírico manifesto. O material incorporado pelo trabalho do sonho foi elaborado à sua conhecida maneira "arbitrária", ou melhor, despótica, a serviço das tendências formadoras de sonhos. As sugestões da pesquisa de Pötzl vão muito além dos propósitos de uma interpretação dos sonhos tal como tentada neste livro. Ainda quero indicar de passagem o quanto esse novo método de estudar experimentalmente a formação dos sonhos difere da grosseira técnica antiga que consistia em introduzir no conteúdo onírico estímulos que perturbavam o sono. [Nota acrescentada em 1919.]

Há uma objeção que ameaça invalidar as últimas conclusões. Se impressões indiferentes podem entrar no conteúdo onírico apenas enquanto são recentes, como pode ser que nele também encontremos elementos de períodos anteriores da vida, que na época em que eram recentes – segundo as palavras de Strümpell – não tinham valor psíquico, ou seja, que há muito tempo já deveriam estar esquecidos e que não são novos nem psiquicamente significativos?

Essa objeção pode ser afastada por inteiro se nos apoiarmos nos resultados da psicanálise de neuróticos. Eis a solução: nesse caso, o deslocamento que substitui o material psiquicamente importante por material indiferente (tanto para o sonho quanto para o pensamento) já ocorreu naqueles períodos anteriores da vida e desde então se encontra fixado na memória. Aqueles elementos originalmente indiferentes não o são mais desde que mediante deslocamento assumiram a importância do material psiquicamente significativo. O que de fato permaneceu indiferente não pode mais ser reproduzido no sonho.

Das discussões precedentes se concluirá com razão que estou afirmando que não existem excitadores do sonho indiferentes e, portanto, que também não há sonhos inocentes. Essa é minha opinião rigorosa e absoluta, excetuando os sonhos das crianças e, talvez, as breves reações oníricas a sensações noturnas. Tudo o mais que sonhamos pode ser reconhecido de maneira manifesta como psiquicamente importante ou está distorcido e pode ser avaliado apenas depois de terminada a interpretação, quando também mostra ser significativo. O sonho nunca se ocupa de ninharias; não deixamos nosso sono ser perturbado por insignificâncias.[114] Os sonhos aparentemente inocentes mostram ser sonhos maliciosos quando nos esforçamos por interpretá-los; se me permitem a expressão,

---

114. H. Ellis, o amável crítico de *A interpretação dos sonhos*, escreve (1911, p. 169): "Esse é o ponto a partir do qual muitos de nós não serão mais capazes de acompanhar Freud". Só que Ellis não analisou sonhos e não quer acreditar no quanto é injusto emitir juízos de acordo com o conteúdo onírico manifesto. [Nota acrescentada em 1914.]

eles são "grandes velhacos". Visto que esse é outro ponto em que devo esperar oposição, e visto que aproveito com prazer a ocasião de mostrar a distorção onírica em ação, vou submeter à análise uma série de *sonhos inocentes* de minha coleção.

I

Uma jovem senhora, inteligente e refinada, mas que na vida também está entre as pessoas reservadas, as "águas paradas", conta: "Sonhei que tinha chegado muito tarde à feira e não tinha conseguido nada no açougueiro nem na verdureira". Com certeza um sonho inocente, mas esse não é o feitio dos sonhos; peço que ela conte mais detalhes. Então ela relata que *vai à feira com sua cozinheira, que leva a cesta. Depois de fazer um pedido, o açougueiro lhe diz que isso não está mais disponível e quer lhe dar outra coisa enquanto lhe diz que isso também é bom. Ela recusa e vai à verdureira, que quer lhe vender uma verdura estranha, atada em feixes e de cor escura. Ela diz: "Não conheço isso e não vou levá-lo".*

A ligação do sonho com o dia anterior é bastante simples. Ela havia realmente chegado muito tarde à feira e não conseguiu mais nada. *O açougue já estava fechado*, é o que se impõe a nós como descrição da experiência. Mas atenção: essa não é a expressão vulgar – ou antes, o seu contrário – para designar certa negligência no vestuário masculino?[115] A sonhadora, aliás, não usou essas palavras, talvez as tenha evitado; procuremos interpretar os detalhes do sonho.

Quando algo no sonho tem o caráter de uma fala, ou seja, quando é dito ou ouvido, não apenas pensado – o que se pode distinguir com segurança na maioria dos casos –, provém de falas da vida de vigília, que, no entanto, foram tratadas como matéria-prima, desmembradas, ligeiramente modificadas, mas sobretudo arrancadas do seu contexto.[116] No trabalho de

---

115. A expressão alemã *Du hast deine Fleischbank offen* ("teu açougue está aberto") equivale a "tua gaiola está aberta" do português. (N.T.)

116. Sobre as falas no sonho, confira o capítulo sobre o trabalho do sonho. O único autor que parece ter reconhecido a origem das falas oníricas foi Delboeuf (1885, p. 226), que as compara com "clichês".

interpretação, podemos partir dessas falas. Assim, donde provém a fala do açougueiro, "isso não está mais disponível"? De mim próprio; alguns dias antes eu tinha lhe explicado que "as experiências infantis mais antigas *não estão mais disponíveis* como tais, mas são substituídas na análise por 'transferências' e sonhos". Eu, portanto, sou o açougueiro, e ela recusa essas transferências de maneiras antigas de pensar e sentir para o presente. – De onde provém a sua fala no sonho: "Não conheço isso e não vou levá-lo"? Ela precisa ser dividida para análise. "Não conheço isso" foi o que ela própria havia dito para sua cozinheira dias antes, com quem tivera um briga, ocasião em que acrescentara: "Comporte-se de maneira decente". Aqui um deslocamento se torna palpável; das duas frases que disse à cozinheira, ela tomou a insignificante para o sonho; porém apenas a frase reprimida – "comporte-se maneira decente!" – se harmoniza ao conteúdo restante do sonho. Isso é algo que se poderia dizer a alguém que se atreve a fazer exigências indecorosas e se esquece de "fechar o açougue". O fato de realmente termos encontrado a pista da interpretação é provado pela consonância com as alusões registradas no episódio com a verdureira. Uma verdura que se vende atada em feixes (comprida, conforme a paciente acrescenta depois), e além disso preta, que outra coisa pode ser senão a combinação onírica do aspargo e do rábano preto [*schwarzer Rettich*]? Não preciso interpretar "aspargo" para ninguém que saiba do que se trata, mas a outra verdura – como reprovação: "Safa-te, preto!" [*Schwarzer, rett'dich!*] – também me parece apontar para o mesmo tema sexual que supomos logo no início quando quisemos substituir a narrativa onírica pela expressão "o açougue estava fechado". Não é preciso conhecer o sentido completo desse sonho; isso é o que basta para que faça sentido e de forma alguma seja inocente.[117]

---

117. Para os curiosos, observo que por trás do sonho se oculta uma fantasia em que me comporto de maneira indecorosa, sexualmente provocadora, e minha paciente se defende. A quem essa interpretação parecer incrível, lembro os inúmeros casos em que médicos sofreram tais acusações por parte de mulheres histéricas nas quais a mesma fantasia não se distorceu (continua)

II

Outro sonho inocente da mesma paciente, em certo sentido uma contraparte do anterior: *Seu marido pergunta: "Não devemos mandar afinar o piano?". Ela responde: "Não vale a pena; além disso, o revestimento de couro precisa ser trocado"*. Novamente, uma repetição de um acontecimento real da véspera. Seu marido fez essa mesma pergunta e ela deu a mesma resposta. Mas qual o significado de ela sonhar com isso? É verdade que ela disse que o piano é uma *caixa repulsiva*, que emite *sons horríveis*, um troço que seu marido já possuía antes do casamento[118] etc., mas a chave para a solução é dada apenas pelo seguinte trecho: *não vale a pena*. Essas palavras provêm de uma visita feita a uma amiga no dia anterior. Na sua casa, ela foi convidada a tirar o casaco, mas recusou o convite com as seguintes palavras: "Obrigado, *não vale a pena*, logo tenho que ir". Enquanto me contava isso, lembrei-me que no dia anterior, durante o trabalho de análise, ela levou sua mão repetidas vezes ao casaco, no qual um botão se abrira. Portanto, é como se ela quisesse dizer: "Por favor, não olhe, *não vale a pena*". Assim, *caixa* se completa como *caixa torácica* e a interpretação do sonho leva diretamente à época de seu desenvolvimento corporal, quando ela começou a ficar insatisfeita com as formas de seu corpo. É provável que também leve a épocas anteriores se considerarmos o *repulsivo* e os *sons horríveis* e nos recordarmos com que frequência os pequenos hemisférios do corpo feminino – como oposição e como substitutos – ocupam o lugar dos grandes – na alusão e no sonho.

(cont.) surgindo em forma de sonho, mas se tornou declaradamente consciente e delirante. – A paciente iniciou o seu tratamento psicanalítico com esse sonho. Apenas mais tarde compreendi que ela repetia com ele o trauma inicial do qual derivou sua neurose, e, desde então, encontrei o mesmo comportamento em outras pessoas que foram expostas a atentados sexuais em sua infância e agora, por assim dizer, ansiavam por sua repetição em sonhos. [Acréscimo de 1909.]

118. Uma substituição pelo seu oposto, como ficará claro após a interpretação.

III

Interrompo essa série ao incluir o sonho breve e inocente de um jovem. Ele sonhou *que estava vestindo outra vez o seu casaco de inverno, o que era terrível.* Supostamente, o motivo para o sonho é o retorno repentino do frio. Entretanto, um juízo mais fino notará que as duas breves partes do sonho não se ajustam muito bem, pois o que poderia haver de "terrível" em usar casacos pesados ou grossos quando faz frio? Para prejuízo da inocência desse sonho, a primeira ideia que ocorre ao paciente na análise traz a lembrança de que no dia anterior uma senhora havia lhe confidenciado que seu último filho devia sua existência a um preservativo estourado. Agora ele reconstrói os pensamentos que teve por ocasião disso: um preservativo fino é perigoso, um preservativo grosso é ruim. O preservativo é com razão o "sobretudo", pois afinal também o vestimos[119]; além disso, também damos o nome de "sobretudo" a um casaco. Um acontecimento como o que foi relatado pela mulher certamente seria "terrível" para o homem solteiro.

Retornemos agora à nossa inocente sonhadora.

IV

Ela coloca uma vela no castiçal; no entanto, a vela está quebrada, de maneira que não fica em pé. As garotas da escola dizem que ela é desajeitada; a professora, porém, diz que não é culpa dela.

Nesse caso também houve um motivo real; no dia anterior ela realmente colocou uma vela no castiçal, mas a vela não estava quebrada. Um simbolismo transparente foi empregado aqui. A vela é um objeto que estimula os genitais femininos; se está quebrada, de modo que não fica em pé, isso significa a impotência do homem (*não é culpa dela*). Mas será que a jovem mulher, que foi educada com cuidado e ficou alheia a tudo o que é indecoroso, conhece essa aplicação da vela? Casualmente, ela ainda é capaz de informar que experiência

---

119. Em alemão, Überzieher (sobretudo) é simplesmente a denominação informal para "preservativo". (N.T.)

lhe deu conhecimento disso. Num passeio de barco pelo Reno, passou por eles uma embarcação ocupada por estudantes que cantavam ou berravam uma canção com muito gosto:

> Quando a rainha da Suécia,
> com persianas fechadas,
> se... com velas Apolo.

Ela não ouve ou não entende certa palavra. Seu marido precisa lhe dar a explicação necessária. Esses versos foram então substituídos no conteúdo onírico pela lembrança inocente de uma tarefa que certa vez ela executou *desajeitadamente* no pensionato, e isso graças ao elemento comum *persianas fechadas*. A relação do tema do onanismo com a impotência é clara o bastante. E "Apolo", no conteúdo onírico latente, liga esse sonho a um anterior que tratou da virginal Palas. Deveras, um sonho nada inocente.

V

Para que não se pense que é assim tão fácil inferir dos sonhos as reais condições de vida do sonhador, acrescento mais um sonho que parece igualmente inocente e provém da mesma paciente. *Sonhei com algo*, conta ela, *que fiz de fato durante o dia, a saber, que enchi de tal maneira uma pequena mala com livros que tive dificuldade para fechá-la, e sonhei isso exatamente como aconteceu.* Nesse caso, é a própria narradora que acentua a coincidência entre sonho e realidade. No entanto, todos esses juízos e observações sobre o sonho, embora tenham conseguido um lugar no pensamento de vigília, pertencem normalmente ao conteúdo onírico latente, como exemplos posteriores ainda confirmarão. É-nos dito, portanto, que aquilo que o sonho narra realmente aconteceu no dia anterior. Seria muito demorado comunicar de que maneira se chegou à ideia de recorrer ao inglês na interpretação. Basta dizer que se trata outra vez de uma pequena *box* (ver o sonho da criança morta na caixa, p. 175-176) que foi enchida de tal maneira que nela não entrava mais nada. Desta vez, pelo menos, nada sério.

Em todos esses sonhos "inocentes", o elemento sexual se apresenta de maneira bastante chamativa como motivo da censura. Porém, esse é um tema de importância fundamental que precisamos deixar de lado.

B

O INFANTIL COMO FONTE DO SONHO

Em conjunto com todos os outros autores (exceto Robert), afirmamos que a terceira peculiaridade do conteúdo onírico consiste no fato de no sonho poderem surgir impressões da primeira infância das quais a memória não parece dispor na vigília. Compreensivelmente, é difícil avaliar a raridade ou a frequência com que isso ocorre, pois a origem dos respectivos elementos do sonho não é reconhecida após o despertar. Portanto, a prova de que se trata de impressões da infância precisa ser fornecida por vias objetivas, e reunir as condições para isso é possível apenas em casos raros. De especial força comprobatória é o caso de um homem, narrado por Maury, que certo dia decide visitar sua terra natal após uma ausência de vinte anos. Na noite que precedeu a partida, ele sonhou que estava num lugar completamente desconhecido e encontrou na rua um homem desconhecido com quem conversou. Ao voltar à sua terra, ele pôde se convencer de que esse lugar desconhecido existia de fato nas proximidades de sua cidade natal e, além disso, o homem desconhecido do sonho, que ali morava, mostrou ser um amigo de seu falecido pai. Por certo, uma prova concludente de que ele tinha visto os dois, o lugar e o homem, na sua infância. Esse sonho, aliás, deve ser interpretado como um sonho de impaciência, tal como o da jovem que levava o ingresso para o concerto no bolso, o da criança a quem o pai prometeu a excursão ao monte Hameau etc. Naturalmente, não é possível descobrir sem análise os motivos que levaram o sonhador a reproduzir justo essa impressão de sua infância.

Um de meus alunos, que se gabava de seus sonhos apenas raramente serem submetidos à distorção onírica, me contou que algum tempo antes tinha visto em sonhos *seu antigo preceptor na cama da babá* que morou em sua casa até ele completar onze anos. O sonho também lhe mostrou o lugar da cena. Com vivo interesse, ele contou o sonho ao seu irmão mais velho, que, rindo, confirmou a realidade do que ele sonhara. Esse irmão se lembrava muito bem disso, pois na época tinha seis anos. O casal costumava embriagar o garoto mais velho com cerveja quando as circunstâncias eram favoráveis a uma relação noturna. O menor – o nosso sonhador –, que então tinha três anos de idade e dormia no quarto da babá, não era considerado um incômodo.

Há ainda um outro caso em que se pode constatar com segurança, sem o auxílio da interpretação, que um sonho contém elementos da infância, a saber, quando se trata de um chamado sonho *perene*, que, sonhado pela primeira vez na infância, mais tarde se repete de tempos em tempos durante o sono do adulto. Aos exemplos conhecidos dessa espécie posso acrescentar alguns oriundos da minha experiência, embora não tenha observado esses sonhos perenes em mim próprio. Um médico na casa dos trinta me contou que desde os primeiros tempos da infância até aos dias de hoje surgia com frequência em sua vida onírica um leão amarelo que ele era capaz de descrever em detalhes. Certo dia, esse leão que ele conhecia dos sonhos foi encontrado *in natura*; tratava-se de um objeto de porcelana desaparecido há muito tempo, e a mãe do rapaz lhe disse que esse objeto foi o brinquedo preferido de sua primeira infância, algo que ele próprio não era mais capaz de lembrar.

Se agora passarmos do conteúdo onírico manifesto aos pensamentos oníricos que apenas são descobertos pela análise, constataremos com assombro que as experiências infantis também tomam parte naqueles sonhos cujo conteúdo não teria despertado semelhante suspeita. Ao respeitável colega do "leão amarelo" devo um exemplo especialmente amável e instrutivo de um sonho desse tipo. Depois de ler o relato de Nansen sobre sua expedição polar, ele sonhou que estava num deserto de gelo e fazia uma sessão de galvanoterapia no ousado explorador em razão de uma ciática da qual ele se queixava! Durante a análise, ele se lembrou de uma história da sua infância, sem a qual o sonho por certo permaneceria incompreensível. Quando era uma criança de três ou quatro anos, ouviu certo dia com curiosidade a conversa dos adultos sobre viagens de descobrimento e perguntou ao pai se isso era uma doença grave. Obviamente, ele confundiu *viagens* [*Reisen*] com *reumatismo* [*Reissen*], e a zombaria dos irmãos cuidou para que a experiência vergonhosa não caísse no esquecimento.

Um caso completamente análogo ocorreu na análise do sonho com a monografia sobre o gênero *Cyclamen*, quando topei com uma lembrança conservada da infância, a do pai entregando um livro com lâminas coloridas ao garoto de cinco anos para ser destruído. Talvez se possa colocar em dúvida se essa lembrança realmente tomou parte na conformação do conteúdo onírico, se não foi, ao contrário, apenas o trabalho de análise que estabeleceu uma relação *a posteriori*. Porém, a abundância e o entrelaçamento das ligações associativas é uma garantia da primeira concepção: ciclâmen – flor predileta – alimento predileto – alcachofra; desfolhar como a uma alcachofra, folha por folha (uma expressão que ouvimos todo dia por motivo da divisão do império chinês); herbário – broca-dos-livros, cujo alimento predileto são os livros. Além disso, posso garantir que o sentido último do sonho, que não expliquei aqui, se encontra na mais íntima relação com o conteúdo da cena infantil.

Em outra série de sonhos, somos ensinados pela análise que o próprio desejo que estimulou o sonho, e cuja realização este mostra, provém da vida infantil, de maneira que para nossa surpresa *descobrimos que a criança, com seus impulsos* [*Impulse*], *continua vivendo nos sonhos*.

Neste ponto, prossigo a interpretação de um sonho do qual em outra ocasião já extraímos um novo aprendizado; refiro-me ao sonho em que meu amigo R. é meu tio. Levamos sua interpretação até ao ponto em que se apresentou a nós de maneira palpável que seu motivo era meu desejo de ser nomeado professor e explicamos a ternura do sonho pelo meu amigo R. como sendo uma criação de oposição e de obstinação à calúnia contra os dois colegas contida nos pensamentos oníricos. Esse foi um sonho que eu próprio tive; por isso, posso prosseguir sua análise comunicando que a solução alcançada não me deixou satisfeito. Eu sabia que meu juízo sobre os colegas maltratados nos pensamentos oníricos era muito diferente na vigília; a força do desejo de não partilhar seus destinos quanto à nomeação me pareceu muito pequena para esclarecer inteiramente o contraste entre a avaliação de vigília e a do sonho. Se minha necessidade de ser chamado por um outro título fosse tão forte, isso seria a prova de uma ambição doentia que não conheço em mim, que acredito longe de mim. Não sei como outras pessoas que acreditam me conhecer me julgariam neste ponto; talvez eu realmente tenha sido ambicioso; porém, se foi esse o caso, a ambição se voltou há muito tempo para objetos diferentes do título e da categoria de professor adjunto.

De onde, portanto, veio a ambição que o sonho me inspirou? Recordo-me que ouvi contarem muitas vezes durante minha infância que, quando nasci, uma velha camponesa profetizou à minha mãe, feliz com seu primogênito, que ela havia presenteado ao mundo um grande homem. Tais profecias devem ser bastante frequentes; há muitas mães esperançosas e muitas velhas camponesas ou outras velhas cujo poder na Terra se foi e que por isso se voltaram para o futuro. Além do mais, a profetisa não teve nenhum prejuízo com isso. Será que minha ânsia de grandeza proviria dessa fonte? Lembro-me, porém, de outra impressão dos últimos anos da infância que seria ainda mais apropriada para uma explicação: certo dia à tardinha, num dos restaurantes do Prater ao qual os pais costumavam levar o garoto de onze ou doze anos, chamou nossa atenção um homem que passava de mesa em mesa e, por um pequeno honorário, improvisava versos sobre algum tema que lhe fosse proposto. Mandaram-me chamar o poeta à nossa mesa e ele se mostrou grato ao mensageiro. Antes de perguntar pela sua tarefa ele deixou cair algumas rimas sobre mim e, em sua inspiração, declarou que era provável que um dia ainda me tornasse "ministro". Ainda posso me lembrar muito bem da impressão que essa segunda profecia causou. Era a época do Ministério Civil, e pouco antes meu pai tinha trazido para casa os retratos dos doutores civis Herbst, Giskra, Unger, Berger, entre outros, que foram iluminados em honra a esses senhores. Havia inclusive judeus entre eles; assim, todo garoto judeu aplicado levava a pasta ministerial na sua pasta escolar. O fato de que até pouco antes das inscrições na universidade eu quisesse estudar direito, e só no último instante mudasse de opinião, deve, inclusive, estar relacionado com as impressões dessa época. E a carreira ministerial, decididamente, está vedada ao médico. Mas vamos ao meu sonho! Só agora percebo que ele me leva do presente sombrio à época esperançosa do Ministério Civil e cumpre meu desejo *daquela época* na medida de suas forças. Ao tratar os dois eruditos e respeitáveis colegas tão mal por serem judeus, um deles como se fosse um imbecil, o outro como se fosse um criminoso – ao proceder assim, comporto-me como se eu fosse o ministro, coloco-me na posição do ministro. Que vingança radical contra Sua Excelência! Ele se nega a me nomear professor adjunto e em compensação me coloco em seu lugar no sonho.

Em outro caso, pude observar que o desejo que estimulou o sonho, embora sendo atual, recebe um poderoso reforço de lembranças infantis profundamente arraigadas. Trata-se aqui de uma série de sonhos em cuja base se encontra o anseio de ir a *Roma*. Provavelmente ainda terei de satisfazer esse anseio em sonhos por muito tempo, pois na época do ano que tenho à minha disposição para viajar, a estada em Roma deve ser evitada por motivos de saúde.[120] Assim, sonhei certa vez que via o Tibre e a ponte Sant'Angelo da janela de meu compartimento;

---

120. Faz tempo que descobri que basta um pouco de coragem para realizar esses desejos por longo tempo considerados inalcançáveis [nota acrescentada em 1909], e assim me tornei um fervoroso peregrino a *Roma* [acréscimo de 1925].

depois o trem se pôs em movimento e me ocorreu que nem sequer tinha posto os pés na cidade. A vista que vi no sonho imitava uma conhecida gravura que na véspera eu observara de passagem no salão de um paciente. Noutra ocasião, alguém me conduziu ao topo de uma colina e me mostrou Roma meio velada pela neblina, e de uma distância tão grande que me admirei com a nitidez da vista. O conteúdo desse sonho é mais rico do que eu gostaria de expor aqui. O motivo de "ver a terra prometida de longe" pode ser reconhecido nele com facilidade. A cidade que vi pela primeira vez dessa forma, envolta pela neblina, foi *Lübeck*; a colina encontra seu modelo no *Gleichenberg*. Num terceiro sonho, estou finalmente em Roma, conforme o sonho me diz. Porém, para minha desilusão, vejo um cenário de forma alguma urbano: *um riacho de águas escuras, numa das margens rochedos pretos, e, na outra, prados com grandes flores brancas. Vejo um certo sr. Zucker* (que conheço por alto) *e decido lhe perguntar pelo caminho que leva à cidade*. Evidentemente, esforço-me em vão por ver em sonhos uma cidade que não vi durante a vigília. Se decompuser a paisagem do sonho em seus elementos, as flores brancas indicam *Ravena*, cidade que conheço e que, pelo menos por algum tempo, arrebatou a primazia de Roma como capital da Itália. Nos pântanos dos arredores de Ravena encontramos belíssimos nenúfares em meio às águas negras; o sonho os faz crescer nos prados como os narcisos em nosso *Aussee*, pois daquela vez foi muito difícil retirá-los da água. O rochedo escuro, tão próximo à água, lembra vivamente o vale de *Tepl*, em *Karlsbad*. O nome "Karlsbad" me permite explicar o traço curioso de eu perguntar pelo caminho ao sr. Zucker. No material de que o sonho é tramado, posso reconhecer duas daquelas divertidas anedotas judaicas que ocultam tanta sabedoria profunda, muitas vezes amarga, e que tanto gostamos de citar em conversas e cartas. Uma delas é a história da "constituição", que trata de como um judeu pobre consegue embarcar sem passagem num expresso para Karlsbad, é apanhado, expulso do trem em cada inspeção, tratado sempre com mais rigor, e que, quando perguntado por um conhecido, que o encontra numa das estações de seu calvário, sobre seu destino, responde: "Se minha constituição aguentar, *Karlsbad*". Outra história afim é a de um judeu que não sabia francês e a quem recomendam que pergunte em Paris pela Rue Richelieu.[121] *Paris* também foi por longos anos um alvo de meus anseios, e a felicidade com que pela primeira vez coloquei os pés no solo parisiense foi tomada por mim como garantia de que também realizaria outros desejos. Além disso, perguntar pelo caminho é uma alusão direta a *Roma*, pois, como se sabe, todos os caminhos levam até lá. De resto, o nome *Zucker* [açúcar] aponta novamente para *Karlsbad*, lugar para onde mandamos todas as pessoas acometidas pela diabetes, uma doença *constitucional*. O ensejo para esse sonho foi a sugestão de meu amigo berlinense para que nos encontrássemos em Praga na Páscoa. A partir dos assuntos que eu tinha a discutir com ele, resultaria mais uma relação com "açúcar" e "diabetes".

Um quarto sonho, que tive pouco depois desse que acabo de mencionar, me leva outra vez a Roma. Vejo uma esquina diante de mim e me admiro por haver tantos cartazes em alemão afixados nela. No dia anterior, numa antevisão profética, escrevi a meu amigo que Praga não poderia ser um lugar cômodo para viajantes alemães. Assim, o sonho expressava ao mesmo tempo o desejo de encontrá-lo em Roma em vez de numa cidade da Boêmia, bem como o interesse, provavelmente oriundo da época de estudante, de que a língua alemã fosse mais tolerada em Praga. Aliás, devo ter compreendido a língua tcheca nos primeiros anos da minha infância, visto que nasci num lugarejo da Morávia de população eslava. Uma rima infantil tcheca, que ouvi aos dezessete anos, gravou-se com tal facilidade em minha memória que ainda hoje posso repeti-la, embora não tenha a menor ideia do seu significado. Portanto, a esses sonhos também não faltam múltiplas relações com as impressões de meus primeiros anos de vida.

Em minha última viagem à Itália, que, entre outros lugares, me levou a passar junto ao lago Trasimeno, enfim descobri,

---

121. Em tradução literal, "rico lugar". (N.R.)

depois de ver o Tibre e, dolorosamente comovido, dar meia-volta a oitenta quilômetros de Roma, o reforço que meu anseio de ver a cidade eterna recebia de impressões infantis. Eu estava justamente considerando o plano de, no ano seguinte, viajar a Nápoles passando por Roma quando me lembrei de uma frase que devo ter lido em um de nossos escritores clássicos: "É difícil saber quem caminhou com mais agitação de um lado para o outro em seu quarto depois de conceber o plano de ir a Roma, se foi o vice-diretor *Winckelmann* ou o general *Aníbal*".[122] Eu seguira, afinal, os passos de Aníbal; assim como ele, eu tampouco estava destinado a ver Roma, e também ele fora à *Campagna* depois que todo mundo o havia esperado em Roma. Mas Aníbal, a quem eu me assemelhara nisso, fora o herói predileto de meus anos de ginásio; como tantos outros nessa idade, na questão das Guerras Púnicas não voltei minhas simpatias aos romanos, mas aos cartagineses. Quando, nos últimos anos de ginásio, comecei a compreender as consequências de ser descendente de uma raça estrangeira e os sentimentos antissemitas de meus colegas me advertiram a tomar posição, a figura do general semita cresceu ainda mais aos meus olhos. *Aníbal* e *Roma* simbolizavam para o jovem a oposição entre a tenacidade do judaísmo e a organização da Igreja Católica. A importância que o movimento antissemita assumiu desde então em nossa vida emocional ajudou a fixação dos pensamentos e das sensações daqueles primeiros tempos. Assim, para a vida onírica, o desejo de ir a Roma se transformou num disfarce e num símbolo para vários outros desejos almejados com ardor em cujo cumprimento se deveria trabalhar com a persistência e a lealdade dos cartagineses, e cuja realização parece temporariamente tão pouco favorecida pelo destino quanto o desejo de Aníbal, alimentado ao longo de sua vida, de entrar em Roma.

E só agora topo com a experiência de infância que ainda hoje manifesta sua força em todos esses sentimentos e sonhos. Eu devia ter dez ou doze anos de idade quando meu

---

122. O escritor em cuja obra li esse trecho deve ter sido Jean Paul. [Nota acrescentada em 1925.]

pai começou a me levar consigo em seus passeios e a me comunicar em conversas as suas opiniões sobre as coisas deste mundo. Assim, para mostrar o quanto a época em que nasci era melhor que a sua, ele contou certa vez: "Quando eu era jovem, saí para passear num sábado pelo lugar onde você nasceu; eu estava bem-vestido e usava um gorro de peles novo na cabeça. Então um cristão se aproximou e, com um golpe, jogou o gorro na lama enquanto gritava: 'Fora da calçada, judeu!'." "E o que o senhor fez?" "Saí da calçada e juntei o gorro", foi a resposta tranquila. Isso não me pareceu nada heroico da parte do homem grande e forte que levava o menino pequeno pela mão. A essa situação, que não me satisfez, contrapus uma outra que correspondia melhor à minha sensibilidade, a cena em que o pai de Aníbal, Amílcar Barca[123], faz o filho jurar diante do altar doméstico que se vingará dos romanos. Desde então, Aníbal teve um lugar em minhas fantasias.

Acredito que posso seguir esse entusiasmo pelo general cartaginês até um momento ainda mais remoto de minha infância, de modo que também nesse caso poderia se tratar apenas da transferência de uma relação afetiva já formada a um novo portador. Um dos primeiros livros que caiu em minhas mãos assim que aprendi a ler foi *O consulado e o império*, de Thiers; lembro-me de que colei pequenos pedaços de papel com os nomes dos marechais do império nas costas de meus soldadinhos de madeira, e que já então Masséna (como judeu: Menasse) era meu predileto declarado.[124] (Essa predileção talvez também possa ser explicada pelo acaso de termos nascido no mesmo dia, com uma diferença exata de cem anos.)[125] O próprio Napoleão, ao atravessar os Alpes, seguiu Aníbal. E talvez o desenvolvimento desse ideal de guerreiro possa ser seguido até um ponto ainda mais remoto da infância, até os

---

123. Na primeira edição, constava aqui o nome de Asdrúbal, um erro estranho cuja explicação dei em *Psicopatologia da vida cotidiana*. [Nota acrescentada em 1909.]

124. Aliás, a origem judaica do marechal é contestada. [Nota acrescentada em 1930.]

125. Parêntese acrescentado em 1914.

desejos que a relação ora amistosa, ora belicosa com um menino um ano mais velho teve de despertar no mais fraco dos dois companheiros de brincadeiras durante seus três primeiros anos de vida.

Quanto mais nos aprofundamos na análise dos sonhos, tanto maior é a frequência com que somos levados a seguir os rastros de experiências infantis que desempenham um papel de fontes oníricas no conteúdo latente dos sonhos.

Vimos em outro trecho (p. 35-36) que é muito raro o sonho reproduzir lembranças de tal maneira que elas constituam, sem cortes nem modificações, a totalidade do conteúdo onírico manifesto. Ainda assim, há alguns exemplos comprovados disso, aos quais posso acrescentar alguns novos que também se referem a cenas infantis. Num de meus pacientes, um sonho mostrou certa vez a reprodução mal disfarçada de um acontecimento sexual que foi reconhecida de imediato como uma lembrança fiel. Na verdade, a memória desse fato jamais se perdera inteiramente na vigília, mas estava bastante obscurecida, e sua reanimação foi um resultado do trabalho psicanalítico anterior. O sonhador tinha doze anos de idade quando visitou um colega acamado, que, provavelmente apenas por acaso, se descobriu ao fazer um movimento na cama. Tomado por uma espécie de compulsão ao ver seus genitais, ele também se despiu e segurou o membro do outro, que, no entanto, o encarou com espanto e contrariedade, o que o deixou embaraçado e fez com que parasse. Um sonho repetiu essa cena 23 anos depois incluindo todos os detalhes dos sentimentos que nela ocorreram, mas a modificou no aspecto de que o sonhador assumiu o papel passivo em vez do ativo, enquanto o colega de escola foi substituído por uma pessoa do presente.

No entanto, em geral a cena infantil é substituída no conteúdo onírico manifesto apenas por uma alusão e precisa ser desenovelada do sonho por meio da interpretação. A comunicação desses exemplos pode não ser muito concludente, pois, afinal de contas, na maioria dos casos falta qualquer garantia para essas experiências infantis; quando ocorrem em idade precoce, elas não são mais reconhecidas pela memória. No trabalho psicanalítico, o direito a inferir dos sonhos tais experiências infantis resulta de toda uma série de fatores que parecem bastante confiáveis em sua ação conjunta. Arrancadas de seu contexto para fins de interpretação, tais derivações a partir de experiências infantis talvez causem pouca impressão, especialmente pelo fato de eu não comunicar todo o material em que a interpretação se apoia. Entretanto, não quero deixar de comunicá-las por causa disso.

I

Numa de minhas pacientes, todos os sonhos têm o caráter de *correria*; ela corre para chegar a tempo, para não perder o trem etc. Num dos sonhos, *ela deve visitar uma amiga; a mãe lhe disse para pegar uma condução, e não ir a pé; mas ela corre e cai vezes seguidas.* – O material que emerge na análise permite reconhecer a lembrança de correrias infantis (sabemos o que o vienense chama de "uma corrida" [*eine Hetz* = uma brincadeira]), e especialmente num dos sonhos estabelece a ligação com a brincadeira, apreciada pelas crianças, de falar a frase "a vaca correu até cair" tão rápido como se fosse uma só palavra, o que também é uma "correria". Todas essas correrias inocentes com as amiguinhas são lembradas porque substituem outras, menos inocentes.

II

Eis o sonho de outra paciente: *ela está numa sala grande na qual há todo tipo de máquina, o que corresponde mais ou menos ao que ela imagina ser um instituto ortopédico. Ela ouve que não tenho tempo e que deve ser tratada com outros cinco pacientes simultaneamente. Porém, ela resiste e não quer se deitar na cama – ou seja lá o que for – que lhe é destinada. Ela fica parada num canto e espera que eu diga que não é verdade. Os outros riem dela nesse meio-tempo, dizendo-lhe que isso é uma bobagem dela. – Ao mesmo tempo, é como se ela fizesse muitos quadrados pequenos.*

A primeira parte do conteúdo onírico é uma ligação com o tratamento e uma transferência para mim. A segunda contém a alusão à cena infantil; as duas partes são soldadas entre si com a menção à cama. O *instituto ortopédico* se relaciona com algo que eu disse, quando comparei o tratamento, por sua duração e natureza, a um tratamento *ortopédico*. Em seu início, precisei lhe dizer *que por enquanto tinha pouco tempo para ela*, mas que mais tarde lhe dedicaria uma hora inteira diariamente. Isso despertou nela a antiga sensibilidade que é um dos principais traços de caráter das crianças destinadas à histeria. Elas são insaciáveis na busca por amor. Minha paciente era a mais jovem de seis irmãos (por isso, *com outros cinco*) e, como tal, a predileta do pai, embora parecesse haver descoberto que o amado pai não lhe dedicava tempo e atenção suficientes. – O fato de *ela esperar até que eu diga que não é verdade* tem a seguinte derivação: um jovem aprendiz de alfaiate lhe trouxe um vestido e ela lhe entregou o dinheiro. Então ela perguntou ao marido se teria de pagar outra vez caso ele o perdesse. Para *rir* dela (a *risada* no conteúdo onírico), ele garantiu que sim, e ela repete a pergunta várias vezes *e fica esperando que ele finalmente diga que não é verdade*. O conteúdo onírico latente permite construir o seguinte pensamento: será que ela teria de me pagar o dobro se eu lhe dedicasse o dobro do tempo?, um pensamento que é avarento ou *sujo*. (A sujeira da época da infância é substituída nos sonhos com bastante frequência pela avareza; a palavra "sujo" é a ponte entre as duas.) Se tudo isso do *esperar até que eu diga* etc. deve transcrever no sonho a palavra "sujo", então *ficar parada no canto* e *deitar-se na cama* se harmonizam com isso na condição de elementos de uma cena infantil em que ela tinha sujado a cama, sido *colocada no canto* como punição e ameaçada de que o pai não gostaria mais dela, os irmãos dariam risada dela etc. Os *quadrados pequenos* aludem à sua pequena sobrinha, que lhe mostrou como se pode escrever números em nove quadrados, acho, de tal maneira que somados em todas as direções o resultado seja quinze.

III

O sonho de um homem: *Ele vê dois garotos brigando, mais exatamente dois aprendizes de tanoeiro, conforme ele conclui das ferramentas espalhadas em volta; um dos garotos derrubou o outro, e aquele que está caído usa brincos com pedras azuis. Ele corre com a bengala erguida atrás do malfeitor para castigá-lo. Este se refugia junto a uma mulher que está em pé próxima a uma cerca de tábuas, como se fosse a mãe dele. Trata-se de uma diarista que dá as costas ao sonhador. Por fim, ela se vira e o encara com um olhar terrível, de modo que ele sai correndo apavorado. Em seus olhos se vê sobressair a carne vermelha das pálpebras inferiores.*

O sonho empregou acontecimentos triviais da véspera em abundância. No dia anterior, ele realmente tinha visto dois garotos na rua, um dos quais derrubou o outro. Quando correu na direção deles para apartá-los, eles fugiram. – *Aprendizes de tanoeiro*: isso é explicado apenas por um sonho posterior, em cuja análise ele usa a expressão *estourar o fundo do barril*.[126] – *Brincos com pedras azuis* são usados em sua maioria pelas prostitutas, segundo ele observa. E é assim que se acrescenta uma conhecida quadra humorística que fala de *dois garotos*: "O outro garoto se chamava Maria" (ou seja, era uma garota). – *A mulher em pé*: depois da cena com os dois garotos, ele foi passear nas margens do Danúbio e aproveitou a solidão do lugar para urinar *numa cerca de tábuas*. Ao seguir seu caminho, uma mulher de mais idade, decentemente vestida, sorriu-lhe de maneira bastante amistosa e quis lhe dar o seu cartão.

Visto que a mulher do sonho está parada da mesma maneira que ele ao urinar, trata-se de uma mulher urinando, e disso faz parte a *visão* terrível, *a carne vermelha saliente*, o que apenas pode se referir aos genitais entreabertos da menina quando fica de cócoras, e que, vistos na infância, reaparecem em lembranças posteriores como *excrescência carnosa*, como *ferida*. O sonho reúne duas ocasiões em que o garoto pôde ver os genitais de garotinhas, quando *caídas no chão* e ao

---

126. Expressão idiomática que tem o sentido de "isso é o cúmulo". (N.T.)

urinarem, e, conforme resulta de outro nexo, ele guarda a lembrança de um *castigo* ou de uma ameaça do pai em razão da curiosidade sexual que demonstrou nessas ocasiões.

IV

Um grande número de lembranças infantis, precariamente reunidas numa fantasia, se encontra por trás do seguinte sonho de uma senhora de mais idade.

Ela sai correndo para fazer compras. No Graben, cai de joelhos como se sucumbisse. Muitas pessoas se reúnem em volta dela, em especial os cocheiros dos fiacres, mas ninguém a ajuda a se levantar. Ela faz muitas tentativas frustradas; por fim, deve ter conseguido, pois é colocada num fiacre que a levará para casa; pela janela, jogam-lhe uma cesta grande, cheia e pesada (semelhante a uma cesta de compras).

Trata-se da mesma mulher que está sempre correndo em seus sonhos tal como corria quando era criança. A primeira situação do sonho parece ter sido tomada da visão de um cavalo caído, assim como o "sucumbir" também aponta para corridas de cavalos. Quando jovem, ela foi *amazona*, e, quando ainda mais jovem, provavelmente também *cavalo*. Relaciona-se à *queda* a sua primeira lembrança de infância do filho de dezessete anos do porteiro, que, tendo sido acometido por convulsões epilépticas na rua, é trazido de coche para casa. Naturalmente, ela apenas soube disso de ouvir falar, mas a ideia das convulsões epilépticas, da "pessoa caída", adquiriu grande poder sobre sua imaginação e mais tarde influenciou a forma de seus próprios ataques histéricos. – Quando uma mulher sonha com quedas, isso geralmente tem um sentido sexual: ela se torna uma "decaída"; nesse caso, tal interpretação será a mais certa, pois ela cai no *Graben*, lugar conhecido em Viena por ser uma avenida de prostituição. A *cesta de compras* permite mais de uma interpretação; "cesta" [*Korb*] lembra em primeiro lugar as muitas recusas [*Körbe*] a seus pretendentes, e que mais tarde, segundo acredita, ela própria também sofreu. Também se relaciona com isso o fato de *ninguém ajudá-la a se levantar*, o que ela própria interpreta como rejeição. Além disso, a *cesta de compras* faz lembrar fantasias já conhecidas pela análise, nas quais ela se casa com um homem de condição social muito inferior e precisa fazer compras pessoalmente na feira. Por fim, a cesta de compras poderia ser interpretada como símbolo de uma *empregada*. Entram aí várias lembranças de infância; ela se recorda de uma cozinheira que foi despedida por roubar e que, implorando, também *caiu de joelhos* dessa mesma forma. Naquela ocasião ela tinha doze anos. Ela também se lembra de uma criada de quarto que foi despedida por se envolver com o *cocheiro* da casa, com quem, aliás, mais tarde se casou. Essa lembrança, portanto, nos dá uma fonte para os *cocheiros* do sonho (que, ao contrário do que ocorre na realidade, não se interessam pela decaída). Ainda resta explicar o fato de a cesta ter sido *jogada*, e, mais precisamente, *pela janela*. Isso a faz se lembrar do *despacho* das bagagens nas estações de trem, do fato de no campo os rapazes entrarem pela *janela* para visitar suas namoradas e de impressões rápidas da estadia no campo: um senhor jogando *ameixas azuis pela janela* do quarto de uma senhora, o medo que sua irmã menor teve de um imbecil que passava e que olhou *pela janela*. E por trás disso também emerge a lembrança obscura de uma babá que, quando ela tinha dez anos de idade, protagonizou cenas amorosas com um criado da casa de campo, das quais a criança talvez tenha visto alguma coisa, e que juntamente com seu amante foi *despachada, jogada fora* (no sonho é o contrário: *jogada para dentro*), uma história da qual também nos aproximamos por muitos outros caminhos. Em Viena, a bagagem de um empregado é chamada com desdém de "sete *ameixas*". "Junte suas sete ameixas e dê o fora."

Naturalmente, minha coleção tem um estoque abundante desses sonhos de pacientes cuja análise conduz a impressões infantis obscuras ou nem sequer mais recordadas, com frequência oriundas dos três primeiros anos de vida. No entanto, é melindroso tirar deles conclusões que sejam válidas para os sonhos em geral; afinal, trata-se normalmente de pessoas neuróticas, em especial histéricas, e o papel que cabe às cenas infantis poderia ser determinado pela natureza da neurose e não pela do sonho. Entretanto, na interpretação de meus próprios sonhos, que faço não em razão de sintomas patológicos graves, ocorre, exatamente com a mesma frequência, que eu tope de maneira inesperada com uma cena infantil no conteúdo onírico latente e que toda uma série de sonhos desemboque nas vias que partem de uma experiência infantil. Já apresentei exemplos disso, e em várias ocasiões ainda apresentarei outros. Talvez não haja melhor maneira de encerrar essa seção do que comunicando alguns sonhos em que ocasiões recentes e experiências infantis há muito esquecidas surgem unidas como fontes oníricas.

I

Depois de uma viagem, tendo me deitado exausto e com fome, as grandes necessidades da vida se manifestaram no sono e sonhei o seguinte: *Entro numa cozinha para pedir doces. Ali se encontram três mulheres, das quais uma é a dona do estabelecimento e parece girar alguma coisa nas mãos, como se fizesse almôndegas. Ela responde que devo esperar até que ela tenha terminado* (isso não tem a clareza de uma fala). *Fico impaciente e vou embora, ofendido. Visto um sobretudo, mas o primeiro que experimento é muito comprido para mim. Tiro-o, um pouco surpreso por ser debruado com peles. Visto um segundo, que tem uma longa faixa com desenhos turcos. Um estranho de rosto longo e cavanhaque curto se aproxima e tenta me impedir de vesti-lo declarando que o sobretudo é seu. Mostro-lhe que ele está coberto de bordados turcos. Ele pergunta: "Que lhe importam os (desenhos, faixas...) turcos?". No entanto, depois permanecemos juntos de maneira bem amistosa.*

Durante a análise desse sonho me lembrei de maneira inteiramente inesperada do primeiro romance que li, quando eu tinha talvez treze anos, e que na verdade comecei pelo final do primeiro volume. Nunca soube seu título nem o nome do autor, mas guardo uma lembrança viva do final. O herói enlouquece e chama sem parar os nomes das três mulheres que na sua vida significaram a maior felicidade e a desgraça. Um desses nomes é *Pélagie*. Ainda não sei o que posso fazer com essa lembrança na análise. Em relação às três mulheres, lembro-me das três Parcas que fiam o destino do homem, e sei que uma delas, a dona do estabelecimento no sonho, é a mãe que dá a vida, e às vezes, como no meu caso, também o primeiro alimento ao ser vivente. No peito da mulher, o amor e a fome se encontram. Conta a anedota que um jovem que se tornou um grande admirador da beleza feminina disse certa vez, quando a conversação recaiu sobre a bela ama de leite que o amamentou, que lamentava não haver aproveitado melhor a bela oportunidade que tivera. Costumo usar essa anedota para ilustrar o fator da *posterioridade* no mecanismo das psiconeuroses. – Uma das Parcas, portanto, fricciona as palmas das mãos uma contra a outra como se fizesse *almôndegas* [*Knödel*]. Uma ocupação estranha para uma Parca, que precisa de uma explicação urgente! Ela pode ser encontrada em outra lembrança de infância, mais precoce. Quando eu tinha seis anos de idade e minha mãe me dava as primeiras lições, queriam que eu acreditasse que somos feitos de pó e que por isso ao pó voltaremos. Isso não me agradou e pus o ensinamento em dúvida. Então minha mãe esfregou as palmas das mãos uma contra a outra – exatamente como se fizesse almôndegas, só que sem nenhuma massa entre elas – e me mostrou as escamas enegrecidas da *epiderme* que assim se desprendiam como uma prova de que somos feitos de pó. Meu espanto diante dessa demonstração *ad oculos* não teve limites, e me resignei àquilo que mais tarde deveria encontrar expresso nas seguintes palavras: "Deves uma morte à natureza".[127] Portanto, trata-se realmente de Parcas, em cuja cozinha entrei tal como fiz tantas vezes nos anos de infância quando estava faminto e minha mãe, junto ao fogão, me advertia para que esperasse até o almoço estar pronto. E agora as *almôndegas*! À

---

127. Os dois afetos correspondentes a essas cenas infantis, o espanto e a resignação ao inevitável, surgiram num sonho que tive pouco antes e que me devolveu pela primeira vez a lembrança dessa experiência infantil.

menção do nome *Knödl*, pelo menos um de meus professores universitários, e precisamente aquele a quem devo meus conhecimentos *histológicos* (*epiderme*), iria se lembrar de uma pessoa a quem precisou denunciar por *plagiar* seus escritos. Cometer um plágio, pegar o que se puder, mesmo que pertença a outra pessoa, conduz de maneira evidente à segunda parte do sonho, em que sou tratado como o *ladrão de sobretudos* que por algum tempo fez das suas nas salas de conferência. Escrevi a palavra *plágio* sem qualquer propósito especial, porque me veio à mente, e agora percebo que ela pode servir de ponte entre diversas partes do conteúdo onírico manifesto. A cadeia associativa *Pélagie – plágio – plagióstomos*[128] *(tubarões [Haifische]) – bexiga natatória [Fischblase]* liga o velho romance com o caso *Knödl* e com os sobretudos, que manifestamente são um aparato da técnica sexual.[129] (Ver o sonho de Maury com *quilo – loto*, p. 77.) Uma associação bastante forçada e absurda, é verdade, mas que eu não poderia produzir na vigília se já não tivesse sido produzida pelo trabalho do sonho. E como se nada fosse sagrado ao ímpeto de forçar associações, o estimado nome *Brücke* [ponte] (*ponte de palavras*, veja acima) me faz lembrar a mesma instituição em que passei as minhas horas mais felizes de estudante, sem qualquer carência:

E assim, mamando nos *seios* da sabedoria,
Experimentarás um prazer maior a cada dia,[130]

em completa oposição aos apetites que me atormentam [*plagen*] enquanto sonho. Por fim, emergem as lembranças de outro professor estimado, cujo nome também recorda algo comestível (*Fleischl*, tal como *Knödl*) e a de uma cena

---

128. Não complemento os plagióstomos de propósito; eles me fazem lembrar uma ocasião desagradável em que cometi uma gafe diante desse mesmo professor.

129. Ver nota 119. (N.T.)

130. Goethe, *Fausto*, parte 1, cena 4. (N.T.)

triste em que *escamas de epiderme* (a mãe – a dona do estabelecimento), *perturbação mental* (o romance) e uma droga da *cozinha* latina[131] que tira a *fome*, a cocaína, representam um papel.

E assim eu poderia continuar seguindo os tortuosos caminhos das associações de ideias e explicar inteiramente na análise a parte faltante do sonho, mas preciso deixar de fazê-lo porque os sacrifícios pessoais que isso exigiria são muito grandes. Apanho apenas um dos fios que pode levar diretamente a um dos pensamentos oníricos que se encontram por trás desse emaranhado. O desconhecido de rosto longo e cavanhaque que quis me impedir de vestir o sobretudo tinha as feições de um comerciante de Spalato em cuja loja minha mulher comprou uma grande quantidade de tecidos *turcos*. Ele se chamava Popović, um nome suspeito[132], que também deu ocasião ao humorista Stettenheim para fazer uma observação bastante alusiva. ("Ele me disse seu nome e, enrubescendo, apertou minha mão.") Aliás, trata-se do mesmo abuso com nomes que ocorreu antes com Pélagie, Knödl, Brücke e Fleischl. Ninguém negará que essas brincadeiras com nomes são uma travessura infantil; se me entrego a elas, então se trata de um ato de retaliação, pois inúmeras vezes meu próprio nome foi vítima dessas gracinhas idiotas.[133] Goethe observou certa vez o quanto somos sensíveis em relação ao nosso nome, com o qual nos sentimos unidos como se fosse nossa *pele*, quando Herder poetou o seguinte com o nome dele:

---

131. Tradução literal de *lateinische Küche*, designação popular e arcaica para "farmácia". Quanto ao nome Fleischl [*Fleisch* = carne], alude a Fleischl von Marxow, professor e amigo de Freud que acelerou a própria morte ao abusar de cocaína (ver o sonho da injeção de Irma, no capítulo II). (N.T.)

132. Alexander Grinstein nota, em seu estudo sobre esse sonho de Freud, que *Popo*, em linguagem infantil, familiar, conota traseiro, nádegas, e *vić* pronuncia-se em alemão como *Witz*, chiste, piada ("Un rêve de Freud: Les trois Parques", in *L'Espace du rêve*, org. de J.-B. Pontalis, Paris, Gallimard, 1972, folio/Essais, p. 103). (N.R.)

133. *Freude* significa júbilo, alegria, prazer. (N.R.)

Der du von Göttern *abstammst, von Gothen oder vom Kote* –
So seid ihr Götterbilder *auch zu Staub.*[134]

Observo que essa digressão sobre o abuso com nomes apenas devia preparar essa queixa. Mas fiquemos por aqui. – A compra em Spalato me lembra outra compra em Cattaro, na qual fui muito comedido e perdi a ocasião de fazer belas aquisições. (A ocasião perdida com a ama de leite, ver acima.) Um dos pensamentos oníricos que a fome inspira ao sonhador é o seguinte: *Não se deve deixar escapar nada, mas apanhar o que se puder, mesmo que se cometa uma pequena injustiça; não se deve perder nenhuma oportunidade, a vida é muito curta, e a morte é inevitável.* Por também ter uma conotação sexual e porque o apetite não quer se deter diante de injustiças, esse *carpe diem*[135] precisa temer a censura e se esconder por trás de um sonho. Além disso, ganham voz todos os pensamentos contrários: a lembrança da época em que só o *alimento intelectual* bastava ao sonhador, todos os obstáculos e mesmo as ameaças de repugnantes castigos sexuais.

II

Este segundo sonho exige uma longa *informação preliminar*. Fui à Estação Oeste, de onde partiria em minha viagem de férias a Aussee, e cheguei à plataforma quando lá se encontrava o trem para Ischl, que partia antes do meu. Lá vejo o conde Thun, que viaja outra vez a Ischl para se encontrar com o imperador. Apesar da chuva, ele chegara numa carruagem aberta, passara diretamente pela porta de entrada para os trens locais e repelira o porteiro, que não o conhecia

---

134. "Tu que descendes dos *deuses*, dos godos ou do lodo" – "Vós, *ídolos*, também vos tornastes em pó". Conforme esclarecem os editores da *Freud-Studienausgabe*, o primeiro verso provém de uma carta de Herder em que este pede alguns livros emprestados a Goethe. O segundo, de uma peça de Goethe, *Ifigênia em Táuris* (ato 2, cena 2). Trata-se da exclamação de Ifigênia ao saber da morte de tantos heróis no cerco de Troia. (N.T.)

135. "Colha o dia!" Horácio, *Odes*, 1, 11, 8. (N.T.)

e quis pegar seu bilhete, com um ligeiro movimento de mão, sem dar maiores explicações. Depois que ele partiu no trem para Ischl, eu devia deixar a plataforma e voltar à sala de espera; com esforço, porém, consigo impor minha vontade e me deixam ficar. Passo o tempo observando quem virá para tentar conseguir um compartimento valendo-se de favoritismos; proponho-me a fazer barulho, ou seja, exigir o mesmo direito. Nesse meio tempo, canto algo que depois reconheço ser a ária de *As bodas de Fígaro*:

> Se o senhor conde quiser dançar, quiser dançar,
> É só dizer que tocarei uma canção.

(Outra pessoa talvez não tivesse reconhecido a música.)

Passei o fim de tarde daquele dia numa disposição petulante e agressiva, fazendo gracejos com garçons e cocheiros, sem feri-los, espero; passavam pela minha cabeça toda sorte de pensamentos atrevidos e revolucionários, como convém às palavras de Fígaro e à lembrança da comédia de Beaumarchais que assisti na *Comédie française*: a frase sobre os grandes senhores que só se deram ao trabalho de nascer; o direito senhoril que o conde Almaviva quer fazer valer em relação à Susanne; as piadas que nossos malévolos jornalistas da oposição fazem com o nome do conde *Thun* [fazer] ao chamá-lo de conde *Nichtsthun* [não fazer nada]. Na realidade, não o invejo; ele tem um caminho difícil pela frente até chegar ao imperador, e eu sou o autêntico conde *Nichtsthun*, pois estou saindo de férias. Além disso, tenho toda espécie de planos agradáveis para elas. Chega um senhor que reconheço ser o representante do governo para assuntos de inspeção médica e que, por suas realizações nessa função, ganhou o apelido lisonjeiro de "concubino do governo". Invocando sua condição oficial, ele exige um meio compartimento de primeira classe, e ouço um funcionário dizendo ao outro: "Onde colocamos o senhor com a meia primeira?". Um gracioso privilégio; eu pago a minha primeira classe integralmente. Depois também consigo um compartimento para mim, mas não num vagão direto, de modo que durante a noite não há sanitário à minha disposição. Minha queixa ao funcionário não dá resultado; vingo-me ao lhe sugerir que pelo menos mande abrir um buraco no piso do compartimento para as eventuais necessidades do viajante. E, de fato, às quinze para as três da madrugada acordo com vontade de urinar depois de ter tido o seguinte *sonho*:

Multidão, assembleia de estudantes. – Um conde (Thun ou Taaffe) discursa. Incitado a dizer algo sobre os alemães, declara com gestos de escárnio que a flor preferida deles é a unha-de-cavalo, depois coloca algo como uma folha rasgada, na verdade as nervuras amassadas de uma folha, na lapela. Eu me enfureço, portanto me enfureço[136]*, mas fico surpreendido com meus sentimentos.* Depois, de maneira mais indistinta: *Era como se fosse o salão de atos, os acessos estivessem ocupados e precisássemos fugir. Abro caminho por uma série de salas belamente mobiliadas, ao que parece salas do governo, com móveis de uma cor entre o castanho e o roxo, e chego por fim a um corredor onde está sentada uma governanta, uma mulher velha e gorda. Evito falar com ela; no entanto, é evidente que ela considera que estou autorizado a passar por ali, pois pergunta se deve me acompanhar com o candeeiro. Dou-lhe a entender ou lhe digo que ela deve permanecer na escada, e me considero muito esperto por afinal ter evitado a fiscalização. Assim chego ao térreo e encontro um caminho estreito que sobe de maneira íngreme e pelo qual sigo.*

Novamente indistinto... *Como se agora tivesse uma segunda tarefa, a de sair da cidade tal como antes saí do prédio. Estou andando num cabriolé e dou ordens ao cocheiro para ir a uma estação de trem. "Não posso andar com o senhor no trecho da própria via férrea", digo-lhe depois de ele ter feito uma objeção, como se eu o tivesse extenuado. Ao mesmo tempo, é como se já tivesse andado com ele um trecho em que usualmente se anda de trem. As estações de trem estão ocupadas; reflito se devo ir a Krems ou a Znaim, mas penso*

---

136. Essa repetição, aparentemente por descuido, se insinuou no texto do sonho e a mantive, pois a análise mostra que ela tem seu significado.

que lá estará a corte e me decido por Graz ou algo assim. Então me encontro no vagão, que é semelhante ao de um trem urbano, e na lapela tenho uma coisa comprida, estranhamente trançada, na qual há violetas castanho-arroxeadas feitas de material rígido, o que muito chama a atenção das pessoas. Neste ponto a cena se interrompe.

Estou outra vez diante da estação, mas na companhia de um senhor de certa idade; invento um plano para permanecer incógnito e também já vejo esse plano realizado. Pensar e experimentar são, por assim dizer, a mesma coisa. Ele simula ser cego, pelo menos de um olho, e eu lhe seguro um urinol masculino (que tivemos de comprar ou tínhamos comprado na cidade). Sou, portanto, um enfermeiro e preciso lhe dar o urinol porque ele é cego. Se o fiscal nos vir assim, nos deixará escapar por razões de discrição. Ao mesmo tempo, a postura da pessoa em questão e seu membro a urinar são vistos plasticamente. Depois acordo com vontade de urinar.

O sonho inteiro dá a impressão de ser uma fantasia que transporta o sonhador até ao ano da revolução de 1848, cuja lembrança, afinal, foi renovada pelo jubileu de 1898, bem como por uma rápida excursão à região de *Wachau*, onde conheci Emmersdorf[137], o retiro do líder estudantil Fischhof, ao qual alguns traços do conteúdo onírico manifesto talvez façam alusão. Uma associação de ideias me leva à Inglaterra, à casa de meu irmão, que costumava repreender jocosamente sua mulher com a expressão *fifty years ago*, segundo o título de um poema de Lorde Tennyson, o que as crianças estavam habituadas a retificar dizendo *fifteen years ago*. Mas essa fantasia, que se associa aos pensamentos evocados pela visão do conde Thun, é apenas como a fachada de uma igreja italiana, que não tem ligação orgânica com a construção atrás dela; aliás, diferentemente dessas fachadas, ela é lacunar, confusa, e elementos do interior irrompem em muitos pontos.

---

137. Um erro, mas desta vez não é um lapso! Eu soube mais tarde que o Emmersdorf na região de Wachau não é o mesmo do asilo homônimo do revolucionário Fischhof. [Nota acrescentada em 1925.]

A primeira situação do sonho é uma mistura de várias cenas em que posso decompô-la. A postura orgulhosa do conde no sonho é copiada de uma cena de ginásio, quando eu tinha *quinze anos*. Tínhamos tramado uma conspiração contra um professor antipático e ignorante; a alma dessa conspiração era um colega que desde então parece ter tomado *Henrique VIII* da *Inglaterra* por modelo. Coube-me conduzir o golpe decisivo, e uma discussão sobre a importância do Danúbio para a Áustria (*Wachau!*) foi o ensejo para a revolta declarada. Um dos conspiradores, o único colega aristocrata que tínhamos e cujo apelido era *girafa* devido à sua extraordinária altura, ficou parado do mesmo jeito que o conde no sonho quando o tirano escolar, o professor de *língua alemã*, lhe pediu explicações. A declaração da *flor predileta* e o *ato de colocar algo na lapela*, que também só pode ser uma flor (que lembra as orquídeas que dei a uma amiga no mesmo dia e, além disso, uma rosa-de-jericó), recordam de maneira surpreendente a cena de um drama de Shakespeare que dá início à guerra civil entre a rosa *vermelha* e a *branca*; o que abriu caminho a essa reminiscência foi a menção a *Henrique VIII*. E das rosas aos cravos vermelhos e brancos é só um passo. (Neste ponto, se introduziram alguns versos na análise, em *alemão* e em *espanhol*:

Rosen, Tulpen, Nelken,
alle Blumen welken.

Isabelita, *no llores,*
que se marchitan las flores.[138]

Estes últimos provêm do *Fígaro*.) Em Viena, os cravos brancos se tornaram o distintivo dos *antissemitas*, e os vermelhos, o dos *social-democratas*. Por trás disso, há a lembrança de uma provocação antissemita durante uma viagem de trem pela bela Saxônia (*anglo*-saxões). A terceira cena que forneceu ele-

---

138. "Rosas, tulipas, cravos, / todas as flores murcham"; "*Isabelita*, não chores, / que as flores murcham". (N.T.)

mentos para a formação da primeira situação onírica ocorreu nos meus primeiros tempos de estudante. Numa associação de estudantes *alemães* houve uma discussão acerca das relações entre a filosofia e as ciências naturais. Jovem imaturo que eu era, cheio de teorias materialistas, fui à frente para defender um ponto de vista extremamente unilateral. Um colega superior e mais velho, que desde então tem provado sua capacidade de dirigir pessoas e organizar massas, e cujo nome, aliás, também provém do reino animal[139], se levantou e nos criticou a valer; ele também cuidara de porcos em sua juventude e depois voltara arrependido à casa paterna. *Eu me enfureci* (como no sonho), me tornei *extremamente grosseiro* [*saugrob*, "grosseiro como um porco"] e respondi que, sabendo que ele cuidara de *porcos*, eu *não ficava mais surpreendido* com o tom do seu discurso. (No sonho eu fico *surpreendido* com meus sentimentos nacionalistas.) Grande tumulto; vários colegas me exortam a retirar minhas palavras, mas permaneço firme. O colega ofendido era sensato demais para aceitar a impertinência de uma *provocação* que lhe era dirigida, e deixou o assunto de lado.

Os elementos restantes dessa cena onírica provêm de camadas mais profundas. O que significa a proclamação do conde sobre a unha-de-cavalo? Neste ponto, preciso recorrer a uma cadeia de associações. *Huflattich – lattice – Salat – Salathund* [unha-de-cavalo, alface, salada, cão da salada] (o cão que não permite que outros comam o que ele próprio não come). Podemos entrever aqui um estoque de xingamentos: *girafa, porco, suíno, cachorro*; pelo desvio de um nome, eu também chegaria a um asno e, assim, à zombaria feita a um professor. Além disso, traduzo – não sei se corretamente – *unha-de-cavalo* por *pisse-en-lit*. Sei disso pelo *Germinal*, de Zola, em que se pede às crianças para que busquem essa salada. Em francês, a palavra cão – *chien* – contém uma alusão à função maior (*chier* [cagar], tal como *pisser* [mijar] alude à menor). Logo teremos

---

139. Observam os editores da *Freud-Studienausgabe* que provavelmente se trata do social-democrata austríaco Viktor Adler (1852-1918), cujo sobrenome significa "águia", termo que voltará a aparecer mais abaixo. (N.T.)

a indecência em seus três estados, pois no mesmo *Germinal*, que tem muito a ver com a futura revolução, se descreve uma competição bastante singular relacionada à produção de excreções gasosas chamadas *flatus*.[140] E agora preciso observar que o caminho a esse *flatus* estava traçado com grande antecedência, partindo das *flores*, passando pelos versos *espanhóis*, a *Isabelita*, e chegando a *Isabela* e Fernando; passando por *Henrique VIII* e a história *inglesa* até chegar à luta da Armada contra a Inglaterra, depois de cujo fim vitorioso os ingleses cunharam uma medalha com a seguinte inscrição: Flavit *et dissipati sunt*, visto que a borrasca dispersou a esquadra espanhola.[141] No entanto, eu tinha pensado em usar essa sentença como epígrafe meio brincalhona do capítulo "Terapia", caso algum dia chegasse a dar notícia detalhada de minha concepção e meu tratamento da histeria.

Não posso dar uma solução tão detalhada para a segunda cena do sonho, e isso por considerações de censura. Eu me coloco no lugar de um alto senhor daquela época revolucionária que também teria tido uma aventura com uma *águia*, sofrido de *incontinentia alvi* [incontinência fecal] etc., e acredito que *não estaria autorizado a passar* pela censura *neste ponto*, embora a maior parte dessas histórias me tenha sido contada por um *conselheiro da corte* (*Aula* [salão de atos]*, consiliarius aulicus* [conselheiro áulico]). A série de salas [*Zimmern*] no sonho deve seu estímulo ao vagão-salão de Sua Excelência, no qual pude dar uma olhadela; porém, ela significa, como ocorre tantas vezes nos sonhos, *mulher ordinária* [*Frauenzimmer*] (mulher pública). Com a pessoa da governanta, demonstro minha falta de gratidão pelo tratamento e pelas muitas boas

---

140. Não no *Germinal*, mas em *La Terre*. Um erro que percebo somente depois da análise. – Aliás, chamo a atenção para as letras idênticas em H*uflat*tich e *flatus*.

141. "Ele soprou e eles foram dispersados" (N.T.) – O biógrafo não convidado que encontrei, dr. Fritz Wittels, me critica por ter omitido o nome de Jeová da inscrição acima. [Nota acrescentada em 1925.] A medalha comemorativa inglesa contém o nome de Deus em caracteres hebraicos, e, mais exatamente, sobre o fundo de uma nuvem, mas de tal modo que podemos tomá-lo tanto como parte da imagem quanto da inscrição. [Acréscimo de 1930.]

histórias que me foram oferecidos na casa de uma espirituosa senhora de mais idade. – O trecho com o candeeiro remete a Grillparzer, que registrou uma encantadora experiência de conteúdo semelhante e então a empregou na sua peça sobre Hero e Leandro (*As ondas do mar e do amor* – a Armada e a tempestade).[142]

Também preciso omitir a análise detalhada dos dois fragmentos restantes do sonho; apenas destacarei aqueles elementos que conduzem às duas cenas infantis em razão das quais, no fim das contas, estou comunicando esse sonho. Estará certo quem presumir que se trata de material sexual o que me obriga a essa repressão; não precisamos, porém, nos dar por satisfeitos com essa explicação. Não fazemos segredo para nós mesmos de muitas coisas que precisamos tratar como segredo diante dos outros, e não se trata aqui das razões que me obrigam a ocultar a solução, mas dos motivos da censura interior que escondem o verdadeiro conteúdo do sonho a mim mesmo. Devo dizer, por isso, que a análise permite reconhecer esses três fragmentos de sonho como gabolices impertinentes, como a efusão de uma megalomania ridícula, reprimida há muito tempo em minha vida de vigília, que se atreve a enviar mensageiros isolados ao conteúdo onírico manifesto (*eu me considero muito esperto*) e que com certeza permite compreender perfeitamente minha disposição petulante na tardinha do dia que precedeu o sonho. Na verdade, uma gabolice em todos os âmbitos; a menção a *Graz* se refere à expressão "quanto custa Graz?", com a qual nos deleitamos quando acreditamos ter dinheiro em abundância. Quem quiser pensar na descrição insuperável que mestre Rabelais fez da vida e das façanhas de Gargântua e de seu filho Pantagruel também poderá classificar

---

142. Em um trabalho substancioso (1910), H. Silberer tentou demonstrar que nessa parte do sonho o trabalho onírico não só é capaz de reproduzir os pensamentos oníricos latentes, mas também os processos psíquicos que ocorrem durante a formação do sonho ("o fenômeno funcional"). [Nota acrescentada em 1911.] Opino, porém, que ele deixa de ver que "os processos psíquicos que ocorrem durante a formação do sonho" são para mim um *material* de pensamentos como qualquer outro. Estou evidentemente orgulhoso de haver descoberto esses processos nesse sonho petulante. [Acréscimo de 1914.]

o conteúdo indicado para o primeiro fragmento de sonho entre as gabolices. Mas eis o que pertence às duas prometidas cenas de infância: eu tinha comprado uma mala *nova* para essa viagem, cuja cor, um *castanho-arroxeado*, surge várias vezes no sonho (*violetas castanho-arroxeadas feitas de material rígido*, junto a uma coisa que se chama *pega-moça* – os móveis nas salas do governo). O fato de *chamarmos a atenção das pessoas* com *algo novo* é uma conhecida crença infantil. Quanto à cena seguinte de minha vida infantil, ela me foi contada, e sua lembrança foi substituída pela lembrança da narrativa. Quando eu tinha dois anos de idade, vez por outra ainda *molhava a cama*, e quando fui censurado por isso *consolei* meu pai com a promessa de que em N. (a cidade grande mais próxima) lhe compraria uma cama *nova*, bonita e *vermelha*. (Por isso, no sonho, a intercalação de que *tínhamos comprado* ou *tivemos de comprar* o urinol na cidade; o que se promete, *tem* de ser cumprido.) (Note-se, aliás, a combinação do urinol masculino e da mala feminina, *box*.) Toda a megalomania da criança está contida nessa promessa. A importância das dificuldades urinárias da criança para o sonho já chamou nossa atenção numa interpretação anterior (ver o sonho das p. 222-223). Além disso, as psicanálises de neuróticos nos permitiram reconhecer a íntima relação da enurese com o traço de caráter da ambição. [1914]

No entanto, certa vez, quando eu tinha sete ou oito anos de idade, houve outro aborrecimento doméstico do qual me lembro muito bem. Uma noite, antes de ir dormir, desconsiderei o mandamento da discrição que ordena não fazermos nossas necessidades no quarto dos pais quando eles estiverem presentes, e, na descompostura que me passou por causa disso, meu pai fez a seguinte observação: "Esse garoto nunca será alguém na vida". Isso deve ter sido uma ofensa terrível para minha ambição, pois alusões a essa cena sempre voltam em meus sonhos, em geral ligadas à enumeração de minhas realizações e meus êxitos, como se eu quisesse dizer: "Veja só, eu me tornei alguém na vida". Essa cena infantil fornece o material para a última imagem do sonho, na qual, naturalmente por motivos de vingança, os papéis são trocados. O homem de mais idade, evidentemente meu pai, pois a cegueira de um dos olhos simboliza seu glaucoma unilateral[143], urina agora diante de mim como no passado eu fizera diante dele. Com o glaucoma, eu lhe recordo a cocaína que o ajudou na operação, como se com isso eu tivesse cumprido minha promessa. Além disso, faço troça dele; pelo fato de estar cego, eu preciso lhe segurar o *urinol* [*Glas* = vidro, lente] e me deleito com alusões às minhas descobertas no campo da teoria da histeria, das quais me orgulho.[144]

---

143. Outra interpretação: ele tem só um olho como Odim, o pai dos deuses. – *O consolo de Odim*, romance mitológico do escritor alemão Felix Dahn (1834-1912). – O *consolo* da cena infantil em que eu lhe prometi que compraria uma cama nova.

144. Acrescento aqui algum material interpretativo: o ato de segurar o urinol [*Glas*] faz lembrar a história do camponês que, na ótica, experimenta uma lente [*Glas*] atrás da outra, mas não consegue ler. – (Charlatão [Bauern*fänger*; literalmente, "pega-campônios"] – pega-moças [Mädchen*fänger*], no fragmento de sonho anterior.) – O tratamento que os camponeses dão ao pai que ficou senil em *La Terre,* de Zola. – A triste satisfação de que em seus últimos dias de vida meu pai sujou a cama como uma criança; por isso, no sonho, sou seu *enfermeiro.* – "*Pensar e experimentar são, por assim dizer, a mesma coisa*" faz lembrar um drama de forte acento revolucionário de Oskar Panizza, no qual Deus Pai, na condição de velho paralítico, é tratado de maneira bastante ultrajante; nessa obra consta que para ele vontade e ato são uma coisa só, e seu arcanjo, uma espécie de copeiro dos deuses, precisa impedi-lo de xingar e de praguejar, pois suas maldições se realizariam imediatamente. – Fazer *planos* é uma censura ao meu pai oriunda, de uma época posterior de crítica, assim como todo o conteúdo onírico de rebeldia, lesa-majestade e zombaria contra as altas autoridades remonta a uma rebelião contra meu pai. O príncipe é chamado de pai do país, e o pai é a primeira, a mais antiga e, para a criança, a única autoridade, de cuja plenitude de poderes se derivaram as demais autoridades sociais no curso da história cultural humana (na medida em que o "matriarcado" não nos obrigue a restringir essa asserção). – A formulação "pensar e experimentar são uma coisa só" aponta para a explicação dos sintomas histéricos, com a qual o *urinol masculino* também tem uma relação. Eu não precisaria explicar a um vienense o princípio das "mascaradas artísticas" típicas dessa cidade; ele consiste em produzir objetos de aparência rara e valiosa a partir de material trivial, de preferência cômico e sem valor, por exemplo, armaduras a partir de panelas, esfregões de palha e biscoitos salgados, tal como nossos artistas gostam de fazê-lo em suas noitadas de diversão. Pois bem, observei que os (continua)

Se as duas cenas de micção da infância estão para mim de qualquer maneira estreitamente ligadas ao tema da megalomania, seu despertar durante a viagem a Aussee também foi favorecido pela circunstância casual de que meu compartimento não tinha banheiro e eu precisava estar preparado para entrar em apuros durante o trajeto, o que de fato aconteceu durante a madrugada. Acordei com as sensações da necessidade corporal. Penso que possa haver quem se incline a atribuir a essas sensações o papel de verdadeiro excitador do sonho, porém eu daria preferência a uma outra concepção, a saber, a de que foram os pensamentos oníricos que produziram a vontade de urinar. É bastante incomum que eu seja perturbado por qualquer necessidade durante o sono, pelo menos na hora em que acordei, às quinze para as três da madrugada. Refuto uma objeção adicional com a observação de que em outras viagens, sob condições mais confortáveis, quase nunca percebi a vontade de urinar quando acordei cedo. Aliás, posso deixar esse ponto pendente sem qualquer prejuízo.

Além disso, desde que as experiências da análise onírica chamaram minha atenção para o fato de que mesmo daqueles sonhos cuja interpretação de início parece completa porque as fontes oníricas e o desejo excitador são facilmente comprováveis – para o fato, portanto, de que mesmo desses sonhos partem importantes fios de pensamento que chegam à mais remota infância, tive de me perguntar se essa característica também não constitui uma condição essencial do sonhar. Se me fosse permitido generalizar esse pensamento, eu diria que cada sonho tem uma ligação com as experiências recentes

---

(cont.) histéricos fazem exatamente igual; paralelamente àquilo que de fato lhes ocorreu, eles criam de maneira inconsciente acontecimentos fantasiosos medonhos ou extravagantes, que constroem a partir do material mais inocente e mais banal de suas experiências. Os sintomas dependem dessas fantasias, e não da lembrança dos acontecimentos reais, sejam eles graves ou igualmente inocentes. Essa explicação me ajudou a vencer muitas dificuldades e me causou muita alegria. Pude aludir a ela com o elemento onírico do *urinol masculino* porque me contaram que na última "mascarada artística" expuseram uma taça de veneno de Lucrécia Bórgia cujo núcleo e componente principal era um *urinol masculino*, como os usados nos hospitais.

em seu conteúdo manifesto, mas em seu conteúdo latente se liga a experiências mais antigas, que, na análise da histeria, realmente posso mostrar que permaneceram recentes até o presente no mais verdadeiro sentido da palavra. No entanto, essa hipótese ainda parece bastante difícil de demonstrar; em outro contexto (no capítulo VII), precisarei tratar outra vez do provável papel das experiências mais remotas da infância na formação dos sonhos.

Das três peculiaridades da memória onírica consideradas no início, uma delas – a preferência pelo irrelevante no conteúdo onírico – foi resolvida de maneira satisfatória ao ser explicada pela *distorção onírica*. As outras duas, o destaque dado ao recente e ao infantil, puderam ser confirmadas, mas não pudemos derivá-las dos motivos do sonhar. Queremos manter na memória essas duas características, cuja explicação ou utilização ainda precisamos fazer; elas terão de ser incluídas em outro lugar, seja na psicologia do estado do sono, seja naquelas ponderações acerca da estrutura do aparelho psíquico que faremos posteriormente, quando tivermos observado que por meio da interpretação dos sonhos podemos lançar um olhar ao seu interior como por uma janela.

Outro resultado das últimas análises de sonhos, porém, já quero destacar aqui. O sonho com frequência parece *plurívoco*; como mostram os exemplos, ele não só pode reunir várias realizações de desejo; também pode ocorrer que um sentido, uma realização de desejo, recubra os outros, até que, bem no fundo, topemos com a realização de um desejo da primeira infância, cabendo considerar se nesta frase não é mais acertado substituir o "com frequência" por "sempre".[145]

---

145. A sobreposição de significados do sonho é um dos problemas mais espinhosos, mas também mais ricos da interpretação dos sonhos. Quem se esquecer dessa possibilidade facilmente cometerá enganos e será levado a fazer afirmações insustentáveis sobre a natureza do sonho. No entanto, as investigações sobre esse tema ainda são muito poucas. Até agora, apenas a estratificação simbólica relativamente constante do sonho causado por estímulo urinário foi apreciada a fundo por O. Rank. [Nota acrescentada em 1914.]

C

AS FONTES SOMÁTICAS DO SONHO

Quando se faz a tentativa de conquistar o interesse de um leigo instruído para os problemas do sonho e com esse propósito se pergunta a ele quais seriam, na sua opinião, as fontes de onde provêm os sonhos, na maioria dos casos se observa que o interrogado acredita estar na posse segura dessa parte da solução. Ele mencionará de imediato a influência que uma digestão perturbada ou difícil ("os sonhos provêm do estômago"), eventuais posições do corpo ou pequenos acontecimentos durante o sono têm na formação dos sonhos, e não parece suspeitar que após a consideração de todos esses fatores ainda resta algo que precisa de explicação.

O papel que a literatura científica concede às fontes somáticas de estímulo na formação dos sonhos foi considerado em detalhes no capítulo introdutório (seção C), de modo que agora apenas precisamos nos recordar dos resultados dessa investigação. Tomamos conhecimento de que as fontes somáticas de estímulo são divididas em três categorias: estímulos sensoriais objetivos que procedem de objetos externos, estados internos de excitação dos órgãos sensoriais, de base apenas subjetiva, e estímulos corporais que provêm do interior do corpo. Também notamos a tendência dos autores a deslocar para o segundo plano, ou eliminar inteiramente, as eventuais fontes *psíquicas* do sonho que se acham ao lado dessas fontes somáticas de estímulo (p. 56-58). Ao examinarmos as reivindicações a favor das fontes somáticas de estímulo, tomamos conhecimento de que a importância das excitações *objetivas* dos órgãos sensoriais – em parte estímulos casuais durante o sono, em parte estímulos que não se consegue manter afastados da vida psíquica mesmo quando se está dormindo – é garantida por inúmeras observações e confirmada por experimentos (p. 39-41), de que o papel das excitações sensoriais *subjetivas* parece demonstrado pelo retorno das imagens sensoriais hipnagógicas nos sonhos (p. 47-49) e de que a amplamente aceita derivação de nossas imagens e representações oníricas a partir de um estímulo corporal *interno* não é demonstrável em toda a sua amplitude, mas pode se apoiar na influência universalmente conhecida que o estado de excitação dos órgãos digestivos, urinários e sexuais exerce sobre o conteúdo de nossos sonhos.

O *estímulo nervoso* e o *estímulo corporal* seriam, portanto, as fontes somáticas do sonho, ou seja, de acordo com muitos autores, as únicas fontes do sonho em geral.

No entanto, também já demos atenção a uma série de dúvidas que pareciam atacar não tanto a correção da teoria do estímulo somático, mas muito mais a sua suficiência.

Por mais seguros que todos os defensores dessa teoria tivessem de se sentir quanto a seus fundamentos fatuais – sobretudo na medida em que se consideram os estímulos nervosos acidentais e externos, que não exigem nenhum esforço para serem reencontrados no conteúdo onírico –, nenhum deles se manteve alheio à compreensão de que o rico conteúdo de representações dos sonhos não admite ser derivado apenas de estímulos nervosos externos. A srta. Mary Whiton Calkins (1893) examinou os seus próprios sonhos e os de uma segunda pessoa durante seis semanas a partir desse ponto de vista e descobriu que em apenas 13,2% e 6,7% deles, respectivamente, o elemento da percepção sensorial externa era demonstrável; apenas dois casos da coleção puderam ser derivados de sensações orgânicas. A estatística confirma aquilo que um rápido exame de nossas próprias experiências já permitia supor.

Muitas vezes, os autores se contentaram em destacar o "sonho de estímulo nervoso", como uma subespécie bem investigada, das outras formas de sonhos. Spitta dividiu os sonhos em *sonho de estímulo nervoso* e *sonho de associação*. Era claro, porém, que a solução permanecia insatisfatória enquanto não fosse possível demonstrar o laço entre as fontes oníricas somáticas e o conteúdo de representações do sonho.

Ao lado da primeira objeção, a frequência insuficiente das fontes de estímulo externas, apresenta-se assim uma segunda, a explicação insuficiente do sonho obtida pela introdução dessa espécie de fontes oníricas. Os defensores dessa teoria nos devem duas dessas explicações; a primeira precisaria esclarecer por que o estímulo externo não é reconhecido no sonho em sua real natureza, mas normalmente avaliado de maneira errônea (ver os sonhos provocados por despertadores, p. 43-44), e a segunda, por que o resultado da reação da psique perceptiva a esse estímulo avaliado de maneira errônea pode ter uma variação tão indeterminável. Como resposta a essa pergunta, Strümpell afirmou que a psique não é capaz de dar a interpretação correta do estímulo sensorial objetivo devido ao seu afastamento do mundo externo durante o sono, mas é forçada a formar ilusões com base numa estimulação indeterminada em muitos sentidos, ou, nas suas próprias palavras (1877, p. 108-109):

"Tão logo um estímulo nervoso externo ou interno durante o sono faça surgir na psique uma sensação ou complexo de sensações, um sentimento ou um processo psíquico em geral, e ele seja percebido por ela, tal processo evoca imagens sensíveis do grupo de experiências que a psique conservou da vigília, portanto, percepções anteriores, quer nuas, quer dotadas dos valores psíquicos correspondentes. Esse processo reúne em torno de si, por assim dizer, um número maior ou menor de tais imagens, mediante as quais a impressão proveniente do estímulo nervoso adquire seu valor psíquico. Nesse caso também costumamos dizer, tal como fazemos em relação ao comportamento de vigília, que a psique *interpreta* durante o sono as impressões causadas por estímulos nervosos. O resultado dessa interpretação é o chamado *sonho de estímulo nervoso*, ou seja, um sonho cujos elementos dependem de que um estímulo nervoso exerça seu efeito psíquico na vida anímica segundo as leis da reprodução."

No essencial, é idêntica a essa teoria a afirmação de Wundt de que as representações do sonho se originam – na sua maioria, em todo caso – de estímulos sensoriais, em especial dos cenestésicos, sendo por isso, na maioria dos casos, ilusões fantásticas, e provavelmente apenas na sua menor parte representações mnêmicas puras intensificadas até se tornarem alucinações. Strümpell encontra a imagem perfeita, resultante dessa teoria, para a relação entre o conteúdo do sonho e os estímulos oníricos: seria como "se os dez dedos de uma pessoa completamente ignorante em música corressem sobre as teclas de um instrumento" (1877, p. 84). Assim, o sonho não aparece como um fenômeno psíquico originado de motivos psíquicos, mas como o resultado de um estímulo fisiológico que se manifesta numa sintomatologia psíquica, pois o aparelho atingido pelo estímulo não é capaz de qualquer outra manifestação. Sobre um pressuposto semelhante é construída, por exemplo, a explicação das ideias obsessivas que Meynert procurou dar por meio da famosa imagem do mostrador de relógio em que alguns números se destacam por serem mais abaulados.

Por mais popular que a teoria dos estímulos somáticos do sonho tenha se tornado, e por mais sedutora que pareça, é fácil apontar o seu ponto fraco. Todo estímulo onírico somático que, durante o sono, convoca o aparelho psíquico à interpretação por meio da formação de ilusões pode estimular inúmeras dessas tentativas de interpretação, ou seja, ser substituído no conteúdo onírico por um número extraordinariamente diverso de representações.[146] Contudo, a teoria de Strümpell e de Wundt é incapaz de apontar algum motivo que regule a relação entre o estímulo externo e a representação onírica escolhida para sua interpretação, isto é, de explicar a "estranha escolha" que os estímulos "com bastante frequência fazem em sua atividade produtiva" (Lipps, 1883, p. 170). Outras objeções se dirigem ao pressuposto fundamental de toda a teoria da ilusão,

---

146. Gostaria de indicar a todos a leitura dos dois volumes em que Mourly Vold reúne os protocolos detalhados e precisos de sonhos produzidos experimentalmente para que se convençam da escassa explicação que recebe o conteúdo de cada um desses sonhos nas condições experimentais indicadas e de como é pequena a utilidade desses experimentos para a compreensão dos problemas oníricos. [Nota acrescentada em 1914.]

a saber, que durante o sono a psique não está em condições de reconhecer a verdadeira natureza dos estímulos sensoriais objetivos. O velho fisiólogo Burdach nos prova que também durante o sono a psique é capaz de interpretar corretamente as impressões sensoriais que lhe chegam e de reagir conforme a interpretação correta; ele nos explica que certas impressões sensoriais que parecem importantes ao indivíduo podem ser excetuadas da negligência que ocorre durante o sono (a ama de leite e a criança) e que é muito mais certo sermos acordados quando chamam nosso nome do que por uma impressão auditiva indiferente, o que pressupõe que também durante o sono a psique distinga entre as sensações (capítulo I, p. 76). Burdach conclui dessas observações que cabe supor que durante o estado de sono não há uma *incapacidade de interpretar* os estímulos sensoriais, e sim uma *falta de interesse* por eles. Os mesmos argumentos que Burdach usou em 1830 retornaram depois inalterados na obra de Lipps, em 1883, para combater a teoria dos estímulos somáticos. Assim, a psique se parece com a pessoa da anedota que, ao ser perguntada se estava dormindo, respondeu que não, mas quando lhe pediram que emprestasse dez florins deu a desculpa de que estava dormindo.

A insuficiência da teoria dos estímulos somáticos do sonho também pode ser demonstrada de outra maneira. A observação mostra que os estímulos externos não me obrigam a sonhar, embora esses estímulos apareçam no conteúdo onírico tão logo e caso eu sonhe. Frente a um estímulo tátil ou a um estímulo de pressão que ocorra durante o sono, há diversas reações à minha disposição. Posso ignorá-lo e então descobrir ao acordar que, por exemplo, uma perna estava descoberta ou um braço estava comprimido; a patologia nos mostra, afinal, numerosos exemplos de estímulos sensoriais e motores, dos mais diversos tipos e dotados de grande energia excitadora, que permanecem sem efeito durante o sono. Posso perceber a sensação durante o sono, por assim dizer através dele, como geralmente ocorre com estímulos dolorosos, mas sem entrelaçar a dor num sonho. Em terceiro lugar, posso acordar por causa do estímulo para eliminá-lo.[147] Apenas numa quarta reação possível o estímulo nervoso me leva a ter um sonho; as outras possibilidades, contudo, se realizam pelo menos com a mesma frequência que a formação de sonhos. Esta não poderia ocorrer se o *motivo do sonhar não se encontrasse fora das fontes somáticas de estímulo*.

Numa justa apreciação daquela lacuna, acima exposta, existente na explicação do sonho por estímulos somáticos, outros autores – Scherner, a quem se associou o filósofo Volkelt – procuraram determinar com maior precisão as atividades psíquicas que fazem surgir imagens oníricas variadas a partir de estímulos somáticos, ou seja, deslocaram a essência do sonhar ao *anímico* e a uma atividade psíquica. Scherner não deu apenas uma descrição poeticamente inspirada, ardentemente vivaz, das peculiaridades psíquicas que se desdobram na formação dos sonhos; ele também acreditava haver descoberto o princípio segundo o qual a psique procede com os estímulos que lhe são oferecidos. Segundo Scherner, o trabalho do sonho, numa livre atividade da imaginação desembaraçada de suas cadeias diurnas, se esforça por figurar *simbolicamente* a natureza do órgão do qual provém o estímulo, bem como o tipo de estímulo. Resulta assim uma espécie de livro de sonhos que serve de guia para sua interpretação, e por meio do qual é possível inferir sensações corporais, estados de órgãos e de estímulos a partir de imagens oníricas. "Assim, a imagem do gato expressa mau humor, e a imagem do pastel claro e liso, a nudez do corpo." O corpo humano em seu todo é representado pela imaginação onírica como uma casa, e cada um dos órgãos por uma parte dela. Nos "sonhos de estímulo dental", um vestíbulo de abóboda alta corresponde à cavidade bucal, e uma escada, à descida da faringe ao esôfago; "no 'sonho provocado por dor de cabeça', a posição elevada da cabeça é

---

147. Confira a propósito K. Landauer, "As ações de quem dorme" (1918). Qualquer observador verá que a pessoa que dorme pratica ações evidentes e plenas de sentido. Ela não está inteiramente idiotizada, pelo contrário: ela é capaz de agir de maneira lógica e determinada. [Nota acrescentada em 1919.]

indicada pelo teto de uma sala coberto por aranhas asquerosas semelhantes a sapos". "O sonho escolhe vários desses símbolos para aplicá-los ao mesmo órgão; assim, o pulmão que respira terá como símbolo o fogão chamejante com os seus ruídos; o coração, caixas e cestos vazios; a bexiga, objetos redondos, em forma de saco ou em geral apenas ocos." "De especial importância é o fato de que ao final do sonho muitas vezes o órgão causador ou sua função se apresenta sem disfarces, e na maioria dos casos no próprio corpo do sonhador. Assim, o 'sonho de estímulo dental' termina geralmente com o sonhador extraindo um dente da boca." Não se pode dizer que essa teoria da interpretação dos sonhos tenha encontrado grande aprovação entre os autores. Ela pareceu sobretudo extravagante; inclusive se hesitou em distinguir a parcela de legitimidade que, segundo meu juízo, ela pode reivindicar. Ela conduz, como se vê, à reanimação da interpretação de sonhos por meio do *simbolismo*, da qual se serviam os antigos, com a diferença de que a região em que a interpretação deve ser buscada se limita ao âmbito da corporeidade humana. A falta de uma técnica cientificamente palpável de interpretação deve prejudicar gravemente a aplicabilidade da teoria de Scherner. A arbitrariedade na interpretação não parece de forma alguma excluída, sobretudo porque também nesse caso um estímulo pode se manifestar em múltiplas substituições no conteúdo onírico; assim, já Volkelt, discípulo de Scherner, não pôde confirmar a figuração do corpo como uma casa. Também deve chocar o fato de mais uma vez o trabalho onírico ser imposto à psique como uma atividade inútil e sem propósito, visto que, segundo a teoria em questão, a psique se contenta em fantasiar acerca do estímulo que a ocupa, sem que algo como uma eliminação do estímulo acene à distância.

Há uma objeção, contudo, que atinge seriamente a teoria scherneriana da simbolização dos estímulos corporais pelo sonho. Esses estímulos corporais estão sempre presentes, e a psique, conforme em geral se aceita, é mais acessível a eles durante o sono do que na vigília. Ficamos sem entender, então, por que a psique não sonha continuamente durante a noite toda, e a cada noite com todos os órgãos. Caso alguém quisesse se esquivar dessa objeção mediante a condição de que deveriam partir estimulações especiais dos olhos, ouvidos, dentes, intestinos etc. para despertar a atividade onírica, se encontraria diante da dificuldade de demonstrar que essas intensificações de estímulo são objetivas, o que apenas é possível num pequeno número de casos. Se o sonho de voar fosse uma simbolização dos movimentos de sobe e desce dos pulmões[148] durante a respiração, então, como já observa Strümpell, ele deveria ser sonhado com muito mais frequência, ou uma atividade respiratória intensificada deveria ser demonstrável durante esse sonho. Ainda é possível um terceiro caso, o mais provável de todos, a saber, de que de vez em quando haja motivos para prestar atenção às sensações viscerais presentes de maneira uniforme, mas esse caso já leva além da teoria de Scherner.

O valor das discussões de Scherner e Volkelt se encontra no fato de elas chamarem a atenção para uma série de características do conteúdo onírico que necessitam de explicação e parecem ocultar novos conhecimentos. É perfeitamente correto que os sonhos contenham simbolizações de órgãos corporais e de funções, que a água com frequência indique o estímulo urinário, que o genital masculino possa ser figurado por um bastão ou uma coluna em pé etc. Para sonhos que mostrem um campo visual bastante agitado e cores luminosas, em oposição às cores apagadas de outros sonhos, dificilmente se recusará a interpretação de "sonhos de estímulo visual", como tampouco se contestará a contribuição da formação de ilusões em sonhos que contêm ruído e balbúrdia. Um sonho como o de Scherner, em que duas fileiras de bonitos meninos loiros se encontram frente a frente sobre uma ponte, se atacam mutuamente e depois voltam a assumir a antiga posição, até que o sonhador, por fim, se sente sobre uma ponte e extraia um longo dente de seu maxilar; ou um sonho semelhante de Volkelt, em que duas fileiras de gavetas representam um

---

148. *Lungenflügel*, cuja tradução literal seria "asas do pulmão". (N.R.)

papel e que também termina com a extração de um dente: tais formações oníricas comunicadas em grande abundância por ambos os autores não admitem que joguemos fora a teoria scherneriana como se fosse uma invenção ociosa, sem investigá-la em busca de seu núcleo aproveitável. Coloca-se então a tarefa de apresentar outra espécie de explicação para a suposta simbolização do pretenso estímulo dental.

Durante todo o tempo em que nos ocupamos da teoria das fontes somáticas do sonho, deixei de fazer valer aquele argumento que se deriva de nossas análises de sonhos. Se, mediante um procedimento que outros autores não aplicaram ao seu material de sonhos, pudéssemos provar que o sonho possui um valor próprio como ação psíquica, que um desejo se torna o motivo de sua formação e que as experiências da véspera proporcionam o material imediato para seu conteúdo, então qualquer outra teoria dos sonhos que negligenciasse um procedimento investigativo tão importante e, de acordo com isso, fizesse o sonho parecer uma reação psíquica enigmática e inútil a estímulos somáticos estaria refutada mesmo sem nenhuma crítica especial. Seria preciso, o que é bastante improvável, que houvesse duas espécies de sonhos bem diferentes, das quais uma apenas tivesse ocorrido a nós e a outra apenas àqueles que avaliaram os sonhos antes de nós. Resta apenas arranjar um lugar em nossa teoria dos sonhos para os fatos em que se baseia a teoria corrente dos estímulos somáticos do sonho.

Já demos o primeiro passo para tanto quando apresentamos a tese de que o trabalho do sonho se encontra sob a coação de transformar numa unidade todas as incitações oníricas presentes ao mesmo tempo (p. 199-200). Vimos que se a véspera deixou duas ou mais experiências impressivas, os desejos que delas resultam são reunidos num sonho, e, da mesma forma, que a impressão psiquicamente valiosa e as experiências indiferentes da véspera se associam no material do sonho desde que seja possível produzir representações comunicantes entre ambas. Assim, o sonho parece ser uma reação a tudo aquilo que se encontra simultaneamente presente como atual na psique que dorme. Portanto, até o ponto em que até agora analisamos o material onírico, reconhecemos que ele é uma coleção de restos psíquicos, de traços mnêmicos, à qual (por causa da preferência pelo material recente e pelo material infantil) tivemos de atribuir um caráter de atualidade que por enquanto é psicologicamente indeterminável. Não nos causa muito embaraço prever o que acontecerá se a essas atualidades mnêmicas se juntar novo material de sensações durante o estado de sono. Essas estimulações também adquirem importância para o sonho pelo fato de serem atuais; elas são unidas às outras atualidades psíquicas a fim de fornecer o material para a formação do sonho. Para dizê-lo de outro modo, os estímulos que ocorrem durante o sono são transformados numa realização de desejo, cujos outros elementos são os restos psíquicos diurnos que conhecemos. Essa união não precisa ocorrer *necessariamente*; ficamos sabendo, afinal, que é possível mais de uma espécie de comportamento frente aos estímulos corporais. Quando ela ocorre, é porque foi possível encontrar um material de representações para o conteúdo onírico que constitui uma substituição para ambas as fontes oníricas, tanto as somáticas quanto as psíquicas.

A essência do sonho não é alterada quando material somático se junta às fontes oníricas psíquicas; ele continua sendo uma realização de desejo, pouco importando como sua expressão seja determinada pelo material atual.

Neste ponto, gostaria de abrir espaço para uma série de peculiaridades que, de variadas maneiras, podem moldar a importância dos estímulos externos para o sonho. Imagino que uma combinação de elementos individuais, fisiológicos e casuais, próprios de cada circunstância, decida como iremos nos comportar nos casos particulares de estimulação objetiva mais intensa durante o sono; a profundidade habitual e acidental do nosso sono, em associação com a intensidade do estímulo, possibilitará que, num caso, o estímulo seja reprimido de tal maneira a não perturbar o sono, e, em outro, nos obrigará a acordar ou a apoiar a tentativa de superar o estímulo ao entretecê-lo num sonho. Correspondendo à multiplicidade dessas constelações, os estímulos objetivos externos se expressarão com mais frequência ou mais raridade nos sonhos de uma pessoa do que nos de outra. No meu caso, como durmo muito bem e me empenho com obstinação em não me deixar perturbar por motivo algum durante o sono, a mescla de causas estimuladoras externas nos sonhos é bastante rara, enquanto é manifesto que motivos psíquicos me levam a sonhar com grande facilidade. Na verdade, registrei apenas um único sonho em que se pode reconhecer uma fonte de estímulo objetiva, dolorosa, e precisamente nesse sonho será bastante instrutivo verificar o resultado onírico do estímulo externo.

Monto um cavalo cinzento, de início com receio e sem jeito, como se estivesse apenas apoiado. Então encontro um colega, P., que usa roupa de montar e, em seu cavalo alto, me adverte acerca de alguma coisa (provavelmente, do fato de eu estar mal sentado). Depois, vou me ajeitando cada vez melhor sobre o inteligentíssimo cavalo, estou sentado de maneira confortável e percebo estar bem à vontade em cima dele. Minha sela é uma espécie de almofada que cobre inteiramente o espaço entre o pescoço e a garupa do animal. Cavalgando assim, passo por um triz entre duas carroças. Depois de ter avançado por um trecho da rua, dou meia-volta e quero desmontar, de início diante de uma pequena capela aberta, na fachada que dá para a rua. Depois desço de fato diante de outra capela próxima; o hotel se localiza na mesma rua; eu poderia deixar que o cavalo fosse até lá por conta própria, mas prefiro conduzi-lo. É como se eu fosse me envergonhar por chegar lá a cavalo. Diante do hotel há um funcionário que me mostra um bilhete que encontrei e faz troça de mim por causa disso. No bilhete consta, sublinhado duas vezes: "Não comer", o que é seguido por uma segunda resolução (indistinta)*, algo como: "Não trabalhar"; soma-se a isso a ideia imprecisa de que estou numa cidade estrangeira na qual não trabalho.*

De início, não se perceberá que o sonho surgiu sob a influência, ou antes, sob a coação, de um estímulo doloroso. Na véspera, porém, eu tinha sofrido com furúnculos que transformavam cada movimento numa tortura, e há pouco surgira um furúnculo do tamanho de uma maçã na base do escroto que me causava dores insuportáveis a cada passo; o cansaço febril, a falta de apetite e o dia de trabalho pesado que, apesar disso, cumpri se associaram às dores para perturbar o meu humor. Eu não estava exatamente em condições de dar conta de minhas tarefas médicas, mas, considerando o tipo e a localização do mal, se havia alguma atividade para a qual eu menos pudesse estar capacitado, então era *cavalgar*. Mas o sonho me coloca justo nessa atividade; é a mais enérgica negação do sofrimento que se possa imaginar. De forma alguma sei montar, normalmente também não sonho com isso, estive só uma vez sobre um cavalo, sem sela, e não gostei da experiência. Mas nesse sonho eu cavalgo como se não tivesse nenhum furúnculo no períneo, *e justamente porque não quero tê-lo*. De acordo com a descrição, minha sela é o cataplasma que me permitiu pegar no sono. É provável que durante as primeiras horas de sono – assim protegido – eu nada tenha percebido de minhas dores. Depois de algum tempo, as sensações dolorosas se manifestaram e quiseram me despertar; então chegou o sonho e disse de maneira tranquilizadora: "Pode continuar dormindo, não vá acordar! Não tens furúnculo nenhum, pois afinal estás cavalgando, e quando alguém tem um furúnculo nesse lugar não pode cavalgar!". E ele teve êxito; a dor foi amortecida e continuei a dormir.

Mas, ao fazer com que me agarrasse de maneira obstinada a uma representação incompatível com a dor, o sonho não se satisfez em me "livrar por sugestão" do furúnculo, agindo como o delírio alucinatório da mãe que perdeu seu filho[149] ou do comerciante cujos prejuízos o privaram de sua fortuna; os

---

149. Ver a obra de Griesinger (citada no capítulo I, p. 112) e a observação em meu segundo ensaio sobre as neuropsicoses de defesa (1896 *b*). [Conforme os editores da *Freud-Studienausgabe*, trata-se na verdade de uma observação que consta no primeiro trabalho de Freud sobre esse tema (1894 *a*). (N.T.)]

detalhes da sensação negada e da imagem usada para recalcá-la também lhe servem de material para ligar à situação do sonho e levar à figuração aquilo que está atualmente disponível na psique. Monto um cavalo *cinzento*, cor que corresponde com exatidão à indumentária *cor de sal e pimenta* que o colega P. usava quando o encontrei no campo pouco tempo antes. Segundo me foi dito, a alimentação *fortemente condimentada* fora a causa da furunculose, o que, como etiologia, pelo menos é preferível ao *açúcar*, no qual somos levados a pensar nesses casos. O colega P. gosta de *montar seu cavalo alto*[150] em relação à minha pessoa desde que me substituiu no tratamento de uma paciente com a qual eu havia demonstrado grandes *habilidades* (de início, estou sentado tangencialmente sobre o cavalo como os *habilidosos cavaleiros de circo*), mas que, na verdade, como o cavalo na anedota do cavaleiro de domingo, me levou para onde bem entendia. Assim, o cavalo adquiriu o significado simbólico de uma paciente (no sonho ele é *inteligentíssimo*). *"Eu me sinto bem à vontade em cima dele"* se refere à posição que eu ocupava na casa antes de ser substituído por P. *"Achei que o senhor estivesse bem firme na sela"* foi o que me disse faz pouco tempo com relação a essa mesma casa um de meus poucos protetores entre os grandes médicos desta cidade. Também foi uma demonstração de *habilidade* praticar psicoterapia de oito a dez horas por dia padecendo dessas dores, mas eu sei que sem um completo bem-estar físico não posso continuar meu trabalho particularmente difícil por muito tempo, e o sonho está repleto de alusões sombrias à situação que deve resultar disso (o *bilhete*, tal como os neurastênicos trazem e mostram ao médico): *não trabalhar e não comer*. Prosseguindo com a interpretação, vejo que o trabalho do sonho, partindo da situação do desejo de cavalgar, conseguiu encontrar o caminho até cenas de brigas de infância bastante

---

150. Expressão idiomática que tem o sentido de "demonstrar orgulho, arrogância". Quanto à anedota do cavaleiro de domingo, logo mencionada, é uma alusão ao "famoso princípio de Itzig, o cavaleiro de domingo", que Freud, segundo os editores da *Freud-Studienausgabe*, cita numa carta ao amigo Fliess: "Para onde estás cavalgando Itzig?" – "Sei lá, pergunte ao cavalo". (N.T.)

remotas que devem ter ocorrido entre mim e um sobrinho, aliás um ano mais velho, que agora vive na Inglaterra. Além disso, ele tomou elementos de minhas viagens à Itália; a rua do sonho foi composta a partir de impressões de Verona e de Siena. Uma interpretação que vá ainda mais fundo conduz a pensamentos oníricos sexuais, e me recordo do que significavam para uma paciente que jamais esteve na Itália as alusões oníricas ao belo país (*gen Italien* [rumo à Itália] – *Genitalien* [genitais]), não sem ligação simultânea com a casa na qual fui médico antes do amigo P. e com o lugar em que se encontra meu furúnculo.

Em outro sonho, consegui me defender de maneira parecida de uma perturbação de meu sono que, *desta vez*, o ameaçava provinda de um estímulo sensorial, mas foi apenas um acaso que me colocou em condições de descobrir a conexão do sonho com o seu estímulo casual e, dessa forma, compreendê-lo. Certa manhã, em pleno verão, acordei numa localidade montanhosa do Tirol sabendo ter sonhado *que o papa havia morrido*. Não consegui interpretar esse sonho curto, não visual. Apenas me lembrava de um apoio para o sonho, o fato de pouco tempo antes os jornais terem noticiado um ligeiro mal-estar de Sua Santidade. Mas durante a manhã minha mulher perguntou: "Você ouviu hoje cedo aquele pavoroso repicar de sinos?". Eu nada sabia de tê-lo ouvido, mas então compreendi meu sonho. Ele foi a reação de minha necessidade de dormir ao barulho com que os piedosos tiroleses quiseram me acordar. Vinguei-me deles com a conclusão que constitui o conteúdo do sono e continuei a dormir sem qualquer interesse pelo repicar. [1914]

Entre os sonhos citados nos capítulos anteriores, já se encontram vários que podem servir de exemplo para a elaboração dos chamados estímulos nervosos. O sonho em que bebo água em grandes goles é um desses; nele, o estímulo somático parece ser a única fonte, e o desejo que nasce da sensação – a sede –, o único motivo. O caso é semelhante em outros sonhos simples, quando o estímulo somático por si só pode constituir um desejo. O sonho da paciente que durante a noite arranca o aparelho de resfriamento do rosto mostra uma maneira incomum de reagir a estímulos dolorosos com uma realização de desejo; parece que ela conseguiu se colocar temporariamente em analgesia enquanto atribuía suas dores a um estranho.

Meu sonho com as três Parcas foi um sonho evidente de fome, mas ele soube fazer recuar a necessidade de alimento até o anseio da criança pelo seio materno, aproveitando o apetite inocente para encobrir outro mais sério, que não tem permissão de se manifestar tão sem reservas. No sonho com o conde Thun pudemos ver por que caminhos uma necessidade corporal dada de maneira acidental se liga às mais fortes moções da vida psíquica, que também são as mais fortemente reprimidas. E quando, como no caso relatado por Garnier, o primeiro cônsul entretece num sonho de batalha o ruído de uma máquina infernal que explode, antes de ser por ele acordado, o que aí se manifesta de maneira especialmente clara é o empenho a cujo serviço a atividade psíquica se preocupa com as sensações durante o sono. Um jovem advogado que, inteiramente absorvido pelo seu primeiro grande processo de falência, fazia sua sesta se comportou de maneira muito parecida com a do grande Napoleão. Ele sonhou com um certo G. Reich, de *Hussiatyn*, que conhecera num processo de falência; o nome dessa cidade se impôs de maneira cada vez mais imperiosa, ele precisou acordar e ouviu sua mulher, que estava sofrendo de bronquite, tossir [*husten*] com força. [1909]

Comparemos esse sonho do primeiro Napoleão, que aliás dormia muito bem, com o sonho do estudante dorminhoco que foi despertado por sua governanta para ir ao hospital, sonhou que se encontrava numa cama de hospital e continuou dormindo com a justificativa de que se já estava no hospital não precisava se levantar para ir até lá. Este último é um sonho evidente de comodidade; o estudante admite para si mesmo sem reservas o motivo de seu sonho, mas com isso revela um dos segredos do sonho em geral. Em certo sentido, todos os sonhos são *sonhos de comodidade*; eles servem ao propósito de continuar o sono, em vez de despertar. *O sonho é o guardião do sono, e não o seu perturbador*. Em outro lugar, justificaremos essa concepção no que diz respeito aos fatores psíquicos do despertar, porém sua aplicabilidade ao papel dos estímulos objetivos externos já pode ser fundamentada aqui. Ou a psique absolutamente não se preocupa com os motivos das sensações durante o sono, caso possa se opor à intensidade e ao significado, que lhe é bem conhecido, desses estímulos; ou ela emprega o sonho para negar tais estímulos; ou ainda, em terceiro lugar, quando precisa reconhecê-los, busca interpretá-los de tal modo que apresenta a sensação atual como parte de uma situação desejada e compatível com o sono. A sensação atual é entretecida num sonho *para ser despojada de sua realidade*. Napoleão pode continuar a dormir; o que pretende perturbá-lo é apenas uma lembrança onírica do troar dos canhões em Arcole.[151]

Assim, o desejo de dormir (para o qual o eu consciente se preparou e que, juntamente com a censura onírica e a "elaboração secundária", a ser mencionada adiante, representa sua contribuição ao sonhar) sempre precisa ser levado em conta como motivo para a formação dos sonhos, e todo sonho bem-sucedido é uma realização desse desejo. Em outra discussão, trataremos de como esse desejo de dormir, que é universal, regularmente presente e constante, se relaciona com os outros desejos, dos quais ora um, ora outro é realizado pelo conteúdo onírico. Porém, descobrimos que o desejo de dormir é aquele fator que pode preencher a lacuna na teoria de Strümpell e Wundt, que pode explicar a obliquidade e a volubilidade na interpretação do estímulo exterior. A interpretação correta, da qual a psique em estado de sono certamente é capaz, exigiria um interesse ativo, colocaria a exigência de dar um fim ao sono; por isso, entre as interpretações possíveis, só se admitem aquelas que são compatíveis com a censura absolutista exercida pelo desejo de dormir. Por exemplo:

---

151. As duas fontes pelas quais conheço esse sonho não coincidem em seu relato.

isso é o rouxinol e não a cotovia.[152] Pois se fosse a cotovia, a noite de amor teria chegado ao fim. Entre as interpretações admissíveis do estímulo, escolhe-se aquela que pode obter a melhor ligação com as moções de desejo que espreitam na psique. Assim, tudo é determinado de maneira inequívoca, e nada é deixado ao acaso. A interpretação errônea não é ilusão, e sim – caso se queira dizê-lo dessa forma – subterfúgio. Mas também nesse caso, como na substituição por deslocamento a serviço da censura onírica, cabe reconhecer um ato de violação do processo psíquico normal.

Se os estímulos nervosos externos e os somáticos internos são intensos o bastante a ponto de obterem atenção psíquica, eles constituem – caso seu resultado sejam mesmo sonhos e não o despertar – um ponto fixo para a formação onírica, um núcleo no material onírico para o qual se busca uma realização correspondente de desejo, tal como são buscadas (ver acima) representações conciliadoras entre dois estímulos oníricos psíquicos. Por isso, é correto afirmar que em alguns sonhos o elemento somático comanda o conteúdo onírico. Nesse caso extremo, chega-se mesmo a despertar um desejo não atual para fins de formação onírica. Porém, o sonho não pode fazer outra coisa a não ser figurar a realização de um desejo numa situação; ele se encontra, por assim dizer, diante da tarefa de procurar um desejo que possa ser figurado como realizado pela sensação atual. Se esse material atual tiver caráter doloroso ou desagradável, isso não o torna inutilizável para a formação do sonho. A vida psíquica também dispõe de desejos cuja realização provoca desprazer, o que parece uma contradição mas pode ser explicado pela existência de duas instâncias psíquicas e pela censura existente entre elas.

Conforme vimos, na vida psíquica existem desejos *recalcados* que pertencem ao primeiro sistema e a cuja realização o segundo sistema se opõe. "Existem" não tem o sentido histórico de que tais desejos existiram e depois foram aniquilados; a teoria do recalcamento, de que necessitamos para explicar as

---

152. Alusão a Shakespeare, *Romeu e Julieta*, ato 3, cena 5. (N.T.)

psiconeuroses, afirma que esses desejos recalcados continuam existindo, mas que ao mesmo tempo também há uma inibição pesando sobre eles. A linguagem acerta no alvo quando fala em *reprimir* esses impulsos [*Impulse*]. A organização psíquica com que tais desejos reprimidos impõem sua realização permanece conservada e utilizável. Mas, caso aconteça que um desses desejos reprimidos se realize, a inibição vencida do segundo sistema (capaz de consciência) se manifesta como desprazer. Para concluir essa discussão: se durante o sono existirem sensações de caráter desprazeroso provenientes de fontes somáticas, essa constelação será utilizada pelo trabalho do sonho para figurar a realização – com maior ou menor conservação da censura – de um desejo normalmente reprimido.

Esse estado de coisas torna possível uma série de sonhos de angústia, enquanto outra série dessas formações oníricas contrárias à teoria do desejo revela outro mecanismo. E isso porque a angústia nos sonhos pode ser psiconeurótica, pode provir de excitações psicossexuais, sendo que aí ela corresponde à libido recalcada. Essa angústia, assim como o sonho de angústia em seu todo, tem o significado de um sintoma neurótico, e nos encontramos no limite onde fracassa a tendência realizadora de desejos do sonho. Em outros sonhos de angústia, porém, a sensação de angústia é dada de maneira somática (como, por exemplo, no caso de uma obstrução respiratória ocasional em doentes do pulmão ou do coração) e então utilizada para proporcionar a realização em forma de sonho daqueles desejos energicamente reprimidos cujo sonhar baseado em motivos psíquicos teria por consequência a mesma liberação de angústia. Não é difícil unificar esses dois casos aparentemente separados. Temos aí duas formações psíquicas relacionadas de forma estreita – uma tendência afetiva e um conteúdo de representações –, das quais uma delas, dada no momento atual, também põe a outra em relevo no sonho; ora a angústia dada somaticamente põe em relevo o conteúdo reprimido de representações, ora o conteúdo de representações liberto do recalcamento e dotado de excitação sexual põe em relevo a liberação de angústia. Podemos dizer que no primeiro caso um afeto dado somaticamente é interpretado de maneira psíquica; no segundo, tudo é dado psiquicamente, mas o conteúdo que se encontrava reprimido é substituído com facilidade por uma interpretação somática adequada à angústia. As dificuldades de compreensão que aqui se apresentam pouco têm a ver com o sonho; elas provêm do fato de com essas discussões tocarmos o problema da geração da angústia e o problema do recalcamento.

A cenestesia corporal sem dúvida se encontra entre os estímulos oníricos provenientes do interior do corpo que ocupam uma posição de comando. Não que ela pudesse fornecer o conteúdo do sonho, mas ela impõe aos pensamentos oníricos uma seleção do material que deve servir à figuração no conteúdo onírico, aproximando uma parte desse material, por ser adequada à natureza desse conteúdo, e mantendo a outra afastada. Além disso, essa cenestesia que provém do dia anterior está associada com os restos psíquicos significativos para o sonho. Ao mesmo tempo, ela pode se conservar inclusive no sonho ou então ser superada de tal maneira que, caso seja desprazerosa, se transformará em seu contrário. [1914]

Se as fontes somáticas de estímulo durante o sono – as sensações do sono, portanto – não apresentarem intensidade incomum, elas irão, segundo avalio, desempenhar na formação dos sonhos um papel semelhante ao das impressões recentes, porém indiferentes, do dia. O que quero dizer é que elas serão empregadas na formação dos sonhos quando forem apropriadas para se unir ao conteúdo de representações das fontes oníricas psíquicas, mas não em outro caso. Elas são tratadas como um material barato e disponível a qualquer momento, que é utilizado sempre que se precisa dele, em vez de um material precioso que prescreva o tipo de emprego que dele será feito. O caso é semelhante ao de quando um mecenas leva uma pedra rara ao artista, um ônix, para que faça dela uma obra de arte. O tamanho da pedra, sua cor e suas manchas contribuem para decidir que cabeça ou que cena será representada nela, enquanto no caso de um material uniforme e abundante, como mármore ou arenito, o artista apenas segue a ideia que se formou em sua mente. É só assim que me parece compreensível que não apareça em todos os sonhos e em todas as noites aquele conteúdo onírico fornecido pelos estímulos de nosso corpo que não adquiriram intensidade incomum.[153]

Um exemplo que nos leve de volta à interpretação dos sonhos talvez seja a melhor maneira de explicar minha opinião. Certo dia me esforcei por compreender o que poderia significar a sensação de paralisia, de não poder sair do lugar, não acabar algo etc., sonhada com tanta frequência e aparentada tão de perto com a angústia. Na noite que se seguiu, tive o seguinte sonho: *Com bem pouca roupa, saio de um apartamento térreo e subo as escadas para o andar superior. Ao fazê-lo, subo os degraus de três em três e me alegro por poder subir escadas com tanta agilidade. De repente, vejo que uma empregada desce as escadas e, portanto, que vem em minha direção. Eu me envergonho, quero me apressar, e então surge aquela paralisia, fico grudado nos degraus e não saio do lugar.*

ANÁLISE: a situação do sonho foi tomada da realidade cotidiana. Tenho dois apartamentos num prédio em Viena que são ligados apenas por uma escada externa. Na sobreloja se encontram meu consultório e meu escritório, e, um andar acima, os cômodos residenciais. Quando, tarde da noite, termino meu trabalho, subo pela escada até o quarto de dormir. Antes de ter o sonho, realmente fiz esse caminho curto com as roupas um tanto desarrumadas, ou seja, eu tinha tirado o colarinho, a gravata e os punhos; o sonho fez disso um grau maior, porém indeterminado, de falta de roupa, tal como normalmente acontece. Saltar degraus é a minha maneira habitual de subir escadas, e, aliás, uma realização de desejo já reconhecida no sonho, pois a facilidade com que faço isso me tranquilizou acerca do estado de minha atividade cardíaca. Além disso, essa maneira de subir escadas é um contraste

---

153. Numa série de trabalhos, Rank mostrou que certos sonhos de despertar produzidos por estímulo orgânico (os sonhos de estímulo urinário e os sonhos de polução) são especialmente adequados para demonstrar a luta entre a necessidade de dormir e as exigências da necessidade orgânica, bem como a influência desta sobre o conteúdo onírico. [Nota acrescentada em 1914.]

ativo com a inibição na segunda metade do sonho. Ela me mostra – o que não precisaria ser provado – que o sonho não tem dificuldades em imaginar atividades motoras executadas com toda perfeição; pense-se no voar nos sonhos!

A escada que subo, porém, não é a do meu prédio; de início não a reconheço, somente a mulher que vem ao meu encontro me esclarece acerca do lugar aludido. Essa mulher é a empregada da velha senhora que visito duas vezes por dia para lhe fazer injeções; a escada também é inteiramente semelhante àquela que preciso subir duas vezes por dia no seu prédio.

Pois bem, como essa escada e essa mulher entraram no meu sonho? A vergonha por não estar inteiramente vestido sem dúvida tem caráter sexual; a empregada com quem sonhei é mais velha do que eu, rabugenta e de forma alguma atraente. Sobre essas questões não me ocorre outra coisa senão o seguinte: quando faço minha visita matinal a essa casa, normalmente começo a pigarrear quando estou na escada; o produto da expectoração vai parar nos degraus. Em nenhum dos dois andares há uma escarradeira e defendo o ponto de vista de que a limpeza da escada não deve ser mantida às minhas custas, mas possibilitada pela colocação de uma escarradeira. A zeladora, uma mulher igualmente velha e rabugenta, mas de instintos asseados, conforme estou disposto a lhe conceder, assume outro ponto de vista quanto a esse assunto. Ela fica à espreita para ver se vou me permitir outra vez a mencionada liberdade, e, quando a constata, ouço-a resmungando de maneira clara. Ela também me recusa durante dias a habitual consideração quando nos encontramos. Na véspera do sonho, o partido da zeladora recebeu um reforço da empregada. Eu acabara de fazer rapidamente, como sempre, minha visita à paciente, quando a empregada me deteve no vestíbulo e soltou esta observação: "Bem que hoje o sr. dr. poderia ter limpado as botas antes de entrar no quarto. O tapete vermelho está outra vez completamente imundo dos seus pés". Isso é tudo que escadas e empregadas podem reivindicar para aparecer em meus sonhos.

Há uma relação íntima entre subir as escadas voando e cuspir nos degraus. Tanto o catarro quanto os problemas cardíacos são considerados castigos pelo vício de fumar, em razão do qual, obviamente, também não gozo junto à minha dona de casa a reputação de ser muito simpático, algo que não ocorre numa casa e muito menos na outra, e que o sonho funde numa só formação.

Devo adiar o resto da interpretação até que possa informar a origem do sonho típico de não estar completamente vestido. Como resultado provisório do sonho comunicado, observo apenas que a sensação onírica do movimento paralisado é provocada sempre que um certo contexto necessite dela. Um estado especial de minha motilidade durante o sono não pode ser a causa desse conteúdo onírico, pois um momento antes eu me vi correndo agilmente pelos degraus como que para me certificar desse conhecimento.

D

SONHOS TÍPICOS

De um modo geral, não somos capazes de interpretar um sonho de outra pessoa se ela não quer nos revelar os pensamentos inconscientes que se encontram por trás do conteúdo onírico, algo que prejudica seriamente a aplicabilidade prática de nosso método de interpretação de sonhos.[154] No entanto, em inteira oposição à liberdade habitual do indivíduo para dotar seu mundo onírico de particularidades individuais e assim torná-lo inacessível à compreensão alheia, há um certo número de sonhos que quase todo mundo sonhou da mesma maneira e que estamos acostumados a supor que também têm o mesmo significado para todos. Esses sonhos típicos também despertam um interesse especial porque supostamente provêm das mesmas fontes em todas as pessoas, parecendo portanto especialmente apropriados para nos dar esclarecimentos sobre as fontes dos sonhos.

Portanto, é com expectativas muito especiais que tentaremos aplicar nossa técnica de interpretação a esses sonhos típicos, apenas muito a contragosto confessando a nós mesmos que justamente com esse material nossa arte não dá os melhores resultados. Na interpretação dos sonhos típicos faltam em geral as ideias que ocorrem ao sonhador e que em geral nos levaram à compreensão do sonho, ou elas se tornam obscuras e insuficientes, de modo que não podemos resolver nossa tarefa com a ajuda delas.

---

154. A tese de que nosso método de interpretação de sonhos se torna inaplicável quando não dispomos do material de associações da pessoa que sonha exige o complemento de que há um caso em que nosso trabalho interpretativo é independente dessas associações, a saber, quando ela empregou elementos *simbólicos* no conteúdo onírico. Servimo-nos então, falando estritamente, de um segundo método, um método *auxiliar*, de interpretação de sonhos. [Nota acrescentada em 1925.]

A origem disso e a maneira encontrada para remediar essa falha em nossa técnica serão abordadas mais adiante. Então o leitor também compreenderá por que posso tratar aqui apenas de alguns sonhos do grupo dos sonhos típicos, adiando para um contexto posterior a explicação dos demais.

α. O sonho embaraçoso de nudez

O sonho de estar nu ou com pouca roupa na presença de estranhos também ocorre com o componente de não termos sentido nenhuma vergonha disso etc. Porém, o sonho de nudez apenas nos interessa quando nele sentimos vergonha e embaraço, queremos fugir ou nos esconder e nisso sucumbimos à peculiar inibição de não podermos sair do lugar e nos sentirmos incapazes de modificar a situação desagradável. O sonho é típico apenas quando tem essa composição; o núcleo de seu conteúdo normalmente pode se incluir em todo tipo de combinação ou se ligar com componentes individuais. No essencial, trata-se da sensação desagradável, da natureza da vergonha, de que gostaríamos de ocultar nossa nudez, na maioria dos casos por meio da locomoção, e de não conseguirmos fazê-lo. Acredito que a grande maioria dos meus leitores já terá se encontrado nessa situação em sonhos.

De hábito, o modo dessa nudez é pouco nítido. As pessoas contam, por exemplo, que estavam em mangas de camisa, mas isso raramente é uma imagem clara; na maioria dos casos, a falta de roupa é tão imprecisa que é comunicada por uma alternativa: "Eu estava em mangas de camisa ou vestia roupa de baixo". Em geral, a falta de roupas não é tão séria que pareça justificar a vergonha correspondente. Para quem foi soldado, a nudez com frequência é substituída por alguma irregularidade no uniforme. "Estou na rua sem o sabre e vejo oficiais se aproximando, ou sem gravata, ou uso uma calça civil axadrezada" etc.

As pessoas das quais nos envergonhamos são quase sempre desconhecidos com rostos indeterminados. Jamais ocorre no sonho típico que sejamos censurados ou mesmo apenas notados por causa das roupas que a nós próprios causam tal embaraço. Bem pelo contrário, as pessoas fazem caras indiferentes, ou, como pude perceber num sonho especialmente claro, solenemente rígidas. Isso dá o que pensar.

O embaraço do sonhador e a indiferença das pessoas resultam juntos numa contradição que ocorre com frequência nos sonhos. A única coisa que se ajustaria aos sentimentos do sonhador seria que os estranhos o olhassem com espanto e zombaria ou ficassem indignados com ele. Acredito, porém, que esse aspecto escandaloso é eliminado pela realização de desejo, enquanto o outro, mantido por alguma força, permanece, de modo que as duas partes se ajustam mal. Possuímos um interessante testemunho de que esse sonho, em sua forma parcialmente distorcida pela realização de desejo, não encontrou a compreensão correta. Ele se tornou o fundamento de um conto que todos conhecemos na versão de Andersen ("A roupa nova do imperador") e que recentemente recebeu um tratamento poético por L. Fulda em *Talismã*. No conto de Andersen narra-se a história de dois embusteiros que tecem para o imperador uma túnica preciosa que só pode ser vista pelas pessoas boas e leais. O imperador sai vestido com essa túnica invisível e, intimidadas pelo fato de o tecido ter a qualidade de uma pedra de toque, todas as pessoas agem como se não percebessem a sua nudez.

Mas essa é a situação de nosso sonho. Não é preciso muita ousadia para supor que o conteúdo onírico incompreensível tenha dado um estímulo para a invenção de uma roupagem em que a situação que se apresenta à memória adquira algum sentido. Nisso, tal situação é privada de seu significado original e colocada a serviço de fins estranhos. Porém, ainda ficaremos sabendo que esse mal-entendido do conteúdo onírico ocorre com frequência causado pela atividade mental consciente de um segundo sistema psíquico, e que cabe reconhecê-lo como um fator determinante na configuração final do sonho; além disso, ficaremos sabendo que na formação de ideias obsessivas e fobias, mal-entendidos semelhantes – também na mesma personalidade psíquica – desempenham um papel capital.

Também é possível indicar com relação ao nosso sonho o lugar de onde foi tomado o material para a nova interpretação. O embusteiro é o sonho, o imperador é o próprio sonhador e a tendência moralizante revela uma noção obscura de que no conteúdo onírico latente se trata de desejos ilícitos, sacrificados ao recalcamento. O contexto em que surgem tais sonhos durante minhas análises de neuróticos não deixa dúvida de que na base desse sonho se encontra uma lembrança da primeira infância. Apenas em nossa infância houve um tempo em que éramos vistos com pouca roupa, tanto pelos nossos familiares quanto por enfermeiras desconhecidas, empregadas e visitas, e nessa ocasião não nos envergonhamos de nossa nudez.[155] Em muitas crianças, ainda podemos observar em anos posteriores que sua nudez age sobre elas como uma embriaguez, em vez de levá-las a se envergonhar. Elas dão risada, correm em volta, dão golpes no próprio corpo; a mãe ou quem estiver junto as repreende, dizendo que é feio, que é uma vergonha, que isso não se deve fazer. As crianças mostram com frequência desejos exibicionistas; dificilmente se passará por um povoado em nossa região sem encontrar uma criança de dois ou três anos de idade que não levante suas roupinhas na frente do viajante, talvez em sua honra. Um de meus pacientes conservou em sua memória consciente uma cena de seu oitavo ano de vida em que ele, depois de se despir para ir dormir, quer sair dançando de camisolão até o quarto da irmãzinha, sendo impedido pela empregada. Na história infantil dos neuróticos, o desnudamento diante de crianças do sexo oposto representa um grande papel; na paranoia, o delírio de ser observado enquanto se coloca e se tira a roupa pode ser derivado dessas experiências; entre aqueles que permaneceram perversos, há uma classe, a dos *exibicionistas*, em que o impulso [*Impuls*] infantil foi elevado à categoria de sintoma.

A um olhar retrospectivo, essa infância desprovida de vergonha nos parece um paraíso, e o próprio paraíso não é outra coisa senão a fantasia coletiva acerca da infância do

---

155. Mas a criança também surge no conto, pois nele uma criancinha exclama subitamente: "Mas ele não está vestindo nada!".

indivíduo. É por isso que as pessoas também estão nuas no paraíso e não sentem vergonha umas das outras até chegar um momento em que a vergonha e o medo despertam, ocorre a expulsão e tem início a vida sexual e o trabalho da civilização. O sonho pode nos levar todas as noites de volta a esse paraíso; já apresentamos a hipótese de que as impressões da primeira infância (o período pré-histórico que vai mais ou menos até o terceiro ano completo) exigem reprodução *per se*, talvez sem que seu conteúdo tenha maior importância, e que a repetição dessas impressões é uma realização de desejo. Portanto, os sonhos de nudez são *sonhos de exibição*.[156]

O núcleo do sonho de exibição é formado pela figura da própria pessoa, que não é uma figura de criança, mas é vista tal como é no presente, e pela falta de roupas, que resulta imprecisa devido à sobreposição de várias lembranças posteriores de estar pouco vestido ou devido à censura; somam-se a isso as pessoas de quem nos envergonhamos. Não conheço nenhum exemplo em que os espectadores reais daquelas exibições infantis reapareçam no sonho. Quase nunca o sonho é uma simples recordação. Estranhamente, as pessoas às quais se dirige nosso interesse sexual na infância são omitidas em todas as reproduções do sonho, da histeria e da neurose obsessiva; apenas a paranoia reintegra os espectadores e, embora eles tenham permanecido invisíveis, deduz sua presença com uma convicção fanática. O que o sonho põe em seu lugar, "muitas pessoas desconhecidas" que não dão atenção ao espetáculo oferecido, é realmente a *antítese de desejo* da única e bem conhecida pessoa a quem se oferece o desnudamento. Aliás, "muitas pessoas desconhecidas" também são encontradas com frequência nos sonhos em outro contexto qualquer; elas significam sempre, como antítese de desejo, "segredo".[157]

---

156. Ferenczi comunicou alguns interessantes sonhos de nudez ocorridos a mulheres que podem ser derivados sem dificuldade do prazer infantil de se exibir, mas que diferem em vários aspectos do sonho "típico" de nudez tratado acima. [Nota acrescentada em 1911.]

157. Por razões compreensíveis, a presença de "toda a família" no sonho tem o mesmo significado. [Nota acrescentada em 1909.]

Percebe-se como também a restituição do antigo estado de coisas que ocorre na paranoia leva em conta essa oposição. A pessoa não se encontra mais sozinha, ela é observada com toda certeza, mas os observadores são "muitas pessoas desconhecidas, curiosamente indeterminadas".

Além disso, no sonho de exibição ganha voz o recalcamento. A sensação desagradável do sonho é, afinal, a reação do segundo sistema psíquico ao fato de que o conteúdo da cena de exibição por ele rejeitado ainda assim tenha alcançado representação. Para poupar essa sensação, a cena não deveria ter sido reanimada.

Posteriormente, trataremos outra vez da sensação de estar paralisado. Ela serve no sonho de maneira excelente para figurar o *conflito da vontade*, o *não*. De acordo com o propósito inconsciente, a exibição deve prosseguir, e de acordo com a exigência da censura, deve ser interrompida.

As relações entre nossos sonhos típicos e os contos de fadas e outros materiais literários não são por certo isoladas nem casuais. Vez por outra, o olhar perspicaz de um escritor reconheceu analiticamente o processo de transformação do qual o escritor é instrumento e o seguiu na direção contrária, ou seja, fez o caminho que vai da criação literária ao sonho. Um amigo chamou minha atenção para a seguinte passagem de *Henrique, o verde*, de Gottfried Keller: "Não te desejo, caro Lee, que alguma vez aprendas por experiência própria a verdade maliciosa e seleta da situação de Ulisses quando apareceu nu e coberto de lama diante de Nausícaa e suas companheiras! Queres saber como isso acontece? Consideremos o seguinte exemplo. Se algum dia estiveres longe da tua pátria e de tudo o que amas, vagando por um país estrangeiro, e tiveres visto e experimentado muitas coisas, ficares aflito e preocupado, estiveres miserável e abandonado, sonharás à noite sem falta que estás voltando à tua pátria; tu a verás brilhando e resplandecendo nas mais belas cores, e figuras graciosas, delicadas e queridas virão ao teu encontro; então descobrirás de súbito que estás lacerado, nu e coberto de pó. Vergonha e medo inomináveis tomarão conta de ti, procurarás te cobrir, te esconder, e acordarás banhado em suor. Esse é, desde que há seres humanos, o sonho do homem aflito, jogado de um lado para o outro, e foi assim que Homero tomou aquela situação da natureza mais profunda e eterna da humanidade".

A natureza mais profunda e eterna da humanidade, que o escritor geralmente conta despertar em seu auditório, é constituída por aquelas moções da vida psíquica que se enraízam no período da infância que depois se tornou pré-histórico. Por trás dos desejos irrepreensíveis e passíveis de se tornarem conscientes do expatriado, irrompem no sonho os desejos infantis reprimidos e ilícitos, e é por isso que o sonho que objetiva a lenda de Nausícaa se transforma geralmente em pesadelo.

Meu próprio sonho em que corro pelas escadas, e que pouco depois se transforma num ficar grudado nos degraus, também é um sonho de exibição, visto que apresenta os mesmos componentes essenciais dos sonhos desse tipo. Portanto, deveria ser possível derivá-lo de experiências infantis, e o conhecimento destas deveria explicar em que medida o comportamento da empregada em relação a mim, sua censura de que sujei o tapete, lhe proporcionou a posição que ocupa no sonho. Bem, eu realmente posso apresentar as explicações desejadas. Numa psicanálise, aprendemos a interpretar a proximidade temporal como nexo objetivo; dois pensamentos que se sucedem aparentemente sem nexo pertencem a uma unidade que cabe descobrir, da mesma forma que um *a* e um *o* que escrevo um ao lado do outro devem ser pronunciados como uma sílaba, *ao*. Ocorre a mesma coisa com a relação dos sonhos entre si. O mencionado sonho da escada foi tirado de uma sequência de sonhos cujos outros elos conheço pela interpretação. O sonho que eles envolvem deve pertencer ao mesmo contexto. Bem, o que se encontra na base desses outros sonhos é a lembrança de uma babá que cuidou de mim a partir de algum momento do período de lactância até a idade de dois anos e meio, e da qual também me ficou uma lembrança obscura na consciência. Segundo informações que obtive com minha mãe pouco tempo atrás, ela era velha e feia, mas muito esperta e competente; segundo as conclusões que posso tirar de meus sonhos, ela nem sempre me dispensou o mais carinhoso dos tratamentos e me disse palavras duras quando eu não mostrava compreensão suficiente das instruções de asseio. Portanto, ao se esforçar em dar continuidade a essa obra educativa, a empregada adquire o direito de ser tratada por mim no sonho como encarnação da velha senhora dos tempos pré-históricos da infância. Cabe supor que, apesar dos maus-tratos recebidos da educadora, a criança tenha lhe concedido seu amor.[158]

β. Os sonhos com a morte de pessoas queridas

Outra série de sonhos que podem ser chamados de típicos apresenta em seu conteúdo a morte de um parente querido, dos pais ou irmãos, dos filhos etc. Precisamos dividir de imediato esses sonhos em duas classes, a daqueles em que o luto não nos afeta, de modo que após o despertar nos admiramos com nossa frieza, e a daqueles em que sentimos uma dor profunda acerca do falecimento, chegando inclusive a manifestá-la durante o sono por meio de um choro intenso.

Podemos deixar de lado os sonhos do primeiro grupo; eles não têm nenhum direito de serem considerados típicos. Quando os analisamos, descobrimos que significam coisa diferente daquilo que contêm, que estão destinados a ocultar algum outro desejo. Esse é o caso do sonho da tia que viu o único filho da irmã à sua frente no caixão. Isso não significa que ela deseje a morte do pequeno sobrinho, mas apenas oculta, como ficamos sabendo, o desejo de rever certa pessoa querida após sentir sua falta por longo tempo, a mesma pessoa que numa ocasião anterior, depois de um intervalo igualmente longo, ela tinha revisto junto ao cadáver do outro sobrinho.

---

158. Uma superinterpretação desse sonho: visto que "assombrar" [*Spuken*] é uma atividade dos espíritos, cuspir [*spucken*] na escada nos leva numa tradução livre a *esprit d'escalier*. Isso é o mesmo que falta de espírito, falta de prontidão na resposta, uma censura que realmente tenho de me fazer. Mas será que também faltou "prontidão" [*Schlagfertigkeit* = "prontidão para bater"] à babá?

Esse desejo, que é o verdadeiro conteúdo do sonho, não dá ocasião para o luto, e é por isso que no sonho ele também não é sentido. Percebe-se aqui que o sentimento contido no sonho não pertence ao conteúdo onírico manifesto, mas ao latente, e que o conteúdo de afeto do sonho ficou livre da distorção que atingiu o conteúdo da representação.

É diferente no caso dos sonhos em que é representada a morte de um parente querido e sentimos um afeto doloroso. Tais sonhos, conforme diz seu conteúdo, manifestam o desejo de que a pessoa em questão morra, e, visto que posso esperar que os sentimentos de todos os leitores e de todas as pessoas que tenham tido sonhos semelhantes se oponham à minha interpretação, preciso tentar apresentar a prova sobre a base mais ampla possível.

Já explicamos um sonho que nos ensinou que os desejos figurados como realizados nem sempre são atuais. Eles também podem ser desejos passados, deixados de lado, recorbertos por outros e recalcados, aos quais temos de atribuir uma espécie de sobrevivência apenas por causa de seu reaparecimento no sonho. Eles não estão mortos como entendemos que as pessoas falecidas o estão, mas, como as sombras na *Odisseia*, despertam para uma certa vida tão logo tenham bebido sangue. Naquele sonho da criança morta na caixa, tratava-se de um desejo que fora atual quinze anos antes e naquela ocasião fora confessado abertamente. Talvez não seja indiferente para a teoria do sonho se eu acrescentasse que no fundamento desse desejo também se encontrava uma recordação da mais remota infância. Quando criança pequena – o momento não pôde ser constatado com certeza –, a paciente ouviu dizer que durante a gravidez da qual ela foi fruto, sua mãe caiu numa grave indisposição e desejou ardentemente a morte da criança em seu útero. Quando ela própria se tornou adulta e engravidou, apenas seguiu o exemplo da mãe.

Se, entre manifestações de dor, alguém sonhar que seu pai ou sua mãe, seu irmão ou irmã morreram, jamais usarei esse sonho como prova de que ele lhes deseja a morte *agora*. A teoria do sonho não exige tanto; ela se contenta em concluir que ele – alguma vez na infância – lhes desejou a morte. Temo, porém, que essa restrição ainda contribua muito pouco para acalmar os queixosos; eles poderiam contestar a possibilidade de que alguma vez tenham pensado assim com a mesma energia com que se sentem seguros de não alimentar tais desejos no presente. Por isso, de acordo com os testemunhos que o presente nos oferece, preciso reconstituir uma parte da vida psíquica infantil submergida.[159]

Consideremos em primeiro lugar a relação das crianças com seus irmãos. Não sei por que supomos que essa relação deva ser amável, visto que os exemplos de hostilidade entre irmãos adultos se impõem à experiência de todos nós e visto podermos constatar tantas vezes que essa desavença provém da infância ou existiu desde sempre. Mas também grande número de adultos que hoje se apegam ternamente a seus irmãos e os auxiliam viveram em uma hostilidade quase ininterrupta com eles na sua infância. A criança mais velha maltratou, caluniou e tomou os brinquedos da menor; esta se consumiu em cólera impotente contra a maior, invejando-a e temendo-a, ou dirigiu contra o opressor as primeiras manifestações de seu ímpeto libertário e de sua consciência de justiça. Os pais dizem que as crianças não se toleram, sem conseguir encontrar a razão disso. Não é difícil de ver que mesmo o caráter da criança bem-comportada é diferente daquele que desejaríamos encontrar num adulto. A criança é absolutamente egoísta, sente suas necessidades de maneira intensa e ambiciona de modo implacável sua satisfação, em especial contra seus concorrentes, as outras crianças, e em primeiro lugar contra seus irmãos. Mas não dizemos por isso que a criança é "má", e sim que ela é "difícil"; ela não é responsável por suas más ações diante de nosso juízo e diante do código penal. E isso com razão, pois podemos esperar que ainda dentro de um período que incluímos na infância despertem no pequeno egoísta as moções altruístas e a moral, ou, para usar as palavras de

---

159. Ver, a propósito: "Análise da fobia de um menino de cinco anos" (1909 b) e "Sobre as teorias sexuais infantis" (1908 c). [Nota acrescentada em 1909.]

Meynert, que um eu secundário se sobreponha ao primário e o iniba. A moralidade não surge simultaneamente em todos os aspectos; a duração do período infantil desprovido de moral também tem extensão distinta para cada indivíduo. Quando o desenvolvimento dessa moralidade não ocorre, gostamos de falar de "degeneração"; trata-se, obviamente, de uma inibição do desenvolvimento. Quando o caráter primário já foi recoberto pelo desenvolvimento posterior, ele pode ser outra vez exposto de maneira parcial nos casos de histeria. A coincidência do chamado caráter histérico com o de uma criança difícil é realmente chamativa. Em compensação, a neurose obsessiva corresponde a uma supermoralidade imposta como uma carga de reforço ao caráter primário que voltou a se manifestar.

Portanto, muitas pessoas que hoje amam seus irmãos e que se sentiriam roubadas pela sua morte conservam em seu inconsciente desejos maus contra eles surgidos no passado e que podem se realizar em sonhos. Acerca disso, é especialmente interessante observar o comportamento de crianças pequenas de até três anos de idade ou menos em relação a irmãos menores. Até aquele momento, a criança foi a única; então lhe anunciam que a cegonha trouxe outra. Ela examina o recém-chegado e diz com firmeza: "Pois que a cegonha o leve de volta".[160]

Defendo com toda seriedade a opinião de que a criança sabe avaliar as desvantagens que tem a esperar do estranho. Uma senhora próxima, que hoje se entende muito bem com sua irmã quatro anos mais jovem, me contou que respondeu à notícia de sua chegada com a seguinte reserva: "Mas eu não vou dar o meu gorro vermelho pra ela". Caso a criança descobrisse essas desvantagens apenas mais tarde, sua hostilidade

---

160. O pequeno Hans, de três anos e meio, cuja fobia é objeto de análise da publicação antes mencionada, exclama, em estado febril, pouco depois do nascimento de uma irmã: "Mas eu não quero ter uma irmãzinha!". Em sua neurose, um ano e meio depois, ele confessa sem rodeios o desejo de que a mãe deixe a pequena cair na banheira durante o banho para que morra. Ao mesmo tempo, Hans é uma criança terna e de boa índole que logo passa a gostar dessa irmã e a protege com um gosto especial. [Nota acrescentada em 1909.]

despertaria no momento da descoberta. Conheço o caso de uma menina, que ainda não tinha três anos de idade, que tentou estrangular no berço um bebê de cuja presença posterior ela não pressentia nada de bom. Crianças dessa idade são capazes de sentir ciúme com toda força e clareza. Ou, caso o irmãozinho realmente logo desapareça, a criança tenha outra vez toda a ternura da casa concentrada sobre si e a cegonha traga outro, não é correto que o nosso queridinho engendre em si o desejo de que o novo concorrente tenha o mesmo destino do anterior, de modo que as coisas voltem a ir tão bem para ele como antes e no meio-tempo?[161] Naturalmente, em condições normais esse comportamento da criança em relação aos que nascem depois é uma simples função da diferença de idade. Dado um certo intervalo, já se manifestarão na menina mais velha os instintos maternos em relação ao recém-nascido desamparado.

Sentimentos de hostilidade em relação aos irmãos na infância devem ser ainda muito mais frequentes do que a observação apática dos adultos é capaz de notar.[162]

No caso de meus próprios filhos, que vieram em rápida sequência, perdi a ocasião para semelhantes observações; eu a recupero agora com meu pequeno sobrinho, cujo reinado absolutista foi perturbado depois de quinze meses pelo aparecimento de uma concorrente. É verdade que ouço dizerem

---

161. Essas mortes experimentadas na infância logo podem ser esquecidas pela família, mas a investigação psicanalítica mostra que se tornaram muito importantes para a neurose posterior. [Nota acrescentada em 1914.]

162. Desde a primeira edição deste livro, fez-se grande número de observações, registradas na literatura psicanalítica, referentes ao comportamento originariamente hostil das crianças em relação aos irmãos e a um dos pais. O escritor Carl Spitteler descreveu de maneira especialmente autêntica e ingênua essa atitude típica e infantil, tomada de sua primeira infância: "Aliás, ainda havia um segundo Adolf. Uma criatura pequena que diziam ser meu irmão, mas que eu não compreendia para que pudesse servir; muito menos por que se fazia tanto caso dele quanto de mim. Eu bastava para minhas necessidades, para que precisava de um irmão? E ele não era apenas inútil, mas às vezes até incômodo. Quando eu importunava a avó, ele também queria importuná-la, quando me levavam para passear de carrinho, ele ficava sentado diante de mim e tomava metade do meu espaço, de maneira que tínhamos de nos bater com os pés". [Nota acrescentada em 1914.]

que o jovenzinho se comporta mui cavalheirescamente em relação à irmãzinha, beija sua mão e lhe faz carícias; porém pude me convencer de que já antes de completar seu segundo ano ele utilizava sua capacidade de fala para criticar essa pessoa que só podia lhe parecer supérflua. Sempre que se fala dela, ele se intromete na conversa e exclama mal-humorado: "Muito pequena, muito pequena!". Nos últimos meses, desde que a bebê se livrou desse menosprezo por meio de um desenvolvimento excelente, ele sabe fundamentar de outro modo sua advertência de que ela não merece tanta atenção. Em todas as ocasiões apropriadas, ele lembra que ela não tem dentes.[163] Da menina mais velha de outra irmã minha, todos conservamos a lembrança de como a criança que então tinha seis anos de idade pediu durante uma meia hora que todas as tias lhe confirmassem: "Não é verdade que a Lucie ainda não pode entender isso?". Lucie era a concorrente dois anos e meio mais nova.

Em nenhuma de minhas pacientes, por exemplo, deixei de observar o sonho com a morte de irmãos, que corresponde a uma hostilidade intensificada. Encontrei apenas uma exceção, que facilmente pôde ser reinterpretada como uma confirmação da regra. Quando certa vez durante uma sessão expliquei a uma senhora esses fatos que me pareciam estar na ordem do dia quanto ao seu sintoma, ela respondeu para meu espanto que jamais tivera esses sonhos. Porém ela se lembrou de outro sonho que supostamente nada tinha a ver com isso, um sonho que teve pela primeira vez aos quatro anos de idade, quando era a caçula, e que depois sonhou repetidas vezes. *Uma multidão de crianças, formada por todos os seus irmãos, irmãs, primos e primas, brincava num gramado. De repente, ganharam asas, levantaram voo e sumiram.* Ela não fazia ideia do significado desse sonho; não nos custará reconhecer aí um sonho com a morte de todos os irmãos em sua forma

---

163. O pequeno Hans usa as mesmas palavras para manifestar uma crítica aniquiladora contra sua irmã (1909 *b*). Ele supõe que ela não pode falar por lhe faltarem os dentes. [Nota acrescentada em 1909.]

original, pouco influenciada pela censura. Tomo a liberdade de introduzir a seguinte análise. Quando da morte de uma das crianças do grupo – nesse caso, os filhos de dois irmãos foram criados em comunidade fraternal –, nossa paciente, que ainda não tinha completado quatro anos, perguntou a um adulto sábio: "O que acontece com as crianças quando morrem?". A resposta foi: "Elas ganham asas e viram anjinhos". No sonho que ocorre depois dessa explicação, todos os irmãos têm asas como os anjos, e – o que é o principal – vão embora voando. Nossa pequena fazedora de anjos fica sozinha, imagine-se, a única de todo um grupo desses! O fato de as crianças brincarem num gramado do qual levantam voo aponta quase inequivocamente para borboletas, como se a criança tivesse sido guiada pela mesma associação de ideias que levou os antigos a representar Psique com asas de borboleta.

Talvez alguém objete que cabe reconhecer os impulsos [*Impulse*] hostis das crianças contra seus irmãos; porém, como é que a alma infantil chegaria a esse extremo de maldade que é desejar a morte ao seu concorrente ou ao seu companheiro de brincadeiras mais forte, como se todas as transgressões pudessem ser expiadas apenas por meio da pena de morte? Quem fala assim não considera que a ideia que a criança faz de "estar morto" pouco mais tem em comum com a nossa do que a palavra. A criança nada sabe dos horrores da decomposição, dos calafrios na cova fria, dos pavores do nada infinito que a imaginação do adulto tolera tão mal, como testemunham todos os mitos sobre o além. O medo da morte lhe é estranho, e é por isso que brinca com a horrenda palavra e ameaça outra criança: "Se fizer isso mais uma vez, você vai morrer assim como o Franz", enquanto a pobre mãe, que talvez não seja capaz de esquecer que a maior parte dos nascidos da terra não sobrevive aos anos de infância, sente um arrepio percorrendo seu corpo. Com oito anos de idade, a criança ainda pode dizer à mãe, depois de voltar de uma visita ao Museu de História Natural: "Mamãe, eu gosto tanto de ti; quando você morrer, vou mandar te empalhar e te colocar aqui no quarto pra poder te ver sempre, sempre!". Tão escassa é a semelhança entre a representação infantil da morte e a nossa.[164]

Para a criança que, além disso, tenha sido poupada de ver as cenas de sofrimento que precedem a morte, ter morrido significa o mesmo que "ter ido embora", não perturbar mais os sobreviventes. Ela não distingue entre a maneira que essa ausência ocorre, se por viagem, demissão, afastamento ou morte.[165] Quando, nos seus anos pré-históricos, a babá de uma criança é despedida e a mãe morre algum tempo depois, os dois acontecimentos se sobrepõem numa sequência em sua memória, conforme descobrimos pela análise. O fato de a criança não sentir muito intensamente a falta da pessoa ausente já foi percebido com dor por muita mãe que, depois de uma viagem de férias de várias semanas, voltou para casa e ficou sabendo que as crianças não perguntaram sequer uma vez por ela. Porém, quando ela realmente viajou àquele "país desconhecido do qual nenhum viajante retorna", as crianças de início parecem tê-la esquecido e apenas *posteriormente* começam a se lembrar da falecida.

Portanto, quando uma criança tem motivos para desejar a ausência de outra, nada a impede de dar a esse desejo a forma de um desejo de morte, e a reação psíquica ao sonho

---

164. Para meu espanto, ouvi um menino de dez anos, altamente dotado, dizer o seguinte depois da morte súbita de seu pai: "Posso entender que meu pai tenha morrido, mas não consigo explicar por que ele não vem para casa jantar". [Nota acrescentada em 1909.] Mais material sobre esse tema pode ser encontrado na coluna "Da verdadeira natureza da psique infantil", redigida pela dra. H. von Hug-Hellmuth para a revista *Imago*. [Acréscimo de 1919.]

165. A observação de um pai com conhecimentos de psicanálise também surpreendeu o momento em que sua filhinha de quatro anos, com excelente desenvolvimento intelectual, reconheceu a diferença entre "ter ido embora" e "estar morto". A menina criou problemas para comer e se sentiu observada de maneira desagradável por uma das criadas da pensão. "A Josefine deve morrer", disse por isso ao pai. "Mas por que justamente morrer?", perguntou o pai, apaziguador. "Não basta que ela vá embora?" "Não", respondeu a menina, "pois então ela volta". Para o ilimitado amor-próprio (narcisismo) da criança, qualquer perturbação é um *crimen laesae majestatis* e, tal como a legislação draconiana, o sentimento da criança estabelece para todos esses delitos a única pena que não admite gradações. [Nota acrescentada em 1919.]

de desejo de morte demonstra que, apesar de toda a diferença de conteúdo, o desejo da criança de certa forma é o mesmo que o desejo homólogo do adulto.

Se o desejo da criança de que seus irmãos morram é explicado pelo seu egoísmo, que a leva a compreender seus irmãos como concorrentes, como se deve explicar o desejo da morte dos pais, que lhe dispensam amor e satisfazem suas necessidades, e cuja conservação ela deveria desejar precisamente por motivos egoístas?

Somos levados à solução desse problema pela experiência de que os sonhos com a morte dos pais se referem de modo predominante à parte do casal que partilha o sexo do sonhador, ou seja, de que o homem quase sempre sonha com a morte do pai e a mulher com a morte da mãe. Não posso considerar isso como regra, mas a predominância no sentido mencionado é tão nítida que exige uma explicação mediante um fator de importância geral.[166] É como se – dito de modo grosseiro – uma predileção sexual se declarasse de maneira precoce, como se o menino e a menina vissem respectivamente no pai e na mãe os seus rivais no amor, cuja eliminação só lhes poderia trazer vantagens.

Antes de rejeitarmos essa ideia como monstruosa, talvez possamos considerar também neste caso as verdadeiras relações entre pais e filhos. Cabe distinguir entre o que a exigência civilizada do respeito pede dessa relação e aquilo que a observação cotidiana mostra ocorrer de fato. Na relação entre pais e filhos se oculta mais de um motivo de hostilidade; as condições para a ocorrência de desejos que não conseguem passar pela censura são dadas com grande abundância. Detenhamo-nos de início na relação entre pai e filho. Acredito que a sacralidade que conferimos aos preceitos do decálogo embotou nosso sentido para a percepção da realidade. Talvez mal nos atrevamos a notar que a maior parte da humanidade se

---

166. Esse estado de coisas é frequentemente encoberto pelo surgimento de uma tendência punidora que, numa reação moral, ameaça com a perda do genitor que se ama. [Nota acrescentada em 1925.]

esquiva à obediência do quarto mandamento. Tanto nas mais baixas como nas mais altas camadas da sociedade humana, o respeito aos pais costuma recuar diante de outros interesses. As obscuras notícias das épocas primitivas da sociedade humana que nos chegaram por meio da mitologia e das lendas nos dão uma ideia incômoda da plenitude de poderes do pai e da brutalidade com que era usada. Cronos devora seus filhos, mais ou menos como o javali faz com as crias da sua fêmea, e Zeus castra o pai[167] e se coloca em seu lugar como soberano. Quanto mais irrestrito o domínio do pai na família antiga, tanto mais o filho, destinado a sucedê-lo, deve ter assumido a posição de um inimigo, tanto maior deve ter se tornado a sua impaciência de chegar ao poder por meio da morte do pai. Mesmo em nossa família burguesa, o pai costuma favorecer no filho o desenvolvimento do germe natural de hostilidade que se encontra nessa relação negando-lhe a autodeterminação e os meios necessários para tanto. O médico observa com bastante frequência que a dor que o filho sente pela perda do pai não é capaz de reprimir a satisfação com a liberdade enfim alcançada. Todo pai costuma se agarrar obstinadamente ao resto, bastante ultrapassado em nossa sociedade atual, de *potestas patris familias*, e todo escritor que, como Ibsen, coloca no primeiro plano de suas fábulas a antiquíssima luta entre pai e filho, está seguro do efeito que terá. Os motivos para conflitos entre mãe e filha surgem quando esta cresce e encontra na mãe uma guardiã enquanto aspira por liberdade sexual; a mãe, porém, é advertida pelo florescimento da filha de que chegou o tempo de renunciar a pretensões sexuais.

Todas essas relações são evidentes para qualquer pessoa. Porém, elas não nos ajudam no propósito de explicar os sonhos com a morte dos pais que ocorrem a pessoas cujo respeito por eles se tornou algo inviolável há muito tempo. As discussões precedentes também nos prepararam para o

---

167. Pelo menos em algumas versões do mito. Segundo outras, a castração é praticada apenas por Cronos em seu pai, Urano. Sobre a importância mitológica desse motivo, ver Otto Rank, 1909 [Nota acrescentada em 1909.] e 1912, cap. IX, 2. [Acréscimo de 1914.]

fato de que o desejo de que os pais morram será derivado da mais remota infância.

Com uma segurança que exclui qualquer dúvida, essa hipótese se confirma no caso dos psiconeuróticos submetidos à análise. Aprendemos com tais análises que os desejos sexuais da criança – na medida em que, em estágio embrionário, mereçam esse nome – despertam bastante precocemente e que a primeira inclinação da menina se dirige ao pai e os primeiros apetites infantis do menino à mãe. Com isso, o pai se torna um concorrente incômodo para o menino, a mãe para a menina, e quão pouco basta para que esse sentimento leve ao desejo de morte já explicamos no caso dos irmãos. Em geral, a escolha sexual já se faz valer nos pais; uma tendência natural cuida para que o homem mime as filhinhas e a mulher tome o partido dos filhos, enquanto ambos, quando o fascínio do sexo não perturba seu juízo, agem com rigor na educação dos pequenos. A criança percebe a predileção muito bem e se rebela contra a parte do casal paterno que se opõe a ela. Para a criança, encontrar amor nos adultos não é apenas a satisfação de uma necessidade especial, mas também significa que em todos os outros aspectos se cederá à sua vontade. Assim, ela segue o próprio impulso [*Trieb*] sexual e ao mesmo tempo renova a incitação que parte dos pais quando escolhe um deles no mesmo sentido em que eles o fazem.

A maioria dos sinais dessas inclinações infantis costuma ser ignorada, mas alguns podem ser notados já nos primeiros anos da infância. Uma menina de oito anos que conheço aproveita a ocasião em que a mãe sai da mesa para se proclamar sua sucessora. "Agora eu quero ser a mamãe. Você quer mais verduras, Karl? Pegue, por favor" etc. Uma menina de quatro anos, especialmente dotada e vivaz, em quem essa parte da psicologia infantil é particularmente transparente, diz sem rodeios: "Agora a mamãe pode ir embora, então o papai precisa casar comigo e eu quero ser sua mulher". Na vida infantil, esse desejo não exclui de modo algum que a criança também ame sua mãe com ternura. Quando se permite ao menino pequeno dormir ao lado da mãe assim que o pai sai de viagem, e depois de seu retorno ele precisa voltar ao quarto das crianças para a companhia de uma pessoa que lhe agrada muito menos, é fácil que se forme nele o desejo de que o pai esteja sempre ausente para que possa conservar seu lugar ao lado da querida e bela mamãe, e um meio de alcançar esse desejo é evidentemente a morte do pai, pois uma coisa sua experiência lhe ensinou: pessoas "mortas" – por exemplo, o vovô – estão sempre ausentes, jamais retornam.

Se tais observações em crianças pequenas se submetem de maneira natural à interpretação sugerida, elas certamente não oferecem a convicção plena que as psicanálises de neuróticos adultos impõem ao médico. Nesses casos, a comunicação dos respectivos sonhos ocorre com tais preâmbulos que sua interpretação como *sonhos de desejo* se torna inevitável. Certo dia, encontrei uma senhora aflita e com os olhos inchados de tanto chorar. Ela disse: "Não quero mais ver meus familiares, eles devem ter horror de mim". Depois, quase sem qualquer transição, contou que se lembrava de um sonho cujo significado naturalmente não conhecia. Ela o teve aos quatro anos de idade, e foi assim: *Uma raposa ou um lince passeia sobre o telhado, então algo cai ou ela própria cai e depois a mãe é retirada morta de casa*, enquanto ela chora aflitivamente. Mal acabei de lhe dizer que esse sonho devia significar o desejo infantil de ver sua mãe morta, e que era por causa desse sonho que ela devia achar que os familiares tinham horror dela, quando ela já me forneceu algum material para explicá-lo. "Olho de lince" foi um xingamento que um menino de rua lhe dirigiu certa vez quando ela era bem pequena; quando ela tinha três anos de idade, sua mãe foi atingida por uma telha que caíra do telhado, o que lhe causou um forte sangramento.

Certa vez, tive ocasião de estudar a fundo uma jovem que passou por diversos estados psíquicos. Numa confusão furiosa, com a qual a doença começou, a paciente mostrou uma aversão toda especial pela mãe, batendo nela e xingando-a quando se aproximava da cama, enquanto no mesmo período permaneceu carinhosa e dócil com uma irmã bem mais velha. Seguiu-se um estado de clareza, embora um tanto apático, com sérios distúrbios de sono; foi nessa fase que comecei o tratamento e analisei seus sonhos. Grande número deles tratava de maneira mais ou menos velada da morte da mãe; ora ela presenciava o funeral de uma mulher velha, ora via a si mesma e a sua irmã sentadas à mesa em trajes de luto; não restava dúvida quanto ao sentido desses sonhos. Assim que a recuperação avançou ainda mais, surgiram fobias histéricas; a mais torturante delas era a de que houvesse acontecido algo com a mãe. Onde quer que estivesse, ela precisava voltar depressa para casa a fim de se convencer de que a mãe ainda estava viva. Comparado a minhas experiências habituais, o caso era bastante instrutivo; ele mostrava numa tradução em várias línguas, por assim dizer, diversas maneiras de reação do aparelho psíquico à mesma representação excitadora. No estado de confusão, que compreendo como *sujeição* da segunda instância psíquica pela primeira, normalmente reprimida, a hostilidade inconsciente contra a mãe se tornou motoramente ativa; depois, quando sobreveio o primeiro momento de tranquilidade, a rebelião estava reprimida e o domínio da censura foi restabelecido, ficou aberta a essa hostilidade apenas a região dos sonhos para a realização desse desejo de morte; quando o estado normal se fortaleceu ainda mais, ela criou a preocupação exagerada com a mãe como contrarreação histérica e fenômeno de defesa. Nessa concatenação, não é mais inexplicável por que as jovens histéricas tantas vezes se apegam de maneira tão afetuosa às suas mães.

Noutro caso, tive oportunidade de conhecer a fundo a vida psíquica inconsciente de um homem jovem que, quase incapacitado para a existência pela neurose obsessiva, não podia sair para a rua porque era atormentado pela preocupação de que poderia matar todas as pessoas que encontrasse. Ele passava seus dias reunindo provas para seu álibi caso fosse acusado por algum dos assassinatos ocorridos na cidade. Desnecessário dizer que ele não só tinha um alto padrão moral como também era um homem de refinada cultura. A análise – que aliás levou à sua cura – descobriu que o motivo dessa penosa ideia obsessiva eram os impulsos assassinos [*Mordimpulse*] contra seu pai, um tanto severo demais, e que se manifestaram de maneira consciente, para seu espanto, quando tinha sete anos de idade, mas que provinham, é claro, dos primeiros anos da infância. Depois da doença atroz e da morte do pai, surgiu, aos 31 anos, a censura obsessiva que se transferiu a desconhecidos sob a forma daquela fobia. Quem era capaz de querer empurrar o próprio pai do alto de uma montanha para o abismo com certeza também não pouparia a vida de estranhos; fará bem, então, em se trancar dentro de casa.

Segundo minhas já numerosas experiências, os pais representam o papel principal na vida psíquica infantil de todos os que mais tarde se tornarão psiconeuróticos, e apaixonar-se por um deles e odiar o outro faz parte da reserva permanente de material de moções psíquicas formado nessa época e que é tão importante para a sintomatologia da neurose posterior. Porém, não acredito que neste ponto os psiconeuróticos se distingam muito de outros seres humanos, que permanecem normais, ao serem capazes de criar algo absolutamente novo e que lhes seja peculiar. É bem mais provável, e apoiado por observações ocasionais de crianças normais, que também com esses desejos apaixonados e hostis em relação a seus pais eles apenas nos indiquem por meio de uma ampliação aquilo que ocorre de maneira menos nítida e menos intensa na psique da maioria das crianças. Em apoio a essa descoberta, a Antiguidade nos legou um tema lendário cujo efeito profundo e universal só se torna compreensível mediante uma universalidade semelhante da hipótese da psicologia infantil em discussão.

Refiro-me à lenda do rei Édipo e ao drama homônimo de Sófocles. Édipo, filho de Laio, rei de Tebas, e de Jocasta, é abandonado quando bebê porque um oráculo anunciou ao pai que o filho ainda não nascido seria seu assassino. Ele é salvo e cresce como filho do rei numa corte estrangeira, até que, incerto quanto à sua origem, também interroga o oráculo e dele recebe o conselho de evitar a pátria, pois se tornaria o assassino de seu pai e o marido de sua mãe. No caminho que o leva para longe de sua suposta pátria, ele encontra o rei Laio e o mata numa luta travada rapidamente. Depois chega a Tebas, onde resolve os enigmas da esfinge que obstrui o caminho e, em gratidão por isso, é escolhido rei pelos tebanos e presenteado com a mão de Jocasta. Ele reina por longo tempo em paz e com dignidade, gerando dois filhos e duas filhas com a mãe que não conhece, até que irrompe uma peste que leva os tebanos a interrogarem o oráculo novamente. É neste ponto que começa a tragédia de Sófocles. Os mensageiros trazem a resposta de que a peste cessará quando o assassino de Laio for expulso do país. Mas onde estará ele?

> Onde acharemos
> algum vestígio desse crime muito antigo?[168]

A ação da peça não consiste em outra coisa senão na descoberta gradativa e engenhosamente retardada – comparável ao trabalho de uma psicanálise – de que o próprio Édipo é o assassino de Laio, mas também o filho do assassinado e de Jocasta. Abalado pelo horror que cometera sem saber, Édipo cega a si mesmo e deixa a pátria. O oráculo está cumprido.

Édipo rei é uma chamada tragédia de destino; seu efeito trágico se basearia na oposição entre a vontade prepotente dos deuses e a resistência inútil dos homens ameaçados pela desgraça; com a tragédia, o espectador profundamente comovido aprenderia a se submeter à vontade divina e a reconhecer a própria impotência. Consequentemente, autores modernos tentaram atingir um efeito trágico semelhante ao entretecer a mesma oposição com uma fábula inventada por eles próprios. Só que os espectadores assistiram impassíveis como uma maldição ou um oráculo se cumpria contra homens inocentes apesar de toda a sua resistência; as posteriores tragédias de destino não produziram efeito.

---

168. Sófocles, *Édipo rei*. In: *A trilogia tebana: Édipo rei, Édipo em Colono, Antígona*. Tradução, introdução e notas de Mário da Gama Kury. Rio de Janeiro: Jorge Zahar, 2002. As demais citações de Sófocles provêm dessa mesma edição. (N.T.)

Se *Édipo rei* consegue abalar o homem moderno não menos do que os gregos de sua época, a solução só pode estar no fato de que o efeito da tragédia grega não repousa na oposição entre o destino e a vontade humana, e sim que deve ser buscado na peculiaridade do material em que essa oposição é mostrada. Deve haver uma voz em nosso íntimo que está pronta a reconhecer a força compulsória do destino em *Édipo rei*, enquanto podemos rejeitar determinações como as da peça *A ancestral*, de Grillparzer, ou de outras tragédias de destino, por serem arbitrárias. E semelhante fator realmente se encontra na história do rei Édipo. Seu destino apenas nos comove porque também poderia ter sido o nosso, porque antes de nosso nascimento o oráculo lançou sobre nós a mesma maldição que lançou sobre ele. Talvez todos nós tenhamos sido chamados a dirigir a primeira moção sexual à mãe, o primeiro ódio e desejo violento contra o pai; nossos sonhos nos convencem disso. O rei Édipo, que matou seu pai Laio e casou com sua mãe Jocasta, é apenas a realização dos desejos de nossa infância. Porém, mais afortunados que ele, conseguimos desde então, contanto que não tenhamos nos tornado psiconeuróticos, desprender nossas moções sexuais de nossas mães e esquecer o ciúme em relação aos nossos pais. Recuamos horrorizados diante da pessoa em quem se realizou esse desejo infantil primitivo, e o fazemos com toda a soma de recalcamento que esses desejos sofreram em nosso íntimo desde então. Enquanto o poeta vai trazendo à luz a culpa de Édipo naquela investigação, ele nos força a conhecer nosso próprio íntimo, no qual aqueles impulsos [*Impulse*], embora reprimidos, ainda existem. A contraposição com a qual o coro nos deixa,

> Vede bem, habitantes de Tebas, meus concidadãos!
> Este é Édipo, decifrador dos enigmas famosos;
> ele foi um senhor poderoso e por certo o invejastes
> em seus dias passados de prosperidade invulgar.
> Em que abismos de imensa desdita ele agora caiu!,

é uma advertência que atinge a nós próprios e ao nosso orgulho, a nós que desde os anos de infância nos tornamos tão sábios e tão poderosos, conforme nossa apreciação. Tal como Édipo, vivemos na ignorância de desejos que ofendem a moral, impostos a nós pela natureza, e depois de sua revelação por certo todos gostaríamos de desviar o olhar das cenas de nossa infância.[169]

No próprio texto da tragédia sofocliana há uma indicação inequívoca de que a lenda de Édipo brotou de um material onírico antiquíssimo, cujo conteúdo é essa penosa perturbação da relação com os pais devido às primeiras moções da sexualidade. Jocasta consola Édipo, ainda não esclarecido, mas preocupado pela lembrança do oráculo, mencionando um sonho, que, afinal, tantos homens sonham sem que, acredita ela, tenha qualquer significado:

> Não deve amedrontar-te, então, o pensamento
> dessa união com tua mãe; *muitos mortais*
> *em sonhos já subiram ao leito materno.*
> Vive melhor quem não se prende a tais receios.

O sonho de manter relações sexuais com a mãe, tal como ocorria naquela época, também ocorre hoje a muitos homens, que o contam com indignação e assombro. Ele é, compreensivelmente, a chave da tragédia e a peça complementar do sonho com a morte do pai. A fábula de Édipo é a reação da

---

169. Nenhuma das descobertas da pesquisa psicanalítica provocou uma oposição tão exasperada, uma resistência tão furiosa e... contorções tão divertidas da crítica quanto essa referência às inclinações incestuosas infantis que ficaram conservadas no inconsciente. Pouco tempo atrás, ocorreu inclusive uma tentativa de aceitar o incesto apenas como algo "simbólico", o que contraria toda experiência. Uma engenhosa superinterpretação do mito de Édipo, que se apoia num trecho de uma carta de Schopenhauer, é dada por Ferenczi (1912). [Nota acrescentada em 1914.] – O "complexo de Édipo", abordado pela primeira vez em *A interpretação dos sonhos*, adquiriu mediante estudos posteriores uma importância inesperadamente grande para a compreensão da história humana e do desenvolvimento da religião e da moralidade. (Ver *Totem e tabu*, 1912-1913.) [Acréscimo de 1919.]

fantasia a esses dois sonhos típicos, e, como os sonhos dos adultos são experimentados com sentimentos de repulsa, a lenda precisa incluir pavor e autopunição em seu conteúdo. Os demais aspectos de sua configuração, por sua vez, provêm de uma equívoca elaboração secundária do material que procura colocá-lo a serviço de um propósito teologizante. (Ver o material onírico sobre a exibição, p. 264-266.) A tentativa de unir a onipotência divina com a responsabilidade humana naturalmente está destinada a fracassar nesse material como em qualquer outro.

No mesmo solo de *Édipo rei*, lança raízes outra grande obra trágica, o *Hamlet*, de Shakespeare. Mas no tratamento diferenciado do mesmo material se revela toda a diferença entre a vida psíquica de dois períodos culturais imensamente afastados, o avanço secular do recalcamento na vida psíquica da humanidade. Em *Édipo*, como no sonho, a fantasia de desejo subjacente da criança é trazida à luz e realizada; em *Hamlet* ela permanece recalcada e ficamos sabendo de sua existência – o que é semelhante ao estado de coisas de uma neurose – apenas pelos efeitos inibidores que dela provêm. Curiosamente, o fato de nada sabermos sobre o caráter do herói se mostrou compatível com o efeito avassalador do drama mais moderno. A peça é construída sobre a hesitação de Hamlet em cumprir a tarefa da vingança que lhe coube; o texto não confessa quais são as razões ou motivos dessa hesitação; as mais variadas tentativas de interpretação não foram capazes de apontá-los. Segundo a concepção ainda hoje dominante, estabelecida por Goethe, Hamlet representa o tipo do homem cuja energia sadia foi paralisada pelo desenvolvimento sufocante da atividade do pensamento ("debilitado pela palidez do pensamento"). De acordo com outros, o poeta tentou retratar um caráter patológico, vacilante, que entra no campo da neurastenia. Só que a fábula da peça ensina que Hamlet de modo algum deve nos parecer uma pessoa absolutamente incapaz de ação. Nós o vemos entrar em ação duas vezes, a primeira delas num ataque repentino de fúria, quando abate o espreitador que estava atrás da tapeçaria, e a outra de maneira planejada, inclusive astuta, quando, com a completa falta de escrúpulos de um príncipe renascentista, manda os dois cortesãos para a morte que fora destinada a ele próprio. O que o inibe, portanto, de cumprir a tarefa que o espírito de seu pai lhe colocou? Aqui se apresenta novamente a resposta de que se trata da natureza especial dessa tarefa. Hamlet pode fazer tudo, só não pode se vingar do homem que eliminou seu pai e tomou o lugar dele junto à sua mãe, o homem que lhe mostra a realização de seus desejos infantis recalcados. O horror que deveria movê-lo à vingança é assim substituído por autocensuras, por escrúpulos de consciência que o repreendem porque ele próprio, literalmente, não é melhor do que o pecador que deveria castigar. Dessa forma, traduzi para o consciente aquilo que precisa ficar inconsciente na psique do herói; se alguém quiser chamar Hamlet de histérico, só posso reconhecer isso como consequência de minha interpretação. A aversão à sexualidade manifestada por Hamlet no diálogo com Ofélia está perfeitamente de acordo com isso, a mesma aversão que nos anos seguintes deveria se apossar sempre mais da psique do poeta até alcançar suas expressões culminantes em *Tímon de Atenas*. Naturalmente, só pode ser a própria vida psíquica do poeta que vem ao nosso encontro em *Hamlet*; da obra de Georg Brandes sobre Shakespeare (1896) tomo a observação de que o drama foi escrito logo após a morte de seu pai (1601), portanto, em pleno luto por ele, durante a reanimação, podemos supor, dos sentimentos infantis em relação ao pai. Também é sabido que o filho de Shakespeare falecido prematuramente se chamava Hamnet (semelhante a Hamlet). Assim como *Hamlet* trata da relação do filho com os pais, *Macbeth*, peça escrita mais ou menos na mesma época, repousa sobre o tema da falta de filhos. Aliás, assim como todo sintoma neurótico, e mesmo o sonho, é suscetível de superinterpretação, exigindo-a inclusive para a sua completa compreensão, assim toda autêntica criação poética terá surgido na psique do artista a partir de mais de um motivo e de mais de um estímulo, e admitirá mais de uma interpretação.

Tentei aqui apenas a interpretação da camada de moções mais profunda da psique do artista criador.[170]

Não posso deixar o tema dos sonhos típicos com a morte de entes queridos sem esclarecer com mais algumas palavras a sua importância para a teoria do sonho em geral. Esses sonhos nos mostram realizado o caso verdadeiramente incomum em que o pensamento onírico formado pelo desejo recalcado escapa de toda censura e entra no sonho inalterado. Deve haver condições especiais que permitam esse destino. Vejo dois fatores que favorecem esses sonhos: em primeiro lugar, não há desejo que julguemos mais distante de nós; acreditamos que desejar algo assim não poderia nos ocorrer "nem em sonhos", e por isso a censura onírica não está preparada para essa monstruosidade, mais ou menos como a legislação de Sólon não estabeleceu punição para o parricídio. Em segundo lugar, porém, precisamente neste caso e com especial frequência, vem ao encontro do desejo recalcado e insuspeitado um resto diurno sob a forma de uma *preocupação* com a vida da pessoa querida. Essa preocupação não pode se inscrever de outro modo no sonho a não ser que se sirva do desejo idêntico; o desejo, porém, pode se mascarar com a preocupação que despertou durante o dia. Caso se acredite que tudo isso ocorra de maneira mais simples, que durante a noite e no sonho apenas continuamos o que foi iniciado durante o dia, deixamos os sonhos com a morte de pessoas queridas sem qualquer nexo com a explicação dos sonhos e conservamos de maneira supérflua um enigma que pode muito bem ser resolvido.

---

170. Essas indicações para a compreensão analítica de *Hamlet* foram posteriormente completadas por E. Jones e defendidas contra outras concepções registradas na literatura. (Ver Jones, 1910.) [Nota acrescentada em 1919.] – Entretanto, desde que escrevi isto desconfio da suposição feita acima de que o autor das obras de Shakespeare tenha sido o homem de Stratford. [Acréscimo de 1930.] – Mais esforços para analisar *Macbeth* podem ser encontrados em meu artigo "Alguns tipos de caráter extraídos do trabalho psicanalítico" (1916 *d*) e em L. Jekels (1917). [Acréscimo de 1919.]

Também é instrutivo observar a relação desses sonhos com os sonhos de angústia. Nos sonhos com a morte de pessoas queridas, o desejo recalcado encontrou um caminho pelo qual consegue se esquivar da censura e da distorção causada por ela. Por isso, nunca falta no sonho o fenômeno concomitante da percepção de sensações dolorosas. Da mesma forma, o sonho de angústia apenas ocorre quando a censura é vencida total ou parcialmente e, por outro lado, a sujeição da censura é facilitada quando a angústia já é dada como sensação atual oriunda de fontes somáticas. Assim, torna-se evidente em que sentido a censura exerce sua função, em que sentido pratica a distorção onírica; isso ocorre *para evitar a liberação de angústia ou de outras formas de afeto desagradáveis.*

Numa passagem anterior, fiz menção ao egoísmo da psique infantil, o que retomo agora com o propósito de deixar entrever o nexo de que os sonhos também conservaram esse caráter. Todos eles são absolutamente egoístas, em todos aparece o querido eu, mesmo que disfarçado. Os desejos que são realizados neles em geral são desejos desse eu; se alguma vez o interesse por outra pessoa produziu um sonho, trata-se apenas de uma aparência enganadora. Quero submeter à análise alguns exemplos que contradizem essa afirmação.

I

Um menino que ainda não completara quatro anos contou o seguinte: *Ele viu uma grande travessa enfeitada em que havia um grande pedaço de carne assada; de repente, alguém comeu o pedaço inteiro, sem cortá-lo. Ele não viu a pessoa que comeu o pedaço.*[171]

---

171. O imenso, o abundante, o excessivo e o exagerado dos sonhos também poderiam ser uma característica infantil. A criança não conhece desejo mais ardente que o de crescer, que receber de tudo o mesmo que os adultos; ela é difícil de satisfazer, não conhece nenhum basta, exige insaciavelmente a repetição daquilo que lhe agradou ou de que gostou. Ela só aprende a *moderação*, a contentar-se e a resignar-se, por meio do cultivo da educação. Como é sabido, o neurótico também tende à imoderação e ao excesso.

Quem seria o desconhecido com cuja farta refeição de carne sonha o nosso pequeno? As experiências do dia do sonho devem nos esclarecer acerca disso. Conforme prescrição médica, o menino está sendo submetido há vários dias a uma dieta de leite, mas na noite do dia do sonho ele foi malcriado e, como castigo, ficou sem o jantar. Antes disso, ele já tinha passado certa vez por um jejum semelhante e se portado de maneira bastante valente. Ele sabia que não receberia nada, mas não se atreveu com uma palavra sequer a aludir à fome que sentia. A educação começa a agir nele; ela já se manifesta no sonho, que mostra um princípio de distorção onírica. Não resta dúvida de que ele próprio é a pessoa cujos desejos aspiram por uma refeição tão farta, mais exatamente um assado. Mas, visto que sabe que esta lhe foi proibida, ele não se atreve, como fazem as crianças famintas no sonho (ver o sonho com morangos de minha pequena Anna), a sentar-se ele próprio para comer. A pessoa permanece anônima.

II

Certa vez, sonhei que vi na vitrine de uma livraria um novo volume daquela coleção com encadernação para colecionadores que costumo comprar (monografias sobre artistas, sobre história universal, famosos centros artísticos etc.). *A nova coleção se chama "Oradores (ou discursos) famosos", e o primeiro volume leva o nome do dr. Lecher.*

Na análise, torna-se improvável para mim que a fama do dr. Lecher, o orador interminável da obstrução alemã no parlamento, me ocupe durante os sonhos. O fato é que alguns dias antes aceitei novos pacientes para tratamento psíquico e desde então sou obrigado a falar de dez a onze horas diárias. Dessa forma, portanto, eu próprio sou um orador interminável.

III

Outra vez, sonhei que um professor que conheço dizia em nossa universidade: "Meu filho, o míope". Segue-se então um diálogo consistindo de afirmações e réplicas breves. O sonho ainda tem uma terceira parte em que aparecemos eu e meus filhos, e, para o conteúdo onírico latente, o professor M. e seu filho são apenas testas de ferro que encobrem a mim e a meu filho mais velho. Devido a outra peculiaridade, voltarei a tratar desse sonho mais adiante.

IV

O seguinte sonho dá um exemplo de sentimentos egoístas realmente baixos que se escondem por trás de uma preocupação terna.

Meu amigo Otto não parece bem, seu rosto está marrom e tem olhos esbugalhados.

Otto é o médico de minha família, com quem tenho uma dívida imensa por cuidar há anos da saúde de meus filhos, tratá-los com sucesso quando adoecem e, além disso, presenteá-los em todas as ocasiões em que possa haver um pretexto para tanto. Ele nos visitou no dia do sonho e minha mulher observou que ele parecia cansado e abatido. À noite veio o sonho e lhe emprestou alguns dos sintomas da doença de Basedow. Quem desconsidere minhas regras de interpretação dos sonhos entenderá que nesse sonho estou preocupado com a saúde de meu amigo e que essa preocupação se realiza no sonho. Isso contradiria não só a afirmação de que o sonho é uma realização de desejo, mas também a de que ele apenas é acessível a moções egoístas. Porém, quem for interpretar dessa maneira explique-me então por que temo que Otto esteja com a doença de *Basedow*, para cujo diagnóstico sua aparência não dá o menor motivo. Minha análise, em compensação, oferece o seguinte material, tomado de um acontecimento que se passou seis anos antes. Num pequeno grupo, no qual também se encontrava o professor R., viajávamos em completa escuridão pela floresta de N., a algumas horas de distância de nossa casa de verão. O cocheiro, que não estava inteiramente sóbrio, nos jogou com a carruagem num barranco e tivemos sorte de escapar todos sãos e salvos. No entanto, fomos obrigados a pernoitar na hospedaria mais próxima, onde a notícia de nosso acidente despertou grande simpatia por nós. Um senhor, que apresentava os sintomas inconfundíveis do *morbus Basedowii* – aliás, exatamente como no sonho, apenas a coloração amarronzada da pele do rosto e os olhos esbugalhados, sem bócio –, colocou-se inteiramente à nossa disposição e perguntou o que poderia fazer por nós. O professor R., com seu jeito decidido, respondeu: "Nada, a não ser me emprestar um camisolão". O generoso senhor respondeu: "Lamento, mas não posso fazer isso", e se afastou.

Na continuação da análise, me ocorre que Basedow não é apenas o nome de um médico, mas também o de um famoso pedagogo. (Na vigília, não me sinto agora muito seguro desse conhecimento.) Meu amigo Otto, porém, é a pessoa a quem pedi, caso algo me ocorresse, que cuidasse da educação física de meus filhos, em especial na puberdade (por isso o camisolão). Ao ver no sonho meu amigo Otto com os sintomas daquele nobre ajudante, quero dizer de maneira evidente: "Se algo me ocorrer, ele terá tão pouco a dar a meus filhos quanto daquela vez o barão L., apesar de sua amável oferta". A tendência egoísta desse sonho poderia agora estar clara.[172]

Mas onde se encontra aqui a realização de desejo? Não na vingança contra meu amigo Otto, cujo destino é ser maltratado em meus sonhos, mas na seguinte relação. Ao apresentar Otto

---

172. Quando Ernest Jones, numa conferência científica para uma sociedade norte-americana, falou do egoísmo dos sonhos, uma senhora culta levantou contra essa generalização não científica a objeção de que o autor só poderia julgar acerca dos sonhos dos austríacos, nada devendo dizer sobre os sonhos dos americanos. Quanto à sua pessoa, ela estava segura de que todos os seus sonhos eram rigorosamente altruístas. [Nota acrescentada em 1911.]

Observe-se, aliás, como desculpa para essa senhora orgulhosa de sua raça, que a afirmação de que os sonhos são absolutamente egoístas não deve ser mal compreendida. Visto que tudo o que surge no pensamento pré-consciente pode entrar no sonho (tanto no conteúdo quanto nos pensamentos oníricos latentes), essa possibilidade também está aberta às moções altruístas. Da mesma forma poderá aparecer no sonho uma moção terna ou apaixonada, presente no inconsciente, por outra pessoa. Assim, o que há de correto na afirmação acima se limita ao fato de que entre as incitações inconscientes do sonho se encontram com bastante frequência tendências egoístas que parecem superadas na vida de vigília. [Acréscimo de 1925.]

no sonho como se fosse o barão L., identifiquei ao mesmo tempo minha própria pessoa com outra, a saber, a do professor R., pois afinal peço algo a Otto tal como naquela ocasião R. pediu ao barão L. E esse é o ponto. O professor R., com quem realmente não tenho a ousadia de me comparar, seguiu seu caminho, tal como eu, de maneira independente fora da academia, obtendo apenas tardiamente o título há muito merecido. Portanto, mais uma vez quero ser professor! Mesmo o "tardiamente" é uma realização de desejo, pois quer dizer que viverei tempo suficiente para conduzir, eu mesmo, meus filhos pela puberdade.

γ. Outros sonhos típicos

Acerca de outros sonhos típicos, nos quais se voa com prazer ou se cai com medo, nada sei por experiência própria, devendo tudo o que tenho a dizer sobre eles às psicanálises.[173] Das informações obtidas por meio delas é preciso concluir que esses sonhos também repetem impressões da infância, ou seja, que se referem às brincadeiras de movimento que tanto atraem as crianças. Não há tio que não tenha feito o seu sobrinho voar correndo com ele pela sala com os braços estendidos, ou não tenha brincado de cair com ele enquanto o balançava sobre os joelhos e esticava a perna de súbito, ou não o tenha levantado no ar fazendo repentinamente de conta que quisesse tirar seu apoio. As crianças dão gritos de alegria e pedem incansavelmente pela repetição, em especial quando um pouco de susto e de vertigem se mesclam na brincadeira; anos depois, buscam essa repetição no sonho, só que nele deixam de fora as mãos que as seguravam, de modo que agora flutuam e caem livremente. É conhecida a predileção de todas as crianças pequenas por essas brincadeiras, assim como por

---

173. [Frase presente na edição de 1900 e eliminada das edições posteriores, até 1925. O restante do parágrafo e o parágrafo seguinte foram em 1914 deslocados para o capítulo VI, seção E. A edição de 1930 repete o trecho nos dois capítulos.]

brinquedos como o balanço e a gangorra; quando depois veem acrobacias no circo, a lembrança é renovada.[174] Em muitos meninos, o ataque histérico consiste apenas na reprodução dessas acrobacias, que praticam com grande habilidade. Não é raro que nessas brincadeiras de movimento, no fundo inocentes, também tenham sido despertadas sensações sexuais.[175] Para dizê-lo com uma palavra usual entre nós, que abrange todos esses fatos: esses sonhos de voar, cair, sentir vertigens etc. repetem as "correrias" da infância, cujos sentimentos de prazer agora se transformaram em medo. E, como toda mãe sabe, a correria das crianças na realidade terminou muitas vezes em briga e choradeira.

Tenho portanto boas razões para recusar a explicação de que o estado de nossa sensibilidade cutânea durante o sono, as sensações de movimento de nossos pulmões etc. produzem os sonhos de voar e de cair. Vejo que essas sensações mesmas são reproduzidas a partir da lembrança com a qual o sonho se relaciona – que elas são, portanto, conteúdo onírico, e não fontes do sonho.

No entanto, de forma alguma oculto a mim mesmo que não posso dar uma explicação completa para essa série de sonhos típicos. Precisamente neste ponto meu material me deixou em apuros. Preciso manter o ponto de vista geral de que todas as sensações cutâneas e motoras desses sonhos típicos

---

174. A investigação analítica nos permitiu descobrir que na predileção das crianças por apresentações acrobáticas e na sua repetição no ataque histérico toma parte, além do prazer de órgão, um outro fator, a imagem mnêmica (com frequência inconsciente) de relações sexuais observadas (entre seres humanos ou animais). [Nota acrescentada em 1925.]

175. A propósito disso, um colega jovem e inteiramente livre de neuroses me contou o seguinte: "Sei por experiência própria que ao brincar no balanço durante a infância, e mais exatamente no momento em que o movimento de descida alcançava seu maior ímpeto, eu tinha uma sensação peculiar nos genitais que, embora não fosse propriamente agradável, preciso designar como sensação de prazer". – Ouvi várias vezes de pacientes que as primeiras ereções acompanhadas de sensações prazerosas de que se recordavam ocorreram na infância durante brincadeiras de subir em objetos. – Um resultado absolutamente seguro das psicanálises é o fato de as primeiras moções sexuais com frequência lançarem raízes nas brincadeiras de luta dos anos de infância.

são despertadas tão logo algum motivo psíquico precise delas e que podem ser negligenciadas quando tal necessidade não vem ao seu encontro. A relação com as experiências infantis também me parece ser um resultado seguro das indicações que obtive da análise de psiconeuróticos. No entanto, não sei dizer que outros significados poderiam ter se ligado ao longo da vida à lembrança dessas sensações – talvez eles sejam diferentes para cada pessoa, apesar da aparência típica desses sonhos –, e gostaria muito de poder preencher essa lacuna com a análise cuidadosa de bons exemplos. A quem se admirar por eu me queixar da falta de material, apesar da frequência com que ocorrem precisamente os sonhos de voar, cair, extrair dentes etc., devo explicar que não observei esses sonhos em mim mesmo desde que dou atenção ao tema da interpretação dos sonhos. Os sonhos dos neuróticos que normalmente estão à minha disposição, no entanto, não são todos interpretáveis, e com frequência não o são até o fundo de sua intenção oculta; certa potência psíquica que tomou parte na formação da neurose e voltou à atividade quando da sua dissolução se opõe a que os interpretemos até o último enigma.

δ. O sonho com exames

Todo aquele que tenha concluído o ginásio com o exame final se queixa da insistência com que é perseguido pelo pesadelo de ter sido reprovado, de precisar repetir o ano etc. Para quem tem um título universitário, esse sonho típico é substituído por outro que o censura por não ter passado no exame oral, sonho contra o qual objeta em vão, ainda durante o sono, que já faz anos que ele clinica, é professor auxiliar ou chefe de repartição. São as lembranças indeléveis das punições que sofremos na infância por faltas praticadas que dessa forma se manifestam novamente em nosso íntimo nas duas encruzilhadas de nossos estudos, no *dies irae, dies illa*[176]

---

176. Dia de ira será aquele dia. Palavras iniciais da evocação do dia do Juízo Final no famoso hino atribuído ao monge Tomás Celano (meados do século XIII). (N.T.)

dos exames rigorosos. O "medo de exames" do neurótico também encontra seu reforço nesse medo infantil. Depois que deixamos de ser alunos, não são mais, como de início os pais e educadores, e mais tarde os professores universitários, que se encarregam de nosso castigo; o implacável encadeamento causal da vida assumiu nossa educação posterior e agora sonhamos com o exame final ou o exame oral – e quem, nessas ocasiões, mesmo sendo um justo, não teve medo? – sempre que esperamos ser punidos pelo fracasso por não termos feito algo direito, da maneira devida, sempre que sentimos a pressão de uma responsabilidade.

Devo uma explicação adicional para o sonho com exames a uma observação de um colega conhecedor do assunto, que, numa discussão científica, ressaltou certa vez que, até onde sabia, o sonho com o exame final só ocorria para pessoas que tivessem sido aprovadas nele, jamais para pessoas que tenham fracassado. O assustador sonho com exames, que, como se confirma cada vez mais, ocorre quando esperamos no dia seguinte um resultado que envolve responsabilidade e encerra a possibilidade de um fiasco, teria assim escolhido uma ocasião do passado em que o grande medo se mostrou infundado e foi refutado pelo desfecho. Esse seria um exemplo bastante chamativo de mal-entendido do conteúdo onírico por parte da instância de vigília. A objeção, entendida como uma revolta contra o sonho, de que "já sou médico etc.", seria na realidade o consolo dado pelo sonho e que poderia ser expresso nas seguintes palavras: "Não tenha medo do amanhã; pense no medo que tiveste do exame final e, no entanto, nada te aconteceu. Hoje tu já és médico etc.". O medo, porém, que atribuímos ao sonho provém dos restos diurnos.

Os testes a que pude submeter essa explicação, tanto no meu caso quanto no de outras pessoas, ainda que não tenham sido suficientemente numerosos, foram bem-sucedidos. Fui reprovado, por exemplo, na prova oral de medicina legal; esse tema nunca me ocupou nos sonhos, enquanto sonhei muitas vezes com exames de botânica, zoologia ou química, matérias em que fui fazer as provas com um medo bem fundamentado, mas escapei da punição pelo favor do destino ou do examinador. No sonho com o exame ginasial, sou normalmente examinado em história, disciplina em que passei brilhantemente, mas apenas porque meu amável professor – o médico caolho de outro sonho, ver p. 31 – não ignorou que na folha com as perguntas que lhe devolvi eu tinha riscado a segunda das três questões com a unha como advertência para que não insistisse nela. Um de meus pacientes, que desistiu do exame final do ginásio e o recuperou mais tarde, mas que foi reprovado no exame da academia militar e não se tornou oficial, me contou que sonha muitas vezes com o primeiro desses exames, mas jamais com o último. [1909]

Os sonhos com exames colocam à interpretação a mesma dificuldade que anteriormente indiquei ser característica da maioria dos sonhos típicos. É raro que o material de associações que o sonhador coloca à nossa disposição seja suficiente para a interpretação. Uma melhor compreensão desses sonhos precisa ser extraída de um grande número de exemplos. Pouco tempo atrás, adquiri a impressão segura de que a objeção "tu já és médico etc." não esconde apenas um consolo, mas também indica uma censura. Ela seria a seguinte: "Com essa idade, com essa experiência de vida, e tu ainda fazes essas bobagens, essas criancices". Essa mistura de autocrítica e consolo corresponderia ao conteúdo latente dos sonhos com exames. Não seria estranho que as censuras por causa das "bobagens" e "criancices" se relacionassem, nos últimos exemplos analisados, à repetição de atos sexuais repreensíveis. [1914]

W. Stekel, que ofereceu a primeira interpretação do "sonho com exames", defende a opinião de que ele geralmente se refere a experiências sexuais e à maturidade sexual. Minha experiência pôde comprovar isso muitas vezes. [1925]

VI

O TRABALHO DO SONHO

Todas as tentativas feitas até hoje para resolver os problemas do sonho partiam diretamente do conteúdo onírico *manifesto* dado na memória, esforçando-se para obter a partir dele a interpretação do sonho ou, quando renunciavam a uma interpretação, para fundamentar seu juízo sobre o sonho por referência a esse conteúdo. Somos os únicos a nos defrontar com outros fatos; para nós, um novo material psíquico se introduz entre o conteúdo onírico e os resultados de nossa observação: o conteúdo onírico *latente* – ou os pensamentos oníricos – obtido pelo nosso método. Foi a partir desses pensamentos, e não do conteúdo onírico manifesto, que desenvolvemos a solução do sonho. Por isso também se apresentou a nós uma nova tarefa que antes não existia, a de investigar as relações do conteúdo onírico manifesto com os pensamentos oníricos latentes e pesquisar os processos que levaram estes a se transformar naquele.

Os pensamentos oníricos e o conteúdo onírico se mostram a nós como duas figurações do mesmo conteúdo em duas línguas diferentes, ou melhor, o conteúdo onírico se apresenta a nós como uma tradução[177] dos pensamentos oníricos numa outra forma de expressão, cujos signos e leis sintáticas devemos chegar a conhecer pela comparação entre o original e a tradução. Os pensamentos oníricos são facilmente compreendidos tão logo tomemos conhecimento deles. O conteúdo onírico se apresenta numa espécie de pictografia, cujos signos cabe traduzir um a um na linguagem dos pensamentos oníricos. Cometeríamos um engano evidente se quiséssemos ler esses signos segundo seu valor imagético em vez de fazê-lo de acordo com sua relação sígnica. Vamos supor que eu tenha

---

177. *Übertragung*: o mesmo termo é empregado por Freud como "transferência", o motor de uma psicanálise. (N.R.)

diante de mim um enigma figurado (rébus): uma casa sobre cujo teto se vê um barco, ao lado uma letra isolada e ao lado dela uma figura decapitada a correr etc. Eu poderia criticar essa composição e seus elementos declarando que são absurdos. O teto de uma casa não é lugar para um barco e uma pessoa sem cabeça não pode correr; além disso, a pessoa é maior do que a casa, e se isso tudo deve figurar uma paisagem, letras isoladas não se encaixam, pois afinal elas não são encontradas na natureza. A avaliação correta do rébus evidentemente só ocorrerá se eu não levantar essas objeções contra o todo e suas partes, mas me esforçar em substituir cada imagem por uma sílaba ou uma palavra que, por meio de uma relação qualquer, possa ser figurada pela imagem. As palavras assim combinadas não carecem mais de sentido, mas podem resultar na mais bela e mais profunda das sentenças poéticas. O sonho é um enigma figurado desse tipo, e nossos precursores no campo da interpretação dos sonhos cometeram o erro de julgar o rébus como uma composição gráfica. Como tal, lhes pareceu absurdo e sem importância.

A

O TRABALHO DE CONDENSAÇÃO

A primeira coisa que fica clara ao investigador quando compara o conteúdo onírico com os pensamentos oníricos é o fato de aí ter ocorrido um imenso *trabalho de condensação*. O sonho é curto, pobre e lacônico se comparado à extensão e à riqueza dos pensamentos oníricos. Quando anotado, o sonho preenche meia página; a análise que contém os pensamentos oníricos necessita de seis, oito ou doze vezes mais espaço. Essa relação é variável para sonhos distintos; porém, até onde pude verificar, seu sentido nunca muda. Em geral, subestimamos a medida de compressão ocorrida, pois consideramos que os pensamentos oníricos trazidos à luz constituem o material completo, enquanto trabalhos de interpretação posteriores podem descobrir novos pensamentos escondidos por trás do sonho. Já tivemos ocasião de assinalar que jamais estamos realmente seguros de ter interpretado um sonho na íntegra; mesmo quando a solução parece satisfatória e sem lacunas, sempre resta a possibilidade de que outro sentido se manifeste por meio do mesmo sonho. Portanto, a *cota de condensação* – estritamente falando – é indeterminável. Contra a afirmação de que da desproporção entre o conteúdo onírico e os pensamentos oníricos cabe concluir que na formação do sonho ocorre uma considerável condensação de material psíquico – contra essa afirmação se poderia levantar uma objeção que à primeira vista parece bastante sedutora. Muitas vezes temos a sensação de haver sonhado muito durante toda a noite e depois esquecido a maior parte. O sonho de que nos lembramos ao acordar seria então apenas um resto do trabalho onírico total, e este, se pudéssemos recordá-lo na íntegra, talvez equivalesse em extensão aos pensamentos oníricos. Há certamente um quê de verdade nisso; não nos enganamos na observação de que um sonho é reproduzido da maneira mais fiel quando tentamos recordá-lo logo após o despertar e de que sua recordação se torna sempre mais e mais lacunosa ao longo do dia. Contudo, por outra parte, podemos reconhecer que a sensação de termos sonhado muito mais do que podemos reproduzir repousa com bastante frequência sobre uma ilusão, cuja origem deverá ser explicada mais adiante. Além disso, a hipótese de uma condensação no trabalho do sonho não é afetada pela possibilidade de se esquecer o sonho, pois é demonstrada pelas massas de representações referentes a cada um dos fragmentos oníricos conservados. Caso uma grande parte do sonho tenha de fato se perdido para a memória, o acesso a uma nova série de pensamentos oníricos nos permanecerá bloqueado. Não há nada que justifique a expectativa de que os fragmentos oníricos naufragados também se referissem àqueles pensamentos que já conhecemos pela análise daqueles fragmentos que se conservaram.[178]

Em vista do grande número de ideias fornecidas pela análise a propósito de cada um dos elementos do conteúdo onírico, muitos leitores manifestarão a seguinte dúvida fundamental: é lícito incluir entre os pensamentos oníricos tudo aquilo que vem à mente de alguém *a posteriori* durante a análise, ou seja, é lícito supor que todos esses pensamentos já estiveram ativos durante o estado de sono e tomaram parte na formação do sonho? Não teriam, pelo contrário, surgido durante a análise novas associações de pensamento que não participaram na formação do sonho? Posso fazer coro a essa dúvida apenas com restrições. É sem dúvida correto que algumas associações de pensamento surgem apenas durante a análise, mas sempre podemos nos convencer de que essas novas associações apenas se produzem entre pensamentos que já estavam ligados de outra maneira nos pensamentos oníricos; as novas associações são por assim dizer circuitos paralelos, curtos-circuitos, possibilitados pela existência de vias de

---

178. Referências à condensação no sonho são encontradas em inúmeros autores. Du Prel afirma em dada passagem (1885, p. 85) que é absolutamente certo que ocorreu um processo de condensação das séries de representações. [Nota acrescentada em 1914.]

ligação diferentes e mais profundas. Precisamos reconhecer que a maioria das massas de pensamento descobertas durante a análise já estava ativa na formação do sonho, pois quando chegamos ao fim de uma dessas cadeias de pensamento que não parecem ter ligação com a formação do sonho, topamos de súbito com um pensamento que, representado no conteúdo onírico, é imprescindível para a interpretação do sonho e, no entanto, não era acessível de outro modo senão por meio daquela cadeia de pensamentos. Confira-se a propósito disso, por exemplo, o sonho da monografia botânica, que aparece como o resultado de uma espantosa operação de condensação, embora eu não tenha comunicado sua análise completa.

Mas como devemos imaginar então o estado psíquico que, durante o sono, precede o sonhar? Os pensamentos oníricos se encontram todos lado a lado ou são percorridos sucessivamente? Ou várias cadeias simultâneas de pensamento se formam em centros diversos e se reúnem depois? Acho que ainda não é necessário elaborar uma representação plástica do estado psíquico no momento da formação dos sonhos. Apenas não esqueçamos que se trata de um pensamento *inconsciente* e que o processo pode muito bem ser distinto daquele que percebemos em nós na reflexão intencional, acompanhada pela consciência.

Porém, o fato de a formação do sonho repousar sobre uma condensação se encontra firmemente estabelecido. No entanto, como se realiza essa condensação?

Quando consideramos que apenas a menor parte dos pensamentos oníricos encontrados está representada no sonho por meio de um elemento de representação, deveríamos concluir que a condensação ocorre pela via da *omissão*, uma vez que o sonho não é uma tradução fiel, ou uma projeção ponto por ponto, dos pensamentos oníricos, e sim uma reprodução extremamente incompleta e lacunar deles. Essa perspectiva, como logo descobriremos, é muito deficiente. No entanto, apoiemo-nos nela para começar e continuemos perguntando: se apenas poucos elementos dos pensamentos oníricos alcançam o conteúdo do sonho, quais as condições que determinam sua escolha?

Para obter esclarecimento acerca disso, voltemos nossa atenção aos elementos do conteúdo onírico que devem ter preenchido as condições buscadas. Um sonho para cuja formação contribuiu uma condensação particularmente intensa será o material mais propício a essa investigação. Eu escolho

I

O SONHO DA MONOGRAFIA BOTÂNICA

comunicado na p. 190 e segs.

Conteúdo onírico: *Escrevi uma monografia sobre uma espécie (indeterminada) de planta. O livro está diante de mim e folheio uma lâmina colorida dobrada. O exemplar é acompanhado por um espécime dessecado da planta.*

O elemento mais chamativo desse sonho é a *monografia botânica*. Esta provém das impressões do dia do sonho; na vitrine de uma livraria, vi de fato uma *monografia sobre o gênero Cyclamen*. A menção a esse gênero não ocorre no conteúdo onírico, no qual restaram apenas a monografia e sua relação com a botânica. A "monografia botânica" mostra de imediato sua relação com o *trabalho sobre a cocaína* que escrevi certa vez; partindo da cocaína, a associação de ideias vai, por um lado, à publicação comemorativa e a certos acontecimentos ocorridos num laboratório universitário, e, por outro, a um amigo meu, o médico oftalmologista dr. Königstein, que teve sua participação no emprego da cocaína. Além disso, liga-se à pessoa do dr. K. a lembrança da conversa interrompida que tive com ele na tardinha do dia anterior, bem como os variados pensamentos sobre o pagamento de serviços médicos entre colegas. Essa conversa é o verdadeiro excitador atual do sonho; a monografia sobre o ciclâmen é igualmente uma atualidade, mas de natureza indiferente; segundo vejo, a "monografia botânica" do sonho mostra ser um *elemento intermediário comum* entre as duas experiências diurnas, extraído da impressão indiferente sem sofrer modificações e ligado à experiência psiquicamente significativa por meio das mais abundantes conexões associativas.

Porém, não apenas a representação composta "monografia botânica", mas também cada um de seus elementos isolados – "monografia" e "botânica" – vai, por meio de variadas associações, cada vez mais fundo no emaranhado dos pensamentos oníricos. À "botânica" correspondem as lembranças da pessoa do professor *Gärtner* [jardineiro], de sua esposa *florescente*, de minha paciente chamada *Flora* e da senhora sobre quem contei a história das *flores* esquecidas. Gärtner leva mais uma vez ao laboratório e à conversa com Königstein; a menção às duas pacientes faz parte dessa mesma conversa. Da mulher das flores, uma via de pensamento se bifurca e vai até as *flores prediletas* de minha mulher; a outra desemboca no título da monografia vista de passagem durante o dia. Além disso, *botânica* lembra um episódio ginasial e um exame dos tempos da universidade, e um novo tema tocado naquela conversa, o tema de minhas *paixões*, liga-se, pela mediação daquela que chamei zombeteiramente de minha *flor predileta*, a alcachofra, à cadeia de pensamentos que parte das flores esquecidas; por trás de "alcachofra" se esconde, por um lado, a lembrança da Itália e, por outro, a lembrança de uma cena da infância com a qual comecei minha relação com os livros, que desde então se tornou íntima. "Botânica", portanto, é um verdadeiro ponto nodal em que convergem inúmeras cadeias de pensamento que, posso assegurar, foram ligadas entre si com pleno direito naquela conversa. Encontramo-nos aqui em meio a uma fábrica de pensamentos em que, assim como na obra-prima de um tecelão,

> Um só pedal mil fios move,
> As lançadeiras, disparando, vão e vêm,
> Os fios, invisíveis, não se detêm,
> E um só golpe mil junções promove.[179]

---

179. Goethe, *Fausto*, parte 1, cena 4. (N.T.)

"Monografia", por sua vez, toca em dois temas: a unilateralidade de meus estudos e o caráter dispendioso de minhas paixões.

Dessa primeira investigação, recebemos a impressão de que os elementos "monografia" e "botânica" foram acolhidos no conteúdo onírico por poderem produzir os mais abundantes contatos com a maioria dos pensamentos oníricos, ou seja, por representarem *pontos nodais* em que se reúnem muitos desses pensamentos; ou ainda, por serem *multívocos* com respeito à interpretação do sonho. O fato subjacente a essa explicação também pode ser exprimido de outro modo: cada um dos elementos do conteúdo onírico mostra ser *sobredeterminado* – mostra estar representado de várias maneiras nos pensamentos oníricos.

Ficamos sabendo mais ao examinarmos os elementos restantes do sonho quanto ao seu aparecimento nos pensamentos oníricos. A *lâmina colorida* que folheio (ver a análise da p. 193 e segs.) leva a um novo tema, a crítica dos colegas aos meus trabalhos, e a um tema já representado no sonho, o de minhas paixões; além disso, leva à lembrança infantil em que desfolho um livro com lâminas coloridas; o *exemplar vegetal dessecado* toca na experiência ginasial do herbário e destaca essa lembrança de maneira especial. Vejo, portanto, de que tipo é a relação entre o conteúdo onírico e os pensamentos oníricos: não apenas os elementos do sonho são determinados *de várias maneiras* pelos pensamentos oníricos, mas cada um destes também é representado no sonho por vários elementos. De um elemento do sonho, o caminho de associações conduz a vários pensamentos oníricos; de um pensamento onírico, a vários elementos oníricos. Portanto, a formação dos sonhos não ocorre de tal modo que cada pensamento onírico ou um grupo desses pensamentos forneça uma abreviação para o conteúdo onírico, e então o próximo pensamento onírico forneça a próxima abreviação como se ela fosse um representante, mais ou menos como uma população escolhe um deputado; antes, toda a massa de pensamentos oníricos se encontra submetida a uma certa elaboração segundo a qual os elementos com mais e melhores apoios se destacam para entrar no conteúdo onírico, de modo mais ou menos análogo ao escrutínio por listas. Seja qual for o sonho que eu submeta à semelhante análise, sempre vejo confirmados os mesmos princípios: os elementos oníricos são formados a partir de toda a massa dos pensamentos oníricos e cada um desses elementos aparece determinado de várias maneiras em relação aos pensamentos oníricos.

Por certo não é supérfluo demonstrar essa relação do conteúdo onírico com os pensamentos oníricos mediante um novo exemplo que se destaca pelo entrelaçamento especialmente engenhoso das relações recíprocas. O sonho em questão é de um paciente que estou tratando por causa de uma claustrofobia. Logo se verá por que fui levado a dar o seguinte título a essa produção onírica extraordinariamente espirituosa:

II

"Um belo sonho"

Na companhia de um grande grupo ele vai à Rua X, onde há uma modesta estalagem (o que não é certo). *Nessa estalagem se representam peças teatrais; ora ele é público, ora é ator. No final, dizem que se deve trocar de roupa para voltar à cidade. Uma parte das pessoas é orientada a ir para os aposentos do térreo; a outra, para os do primeiro andar. Então surge uma briga. Os de cima se irritam porque os de baixo ainda não estão prontos, de modo que não podem descer. Seu irmão está em cima, ele está em baixo e se irrita com o irmão por ser pressionado dessa forma.* (Essa parte não é clara.) *De resto, já na chegada fora determinado quem ficaria em cima e quem ficaria embaixo. Depois ele segue sozinho pela ladeira da Rua X em direção à cidade, e a caminhada é tão difícil, tão cansativa, que ele não sai do lugar. Um senhor de mais idade passa a acompanhá-lo e xinga o rei da Itália. Ao final da subida, a caminhada é muito mais fácil.*

Os esforços durante a subida foram tão nítidos que após o despertar ele duvidou por um momento se haviam sido sonho ou realidade.

Dificilmente poderíamos elogiar esse sonho considerando o conteúdo manifesto. Contrariando a regra, quero começar a interpretação por aquela parte que o sonhador designou como a mais nítida.

O esforço sonhado e provavelmente percebido no sonho – a subida cansativa acompanhada de dispneia – é um dos sintomas que o paciente realmente apresentou anos antes, e que na ocasião, em associação com outros sintomas, foi atribuído a uma tuberculose (é provável que simulada histericamente). Já conhecemos dos sonhos de exibição essa peculiar sensação onírica de paralisia do caminhar, e vemos mais uma vez que ela é empregada como um material sempre disponível para os fins de qualquer outra figuração. A parte do conteúdo onírico que descreve como a subida foi de início difícil e no fim da ladeira se tornou fácil me fez lembrar, durante a narração do sonho, da conhecida e magistral introdução de *Safo*, de Alphonse Daudet. Nessa introdução, um jovem carrega a amante escada acima e de início ela é leve como uma pluma; porém, quanto mais ele sobe, tanto mais pesada ela se torna em seus braços; essa cena é exemplar para o transcurso da relação amorosa, e por meio de sua descrição Daudet pretende advertir a juventude a não desperdiçar uma inclinação mais séria com garotas de origem humilde e passado duvidoso.[180] Embora soubesse que pouco antes meu paciente tinha mantido e rompido uma relação com uma mulher de teatro, eu não esperava que meu lampejo interpretativo fosse confirmado. Além disso, em *Safo* acontecia o *contrário* do que acontecia no sonho; neste, a subida era inicialmente difícil e depois fácil; no romance, a subida apenas servia para simbolizar aquilo que no início não era levado a sério, para no fim se tornar um pesado fardo. Para meu espanto, o paciente observou

---

180. Para apreciar essa descrição do escritor, recordemos o significado dos sonhos com a subida de escadas comunicado na seção sobre simbolismo. [Nota acrescentada em 1911.]

que essa interpretação se harmonizava muito bem com o conteúdo da peça que assistira no teatro na noite anterior. A peça se chamava *Nos arredores de Viena* e tratava da vida de uma garota que, de início decente, entra no *demi-monde*, estabelece relações com pessoas de alta posição que a levam a *subir* na vida, mas por fim *decai* sempre mais. A peça o fez lembrar outra que fora encenada anos antes e se chamava *De degrau em degrau* e em cujos cartazes estavam representados vários degraus de uma escada.

Adiante com a interpretação. Na Rua X havia morado a atriz com quem meu paciente tivera sua última e significativa relação amorosa. Não há nenhuma estalagem nessa rua. Só que quando passou uma parte do verão em Viena por causa dessa mulher, ele se *hospedara* [*abgestiegen* = descera] num pequeno hotel das proximidades. Ao deixar esse hotel ele disse ao cocheiro: "Fico contente por pelo menos não ter apanhado nenhum parasita!" (aliás, essa também era uma de suas fobias). O cocheiro respondeu: "Mas como é que alguém se hospeda num lugar desses? Isso nem sequer é um hotel, é só uma *estalagem*!".

Isso o fez lembrar de imediato de uma citação:

> De um *hospedeiro* gentilíssimo
> Fui hóspede recentemente.[181]

No entanto, o hospedeiro no poema de Uhland é uma *macieira*. Uma segunda citação dá prosseguimento à cadeia de ideias:

> FAUSTO (*dançando com a jovem*)
> Um *belo sonho* outrora tive;
> Numa *macieira* me detive,
> Duas maçãs lhe espiei, tão belas,
> Que na árvore *trepei*, por elas.

---

181. Ludwig Uhland (1787-1862), *Canções de andarilho*, 8, "Estalagem". (N.T.)

A BELDADE
> Já as maçãs nas férteis hastes
> Do jardim do Éden almejastes.
> Quanta alegria sinto em mim,
> Por ter iguais em meu jardim.[182]

Não há a menor dúvida sobre a que aludem a macieira e as maçãs. O belo busto também fora um dos principais atrativos com que a atriz cativara o nosso sonhador.

Segundo o contexto da análise, tínhamos toda razão em supor que o sonho provinha de uma impressão de infância. Se isso estivesse correto, ele devia aludir à ama de leite do homem que agora tinha quase trinta anos. Para a criança, os seios da ama de leite são de fato uma estalagem. E tanto a ama de leite quanto a Safo de Daudet aparecem como alusões à amante recém-abandonada.

No conteúdo onírico também aparece o irmão (mais velho) do paciente, e esse irmão está *em cima*, enquanto ele está *embaixo*. Essa é outra *inversão* da situação real, pois o irmão, segundo sei, perdeu sua posição social, e meu paciente conservou a sua. Ao reproduzir o conteúdo onírico, o paciente evitou dizer que o irmão estava em cima e que ele próprio estava no térreo. Teria sido uma expressão clara demais, pois em Viena dizemos que uma pessoa *está no térreo* quando perdeu a fortuna e a posição, o que é muito semelhante a dizer que *decaiu*. O fato de nessa parte do sonho algo ser figurado de maneira *invertida* deve ter um sentido. A inversão também deve valer para outra relação entre os pensamentos oníricos e o conteúdo onírico. Temos um indício de como cabe abordar essa inversão. Tal indício se encontra de maneira evidente no final do sonho, quando as coisas, no que diz respeito à subida, se sucedem outra vez de maneira *invertida* quando comparadas a *Safo*. Vemos com facilidade de que inversão se trata: em *Safo*, o homem carrega a mulher que mantém com ele relações sexuais; nos pensamentos oníricos, portanto, se

---

182. Goethe, *Fausto*, parte 1, cena 21, Noite de Valpúrgis. Tradução, ligeiramente modificada, de Jenny Klabin Segall. São Paulo, Ed. 34, 2004. (N.T.)

trata *inversamente* de uma mulher que carrega o homem, e visto que esse caso apenas pode ocorrer na infância, essa é uma nova referência à ama de leite, que carrega com dificuldade o bebê de colo. O final do sonho, portanto, consegue figurar Safo e a ama de leite na mesma alusão.

Assim como o nome *Safo* não foi escolhido pelo escritor sem ter relação com práticas lésbicas, assim também os fragmentos do sonho em que pessoas estão ocupadas *em cima* e *embaixo* aludem a fantasias de conteúdo sexual que ocupam o sonhador e, na condição de apetites reprimidos, não deixam de estar relacionadas com a sua neurose. A própria interpretação não mostra se aquilo que é figurado no sonho são fantasias e não lembranças de acontecimentos factuais; ela nos fornece apenas um conteúdo de pensamentos e deixa por nossa conta determinar o valor de realidade de tal conteúdo. De início, acontecimentos reais e fantasiados aparecem aqui – e não só aqui, mas também na criação de formações psíquicas mais importantes do que os sonhos – como equivalentes.

Um grande grupo, como já sabemos, significa segredo. O irmão não é outra coisa senão o representante – introduzido na cena infantil mediante uma "fantasia retrospectiva" – de todos os posteriores rivais junto às mulheres. O episódio do senhor que xinga o rei da Itália se relaciona novamente, pela intermediação de uma experiência recente e em si mesma indiferente, com a intromissão de pessoas de baixa categoria na alta sociedade. É como se ao lado da advertência que Daudet faz ao jovem houvesse outra semelhante válida para o bebê de colo.[183]

Para dispor de um terceiro exemplo para o estudo da condensação na formação dos sonhos, comunico a análise parcial de outro sonho, que devo a uma senhora de mais idade

---

183. A natureza fantasística da situação relativa à ama de leite do sonhador é demonstrada pela circunstância objetivamente verificada de que, nesse caso, a ama de leite era a mãe. Recordo, aliás, do pesar do jovem da anedota citada na p. 226 por não ter aproveitado melhor a situação com sua ama de leite, situação que deve ser a fonte desse sonho.

que se encontra em tratamento psicanalítico. Correspondendo aos graves estados de angústia de que a paciente sofria, seus sonhos continham abundante material de pensamentos de natureza sexual; ao tomar conhecimento desse material, ela de início ficou tão surpresa quanto assustada. Visto que não posso levar a interpretação desse sonho até o final, o material onírico parece se desagregar em vários grupos sem conexão visível.

III

"O sonho do besouro"

Conteúdo onírico: *Ela se recorda de ter dentro de uma caixa dois besouros-de-maio que precisa libertar para que não se asfixiem. Ela abre a caixa e os besouros estão bastante abatidos; um deles voa pela janela aberta, mas o outro é esmagado pelo batente da janela quando ela vai fechá-la atendendo ao pedido de alguém (manifestações de nojo).*

Análise: seu marido viajou, e a filha de catorze anos dorme ao seu lado na cama. Ao anoitecer, a menina chamou sua atenção para o fato de uma mariposa ter caído no seu copo d'água, mas ela se esquece de tirá-la e pela manhã lamenta a sorte do pobre bichinho. Antes de dormir, ela leu um livro em que se narrava como garotos jogavam um gato dentro da água fervente e se descrevia a agonia do animal. Esses são os dois motivos do sonho, em si mesmos indiferentes. O tema da crueldade *contra os animais* continua a ocupá-la. Anos antes, quando a família se hospedou em certo lugar durante o verão, sua filha foi muito cruel com a bicharada. Ela fez uma coleção de borboletas e lhe pediu *arsênico* para matá-las. Certa vez, aconteceu que uma mariposa com um alfinete espetado em seu corpo ainda voasse por longo tempo pelo quarto; noutra ocasião, algumas lagartas que haviam sido guardadas para se transformarem em crisálidas morreram de fome. Em idade ainda mais tenra, a mesma criança costumava arrancar as asas de *besouros* e de borboletas; hoje ela recuaria horrorizada frente a todos esses atos cruéis, tão bondosa se tornou.

Essa contradição a mantém ocupada. Isso a faz lembrar outra contradição, aquela existente entre a *aparência* e o caráter, tal como apresentada em *Adam Bede*, de George Eliot. Uma garota bonita, mas fútil e completamente idiota; ao seu lado, uma garota feia, mas nobre. O *aristocrata* que seduz a idiotinha; o trabalhador de sentimentos nobres e comportamento idem. Não vemos essas coisas pela aparência das pessoas. Quem veria pela aparência *dela* que é atormentada por desejos sensuais?

No mesmo ano em que a filha fez sua coleção de borboletas, a região padeceu severamente com uma praga de *besouros-de-maio*. As crianças se enfureciam com os insetos, *esmagando-os* com crueldade. Ela vira um homem que arrancava as asas desses besouros e depois os comia. Ela própria nasceu em *maio* e também casou no mesmo mês. Três dias depois do casamento, ela escreveu uma carta aos pais dizendo como estava feliz. Mas ela não estava nada feliz.

Na noite do sonho, ela tinha remexido em sua correspondência antiga e lido para sua família várias cartas sérias e outras engraçadas; por exemplo, uma carta extremamente ridícula de um professor de piano que a cortejara quando menina, e também a de um admirador *aristocrático*.[184]

Ela se censura pelo fato de um livro nocivo de Maupassant ter caído nas mãos de uma de suas filhas.[185] O *arsênico* que a filha lhe pede a faz lembrar as *pílulas de arsênico* que restituem o vigor juvenil do Duc de Mora em *O nababo*, de Alphonse Daudet.

Acerca de "libertar", vem-lhe à mente um trecho de *A flauta mágica*:

> Não posso te obrigar ao amor,
> Mas a *liberdade* não te darei.

---

184. Esse é o verdadeiro excitador do sonho.

185. Para completar: tal leitura seria *veneno* para uma jovem. Em sua juventude, ela própria mergulhara fundo na leitura de livros proibidos.

Sobre os "besouros-de-maio", ainda lhe vem à mente uma fala de Käthchen:

Estás apaixonado por mim como um *besouro*.[186]

Aí também entra *Tannhäuser*: "Por estares animado de *prazer malévolo* (...)".

Ela vive amedrontada e preocupada por causa do marido ausente. O medo de que *alguma coisa lhe aconteça* durante a viagem se manifesta em inúmeras fantasias diurnas. Pouco antes, ela encontrou em seus pensamentos inconscientes durante a análise uma queixa acerca da "senilidade" dele. O pensamento de desejo que esse sonho oculta talvez possa ser encontrado mais facilmente se eu mencionar que alguns dias antes do sonho ela tomou um susto enquanto fazia suas coisas ao se dar conta de um imperativo dirigido ao marido: "Enforque-se!". É que algumas horas antes ela tinha lido em algum lugar que durante o enforcamento ocorre uma forte ereção. Foi o desejo dessa ereção que retornou do recalcamento nesse disfarce assustador. "Enforque-se!" significava o mesmo que "Trate de arranjar uma ereção a qualquer preço!". As pílulas de arsênico do dr. Jenkins em *O nababo* entram aqui; no entanto, a paciente também sabia que o mais forte dos afrodisíacos, a *cantaridina*, é preparado *esmagando-se besouros* (as cantáridas). O principal elemento do conteúdo onírico aponta para esse sentido.

Abrir e fechar a *janela* é um dos constantes motivos de atrito com o marido. Ela é aerófila para dormir; ele, aerófobo. O *abatimento* é o principal sintoma de que ela se queixava na época do sonho.

Nos três sonhos comunicados, destaquei os trechos em que um elemento onírico reaparece nos pensamentos oníricos,

---

186. Outra cadeia de pensamentos leva à *Pentesileia* do mesmo autor: *crueldade* contra o amado. [O autor em questão é Heinrich von Kleist, e a fala de Käthchen provém da peça *Käthchen von Heilbronn ou A prova de fogo*, ato 4, cena 2. (N.T.)]

de maneira a tornar evidente a relação múltipla do primeiro. Porém, visto que em nenhum desses sonhos a análise foi levada até o fim, talvez valha a pena nos aprofundarmos em um sonho cuja análise tenha sido comunicada com mais detalhes, de modo que possamos mostrar nele a sobredeterminação do conteúdo onírico. Escolho para tanto o sonho da injeção de Irma. Reconheceremos sem esforço nesse exemplo que o trabalho de condensação se serve de mais de um meio para a formação do sonho.

A principal pessoa do conteúdo onírico é a paciente Irma, que é vista com os traços que tem na vida real e dessa forma figura inicialmente a si mesma. Porém, a posição em que a examino junto à janela foi tomada de uma lembrança de outra pessoa, a senhora pela qual eu gostaria de trocar minha paciente, conforme mostram os pensamentos oníricos. Na medida em que Irma mostra uma placa diftérítica que me faz lembrar a preocupação por minha filha mais velha, ela também figura essa filha, por trás da qual, ligada a ela pela semelhança do nome, se oculta a pessoa de uma paciente que morreu intoxicada. No decorrer do sonho, o significado da personalidade de Irma se transforma (sem que sua imagem no sonho se modifique); ela se torna uma das crianças que examinamos no consultório público do hospital infantil, ocasião em que meus amigos dão provas da diversidade de suas aptidões intelectuais. A transição foi evidentemente facilitada pela representação de minha filha. Pela resistência em abrir a boca, a mesma Irma se transforma em alusão à outra senhora que examinei certa vez e, além disso, no mesmo contexto, à minha própria mulher. Nas alterações patológicas que descubro na sua garganta também reuni alusões a toda uma série de outras pessoas.

Todas essas pessoas que encontro ao seguir o nome "Irma" não aparecem elas próprias no sonho; elas se escondem por trás da pessoa onírica "Irma", que adquire assim o feitio de uma imagem coletiva com traços evidentemente contraditórios. Irma se transforma na representante dessas outras pessoas sacrificadas no trabalho de condensação, uma vez que faço acontecer com Irma aquilo que, traço por traço, me lembra essas pessoas.

Outro modo de produzir uma *pessoa coletiva* para os fins da condensação do sonho consiste em unir traços atuais de duas ou mais pessoas em uma só imagem onírica. Foi dessa maneira que surgiu o dr. M. do meu sonho: ele ostenta seu nome, fala e age como se fosse ele; suas características físicas e sua doença pertencem a outra pessoa, meu irmão mais velho; um único traço, a aparência pálida, é duplamente determinado, visto que na vida real é comum às duas pessoas.

Uma pessoa mista semelhante é o dr. R. do sonho com meu tio. Só que nesse caso a imagem onírica foi preparada de uma maneira diferente das anteriores. Não uni traços de uma pessoa aos traços de outra, suprimindo para isso certos traços da imagem mnêmica de cada uma delas, mas adotei o procedimento empregado por Galton em seus retratos de família, a saber, projetei uma imagem sobre a outra, processo em que os traços comuns se reforçam e aqueles que não coincidem se apagam mutuamente, tornando-se indistintos no retrato. Assim, no sonho com meu tio, o traço reforçado que se destaca e que pertence à fisionomia de duas pessoas – fisionomia que por isso é indistinta – é a *barba loira*, que, além disso, encerra uma alusão ao meu pai e a mim, mediada pela relação com o fato de ficar grisalho.

A produção de pessoas coletivas e de pessoas mistas é um dos principais instrumentos de trabalho da condensação onírica. Logo teremos ocasião de tratar dela em outro contexto.

Da mesma forma, a ocorrência da "disenteria" no sonho da injeção é multiplamente determinada: por um lado, pela homofonia parafásica com "difteria"; por outro, pela relação com o paciente que mandei para o Oriente e cuja histeria não foi reconhecida.

A menção a *propileno* nesse mesmo sonho também é um caso interessante de condensação. Os pensamentos oníricos não continham *propileno*, mas *amileno*. Poderíamos pensar que aqui ocorreu um simples deslocamento durante a formação do sonho. Isso realmente aconteceu, só que esse deslocamento serve aos fins da condensação, como mostra o seguinte acréscimo à análise do sonho. Se minha atenção se detém por mais um momento na palavra *propileno*, ocorre-me a semelhança com a palavra *propileus*. Não há *propileus* apenas em Atenas, mas também em Munique. Um ano antes do sonho, visitei meu amigo, então gravemente doente, nessa cidade; a menção a ele se torna inconfundível pela *trimetilamina*, que no sonho se segue de imediato ao *propileno*.

Não estou levando em conta a notável circunstância de que neste caso e em outros da análise de sonhos sejam aproveitadas para a conexão entre pensamentos associações das mais diversas valências como se fossem equivalentes, e cedo à tentação de representar plasticamente, por assim dizer, o processo da substituição de *amileno* nos pensamentos oníricos por *propileno* no conteúdo onírico.

Neste se encontra o grupo de representações de meu amigo Otto, que não me compreende, não me dá razão e me presenteia com um licor que cheira a amileno; naqueles, ligados por oposição, o grupo de representações de meu amigo berlinense[187], que me compreende, me daria razão e a quem devo tantas informações valiosas, incluindo aquelas sobre a química dos processos sexuais.

Os elementos do grupo "Otto" que devem excitar particularmente minha atenção são determinados pelos motivos recentes, causadores do sonho; o *amileno* se encontra entre esses elementos destacados, predestinados ao conteúdo onírico. O rico grupo de representações "Wilhelm" é ativado diretamente pela oposição a "Otto", destacando-se nele os elementos que fazem lembrar os já estimulados em "Otto". Ao longo de todo o sonho, uma pessoa que provoca meu desagrado me leva a recorrer a outra que posso lhe contrapor à vontade; invoco o amigo traço por traço contra o adversário. Assim, o amileno em "Otto" também desperta lembranças do campo da química no outro grupo; a trimetilamina, apoiada de vários lados, entra no conteúdo onírico. "Amileno" também

---

187. Ou seja, Wilhelm Fliess. (N.T.)

poderia entrar no conteúdo onírico sem sofrer transformações, porém está submetido à influência do grupo "Wilhelm", pois, considerando toda a esfera de lembranças que esse nome cobre, o elemento escolhido é aquele que pode produzir uma determinação dupla para "amileno". Próximo a "amileno", disponível para associações, se encontra "propileno"; Munique, com os propileus, vem ao seu encontro a partir do grupo "Wilhelm". Os dois grupos de representações se encontram em propileno-propileus. Como que por meio de um compromisso, esse elemento intermediário entra então no conteúdo onírico. Criou-se aqui um elemento intermediário comum que admite determinação múltipla. Assim, é palpável que a determinação múltipla deva facilitar a entrada no conteúdo onírico. Para os fins dessa formação intermediária se efetuou sem dificuldades um deslocamento da atenção, que deixa de recair sobre aquilo que é propriamente referido e se desloca na associação para algo próximo.

O estudo do sonho da injeção já nos permite obter uma certa visão geral dos processos de condensação que ocorrem na formação dos sonhos. Descobrimos que a escolha de elementos que surgem várias vezes nos pensamentos oníricos, a formação de novas unidades (pessoas coletivas, estruturas mistas) e a produção de elementos intermediários comuns são particularidades do trabalho de condensação. Só nos perguntaremos para que serve a condensação e o que a exige quando quisermos apreender em seu todo os processos psíquicos que ocorrem na formação dos sonhos. Contentemo-nos por enquanto com a constatação de que a condensação onírica é uma relação notável entre os pensamentos oníricos e o conteúdo onírico.

O trabalho de condensação do sonho se torna mais evidente quando escolhe como objeto palavras e nomes. O sonho com muita frequência trata palavras como se fossem coisas e, por conseguinte, elas experimentam os mesmos processos de combinação que as representações de coisa. O resultado de tais sonhos são neologismos cômicos e curiosos.

I

Quando certa vez um colega me mandou um ensaio que escrevera, no qual, segundo minha opinião, uma recente descoberta fisiológica era supervalorizada e, sobretudo, tratada num estilo exagerado, sonhei na noite seguinte com uma frase que se referia de maneira evidente a esse ensaio: "É um estilo verdadeiramente *norekdaliano*". A decomposição dessa invenção vocabular me trouxe dificuldades no início; não havia dúvida de que fora criada numa imitação parodística de adjetivos como "colossal" e "piramidal", mas não era fácil dizer de onde provinha. Por fim, a monstruosidade se decompôs nos nomes de *Nora* e *Ekdal*, personagens de duas conhecidas peças de Ibsen. Antes do sonho, eu tinha lido um artigo de jornal sobre Ibsen escrito pelo mesmo autor cuja última obra acabo criticando no sonho.

II

Uma de minhas pacientes me comunicou um sonho curto que termina numa absurda combinação de palavras. Ela se encontra com o marido numa festa no campo e diz: "Isso vai acabar num *Maistollmütz* geral". Ao mesmo tempo, ocorre no sonho o pensamento obscuro de que se trata de um prato à base de farinha, uma espécie de polenta. A análise decompõe a palavra em *Mais – toll – mannstoll – Olmütz* [milho – louca – ninfomaníaca – Olmütz], cujas partes mostram ser todas elas restos de uma conversa com seus parentes à mesa. Atrás de *Mais*, além da alusão à recém-inaugurada Exposição do Jubileu, se ocultam as seguintes palavras: *Meissen* (uma figura de porcelana da cidade de *Meissen* que representa um pássaro), *miss* (a preceptora inglesa de seus parentes viajara a *Olmütz*), *mies* = nojento, nauseante, uma palavra do iídiche empregada de maneira brincalhona, bem como uma longa cadeia de pensamentos e ligações que partia de cada uma das sílabas do amontoado vocabular.

III

Um jovem, em cuja casa um conhecido tocou a campainha tarde da noite para deixar um cartão de visita, sonhou o seguinte nessa noite: *Um negociante espera até tarde da noite para ajustar o telefone. Depois que ele foi embora, a campainha ainda toca, não de maneira contínua, mas com toques intermitentes. O criado chama o homem outra vez e este diz: "É estranho que mesmo as pessoas que normalmente são* tutelrein *não saibam cuidar desses assuntos"*.

O motivo indiferente do sonho, como vemos, cobre apenas um dos elementos oníricos. Ele só chegou a adquirir importância por se associar a uma experiência anterior do sonhador, que, em si mesma também indiferente, foi dotada por sua imaginação de uma importância substitutiva. Quando garoto, morando na casa de seu pai, ele, ainda sonolento, derrubou certa vez um copo de água, o que encharcou o cabo do telefone, cujo *toque contínuo* perturbou o sono do pai. Visto que o *toque contínuo* corresponde ao encharcamento, os *toques intermitentes* são empregados para figurar um *gotejamento*. Já a palavra *tutelrein* pode ser decomposta de três maneiras, apontando, dessa forma, para três matérias representadas nos pensamentos oníricos: *Tutel* = curatela, significa tutela; *Tutel* (talvez *Tuttel*) é uma designação vulgar para o seio feminino; o componente *rein* [limpo] assume as primeiras sílabas de *Zimmertelegraph* [telefone de quarto] para formar *zimmerrein* [asseado], o que tem muito a ver com o encharcamento do assoalho e, além disso, faz lembrar o nome de uma pessoa da família do sonhador.[188]

---

188. As mesmas decomposições e combinações de sílabas – uma verdadeira química silábica – servem para muitas piadas durante a vigília. "Qual a maneira mais barata de se obter prata [*Silber*]? A gente vai até uma aleia de choupos-brancos [*Silberpappeln*], pede silêncio, a tagarelice ['*Pappeln*'] cessa e a prata está liberada." O primeiro leitor e crítico deste livro me fez a objeção, que os leitores posteriores provavelmente repetirão, de que "o sonhador muitas vezes parece chistoso demais". Ela é correta na medida em que se refere apenas ao sonhador, envolvendo uma crítica somente se também for estendida ao intérprete de sonhos. Na realidade de vigília tenho pouco direito ao predicado de "chistoso"; se meus sonhos parecem chistosos, isso não depende de minha pessoa, e sim das singulares condições psicológicas sob (continua)

IV

Num sonho longo e confuso que tive, cujo centro aparente era uma viagem marítima, aconteceu que a próxima estação se chamasse *Hearsing*, e a seguinte, *Fliess*. Este é o nome de meu amigo de Berlim, que muitas vezes foi a razão de minhas viagens. *Hearsing* é uma combinação dos nomes das estações da região de Viena, que com tanta frequência acabam em *ing*: Hietzing, Liesing, Mödling (Medelitz, *meae deliciae* conforme seu antigo nome, ou seja, *meine Freud* [minha alegria]), e do inglês *hearsay* = ouvir dizer, o que aponta para calúnia e estabelece a relação com o indiferente excitador diurno do sonho, um poema da *Fliegende Blätter*[189] sobre um anão caluniador, "Disse-que-disse". Relacionando a sílaba final "ing" com o nome *Fliess* obtemos *Vlissingen*, que é de fato uma das estações da viagem marítima nas quais meu irmão faz escala quando vem da Inglaterra nos visitar. Mas o nome inglês de *Vlissingen* é *Flushing*, o que na língua inglesa significa "rubor" e faz lembrar os pacientes com "medo de enrubescer" que atendo, bem como uma publicação recente de Bechterew acerca dessa neurose que me provocou sensações desagradáveis.

V

Noutra ocasião, tive um sonho composto de duas partes separadas. A primeira consistia na palavra *Autodidasker*, recordada com vivacidade; a segunda coincidia fielmente com uma fantasia curta e inocente produzida dias antes que tinha por conteúdo algo que eu devia dizer ao professor N. assim que o encontrasse: "O paciente acerca de cujo estado o consultei

---

(cont.) as quais o sonho é elaborado, estando em conexão íntima com a teoria do chistoso e do cômico. O sonho se torna chistoso porque o caminho direto e mais curto para expressar seus pensamentos está bloqueado; ele se torna chistoso à força. Os leitores podem se convencer de que os sonhos de meus pacientes transmitem uma impressão chistosa (zombeteira) num grau semelhante e até maior do que os meus. – Em todo caso, essa crítica ensejou a comparação entre a técnica do chiste e o trabalho do sonho apresentada num livro publicado em 1905, *O chiste e sua relação com o inconsciente*. [Frase acrescentada em 1909.]

189. Revista humorística semanal publicada em Munique. (N.T.)

há pouco sofre de fato apenas de uma neurose, exatamente como o senhor supôs". O neologismo *Autodidasker* não precisa apenas satisfazer a exigência de conter ou substituir um sentido comprimido; esse sentido também precisa estar numa boa relação com o meu propósito de vigília, repetido no sonho, de dar essa satisfação ao professor N.

Autodidasker se decompõe facilmente em *autor*, *autodidata* e *Lasker*, ao qual se associa o nome *Lassalle*. As primeiras duas palavras levam ao motivo do sonho, que desta vez é significativo: eu trouxera para minha mulher vários volumes de um autor conhecido de quem meu irmão é amigo, e que, como fiquei sabendo, nasceu no mesmo lugar que eu (J.J. David). Certo dia à tardinha, ela me falou da profunda impressão que lhe causou a história comovedoramente triste de um talento arruinado em uma das novelas de David, e, depois disso, nossa conversa se dirigiu para os sinais de talento que percebíamos em nossos próprios filhos. Dominada pelo que acabara de ler, ela manifestou uma preocupação que se referia às crianças, e a consolei com a observação de que precisamente tais perigos podem ser afastados por meio da educação. Minha cadeia de ideias prosseguiu durante a noite, tomou as preocupações de minha mulher e entreteceu todo tipo de coisas com elas. Uma observação sobre o casamento, feita pelo escritor ao meu irmão, mostrou aos meus pensamentos um caminho secundário capaz de levá-los à figuração no sonho. Esse caminho conduzia a Breslau, onde se casou uma senhora que é grande amiga nossa. Para a preocupação de sucumbir por causa das mulheres, que era o núcleo de meus pensamentos oníricos, encontrei em Breslau os exemplos de Lasker e Lassalle, que me permitiram figurar ao mesmo tempo as duas variedades dessa influência nefasta.[190] O *cherchez la femme*[191] em que se

---

190. Lasker morreu de paralisia progressiva, ou seja, das consequências de uma infecção adquirida de uma mulher (sífilis); Lassalle, como se sabe, num duelo por causa de uma mulher.

191. "Procurem a mulher." De um romance de A. Dumas, *Os moicanos de Paris*. A ideia é que por trás de todos os males, problemas, questões etc. sempre há uma mulher. (N.T.)

pode resumir esses pensamentos me levou, num outro sentido, ao meu irmão que ainda é solteiro, chamado Alexander. Agora percebo que *Alex*, que é como abreviamos seu nome, soa quase como um anagrama de *Lasker*, e que esse fator deve ter cooperado para indicar aos meus pensamentos o desvio por Breslau.

Contudo, a brincadeira com nomes e sílabas que faço aqui contém ainda outro sentido. Ela substitui o desejo de uma vida familiar feliz para meu irmão, e isso da seguinte maneira: em *A obra*, romance que retrata a vida de um artista e que deve ter influenciado o conteúdo de meus pensamentos oníricos, o autor sabidamente retratou a si mesmo e à sua própria felicidade familiar de maneira episódica, aparecendo nele sob o nome de *Sandoz*. Nessa metamorfose onomástica, ele provavelmente tomou o seguinte caminho: invertendo *Zola* (como as crianças tanto gostam de fazer) se obtém *Aloz*. Isso possivelmente ainda lhe pareceu explícito demais; por isso, substituiu a sílaba *Al*, que também inicia o nome *Alexander*, pela terceira sílaba do mesmo nome, *sand*, o que resultou em *Sandoz*. De maneira semelhante, portanto, também surgiu o meu *Autodidasker*.

Minha fantasia de dizer ao professor N. que o paciente que ambos havíamos examinado sofria apenas de uma neurose entrou no sonho da seguinte maneira. Pouco antes de encerrar meu ano de trabalho, recebi um paciente cujo diagnóstico me deixou em apuros. Era de se supor que se tratava de uma grave doença orgânica, talvez uma alteração da medula espinhal, mas isso não podia ser provado. Teria sido tentador diagnosticar uma neurose, o que daria um basta a todas as dificuldades, não tivesse a anamnese sexual, sem a qual não quero reconhecer uma neurose, sido contestada de maneira tão enérgica pelo paciente. Em meu embaraço, recorri ao auxílio do médico que mais respeito enquanto ser humano (no que não sou o único) e diante de cuja autoridade mais me inclino. Ele ouviu minhas dúvidas, declarou que eram justificadas e então disse: "Mantenha o homem sob observação, deve ser uma neurose". Como sei que ele não partilha meus pontos de vista sobre a etiologia das neuroses, não o contradisse, mas não ocultei minha incredulidade. Alguns dias depois, comuniquei ao paciente que não sabia o que fazer com ele, aconselhando-o a procurar outro médico. Para minha grande surpresa, ele começou a se desculpar por ter me enganado, disse que tinha sentido muita vergonha e então revelou exatamente o fragmento de etiologia sexual que eu tinha esperado e de que eu precisava para estabelecer a hipótese de uma neurose. Isso foi um alívio para mim, mas, ao mesmo tempo, também um vexame; tive de confessar a mim mesmo que meu conselheiro, sem se deixar perturbar pela consideração da anamnese, tinha visto as coisas com mais acerto. Eu me propus dizer a ele quando o visse que ele estivera certo e eu não.

É precisamente isso que faço no sonho. Mas que realização de desejo é essa quando confesso que não tive razão? Precisamente esse é meu desejo; eu gostaria de não ter razão em meus receios, ou, antes, eu gostaria que minha mulher, de cujos receios me apropriei nos pensamentos oníricos, não tivesse razão. O tema com o qual se relaciona o ter ou não ter razão no sonho não está muito distante daquilo que realmente interessa para os pensamentos oníricos. Trata-se da mesma alternativa entre o dano orgânico e o dano funcional causados pela mulher, mais exatamente, pela vida sexual: paralisia tabescente ou neurose, sendo que o tipo de morte de Lassalle se alinha de maneira frouxa com esta última.

Nesse sonho de partes encaixadas com solidez (e, numa interpretação cuidadosa, inteiramente transparente), o professor N. desempenha um papel não apenas devido a essa analogia e ao meu desejo de estar errado – e também não devido a suas relações paralelas com Breslau e com a família de nossa amiga que lá se casou –, mas também devido a um pequeno acontecimento que se seguiu à nossa consulta. Depois de cumprir a tarefa médica com aquela suposição, seu interesse se voltou para assuntos pessoais. "Quantos filhos o senhor tem agora?" – "Seis." – Um gesto de respeito e de ponderação. – "Meninas, meninos?" – "Três e três, são o meu orgulho e a minha riqueza." – "O senhor tome cuidado, com as meninas as coisas vão bem, mas os meninos criam problemas mais tarde, durante a educação." – Objetei que até agora tinham se mantido perfeitamente dóceis; era óbvio que esse segundo diagnóstico sobre o futuro de meus meninos me agradava tão pouco quanto o diagnóstico anterior de que meu paciente apenas tinha uma neurose. Essas duas impressões, portanto, estão ligadas por contiguidade, pelo fato de terem sido experimentadas uma após a outra, e, quando acolho no sonho a história da neurose, substituo por ela a conversa sobre a educação, que mostra ter uma relação ainda maior com os pensamentos oníricos por tocar tão de perto nas preocupações que minha mulher manifestou mais tarde. Dessa forma, mesmo o meu medo de que N. possa ter razão com suas observações sobre as dificuldades de educação dos meninos acaba por entrar no conteúdo onírico ao se ocultar por trás da figuração de meu desejo de não ter razão com respeito a tais temores. A mesma fantasia, inalterada, serve para figurar os dois membros opostos da alternativa.

VI

Marcinowski: "Hoje cedo, entre o sonho e a vigília, experimentei uma bela condensação vocabular. No decorrer de um grande número de fragmentos oníricos que mal consigo lembrar, fiquei de certa maneira espantado com uma palavra que vi diante de mim, meio escrita, meio impressa. A palavra era *erzefilisch* e fazia parte de uma frase que, fora de qualquer contexto, deslizara inteiramente isolada até a minha memória consciente: 'Isso age *erzefilisch* sobre a sensibilidade sexual'. Soube de imediato que, na verdade, devia ser *erzieherisch* [educativamente], hesitando por algum tempo se o mais correto não seria *erzifilisch*. Nisso me ocorreu a palavra *sífilis* e, começando a fazer a análise ainda meio adormecido, quebrei a cabeça para descobrir como ela podia ter entrado no meu sonho, pois nem pessoal nem profissionalmente tenho qualquer ponto de contato com essa doença. Então me ocorreu a palavra *erzehlerisch* [modificação de *erzählerisch*, "narrativo"], que explica o *e* ao mesmo tempo em que dá a explicação de que ontem à tardinha fui levado pela nossa preceptora [*Erzieherin*] a falar sobre o problema da prostituição, ocasião em que, depois de lhe ter narrado muitas coisas sobre o problema, lhe dei o livro de Hesse, *Da prostituição*, com o propósito de influir de maneira educativa [*erzieherisch*] sobre sua vida sentimental, cujo desenvolvimento não era inteiramente normal. E então ficou de súbito claro para mim que a palavra *sífilis* não devia ser entendida no sentido literal, mas que estava no lugar de *veneno*, naturalmente relacionada com a vida sexual. Portanto, ao ser traduzida, a frase é inteiramente lógica: 'Por meio de minha narrativa [*Erzählung*], eu quis agir de modo educativo [*erzieherisch*] sobre a vida sentimental de minha preceptora [*Erzieherin*], porém receio que isso possa ao mesmo tempo agir de maneira envenenadora'. *Erzefilisch = erzäh – (erzieh –) (erzefilisch)*". [1914]

As deformações vocabulares do sonho se parecem muito àquelas que se conhece da paranoia, mas que também não deixam de ser observadas na histeria e nas ideias obsessivas. As habilidades linguísticas das crianças, que em certos períodos realmente tratam as palavras como coisas, também criam novas línguas e inventam sintaxes artificiais, constituem aqui a fonte comum tanto do sonho quanto das psiconeuroses.

A análise das disparatadas formações vocabulares do sonho é especialmente apropriada para mostrar a capacidade condensadora do trabalho do sonho. Da pequena seleção de exemplos aqui apresentada não se deve concluir que tal material seja observado rara ou apenas excepcionalmente. Ele é, antes, muito frequente, só que o fato de a interpretação dos sonhos depender do tratamento psicanalítico tem por consequência que o número de exemplos observados e comunicados seja mínimo, e que as análises comunicadas sejam na sua maioria compreensíveis apenas para o conhecedor da patologia das neuroses. Tal é o caso de um sonho do dr. Von Karpinska (1914) que contém a absurda formação vocabular *Svingnum elvi*. Ainda digno de nota é o caso de no sonho aparecer uma palavra que, em si mesma, não é desprovida de sentido, mas que, alienada de seu verdadeiro significado, reúne diversos outros significados em relação aos quais se comporta como uma palavra "absurda". É o caso do sonho de um menino de dez anos com a "categoria", comunicado por V. Tausk (1913). Nesse sonho, "categoria" tem o significado de genital feminino e "categorar" é o mesmo que urinar. [1919]

Quando num sonho ocorrem falas que, como tais, se diferenciam expressamente de pensamentos, vale sem exceções a regra de que a fala onírica provém de falas recordadas no material do sonho. Ou o conteúdo da fala se conserva intacto ou sua expressão é ligeiramente deslocada; muitas vezes a fala onírica é composta de diversas lembranças de falas; o conteúdo do que é dito permanece o mesmo, já o sentido possivelmente se alterou admitindo outra ou várias interpretações. Não é raro que a fala onírica sirva de mera alusão ao acontecimento em que a fala recordada ocorreu.[192]

---

192. Recentemente, encontrei a única exceção a essa regra no caso de um jovem que padecia de ideias obsessivas, cujas funções intelectuais, aliás, estavam intactas e eram altamente desenvolvidas. As falas que ocorriam em seus sonhos não provinham de falas ouvidas ou emitidas por ele próprio, mas correspondiam ao conteúdo não desfigurado de seus pensamentos obsessivos, que na vigília chegavam à sua consciência apenas alterados. [Nota acrescentada em 1909.]

B

O TRABALHO DE DESLOCAMENTO

Já enquanto reuníamos os exemplos de condensação onírica, outra relação, provavelmente não menos significativa, deve ter chamado nossa atenção. Pudemos observar que os elementos que se destacam como componentes essenciais no conteúdo onírico de forma alguma representam o mesmo papel nos pensamentos oníricos. Como correlato disso, também se pode enunciar a tese contrária. Aquilo que evidentemente é o conteúdo essencial dos pensamentos oníricos não precisa de forma alguma aparecer no sonho. O sonho, por assim dizer, é *diversamente centrado*; seu conteúdo é ordenado em torno de elementos centrais diferentes dos pensamentos oníricos. Assim, por exemplo, no sonho da monografia botânica, o centro do conteúdo onírico é manifestamente o elemento "botânica"; nos pensamentos oníricos, trata-se das complicações e dos conflitos que resultam dos serviços que exigem retribuição entre colegas, e, depois, da crítica de que costumo fazer sacrifícios grandes demais às minhas paixões, sendo que o elemento "botânica" não encontra qualquer lugar nesse núcleo dos pensamentos oníricos, a não ser que esteja frouxamente ligado a esse núcleo por meio de uma oposição, já que a botânica nunca esteve entre as minhas disciplinas favoritas. No sonho *sáfico* de meu paciente, o centro é formado pelo *subir* e pelo *descer*, pelo estar *em cima* e pelo estar *embaixo*; o sonho trata, porém, dos perigos das relações sexuais com pessoas de nível *inferior*, de modo que apenas um dos elementos dos pensamentos oníricos parece ter entrado no conteúdo onírico, e isso numa ampliação indevida. De forma semelhante, no sonho dos besouros-de-maio, cujo tema são as relações entre sexualidade e crueldade, não há dúvida de que o elemento da crueldade reapareceu no conteúdo onírico, porém numa ligação diferente e sem menção ao sexual, ou seja, arrancado do contexto e, dessa maneira, transformado em algo estranho. No sonho com meu tio, por sua vez, a barba loira que constitui seu centro aparece sem qualquer relação de sentido com os desejos de grandeza que reconhecemos como o núcleo dos pensamentos oníricos. Tais sonhos, com toda razão, passam uma impressão de estarem *deslocados*. Em completa oposição a esses exemplos, o sonho da injeção de Irma nos mostra que na formação do sonho os elementos singulares também podem conservar o lugar que ocupam nos pensamentos oníricos. De início, pode nos causar assombro a constatação dessa nova relação, de sentido absolutamente inconstante, entre os pensamentos oníricos e o conteúdo onírico. Quando descobrimos num processo psíquico da vida normal que uma representação foi escolhida entre várias outras, alcançando uma vivacidade especial para a consciência, costumamos considerar esse êxito como prova de que cabe à representação vitoriosa uma valência psíquica especialmente alta (um certo grau de interesse). No entanto, nossa experiência nos mostrou que essa valência dos elementos singulares nos pensamentos oníricos não é conservada ou não entra em consideração na formação dos sonhos. Não há dúvida de quais são os elementos de maior valência nos pensamentos oníricos; isso nos é dito de maneira imediata pelo nosso juízo. Na formação do sonho, esses elementos essenciais e acentuados por um interesse intenso podem ser tratados como se tivessem valência inferior, e seu lugar é ocupado no sonho por outros elementos que com certeza tinham valência inferior nos pensamentos oníricos. De início, a impressão que recebemos é de que a intensidade psíquica[193] das representações particulares absolutamente não entra em consideração na seleção onírica, e sim apenas a determinação mais ou menos variada delas. Poderíamos dizer que entra no sonho não aquilo que é importante nos pensamentos oníricos, e sim aquilo que está contido neles de maneira múltipla; no

---

193. Naturalmente, a intensidade psíquica, a valência ou o acento de interesse de uma representação devem ser distinguidos da intensidade sensorial, da intensidade daquilo que é representado.

entanto, essa hipótese não facilita muito a compreensão da formação dos sonhos, pois de início não se poderá acreditar que os fatores da determinação múltipla e da valência particular possam agir na seleção onírica de maneiras diferentes. Aquelas representações que são as mais importantes nos pensamentos oníricos provavelmente também serão aquelas que neles se repetirão com mais frequência, visto que é dessas representações, como se elas fossem centros, que se irradia cada um dos pensamentos oníricos. E, no entanto, o sonho pode recusar esses elementos intensamente acentuados e apoiados de vários lados, acolhendo em seu conteúdo outros elementos que apresentem apenas este último atributo.

Para solucionar essa dificuldade, faremos uso de outra impressão que recebemos quando investigamos a sobredeterminação do conteúdo onírico. Muitos leitores desta investigação talvez já tenham julgado em seu foro íntimo que a sobredeterminação dos elementos oníricos não é uma descoberta importante pelo fato de ser óbvia. Afinal, na análise se parte dos elementos oníricos, registrando todas as ideias ligadas a eles; não é de admirar, então, que, no material de pensamentos obtido dessa forma, justamente esses elementos sejam encontrados com especial frequência. Eu poderia não admitir essa objeção, mas eu próprio trarei à discussão algo que soa parecido com ela: entre os pensamentos revelados pela análise, há muitos que estão distantes do núcleo do sonho e que atuam como intercalações artificiais com certa finalidade. A finalidade desses pensamentos é fácil de verificar; são justamente eles que produzem uma ligação, muitas vezes forçada e rebuscada, entre o conteúdo onírico e os pensamentos oníricos, e, se esses elementos fossem eliminados da análise, os componentes do conteúdo onírico muitas vezes perderiam não só a sobredeterminação, mas, em geral, uma determinação satisfatória por meio dos pensamentos oníricos. Assim, somos levados a concluir que a determinação múltipla, decisiva para a seleção onírica, possivelmente nem sempre é um fator primário da formação do sonho, mas muitas vezes um resultado secundário de uma força psíquica que ainda desconhecemos. Apesar disso, a determinação múltipla deve ser importante para a entrada dos elementos particulares no sonho, pois podemos observar que ela é produzida com certo dispêndio nos casos em que não resulta do material onírico sem auxílio.

Assim, podemos supor que no trabalho do sonho se manifesta uma força psíquica que, por um lado, despoja os elementos dotados de alta valência psíquica de sua intensidade e, por outro lado, *pela via da sobredeterminação*, cria novas valências a partir de elementos de valência inferior, as quais entram então no conteúdo onírico. Se as coisas se passam dessa maneira, então ocorrem uma *transferência e um deslocamento das intensidades psíquicas* dos elementos particulares na formação do sonho, o que tem por consequência o surgimento da diferença de texto entre o conteúdo onírico e os pensamentos oníricos. O processo que dessa forma supomos é, decididamente, a parte essencial do trabalho do sonho: ele merece o nome de *deslocamento onírico*. *O deslocamento onírico e a condensação onírica* são os dois mestres de obras a cuja atividade podemos atribuir essencialmente a configuração do sonho.

Acredito que também seja fácil reconhecer a força psíquica que se manifesta nos fatos do deslocamento onírico. O resultado desse deslocamento é que o conteúdo onírico não se assemelha mais ao núcleo dos pensamentos oníricos – que o sonho apenas reproduz uma distorção do desejo onírico que se encontra no inconsciente. No entanto, já conhecemos a distorção onírica; nós a atribuímos à censura que uma instância psíquica exerce sobre outra na vida mental. O deslocamento onírico é um dos principais expedientes para se obter essa distorção. *Is fecit cui profuit.*[194] É lícito supor que o deslocamento onírico ocorra por influência dessa censura, a censura da defesa endopsíquica.[195]

---

194. "Cometeu o crime quem dele tirou proveito." Ligeira alteração de um trecho de *Medeia*, de Sêneca (verso 500 e segs.). (N.T.)

195. Visto que posso afirmar que o núcleo de minha concepção sobre os sonhos consiste em derivar a distorção onírica da censura, introduzo aqui o último trecho de um conto, "Sonhar é como estar acordado", extraído de *Fantasias de um realista*, de "Lynkeus" (Viena, 2. ed., 1900), em que reencontrei a principal característica de minha teoria. (continua)

De que modo os fatores do deslocamento, da condensação e da sobredeterminação se relacionam entre si na formação do sonho, qual desses fatores é o principal e qual é o secundário são questões que deixaremos para uma investigação posterior. Por enquanto, podemos declarar que a segunda condição que os elementos que entram no sonho precisam satisfazer é a de *ter escapado da censura da resistência*. Quanto ao deslocamento onírico, porém, queremos daqui por diante levá-lo em conta como um fato indubitável na interpretação dos sonhos.

(cont.) "Sobre um homem que tem a notável qualidade de jamais sonhar com coisas absurdas (...).
– Tua magnífica qualidade de sonhar como se estivesses acordado repousa sobre tuas virtudes, sobre tua bondade, tua retidão, teu amor à verdade; é a clareza moral de tua natureza que me faz compreender tudo a teu respeito.
– No entanto, quando penso bem no assunto – respondeu o outro –, quase acredito que todas as pessoas sejam como eu e que jamais alguém sonhe com coisas absurdas! Um sonho que recordamos tão claramente que podemos narrá-lo – um sonho, portanto, que não é um sonho febril – *sempre* tem sentido, e de modo algum pode ser diferente! Pois coisas que se contradizem não poderiam se agrupar num todo. O fato de muitas vezes o tempo e o espaço serem misturados não priva em nada o sonho de seu verdadeiro conteúdo, pois ambos com certeza não tiveram importância para o seu conteúdo essencial. Afinal, também fazemos isso muitas vezes na vigília; pense nos contos de fadas, nas tantas criações ousadas e engenhosas da imaginação, acerca das quais apenas um insensato diria: 'Isso é absurdo, pois é impossível!'.
– Se apenas soubéssemos sempre interpretar os sonhos corretamente, tal como acabaste de fazer com o meu! – disse o amigo.
– Essa não é, decerto, uma tarefa fácil, mas, com alguma atenção, provavelmente o próprio sonhador deveria ser sempre bem-sucedido em realizá-la. (...) Por que na maioria das vezes a tarefa da interpretação não é bem-sucedida? Parece que em vós há algo oculto no sonhar, algo impudico de uma espécie peculiar e superior, um certo segredo em vossa natureza que é difícil de imaginar; e é por isso que o vosso sonhar tantas vezes parece sem sentido, até mesmo absurdo. No entanto, bem lá no fundo as coisas de forma alguma são assim; sim, elas absolutamente não podem ser assim, pois se trata sempre da mesma pessoa, quer ela esteja acordada, quer esteja sonhando." [Nota acrescentada em 1909.]

C

OS RECURSOS FIGURATIVOS DO SONHO

Além dos dois fatores da *condensação* onírica e do *deslocamento* onírico, que descobrimos que agem na transformação do material latente de pensamentos em conteúdo onírico manifesto, encontraremos na sequência desta investigação mais duas condições que exercem influência indubitável na seleção do material que entra no sonho. Antes, mesmo com o risco de parecer que fazemos uma parada em nosso caminho, eu gostaria de lançar um primeiro olhar sobre os processos que ocorrem quando se executa a interpretação dos sonhos. Não escondo de mim mesmo que a maneira mais fácil de esclarecer tais processos e de assegurar sua autenticidade contra objeções seria tomar um sonho qualquer como amostra, fazer sua interpretação – tal como mostrei no capítulo II com o sonho da injeção de Irma –, reunir os pensamentos oníricos descobertos e então reconstruir a partir deles a formação do sonho, ou seja, completar a análise dos sonhos com uma síntese deles. Para minha própria instrução, levei esse trabalho a cabo em vários exemplos, porém não posso incluí-los aqui porque considerações variadas em relação ao material psíquico, que seriam aprovadas por qualquer pessoa razoável, me impedem de fazer essa demonstração. Na análise dos sonhos, tais considerações não atrapalharam tanto, pois a análise podia ficar incompleta e conservar seu valor mesmo que nos levasse a conhecer apenas uma parte da tessitura do sonho. Quanto à síntese, eu não saberia dizer outra coisa senão que ela precisa ser completa para convencer. Eu poderia dar uma síntese completa apenas de sonhos de pessoas desconhecidas do público leitor. Porém, visto que apenas pacientes – neuróticos – me oferecem os meios para tanto, essa parte da exposição do sonho precisa ser adiada até que eu possa – em outro texto – levar a explicação psicológica das neuroses até o ponto em que seja possível fazer uma ligação com o nosso tema.[196]

Das minhas tentativas de reconstruir sonhos sinteticamente a partir dos pensamentos oníricos, sei que o material resultante da interpretação tem valor desigual. Uma parte desse material é constituída pelos pensamentos oníricos essenciais, os quais, portanto, substituem o sonho inteiramente e, por si sós, seriam suficientes para essa substituição caso não houvesse censura onírica. Quanto à outra parte, estamos habituados a lhe atribuir pouco valor. Também não damos importância à afirmação de que todos esses pensamentos tomaram parte na formação do sonho, pois entre eles podem se achar ideias ligadas a experiências que ocorreram depois do sonho, entre os momentos do sonhar e do interpretar. Essa parcela abrange todas as vias de ligação que levaram do conteúdo onírico manifesto até os pensamentos oníricos latentes, bem como, do mesmo modo, as associações mediadoras e aproximadoras por meio das quais chegamos ao conhecimento dessas vias de ligação durante o trabalho de interpretação. [1919]

Interessam-nos aqui exclusivamente os pensamentos oníricos essenciais. Na maioria dos casos, eles se revelam como um complexo de pensamentos e de lembranças de construção complicadíssima, dotado de todas as características das cadeias de ideias que conhecemos da vigília. Não é raro que sejam concatenações de ideias que têm o seu ponto de partida em mais de um centro, sem que prescindam de pontos de contato; ao lado de uma cadeia de ideias, quase sempre se encontra o seu oposto contraditório, ligado a ela por uma associação de contraste.

Naturalmente, cada uma das partes dessa complicada estrutura se encontra nas mais variadas relações lógicas com as demais. Elas constituem primeiros e segundos planos, digressões

---

196. Depois disso, publiquei as análises e as sínteses completas de dois sonhos no "Fragmento de uma análise de histeria", de 1905. [Nota acrescentada em 1909.] Cabe reconhecer uma análise de O. Rank, "Um sonho que interpreta a si mesmo", como a interpretação mais completa de um sonho longo. [Acréscimo de 1914.]

e comentários, condições, argumentações e objeções. Quando toda a massa desses pensamentos oníricos é submetida à pressão do trabalho do sonho, que gira, fragmenta e junta essas partes, mais ou menos como pedaços de gelo flutuante, surge a questão de saber o que é feito dos laços lógicos que até então tinham constituído a estrutura. Que figuração experimentam no sonho os "quando", "por que", "como", "embora", "ou – ou" e todas as demais conjunções sem as quais não podemos compreender orações nem discursos?

De início, precisamos responder que o sonho não tem à sua disposição, entre os pensamentos oníricos, quaisquer recursos figurativos para essas relações lógicas. Na maioria dos casos, ele desconsidera todas essas conjunções e toma apenas o conteúdo concreto dos pensamentos oníricos para elaboração. Fica reservada à interpretação dos sonhos restabelecer os nexos que o trabalho do sonho aniquilou.

Se falta ao sonho essa capacidade de expressão, isso deve ser consequência do material psíquico do qual ele é elaborado. As artes figurativas – a pintura e a escultura – experimentam uma restrição semelhante quando comparadas à poesia, que pode se servir da fala; também nesse caso, a razão da incapacidade se encontra no material mediante cuja elaboração ambas as artes almejam exprimir alguma coisa. Antes de chegar a conhecer as leis da expressão válidas para ela, a pintura ainda se esforçava por compensar essa desvantagem. Em quadros antigos, pendiam pequenas etiquetas da boca das pessoas retratadas, trazendo por escrito a fala que o pintor desesperara de figurar em imagens.

Neste ponto talvez se levante uma objeção contra a ideia de que o sonho renuncia à figuração de relações lógicas. Afinal, há sonhos nos quais ocorrem as mais complicadas operações intelectuais, sonhos em que argumentamos e contradizemos, gracejamos e comparamos como na vida de vigília. Só que também nesse caso as aparências enganam; quando interpretamos tais sonhos, tomamos conhecimento de que tudo isso é *material onírico, e não figuração de trabalho intelectual no sonho*. O *conteúdo* dos pensamentos oníricos é reproduzido pelo pensar aparente do sonho, e não a *relação dos pensamentos oníricos entre si*, em cuja constatação consiste a atividade de pensar. Ainda darei exemplos disso. No entanto, é facílimo constatar que todas as falas que surgem nos sonhos e que são expressamente qualificadas como tais são cópias inalteradas ou apenas pouco modificadas de falas que igualmente se encontram nas lembranças do material onírico. A fala muitas vezes é apenas uma alusão a um acontecimento contido nos pensamentos oníricos; o sentido do sonho é bem diferente.

É claro que não contestarei que um trabalho de pensamento crítico, que não repete simplesmente o material dos pensamentos oníricos, também toma parte na formação dos sonhos. Ao final desta discussão precisarei esclarecer a influência desse fator. Veremos então que esse trabalho de pensamento não é produzido pelos pensamentos oníricos, e sim pelo sonho em certo sentido já acabado.

Por ora, ficamos no fato de que as relações lógicas entre os pensamentos oníricos não encontram no sonho uma figuração especial. Quando, por exemplo, encontramos uma contradição no sonho, ou se trata de uma oposição ao sonho ou de uma contradição oriunda do conteúdo de um dos pensamentos oníricos; a contradição no sonho corresponde a uma contradição *entre* os pensamentos oníricos apenas de uma maneira extremamente indireta.

Porém, assim como a pintura finalmente conseguiu expressar de outra maneira que não por meio de etiquetas esvoaçantes pelo menos a intenção de fala das pessoas figuradas – ternura, ameaça, advertência e similares –, assim também foi possível ao sonho levar em consideração algumas das relações lógicas entre os seus pensamentos oníricos por meio de uma correspondente modificação da figuração onírica que lhe é característica. Podemos fazer a experiência de que sonhos diferentes vão diferentemente longe nessa consideração; enquanto um sonho desconsidera por inteiro a estrutura lógica de seu material, outro procura indicá-la da maneira mais completa possível. Ao fazer isso, o sonho toma uma distância maior ou menor do texto que tem à sua disposição para elaborar. Aliás, o sonho também se comporta de maneira semelhantemente variável em relação à estrutura *temporal* dos pensamentos oníricos quando tal estrutura é produzida no inconsciente (como, por exemplo, no sonho da injeção de Irma).

No entanto, por meio de que recursos o trabalho do sonho consegue indicar as relações, difíceis de figurar, no material onírico? Tentarei citá-los um por um.

Em primeiro lugar, o sonho faz justiça ao nexo inegavelmente existente entre todas as partes dos pensamentos oníricos ao unificar esse material numa síntese que apresenta a forma de situação ou de processo. Ele reproduz o *nexo lógico* como se fosse *simultaneidade*; nisso ele procede de maneira semelhante ao pintor que, num quadro da Escola de Atenas ou do Parnaso, reúne todos os filósofos ou escritores que jamais estiveram juntos num pórtico ou sobre o topo de uma montanha, mas que para a observação pensante formam uma comunidade.

O sonho prossegue esse modo de figuração em pormenores. Sempre que mostra dois elementos próximos um do outro, ele assegura um nexo especialmente estreito entre seus correspondentes nos pensamentos oníricos. É como em nosso sistema de escrita: *ao* significa que as duas letras devem ser pronunciadas como uma sílaba. A letra *a*, seguida de *o* após um espaço em branco, indica que *a* é a última letra de uma palavra e *o* é a primeira de outra. Por consequência, as combinações oníricas não se formam a partir de componentes quaisquer, inteiramente díspares, do material onírico, e sim a partir daqueles que também se encontram ligados de maneira íntima nos pensamentos oníricos.

Para figurar *relações causais*, o sonho dispõe de dois procedimentos que, em sua essência, vêm a dar na mesma. Quando os pensamentos oníricos, por exemplo, têm o seguinte conteúdo: "Porque isso foi assim e assim, devia acontecer isso e aquilo", o modo de figuração mais frequente consiste em apresentar a oração subordinada sob a forma de sonho preliminar e então acrescentar a oração principal sob a forma de sonho principal. Se interpretei corretamente, a ordem cronológica também pode ser a contrária. A parte mais longa do sonho sempre corresponde à oração principal.

Um belo exemplo de tal figuração da causalidade me foi oferecido certa vez por uma paciente cujo sonho comunicarei na íntegra mais adiante. Ele consistia de um breve prelúdio e de um trecho onírico bastante longo, centrado em alto grau, e que talvez pudesse levar o título de "Floreios". O sonho preliminar foi o seguinte: *Ela vai à cozinha e censura as duas empregadas por não ficarem prontas "com o bocadinho de comida". Nisso ela vê um grande número de utensílios de cozinha emborcados para escorrer – na verdade, empilhados aos montes. As duas empregadas saem para buscar água e para isso precisam entrar numa espécie de rio, que chega até a casa ou até o pátio.*

Segue-se então o sonho principal, que começa assim: *Ela desce de um lugar alto passando por cima de um corrimão de forma peculiar, e fica contente por seu vestido não ficar preso em nada* etc. O sonho preliminar se refere à casa paterna da paciente. As palavras na cozinha provavelmente foram ouvidas dessa maneira de sua mãe. As pilhas de utensílios de cozinha provinham da loja de apetrechos de cozinha que funcionava no mesmo prédio. A outra parte do sonho contém uma alusão ao pai, que andava sempre envolvido com as empregadas e que numa enchente – a casa ficava às margens de um rio – apanhou uma doença fatal. O pensamento que se oculta por trás desse sonho preliminar, portanto, é o seguinte: "Pois provenho dessa casa, de um ambiente tão mesquinho e desagradável". O sonho principal retoma esse mesmo pensamento e o apresenta numa forma modificada pela realização de desejo: "Sou de alta linhagem". Na verdade, portanto: "Por ser de origem tão humilde, minha vida foi assim e assim".

Tanto quanto vejo, uma divisão do sonho em duas partes desiguais nem sempre significa uma relação causal entre os pensamentos dessas partes. Muitas vezes, é como se nos dois sonhos o mesmo material fosse figurado a partir de pontos de vista distintos; isso vale seguramente para a série de sonhos de uma noite que termina numa polução, série em que a necessidade somática forçou uma expressão cada vez mais nítida. [1914] Ou então os dois sonhos entraram no material onírico a partir de centros separados, sobrepondo-se quanto ao conteúdo, de modo que num sonho é centro aquilo que no outro coopera como alusão e vice-versa. Num certo número de sonhos, porém, a cisão entre sonho preliminar curto e sonho posterior longo significa de fato relação causal entre ambas as partes. A outra forma de figuração da relação causal encontra aplicação em um material menos amplo, e consiste em que uma imagem no sonho, seja uma pessoa ou uma coisa, se transforme em outra. Só quando vemos essa transformação ocorrer no sonho é que o nexo causal é afirmado seriamente, e não quando apenas percebemos que uma coisa tomou o lugar de outra. Afirmei que os dois processos de figurar relações causais dão na mesma; em ambos os casos, a *causação* é figurada por uma *sucessão*; no primeiro, pela sequência dos sonhos, e, no segundo, pela transformação direta de uma imagem em outra. Todavia, na grande maioria dos casos a relação causal absolutamente não é figurada, mas se inclui na sucessão dos elementos, que também no processo do sonho é inevitável.

O sonho não consegue expressar de forma alguma a alternativa "ou – ou"; ele costuma incluir os membros dessa alternativa num só contexto como se tivessem direitos iguais. O sonho da injeção de Irma contém um exemplo clássico disso. Seus pensamentos latentes dizem de maneira evidente que não tenho culpa de que as dores de Irma prossigam; *ou* a culpa é de sua resistência em aceitar a solução que propus, *ou* do fato de ela viver em condições sexuais desfavoráveis que não posso mudar, *ou* suas dores de forma alguma são de natureza histérica, mas orgânica. No entanto, o sonho realiza todas essas possibilidades quase mutuamente excludentes e não se escandaliza em acrescentar uma quarta solução desse gênero tomada do desejo do sonho. A alternativa "ou – ou" foi introduzida por mim na concatenação dos pensamentos oníricos depois da interpretação.

Porém, nos casos em que o narrador poderia usar um "ou – ou" ao reproduzir o sonho – "ou era um jardim ou uma sala de estar" etc. –, não ocorre uma alternativa nos pensamentos oníricos, e sim um "e", uma simples adição. Na maioria das vezes, descrevemos com "ou – ou" o caráter nebuloso, que ainda aguarda por solução, de um elemento onírico. A regra de interpretação para esse caso é a seguinte: cabe equiparar entre si os membros da alternativa aparente e reuni-los por meio de "e". Sonhei, por exemplo, que, depois de ter esperado em vão por muito tempo pelo endereço de meu amigo que estava na Itália, recebi um telegrama que me comunicava esse endereço. Eu o vejo impresso em azul sobre a tira de papel do telegrama; a primeira palavra é indistinta:

talvez *via*,
ou *Villa*, } a segunda é nítida: *Sezerno*.
ou inclusive *(Casa)*

A segunda palavra, que lembra os nomes italianos e me faz recordar nossas discussões etimológicas, também expressa minha irritação por ele ter *ocultado* [geheim*halten*; *Heim* = casa] de mim o seu paradeiro por tanto tempo; porém, cada um dos membros da tríade de sugestões relacionada com a primeira palavra se revela na análise como um ponto de partida, independente e com os mesmos direitos, do encadeamento de ideias.

Na noite que precedeu o enterro de meu pai, sonhei com um letreiro impresso, um cartaz ou aviso – mais ou menos como os cartazes de "proibido fumar" nas salas de espera das estações ferroviárias –, no qual se lia:

Pede-se fechar os olhos,

ou *Pede-se fechar um olho*,

o que estou habituado a representar de seguinte forma:

Pede-se fechar $\frac{os}{um}$ olho(s).

Cada uma dessas duas versões tem o seu sentido próprio e leva a caminhos independentes na interpretação do sonho. Eu tinha escolhido o cerimonial mais simples possível, pois sabia o que o falecido pensava sobre tais eventos. Outros membros da família, porém, não estavam de acordo com tal simplicidade puritana; eles achavam que passaríamos vergonha diante dos convidados do funeral. Por isso um dos textos do sonho pede para "fechar um olho", isto é, para ser tolerante. O significado da indistinção, que descrevemos com um "ou – ou", é especialmente fácil de apreender nesse caso. O trabalho do sonho não conseguiu produzir um texto único, porém ambíguo, para os pensamentos oníricos. Dessa forma, os dois principais encadeamentos de ideias já se separam um do outro no conteúdo onírico.

Em alguns casos, a alternativa dificilmente figurável é expressa pela divisão do sonho em duas partes de igual extensão.

Altamente notável é o comportamento do sonho em relação à categoria da *oposição* e da *contradição*. Essa categoria é simplesmente negligenciada; o "não" parece não existir para o sonho. Com especial predileção, as oposições são reunidas ou figuradas numa unidade. O sonho também toma a liberdade de figurar um elemento qualquer pela sua antítese de desejo, de modo que de início não sabemos se um elemento que admite um oposto está contido positiva ou negativamente nos pensamentos oníricos.[197] Em um dos últimos

---

197. Em um trabalho de K. Abel, *O sentido antitético das palavras primitivas* (1884; ver minha resenha, 1910 *e*), tomei conhecimento do fato surpreendente, também confirmado por outros linguistas, de que neste ponto as línguas mais antigas se comportam de modo muito semelhante ao sonho. Inicialmente, elas têm apenas uma palavra para designar os dois opostos nos extremos de uma série de qualidades ou de atividades (fortefraco, velhojovem, longeperto, unirseparar), criando designações separadas para os dois opostos apenas de maneira secundária por meio de ligeiras modificações da palavra primitiva comum. Abel demonstra essas relações em grande escala no egípcio antigo, mas também apresenta vestígios evidentes do mesmo desenvolvimento nas línguas semíticas e indo-germânicas. [Nota acrescentada em 1911.]

sonhos mencionados, cuja frase antecedente já interpretamos ("Por ser dessa origem"), a sonhadora desce por cima de um corrimão segurando um ramo florido. Visto que a propósito dessa imagem lhe vieram à mente o anjo que segura um ramo de lírio nos quadros da Anunciação de Maria (ela própria se chama Maria) e as meninas vestidas de branco na procissão de Corpus Christi, quando as ruas são enfeitadas com ramos verdes, o ramo florido do sonho é com toda certeza uma alusão à inocência sexual. No entanto, esse ramo está apinhado de flores *vermelhas*, cada uma delas parecendo uma camélia. Chegando ao final de seu caminho, prossegue o sonho, muitas flores já caíram; seguem-se alusões inequívocas à menstruação. Dessa forma, o mesmo ramo que é segurado como um lírio e como que por uma menina inocente é ao mesmo tempo uma alusão à *dama das camélias*, que, como se sabe, sempre levava uma camélia branca, mas, quando menstruada, uma vermelha. O mesmo ramo de flores ("as flores da menina" nas canções sobre a moleira em Goethe[198]) figura a inocência sexual e também o seu contrário. Também o mesmo sonho que expressa a alegria por ela ter conseguido passar imaculada pela vida deixa transparecer em alguns pontos (como no trecho em que as flores caem) a cadeia de ideias contrária, a de que ela é culpada de vários pecados contra a pureza sexual (na infância, quer dizer). Na análise do sonho, podemos distinguir claramente as duas cadeias de ideias, das quais a consoladora parece ocupar uma camada superficial e a reprovadora, uma camada mais profunda; elas se contradizem diretamente, e seus elementos idênticos, porém opostos, foram figurados pelos mesmos elementos oníricos.

Entre as relações lógicas, há uma só que é extremamente beneficiada pelo mecanismo da formação dos sonhos. Trata-se

---

198. O poema se chama "A traição da moleira" e trata de um jovem que é ludibriado por uma camponesa supostamente inocente: ele passa a noite na sua cama e nos primeiros alvores do dia é surpreendido pela turba dos familiares que exigem aos gritos "as flores da menina". Também aos gritos, ele os intimida e consegue se safar, porém deixa para trás suas roupas, saindo para o dia frio protegido apenas por uma capa. (N.T.)

da relação de semelhança, de concordância, de contato, o "assim como", relação que no sonho pode ser figurada como nenhuma outra com múltiplos recursos.[199] As congruências ou casos de "assim como" existentes no material onírico são, afinal, os primeiros pontos de apoio da formação do sonho, e uma parte nada desprezível do trabalho do sonho consiste em criar novas congruências desse tipo quando as disponíveis não podem entrar no sonho em razão da censura da resistência. O esforço condensador do trabalho do sonho vem em auxílio da figuração da relação de semelhança.

Semelhança, *concordância* e *caráter comum* são figurados pelo sonho de modo bem geral pela concentração em uma *unidade*, que ou já é encontrada no material onírico ou então é criada. Podemos chamar o primeiro caso de *identificação*, e o segundo, de *formação mista*. A identificação é aplicada quando se trata de pessoas; a formação mista, quando o material da unificação consiste de coisas, embora também se produzam formações mistas de pessoas. Lugares são tratados frequentemente como pessoas.

A identificação consiste em que apenas uma das pessoas ligadas entre si por um elemento comum seja figurada no conteúdo onírico, enquanto a segunda ou as demais parecem ter sido suprimidas do sonho. No entanto, essa pessoa encobridora toma parte no sonho de todas as relações e situações derivadas dela ou das pessoas encobertas. Na formação mista que se estende a pessoas, há na imagem onírica traços peculiares das pessoas, mas que não são comuns a todas, de modo que pela unificação desses traços surge seguramente uma nova unidade, uma pessoa mista. Essa mistura pode ser produzida de diversas maneiras. Ou a pessoa onírica tem o nome de uma das pessoas com que se relaciona – sabemos, então, de uma maneira inteiramente análoga àquela pela qual sabemos disso na vigília, que a pessoa aludida é essa ou aquela –, enquanto os traços visuais pertencem a outra; ou a imagem onírica é composta de traços visuais que na realidade

---

199. Ver a observação de Aristóteles sobre a aptidão para ser intérprete de sonhos (p. 118, nota 63). [Nota acrescentada em 1914.]

são compartilhados por ambas. Em vez de ser substituída por traços visuais, a participação da segunda pessoa também pode ser substituída pelos gestos que atribuímos a ela, pelas palavras que a fazemos dizer ou pela situação em que a colocamos. Neste último tipo de caracterização, a nítida distinção entre identificação e formação de pessoas mistas começa a desaparecer. No entanto, também pode acontecer que a formação de uma dessas pessoas mistas malogre. Nesse caso, a cena do sonho é atribuída a uma das pessoas, e a outra – em geral a mais importante – aparece presente, sem tomar parte em nada. O sonhador diz, por exemplo: "Minha mãe também estava junto" (Stekel). [1911] Assim, semelhante elemento do conteúdo onírico pode ser comparado a um determinativo da escrita hieroglífica, que não se destina a ser pronunciado, e sim ao esclarecimento de outro símbolo. [1914]

O elemento comum que justifica – isto é, ocasiona – a unificação das duas pessoas pode ser figurado no sonho ou faltar. Em geral, a identificação ou a formação de pessoas mistas serve justamente para poupar a figuração desse elemento comum. Em vez de repetir: "A me é hostil e B também", crio no sonho uma pessoa mista a partir de A e de B ou imagino A em uma ação diferente que caracteriza B. A pessoa onírica assim obtida vem ao meu encontro no sonho em uma nova ligação qualquer, e da circunstância de ela significar tanto A quanto B extraio então a autorização para introduzir, no trecho correspondente da interpretação do sonho, aquilo que é comum a ambas, a saber, a relação hostil comigo. Dessa maneira, obtenho com frequência uma extraordinária condensação do conteúdo onírico; posso me poupar a figuração direta de relações bastante complexas ligadas a uma pessoa se encontrar outra para substituí-la que tenha o mesmo direito a uma parte dessas relações. É fácil de compreender em que medida essa figuração por identificação também pode servir para burlar a censura da resistência, que submete o trabalho do sonho a condições tão duras. O estímulo para a censura pode estar justamente naquelas representações que no material estão ligadas a determinada pessoa; encontro então uma segunda pessoa que também tenha relações com o material censurado, porém apenas com uma parte dele. O contato naqueles pontos não isentos de censura me dá o direito de criar uma pessoa mista caracterizada por traços indiferentes de ambas as pessoas. Essa pessoa mista ou pessoa de identificação, isenta de censura, é apta para entrar no conteúdo onírico, e ao aplicar a condensação onírica satisfiz as exigências da censura do sonho.

Além disso, quando no sonho é figurado um elemento comum a duas pessoas, isso normalmente é uma indicação para procurar outro elemento comum oculto cuja figuração foi impossibilitada pela censura. Ocorreu aqui, por assim dizer em favor da figurabilidade, um deslocamento quanto ao elemento comum. Do fato de a pessoa mista me ser mostrada no sonho com um elemento comum indiferente, devo deduzir outro elemento comum, de forma alguma indiferente, nos pensamentos oníricos.

De acordo com isso, a identificação ou formação de pessoas mistas serve no sonho a diversos fins: em primeiro lugar, à figuração de um elemento comum a ambas as pessoas; em segundo, à figuração de uma característica comum *deslocada*; e ainda, em terceiro lugar, para expressar uma característica comum meramente *desejada*. Visto que desejar uma característica comum entre duas pessoas muitas vezes coincide com uma *troca* dessas pessoas, essa relação também é expressa no sonho mediante identificação. No sonho da injeção de Irma, desejo trocar essa paciente por outra, ou seja, desejo que a outra seja minha paciente tal como a primeira; o sonho leva esse desejo em conta ao me mostrar uma pessoa que se chama Irma, mas que é examinada numa posição que só tive ocasião de ver no caso da outra. No sonho com meu tio, essa troca é o centro do sonho; eu me identifico com o ministro ao não tratar e não julgar meus colegas melhor do que ele.

Uma experiência para a qual não achei exceções é o fato de todo sonho tratar da própria pessoa que sonha. Os sonhos são absolutamente egoístas.[200] Quando no conteúdo onírico

---

200. Ver a propósito disso a nota 172, na p. 293. [Nota acrescentada em 1925.]

não aparece o meu eu, e sim apenas uma pessoa desconhecida, estou autorizado a supor tranquilamente que o meu eu está escondido por trás dessa pessoa por meio de identificação. Estou autorizado a completar o meu eu. Em outras ocasiões em que o meu eu aparece no sonho, a situação em que ele se encontra me diz que por trás dele se oculta outra pessoa por identificação. O sonho me adverte assim a transferir para mim na interpretação algo atribuído a essa pessoa, a saber, o elemento comum oculto. Também há sonhos em que o meu eu aparece ao lado de outras pessoas que, pela decomposição da identificação, se revelam como sendo novamente o meu eu. Devo, então, mediante essas identificações, associar ao meu eu certas representações, cuja admissão foi bloqueada pela censura. Posso, portanto, figurar o meu eu várias vezes num sonho, ora diretamente, ora mediante a identificação com pessoas estranhas. Com várias dessas identificações é possível condensar um material de pensamentos imensamente rico.[201] O fato de o próprio eu aparecer num sonho várias vezes ou sob diferentes formas não é, no fundo, mais surpreendente do que o fato de ele estar contido várias vezes e em diferentes trechos, ou em outras relações, num pensamento consciente; por exemplo, na frase: "Quando *eu* penso que criança saudável *eu* fui". [1925]

No caso de lugares designados com nomes próprios, a decomposição das identificações é ainda mais transparente do que no caso de pessoas, visto que não ocorre a interferência do eu, prepotente no sonho. Num de meus sonhos com Roma (p. 216), o lugar em que me encontro se chama Roma; no entanto, fico surpreso com a quantidade de cartazes alemães em uma esquina. Esse último fato é uma realização de desejo a propósito da qual logo me vem à mente a cidade de Praga; o desejo em si talvez provenha de um período de nacionalismo alemão dos anos de juventude, hoje superado. Na época em

---

201. Quando estou em dúvida sobre por trás de qual das pessoas que aparecem no sonho devo procurar o meu eu, atenho-me à seguinte regra: a pessoa que oculta o meu eu é aquela que no sonho está sujeita a um afeto que sinto na condição de pessoa adormecida.

que tive esse sonho, eu marcara um encontro com meu amigo em Praga; a identificação entre Roma e Praga se explica assim por um elemento comum desejado; eu preferiria encontrar meu amigo em Roma a fazê-lo em Praga, gostaria de trocar Praga por Roma para esse encontro.

A possibilidade de criar formações mistas é o mais importante dos traços que, com tanta frequência, conferem aos sonhos um cunho fantástico, pois é por meio delas que são introduzidos no conteúdo onírico elementos que jamais poderiam ser objeto da percepção. O processo psíquico que ocorre nessas formações mistas do sonho é evidentemente o mesmo de quando na vigília imaginamos ou desenhamos um centauro ou um dragão. A única diferença é que na criação fantástica da vigília o fator determinante é a própria impressão pretendida com a nova formação, enquanto a formação mista do sonho é determinada por um fator externo à sua configuração, a saber, o elemento comum nos pensamentos oníricos. A formação mista do sonho pode ocorrer de maneiras muito variadas. Na mais simples delas são figuradas apenas as qualidades de uma coisa, e essa figuração é acompanhada pelo conhecimento de que ela também vale para outro objeto. Uma técnica mais minuciosa reúne traços tanto de um quanto de outro objeto em uma nova imagem, servindo-se habilmente para isso de semelhanças que ocorrem na realidade entre ambos os objetos. A nova formação pode resultar de todo absurda ou mesmo parecer fantasticamente bem-sucedida, o que depende do material e da engenhosidade empregados na composição. Se os objetos a serem condensados numa unidade forem muito díspares, o trabalho do sonho muitas vezes se contenta em criar uma formação mista com um núcleo mais nítido ao qual se juntam complementos mais indistintos. Nesse caso, a unificação em uma imagem não foi, por assim dizer, bem-sucedida; ambas as figurações se sobrepõem e produzem algo como uma competição entre as imagens visuais. Se quiséssemos mostrar a formação de um conceito a partir de imagens perceptivas individuais, poderíamos chegar a figurações semelhantes em um desenho.

Tais formações mistas naturalmente pululam nos sonhos; já comuniquei alguns exemplos nos sonhos analisados até o momento; agora acrescento mais alguns. No sonho que descreve "por floreios" a vida da paciente, o eu onírico carrega um ramo florido que, como ficamos sabendo, significa ao mesmo tempo inocência e pecaminosidade sexual; além disso, pelo modo como as flores estão dispostas, o ramo lembra as flores da *cerejeira*; consideradas individualmente, as próprias flores são *camélias*, sendo que o todo ainda dá a impressão de uma planta *exótica*. Aquilo que há de comum entre os elementos dessa formação mista resulta dos pensamentos oníricos. O ramo florido é composto a partir de alusões a presentes que a levaram ou deviam levá-la a se mostrar simpática. Na infância foram as *cerejas*, e em anos posteriores um pé de *camélia*; o *exótico* é uma alusão a um naturalista muito viajado que quis obter os seus favores com um desenho de flores. Outra paciente criou no sonho uma coisa intermediária entre as *cabines de banho* da praia, as *latrinas* do campo e os *sótãos* de nossas casas da cidade. A relação com a nudez e o desnudamento humanos é comum aos dois primeiros elementos; a partir da combinação com o terceiro elemento, pode-se concluir que (em sua infância) o sótão também foi cenário de desnudamento. Outro sonhador criou um local misto a partir de dois lugares onde se fazem "tratamentos": meu consultório e o lugar público em que conheceu sua mulher. [1909] Depois que seu irmão mais velho prometeu lhe servir caviar, uma jovem sonhou que as pernas dele estavam *cobertas com as pérolas pretas do caviar*. Os elementos "contágio" em sentido moral e a lembrança de uma *erupção cutânea* na infância, que cobriu suas pernas com pontos *vermelhos* em vez de pretos, se uniram nesse caso com as *pérolas do caviar* formando um novo conceito, "aquilo que seu irmão lhe passou". Partes do corpo humano são tratadas nesse sonho como objetos, o que ocorre também em outros. Num sonho comunicado por Ferenczi, aparecia uma formação mista composta pela pessoa de um *médico* e por um *cavalo*, e que, além disso, vestia uma *camisa de dormir*. A análise mostrou o que havia de comum nesses três componentes depois que a camisa de dormir foi reconhecida como alusão ao pai da sonhadora em uma cena da infância. Nos três casos se tratava de objetos de sua curiosidade sexual. Quando criança, ela era levada de vez em quando por sua babá ao haras militar, onde tinha ocasião de satisfazer à vontade sua curiosidade, naquele tempo ainda irrefreada. [1911]

Afirmei anteriormente que o sonho não tem recursos para expressar a relação de contradição, de oposição, o "não". Contradigo essa afirmação pela primeira vez. Como vimos, uma parte dos casos que podem ser reunidos na categoria de "oposição" é simplesmente figurada por identificação, isto é, quando à contraposição for possível associar uma troca, uma substituição. Citamos repetidos exemplos disso. Outra parte das oposições nos pensamentos oníricos, que entra na categoria de "inversamente, ao contrário", é figurada no sonho da seguinte maneira curiosa, que quase poderíamos chamar de chistosa. O "inversamente" não entra, ele próprio, no conteúdo onírico, mas manifesta sua presença no material pelo fato de uma parte do conteúdo onírico já formada, e que por outras razões lhe é próxima, sofrer uma *inversão* por assim dizer *a posteriori*. O processo é mais fácil de ilustrar do que de descrever. No belo sonho "Em cima e embaixo" (p. 307 e segs.), a figuração onírica do subir é a inversão de seu modelo nos pensamentos oníricos, a saber, a cena introdutória de *Safo*, de Daudet; no sonho as coisas são difíceis no início e fáceis depois, enquanto na cena a ascensão de início é fácil e depois se torna sempre mais difícil. O "em cima" e o "embaixo" relacionados com o irmão também são figurados de maneira invertida no sonho. Isso aponta para uma relação de inversão ou de oposição existente entre duas partes do material nos pensamentos oníricos, e que descobrimos pelo fato de na fantasia de infância do sonhador ele ser carregado por sua ama de leite, ao contrário do que ocorre no romance, em que o herói carrega a amante. Meu sonho do ataque de Goethe ao sr. M. (ver mais adiante) também contém tal "inversamente", que primeiro precisa ser colocado em seu lugar antes de podermos chegar à interpretação do sonho. Nele, Goethe atacou um jovem, o sr. M; na realidade, tal como contida nos pensamentos oníricos, um homem importante, meu amigo, foi atacado por um jovem autor desconhecido. No sonho, faço um cálculo a partir da data da morte de Goethe; na realidade, o cálculo parte do ano de nascimento do paralítico. O pensamento que se mostra determinante no material onírico é a oposição a que Goethe seja tratado como um louco. Ao contrário, diz o sonho, se não compreendes o livro, o imbecil és tu, e não o autor. Além disso, me parece que todos esses sonhos de inversão se relacionam com a expressão desdenhosa "voltar as *costas* a alguém" (a inversão em relação ao irmão no sonho de *Safo*). Digna de nota também é a frequência com que a inversão é empregada justamente em sonhos inspirados por moções homossexuais recalcadas. [1911]

Aliás, a inversão ou transformação em seu contrário é um dos recursos figurativos prediletos do trabalho do sonho, passível de ser empregado das mais variadas maneiras. Em primeiro lugar, ela serve para impor a realização de desejo frente a um determinado elemento dos pensamentos oníricos. "Quem dera tivesse sido o contrário!" é muitas vezes a melhor frase para expressar a reação do eu a um fragmento desagradável de recordação. No entanto, a inversão se torna especialmente valiosa a serviço da censura, pois produz um grau de distorção do material a ser figurado que de início quase paralisa a compreensão do sonho. Por isso, quando um sonho se recusa tenazmente a fornecer seu sentido, é lícito ousar sempre a tentativa de inverter determinadas partes de seu conteúdo manifesto, o que não raro esclarece tudo de imediato.

Além da inversão do conteúdo, cabe não ignorar a inversão temporal. Uma técnica muito frequente da distorção onírica consiste em figurar o desfecho do acontecimento ou a conclusão da cadeia de ideias no início do sonho, acrescentando no seu final as premissas do silogismo ou as causas do acontecimento. Quem não tiver considerado esse recurso técnico da distorção onírica ficará desnorteado diante da tarefa da interpretação dos sonhos.[202] [1909]

Em muitos casos, apenas obtemos o sentido do sonho quando fazemos várias inversões no conteúdo onírico segundo diversas relações. Assim, por exemplo, a lembrança do desejo infantil de que o pai temido morra se oculta por trás do seguinte texto no sonho de um jovem neurótico obsessivo: *seu pai o xinga por chegar tão tarde em casa*. Só que o contexto do tratamento psicanalítico e as ideias que ocorrem ao sonhador demonstram que seu conteúdo deve ser, em primeiro lugar, que *ele está irritado com o pai*, e em segundo lugar, que o pai, em todo caso, voltou para casa *muito cedo* (ou seja, logo). Ele teria preferido que o pai absolutamente não tivesse voltado para casa, o que é idêntico ao desejo de que o pai morra (ver p. 276-278). É que quando pequeno, durante uma longa ausência do pai, o sonhador cometeu uma agressão sexual contra outra pessoa e foi punido com a seguinte ameaça: "Espera só até o pai voltar!". [1911]

Se quisermos continuar acompanhando as relações entre o conteúdo onírico e os pensamentos oníricos, o melhor, agora, é tomar o próprio sonho como ponto de partida e perguntar o que significam certas características formais da figuração onírica com respeito aos pensamentos oníricos. Entre essas características formais que devem chamar nossa atenção no sonho, encontram-se sobretudo as diferenças de intensidade

---

202. O ataque histérico se serve às vezes dessa mesma técnica de inversão cronológica para ocultar seu sentido ao espectador. Uma jovem histérica, por exemplo, precisa representar em seu ataque um pequeno romance, que fantasiou no inconsciente depois de encontrar alguém no trem. O homem em questão, atraído pela beleza do pé dela, lhe dirige a palavra enquanto ela lê; ela o acompanha e vive uma impetuosa cena de amor. Seu ataque começa com a figuração dessa cena amorosa por meio de convulsões (acompanhadas do movimento dos lábios para beijar e dos gestos de abraçar); depois ela corre para o outro cômodo, senta-se numa cadeira, levanta o vestido para mostrar o pé, finge que vai ler um livro e me dirige a palavra (me responde). Ver a propósito disso a observação de Artemidoro: "Na interpretação das histórias dos sonhos, ora devemos considerá-las de frente para trás, ora de trás para frente [...]". [Nota acrescentada em 1909.]

sensorial entre formações oníricas individuais e as diferenças de nitidez entre partes individuais de sonhos ou entre sonhos inteiros quando comparados entre si. As diferenças de intensidade entre as formações oníricas individuais abrangem toda uma escala que vai de uma nitidez expressiva que estamos inclinados – embora sem garantias – a colocar acima da realidade até uma indistinção irritante que declaramos ser característica do sonho porque na verdade não é inteiramente comparável a nenhum dos graus de indistinção que vez por outra observamos nos objetos da realidade. Além disso, costumamos qualificar de "fugaz" a impressão que recebemos de um objeto onírico indistinto, enquanto acreditamos que as imagens oníricas mais nítidas resistiram em razão de uma percepção mais demorada. Resta saber quais são as condições no material onírico que produzem essas diferenças de vivacidade entre as partes individuais do conteúdo do sonho.

Em primeiro lugar, precisamos contrariar certas expectativas que surgem como se fossem inevitáveis. Visto que sensações reais percebidas durante o sono também podem fazer parte do material do sonho, alguém provavelmente fará a suposição de que essas sensações ou os elementos oníricos delas derivados se destaquem no conteúdo onírico com uma intensidade especial; ou, inversamente, que aquilo que se manifesta no sonho com especial vivacidade possa ser atribuído a essas sensações reais do sono. Minha experiência, porém, jamais confirmou isso. Não é verdadeiro que os elementos do sonho que são derivados de impressões reais recebidas durante o sono (estímulos nervosos) se distingam pela sua vivacidade dos outros elementos que provêm de lembranças. O fator da realidade não conta na determinação da intensidade das imagens oníricas.

Além disso, haverá quem possa se ater à expectativa de que a intensidade sensorial (vivacidade) das imagens oníricas isoladas tenha uma relação com a intensidade psíquica dos elementos correspondentes nos pensamentos oníricos. Nestes últimos, a intensidade coincide com a valência psíquica; os elementos mais intensos são precisamente os mais importantes, aqueles que constituem o centro dos pensamentos oníricos. Na verdade, sabemos que na maioria dos casos justamente esses elementos não têm acesso ao conteúdo onírico em razão da censura. Porém, poderia acontecer que os derivados diretos que os substituem no sonho alcançassem um alto grau de intensidade, sem que por isso precisassem constituir o centro da figuração onírica. Entretanto, essa expectativa também é destruída pelo exame comparativo entre o sonho e o material onírico. A intensidade dos elementos neste não tem nada a ver com a intensidade dos elementos naquele; entre o material onírico e o sonho ocorre de fato uma completa *transvaloração de todos os valores psíquicos*. Muitas vezes, é precisa e exclusivamente num elemento onírico esboçado de maneira fugaz, encoberto por imagens mais fortes, que se pode descobrir um derivado direto daquilo que é dominante nos pensamentos oníricos.

A intensidade dos elementos do sonho se mostra determinada de outra forma; mais precisamente, por dois fatores independentes um do outro. Em primeiro lugar, é fácil ver que são figurados com especial intensidade aqueles elementos pelos quais a realização de desejo se expressa. Mas, além disso, a análise ensina que a maioria das cadeias de ideias parte dos elementos mais vívidos do sonho, que os elementos mais vívidos são ao mesmo tempo os mais bem determinados. Não haverá mudança de sentido se expressarmos essa última tese, obtida empiricamente, da seguinte forma: os elementos do sonho que mostram intensidade máxima são aqueles para cuja formação se usou o *trabalho de condensação* mais abundante. Estamos então autorizados a esperar que essa condição e a da realização de desejo também possam ser expressas numa única fórmula.

Eu gostaria que o problema do qual acabei de tratar, o das causas da maior ou menor intensidade ou nitidez dos elementos oníricos individuais, não fosse confundido com outro, referente à nitidez desigual de sonhos inteiros ou de trechos de sonhos. Naquele, o oposto da nitidez é a indistinção;

neste, a confusão. No entanto, é evidente que as qualidades crescentes e decrescentes aparecem juntas nas duas escalas. Uma parte do sonho que nos parece clara contém elementos na sua maioria intensos; um sonho obscuro, ao contrário, é composto de elementos menos intensos. Contudo, o problema oferecido pela escala que vai do aparentemente claro ao indistinto-confuso é muito mais complexo do que o problema das oscilações de vivacidade dos elementos oníricos; por razões a serem apresentadas mais adiante, o primeiro desses problemas não pode ser discutido aqui.

Em casos específicos, notamos, não sem surpresa, que a impressão de clareza ou de indistinção que recebemos de um sonho não significa absolutamente nada para a estrutura onírica, mas provém do material onírico como um componente dele. Lembro-me, assim, de um sonho que após o despertar me pareceu tão bem estruturado, sem lacunas e claro que, ainda sonolento, me propus a admitir uma nova categoria de sonhos, não submetidos aos mecanismos da condensação e do deslocamento, mas que poderiam ser qualificados como "fantasias durante o sono". Um exame mais detalhado mostrou que esse sonho raro apresentava em sua estrutura as mesmas fendas e fissuras que qualquer outro; por isso, abandonei a categoria das fantasias oníricas.[203] O conteúdo resumido do sonho consistia em que eu apresentava a meu amigo uma teoria da bissexualidade, difícil e buscada por muito tempo, sendo a força realizadora de desejos do sonho a responsável pelo fato dessa teoria (que, aliás, não foi comunicada no sonho) nos parecer clara e sem lacunas. Portanto, aquilo que considerei como um juízo sobre o sonho acabado era uma parte, e na verdade a parte essencial, do conteúdo onírico. O trabalho do sonho se estendeu, por assim dizer, ao primeiro pensamento de vigília e me transmitiu sob a forma de *juízo* sobre o sonho aquela parte do material onírico cuja figuração exata ele não conseguiu fazer no sonho. Certa vez, constatei a contraparte perfeita disso no caso de uma paciente que, de início, não

---

203. Se com razão, hoje não sei. [Nota acrescentada em 1930.]

queria me contar de forma alguma um sonho que se encaixava no contexto da análise "porque era tão indistinto e confuso", e que, por fim, sob repetidos protestos quanto à exatidão de sua exposição, disse que no sonho apareciam várias pessoas – ela, seu marido e seu pai –, e que era como se ela não soubesse se o marido era seu pai, ou quem de fato era seu pai, ou algo assim. A combinação desse sonho com as ideias que lhe ocorreram durante a sessão mostrou que se tratava, sem dúvida, da história bastante banal de uma empregada que precisou confessar que esperava um filho e teve de ouvir dúvidas sobre "quem era realmente o pai (da criança)".[204] Portanto, a falta de clareza mostrada pelo sonho era também nesse caso uma parte do material excitador do sonho. Uma parte desse conteúdo fora figurada na *forma* do sonho. *A forma do sonho ou do sonhar é usada com uma frequência surpreendente para a figuração do conteúdo oculto.* [1909][205]

Glosas sobre o sonho – observações aparentemente inocentes sobre ele – servem muitas vezes para ocultar da maneira mais refinada uma parte daquilo que se sonhou, enquanto na verdade a revelam. Assim, por exemplo, quando um sonhador diz: "Aqui o sonho está *borrado*", e a análise traz à tona a reminiscência infantil de uma ocasião em que ele espreitou uma pessoa que se limpava depois da defecação. Ou em outro caso, que merece ser comunicado em detalhes: um jovem tem um sonho bastante nítido que o faz lembrar fantasias de seus anos de menino que permaneceram conscientes: ele se encontra à noitinha num hotel de veraneio, se engana quanto ao número do quarto e entra num cômodo em que uma senhora mais velha e suas duas filhas se despem para ir dormir. Ele continua: "*Então há algumas lacunas no sonho, aí falta alguma coisa*, e no fim havia um homem no quarto que queria me expulsar e com quem tive de lutar". Ele se esforça em vão por recordar o conteúdo e o propósito daquela fantasia

---

204. Sintomas histéricos concomitantes: amenorreia e grande abatimento (o principal sofrimento dessa paciente).

205. [A frase só aparece grifada a partir de 1914.]

de menino à qual o sonho alude de maneira evidente. Porém, finalmente percebemos que o conteúdo procurado já foi dado pela expressão sobre a parte indistinta do sonho. As "lacunas" são as aberturas genitais das mulheres que estão indo dormir: "aí falta alguma coisa" descreve a principal característica dos genitais femininos. Quando menino, ele ardia de curiosidade por ver um genital feminino, e ainda estava inclinado a defender a teoria sexual infantil que atribui à mulher um órgão masculino. [1911]

De forma muito semelhante se disfarçou uma reminiscência análoga de outro sonhador. Ele sonhou: *"Vou com a senhorita K. ao restaurante do Volksgarten –* segue-se uma parte obscura, uma interrupção –, *depois me encontro no salão de um bordel, onde vejo duas ou três mulheres, uma delas de camisola e calcinhas"*.

ANÁLISE: a senhorita K. é a filha de seu antigo chefe e, segundo ele próprio admite, uma substituta da irmã. Apenas raramente teve ocasião de falar com ela, mas certa vez ocorreu uma conversa entre eles em que "de certa forma nos demos a conhecer em nossa sexualidade, como que dizendo: eu sou um homem e tu és uma mulher". Ele esteve apenas uma vez no citado restaurante, em companhia da irmã de seu cunhado, uma jovem que lhe era inteiramente indiferente. Outra vez, acompanhou um grupo de três senhoras até a entrada desse restaurante. As senhoras eram sua irmã, sua cunhada e a já citada irmã de seu cunhado, todas elas extremamente indiferentes para ele, porém todas pertencendo à série da irmã. Ele visitou bordéis apenas poucas vezes, talvez duas ou três em toda sua vida.

A interpretação se apoiou na "parte obscura", na "interrupção" do sonho, e sustentou que ele, movido pela curiosidade de menino, tinha inspecionado algumas vezes, embora apenas raramente, os genitais de sua irmã alguns anos mais nova. A lembrança consciente da ação reprovável aludida pelo sonho retornou alguns dias depois. [1914]

Todos os sonhos da mesma noite pertencem pelo seu conteúdo ao mesmo todo; sua divisão em várias partes, o agrupamento e o número dessas partes, tudo isso é significativo e pode ser compreendido como uma parte da comunicação que provém dos pensamentos oníricos latentes. Na interpretação de sonhos compostos de várias partes principais, ou, de maneira geral, daqueles que ocorreram numa mesma noite, não devemos esquecer a possibilidade de que esses sonhos diferentes e sucessivos signifiquem a mesma coisa, de que expressem as mesmas moções em materiais diferentes. O primeiro em ordem temporal desses sonhos homólogos é então frequentemente o mais distorcido e tímido; o segundo é mais atrevido e mais nítido.

Já o sonho bíblico do faraó com as espigas e com as vacas, interpretado por José, era desse tipo. Em Josefo (*Antiguidades judaicas*, livro II, capítulo 5) ele é relatado com mais pormenores do que na Bíblia. Após contar o primeiro sonho, o rei disse: "Depois dessa primeira visão acordei sobressaltado e refleti sobre o que ela poderia significar, mas nisso voltei a adormecer aos poucos e tive um sonho muito mais estranho, que me deixou ainda mais apavorado e confuso". Depois de ouvir a narração do sonho, José disse: "Teu sonho, ó rei, parece ser um sonho duplo, porém as duas visões têm um só significado".

Jung, que em sua "Contribuição à psicologia do boato" (1910) narra como o sonho dissimuladamente erótico de uma estudante foi entendido por suas amigas sem interpretação e sonhado outras vezes com variações, observa a respeito de uma dessas narrativas oníricas "que o pensamento conclusivo de uma longa série de imagens oníricas contém exatamente a mesma coisa que já se tentou figurar na primeira imagem da série. A censura mantém o complexo à distância pelo maior tempo possível por meio de renovados encobrimentos simbólicos, deslocamentos, mudanças que o convertem em algo inocente etc." (*ibid.*, p. 87). Scherner conhecia bem essa peculiaridade da figuração onírica e a descreveu, a propósito de sua teoria dos estímulos orgânicos, como uma lei especial (1861, p. 166): "Finalmente, porém, em todas as formações oníricas simbólicas derivadas de determinados estímulos nervosos, a imaginação observa a lei universal de que no começo do sonho ela retrata o objeto estimulador apenas nas alusões mais remotas e mais livres, porém no fim, quando a efusão pictórica se esgotou, apresenta o próprio estímulo, ou antes, seu órgão correspondente ou a função deste, em toda a sua nudez, de modo que o sonho, indicando seu motivo orgânico, chega ao fim (...)".

Em seu trabalho "Um sonho que interpreta a si mesmo", Otto Rank ofereceu uma bela confirmação dessa lei scherneriana. O sonho de uma jovem comunicado nesse trabalho se compunha de dois sonhos temporalmente separados ocorridos numa mesma noite, dos quais o segundo acabou numa polução. Esse sonho polucional permitiu uma interpretação levada até os detalhes, com uma renúncia considerável às contribuições da sonhadora, e a abundância de relações entre os dois conteúdos oníricos possibilitou reconhecer que o primeiro sonho expressava numa figuração tímida o mesmo que o segundo, de modo que este, o sonho polucional, contribuiu para o completo esclarecimento do primeiro. A partir desses exemplos, Rank explica com boas razões o significado dos sonhos polucionais para a teoria do sonho em geral. [1911]

No entanto, segundo minha experiência, apenas em poucos casos nos encontramos em condições de reinterpretar a clareza ou a confusão do sonho em termos de certeza ou de dúvida no material onírico. Posteriormente, precisarei revelar o fator presente na formação dos sonhos, até agora não mencionado, de cuja influência essa escala de qualidades do sonho depende de maneira essencial.

Em muitos sonhos que por algum tempo conservam uma certa situação e um certo cenário, ocorrem interrupções que são descritas com as seguintes palavras: "É como se fosse ao mesmo tempo outro lugar e nele aconteceu isso e aquilo". O que dessa maneira interrompe a ação principal do sonho, que depois de um momento pode ser continuada, revela-se no material onírico como uma oração subordinada, como um pensamento intercalado. A condição nos pensamentos oníricos é figurada no sonho por meio da simultaneidade (se – quando).

O que significa a sensação de paralisia dos movimentos, que tanto se aproxima da angústia e que com tanta frequência surge no sonho? Queremos caminhar e não saímos do lugar, queremos fazer alguma coisa e topamos sem cessar com obstáculos. O trem começa a se mover e não conseguimos alcançá-lo; levantamos a mão para vingar uma ofensa e ela fica imóvel etc. Já encontramos essa sensação no caso dos sonhos de exibição, porém ainda não tentamos seriamente a sua interpretação. É cômodo, porém insuficiente, responder que durante o sono ocorre uma paralisia motora que se manifesta por meio da referida sensação. É lícito perguntar: por que então não sonhamos constantemente com tal paralisia dos movimentos? Também é lícito esperar que essa sensação, que pode ser produzida a qualquer momento durante o sono, sirva a fins quaisquer da figuração e apenas seja despertada pela necessidade dessa figuração existente no material onírico.

A paralisia nem sempre surge no sonho como sensação, mas também simplesmente como parte do conteúdo onírico. Considero um desses casos especialmente apropriado para nos esclarecer acerca do significado desse acessório onírico. Comunicarei de forma resumida um sonho em que apareço culpado de desonestidade. *O lugar é uma mistura de sanatório privado com vários outros lugares. Aparece um empregado para me chamar a uma investigação. No sonho sei que sentem a falta de alguma coisa e que a investigação acontece em razão da suspeita de que me apropriei do objeto perdido.* A análise mostra que a palavra "investigação" deve ser entendida em dois sentidos, incluindo o sentido de "exame médico". *Consciente de minha inocência e de minha função de médico conselheiro nessa instituição, acompanho o empregado tranquilamente. Diante de uma porta, outro empregado nos recebe e, apontando para mim, diz: "O senhor trouxe esse homem? Ele é uma pessoa honesta!". Depois entro sozinho numa grande sala com máquinas que me lembra um inferno com suas atrozes tarefas punitivas. Vejo um colega amarrado numa das máquinas, colega que teria todas as razões para se preocupar comigo, porém não presta atenção em mim. Então dizem que posso ir. Só que não encontro meu chapéu e acabo não podendo ir.*

A realização de desejo do sonho consiste evidentemente em que eu seja reconhecido como homem honesto e possa ir; nos pensamentos oníricos, portanto, deve haver toda espécie de material contendo o oposto disso. O fato de poder ir é o sinal de minha absolvição; assim, se no final o sonho traz um acontecimento que me impede de ir, deve ser fácil concluir que o material oposto reprimido se destaca por meio desse traço. O fato de não encontrar o chapéu significa, portanto: "Não és um homem honesto, afinal". A paralisia do sonho é uma *expressão de oposição*, um "não", o que leva a corrigir uma afirmação anterior de que o sonho não é capaz de exprimir o não.[206]

Em outros sonhos, que contêm a paralisia do movimento não meramente como situação, e sim como sensação, essa mesma oposição é expressa de maneira mais enérgica pela sensação de paralisia dos movimentos, como uma vontade à qual uma vontade contrária se opõe. Portanto, a sensação de paralisia dos movimentos figura um *conflito da vontade*. Veremos mais adiante que precisamente a paralisia motora durante o sono se encontra entre as condições fundamentais

---

206. Da análise completa resultou uma relação com uma experiência de infância por meio da seguinte mediação: o mouro cumpriu seu dever, o mouro *pode ir*. [Essa frase é uma citação de Schiller – *Fiesco*, ato 3, cena 4 –, aqui ligeiramente alterada, que se tornou proverbial: é usada por alguém que foi útil para outras pessoas e que se sente supérfluo quando deixa de sê-lo. (N.T.)] E então a charada: qual a idade do mouro quando cumpriu seu dever? Um ano, então ele pode ir andando. (Dizem que vim ao mundo com um cabelo preto, emaranhado e abundante, de modo que a jovem mãe declarou que eu era um pequeno mouro.) – O fato de não encontrar o chapéu é uma experiência diurna que foi usada em vários sentidos. Nossa empregada, que é genial em guardar coisas, o tinha escondido. – Atrás do final desse sonho também se esconde a recusa de tristes pensamentos de morte: estou longe de ter cumprido meu dever; ainda não devo ir. – O nascimento e a morte, como no sonho com Goethe e o paralítico ocorrido pouco antes (ver p. 349 e p. 463 e segs.).

do processo psíquico que ocorre durante o sonhar. Porém, o impulso [*Impuls*] transferido às vias motoras não é outra coisa senão a vontade, e o fato de estarmos seguros de sentir que esse impulso [*Impuls*] está paralisado durante o sono torna todo o processo tão excepcionalmente apropriado à figuração do *querer* e do "não" que a ele se opõe. Segundo minha explicação da angústia, também é fácil de compreender que a sensação de inibição da vontade se encontre tão próxima da angústia e se associe com ela no sonho com tanta frequência. A angústia é um impulso [*Impuls*] libidinal que provém do inconsciente e é bloqueado pelo pré-consciente.[207] Portanto, quando no sonho a sensação de inibição é associada com angústia, deve se tratar de uma vontade que certa vez foi capaz de produzir libido; deve se tratar de uma moção sexual.

O significado do juízo "isso é só um sonho", que surge com frequência durante o sonho, e a que força psíquica ele deve ser atribuído são assuntos que explicarei em outra parte. Antecipo aqui que tal juízo serve para depreciar o que se sonhou. O interessante problema afim que consiste em saber o que é expresso quando determinado conteúdo é designado no próprio sonho como "sonhado" – o enigma do "sonho no sonho" – foi resolvido por W. Stekel de maneira semelhante pela análise de alguns exemplos convincentes. Mais uma vez, a intenção é depreciar o "sonhado" do sonho, despojá-lo de sua realidade; aquilo que se continua sonhando depois de acordar do "sonho no sonho" é o que o desejo onírico quer colocar no lugar da realidade suprimida. Portanto, estamos autorizados a supor que o "sonhado" contém a figuração da realidade, a lembrança efetiva, e o sonho subsequente, ao contrário, contém a figuração daquilo que o sonhador meramente desejou. A inclusão de determinado conteúdo em um "sonho no sonho" deve, portanto, ser equiparada ao desejo de que aquilo que dessa forma é designado como sonho não devesse ter acontecido. [1911] Em outras palavras: se determinado

---

207. De acordo com novos conhecimentos, essa tese não se sustenta mais. [Nota acrescentada em 1930.]

acontecimento é colocado num sonho pelo próprio trabalho do sonho, isso significa a mais decisiva confirmação da realidade desse acontecimento, sua mais enérgica *afirmação*. [1919] O trabalho do sonho emprega o próprio sonhar como uma forma de recusa [1911], dando assim um testemunho do ponto de vista de que o sonho é uma realização de desejo. [1919]

Fim do primeiro volume

Coleção **L&PM** POCKET
ÚLTIMOS LANÇAMENTOS

470. **Pequenos pássaros** – Anaïs Nin
471. **Guia prático do Português correto – vol.3** – Cláudio Moreno
472. **Atire no pianista** – David Goodis
473. **Antologia Poética** – García Lorca
474. **Alexandre e César** – Plutarco
475. **Uma espiã na casa do amor** – Anaïs Nin
476. **A gorda do Tiki Bar** – Dalton Trevisan
477. **Garfield um gato de peso (3)** – Jim Davis
478. **Canibais** – David Coimbra
479. **A arte de escrever** – Arthur Schopenhauer
480. **Pinóquio** – Carlo Collodi
481. **Misto-quente** – Bukowski
482. **A lua na sarjeta** – David Goodis
483. **O melhor do Recruta Zero (1)** – Mort Walker
484. **Aline: TPM – tensão pré-monstrual (2)** – Adão Iturrusgarai
485. **Sermões do Padre Antonio Vieira**
486. **Garfield numa boa (4)** – Jim Davis
487. **Mensagem** – Fernando Pessoa
488. **Vendeta** *seguido de* **A paz conjugal** – Balzac
489. **Poemas de Alberto Caeiro** – Fernando Pessoa
490. **Ferragus** – Honoré de Balzac
491. **A duquesa de Langeais** – Honoré de Balzac
492. **A menina dos olhos de ouro** – Honoré de Balzac
493. **O lírio do vale** – Honoré de Balzac
497. **A noite das bruxas** – Agatha Christie
498. **Um passe de mágica** – Agatha Christie
499. **Nêmesis** – Agatha Christie
500. **Esboço para uma teoria das emoções** – Sartre
501. **Renda básica de cidadania** – Eduardo Suplicy
502. (1). **Pílulas para viver melhor** – Dr. Lucchese
503. (2). **Pílulas para prolongar a juventude** – Dr. Lucchese
504. (3). **Desembarcando o diabetes** – Dr. Lucchese
505. (4). **Desembarcando o sedentarismo** – Dr. Fernando Lucchese e Cláudio Castro
506. (5). **Desembarcando a hipertensão** – Dr. Lucchese
507. (6). **Desembarcando o colesterol** – Dr. Fernando Lucchese e Fernanda Lucchese
508. **Estudos de mulher** – Balzac
509. **O terceiro tiro** – Flann O'Brien
510. **100 receitas de aves e ovos** – J. A. P. Machado
511. **Garfield em toneladas de diversão (5)** – Jim Davis
512. **Trem-bala** – Martha Medeiros
513. **Os cães ladram** – Truman Capote
514. **O Kama Sutra de Vatsyayana**
515. **O crime do Padre Amaro** – Eça de Queiroz
516. **Odes de Ricardo Reis** – Fernando Pessoa
517. **O inverno da nossa desesperança** – Steinbeck
518. **Piratas do Tietê (1)** – Laerte
519. **Rê Bordosa: do começo ao fim** – Angeli
520. **O Harlem é escuro** – Chester Himes
522. **Eugénie Grandet** – Balzac
523. **O último magnata** – F. Scott Fitzgerald
524. **Carol** – Patricia Highsmith
525. **100 receitas de patisseria** – Sílvio Lancellotti
527. **Tristessa** – Jack Kerouac
528. **O diamante do tamanho do Ritz** – F. Scott Fitzgerald
529. **As melhores histórias de Sherlock Holmes** – Arthur Conan Doyle
530. **Cartas a um jovem poeta** – Rilke
532. **O misterioso sr. Quin** – Agatha Christie
533. **Os analectos** – Confúcio
536. **Ascensão e queda de César Birotteau** – Balzac
537. **Sexta-feira negra** – David Goodis
538. **Ora bolas – O humor de Mario Quintana** – Juarez Fonseca
539. **Longe daqui aqui mesmo** – Antonio Bivar
540. **É fácil matar** – Agatha Christie
541. **O pai Goriot** – Balzac
542. **Brasil, um país do futuro** – Stefan Zweig
543. **O processo** – Kafka
544. **O melhor de Hagar 4** – Dik Browne
545. **Por que não pediram a Evans?** – Agatha Christie
546. **Fanny Hill** – John Cleland
547. **O gato por dentro** – William S. Burroughs
548. **Sobre a brevidade da vida** – Sêneca
549. **Geraldão (1)** – Glauco
550. **Piratas do Tietê (2)** – Laerte
551. **Pagando o pato** – Ciça
552. **Garfield de bom humor (6)** – Jim Davis
553. **Conhece o Mário?** vol.1 – Santiago
554. **Radicci 6** – Iotti
555. **Os subterrâneos** – Jack Kerouac
556. (1). **Balzac** – François Taillandier
557. (2). **Modigliani** – Christian Parisot
558. (3). **Kafka** – Gérard-Georges Lemaire
559. (4). **Júlio César** – Joël Schmidt
560. **Receitas da família** – J. A. Pinheiro Machado
561. **Boas maneiras à mesa** – Celia Ribeiro
562. (9). **Filhos sadios, pais felizes** – R. Pagnoncelli
563. (10). **Fatos & mitos** – Dr. Fernando Lucchese
564. **Ménage à trois** – Paula Taitelbaum
565. **Mulheres!** – David Coimbra
566. **Poemas de Álvaro de Campos** – Fernando Pessoa
567. **Medo e outras histórias** – Stefan Zweig
568. **Snoopy e sua turma (1)** – Schulz
569. **Piadas para sempre (1)** – Visconde da Casa Verde
570. **O alvo móvel** – Ross Macdonald
571. **O melhor do Recruta Zero (2)** – Mort Walker
572. **Um sonho americano** – Norman Mailer

573. **Os broncos também amam** – Angeli
574. **Crônica de um amor louco** – Bukowski
575(5). **Freud** – René Major e Chantal Talagrand
576(6). **Picasso** – Gilles Plazy
577(7). **Gandhi** – Christine Jordis
578. **A tumba** – H. P. Lovecraft
579. **O príncipe e o mendigo** – Mark Twain
580. **Garfield, um charme de gato (7)** – Jim Davis
581. **Ilusões perdidas** – Balzac
582. **Esplendores e misérias das cortesãs** – Balzac
583. **Walter Ego** – Angeli
584. **Striptiras (1)** – Laerte
585. **Fagundes: um puxa-saco de mão cheia** – Laerte
586. **Depois do último trem** – Josué Guimarães
587. **Ricardo III** – Shakespeare
588. **Dona Anja** – Josué Guimarães
589. **24 horas na vida de uma mulher** – Stefan Zweig
591. **Mulher no escuro** – Dashiell Hammett
592. **No que acredito** – Bertrand Russell
593. **Odisseia (1): Telemaquia** – Homero
594. **O cavalo cego** – Josué Guimarães
595. **Henrique V** – Shakespeare
596. **Fabulário geral do delírio cotidiano** – Bukowski
597. **Tiros na noite 1: A mulher do bandido** – Dashiell Hammett
598. **Snoopy em Feliz Dia dos Namorados! (2)** – Schulz
600. **Crime e castigo** – Dostoiévski
601. **Mistério no Caribe** – Agatha Christie
602. **Odisseia (2): Regresso** – Homero
603. **Piadas para sempre (2)** – Visconde da Casa Verde
604. **À sombra do vulcão** – Malcolm Lowry
605(8). **Kerouac** – Yves Buin
606. **E agora são cinzas** – Angeli
607. **As mil e uma noites** – Paulo Caruso
608. **Um assassino entre nós** – Ruth Rendell
609. **Crack-up** – F. Scott Fitzgerald
610. **Do amor** – Stendhal
611. **Cartas do Yage** – William Burroughs e Allen Ginsberg
612. **Striptiras (2)** – Laerte
613. **Henry & June** – Anaïs Nin
614. **A piscina mortal** – Ross Macdonald
615. **Geraldão (2)** – Glauco
616. **Tempo de delicadeza** – A. R. de Sant'Anna
617. **Tiros na noite 2: Medo de tiro** – Dashiell Hammett
618. **Snoopy em Assim é a vida, Charlie Brown! (3)** – Schulz
619. **1954 – Um tiro no coração** – Hélio Silva
620. **Sobre a inspiração poética (Íon) e ...** – Platão
621. **Garfield e seus amigos (8)** – Jim Davis
622. **Odisseia (3): Ítaca** – Homero
623. **A louca matança** – Chester Himes
624. **Factótum** – Bukowski
625. **Guerra e Paz: volume 1** – Tolstói
626. **Guerra e Paz: volume 2** – Tolstói
627. **Guerra e Paz: volume 3** – Tolstói
628. **Guerra e Paz: volume 4** – Tolstói
629(9). **Shakespeare** – Claude Mourthé
630. **Bem está o que bem acaba** – Shakespeare
631. **O contrato social** – Rousseau
632. **Geração Beat** – Jack Kerouac
633. **Snoopy: É Natal! (4)** – Charles Schulz
634. **Testemunha da acusação** – Agatha Christie
635. **Um elefante no caos** – Millôr Fernandes
636. **Guia de leitura (100 autores que você precisa ler)** – Organização de Léa Masina
637. **Pistoleiros também mandam flores** – David Coimbra
638. **O prazer das palavras** – vol. 1 – Cláudio Moreno
639. **O prazer das palavras** – vol. 2 – Cláudio Moreno
640. **Novíssimo testamento: com Deus e o diabo, a dupla da criação** – Iotti
641. **Literatura Brasileira: modos de usar** – Luís Augusto Fischer
642. **Dicionário de Porto-Alegrês** – Luís A. Fischer
643. **Clô Dias & Noites** – Sérgio Jockymann
644. **Memorial de Isla Negra** – Pablo Neruda
645. **Um homem extraordinário e outras histórias** – Tchékhov
646. **Ana sem terra** – Alcy Cheuiche
647. **Adultérios** – Woody Allen
651. **Snoopy: Posso fazer uma pergunta, professora? (5)** – Charles Schulz
652(10). **Luís XVI** – Bernard Vincent
653. **O mercador de Veneza** – Shakespeare
654. **Cancioneiro** – Fernando Pessoa
655. **Non-Stop** – Martha Medeiros
656. **Carpinteiros, levantem bem alto a cumeeira & Seymour, uma apresentação** – J.D.Salinger
657. **Ensaios céticos** – Bertrand Russell
658. **O melhor de Hagar 5** – Dik e Chris Browne
659. **Primeiro amor** – Ivan Turguêniev
660. **A trégua** – Mario Benedetti
661. **Um parque de diversões da cabeça** – Lawrence Ferlinghetti
662. **Aprendendo a viver** – Sêneca
663. **Garfield, um gato em apuros (9)** – Jim Davis
664. **Dilbert (1)** – Scott Adams
666. **A imaginação** – Jean-Paul Sartre
667. **O ladrão e os cães** – Naguib Mahfuz
669. **A volta do parafuso** *seguido de* **Daisy Miller** – Henry James
670. **Notas do subsolo** – Dostoiévski
671. **Abobrinhas da Brasilônia** – Glauco
672. **Geraldão (3)** – Glauco
673. **Piadas para sempre (3)** – Visconde da Casa Verde
674. **Duas viagens ao Brasil** – Hans Staden
676. **A arte da guerra** – Maquiavel

677. **Além do bem e do mal** – Nietzsche
678. **O coronel Chabert** *seguido de* **A mulher abandonada** – Balzac
679. **O sorriso de marfim** – Ross Macdonald
680. **100 receitas de pescados** – Sílvio Lancellotti
681. **O juiz e seu carrasco** – Friedrich Dürrenmatt
682. **Noites brancas** – Dostoiévski
683. **Quadras ao gosto popular** – Fernando Pessoa
685. **Kaos** – Millôr Fernandes
686. **A pele de onagro** – Balzac
687. **As ligações perigosas** – Choderlos de Laclos
689. **Os Lusíadas** – Luís Vaz de Camões
690(11). **Átila** – Éric Deschodt
691. **Um jeito tranquilo de matar** – Chester Himes
692. **A felicidade conjugal** *seguido de* **O diabo** – Tolstói
693. **Viagem de um naturalista ao redor do mundo** – vol. 1 – Charles Darwin
694. **Viagem de um naturalista ao redor do mundo** – vol. 2 – Charles Darwin
695. **Memórias da casa dos mortos** – Dostoiévski
696. **A Celestina** – Fernando de Rojas
697. **Snoopy: Como você é azarado, Charlie Brown! (6)** – Charles Schulz
698. **Dez (quase) amores** – Claudia Tajes
699. **Poirot sempre espera** – Agatha Christie
701. **Apologia de Sócrates** *precedido de* **Êutifron e** *seguido de* **Críton** – Platão
702. **Wood & Stock** – Angeli
703. **Striptiras (3)** – Laerte
704. **Discurso sobre a origem e os fundamentos da desigualdade entre os homens** – Rousseau
705. **Os duelistas** – Joseph Conrad
706. **Dilbert (2)** – Scott Adams
707. **Viver e escrever** (vol. 1) – Edla van Steen
708. **Viver e escrever** (vol. 2) – Edla van Steen
709. **Viver e escrever** (vol. 3) – Edla van Steen
710. **A teia da aranha** – Agatha Christie
711. **O banquete** – Platão
712. **Os belos e malditos** – F. Scott Fitzgerald
713. **Libelo contra a arte moderna** – Salvador Dalí
714. **Akropolis** – Valerio Massimo Manfredi
715. **Devoradores de mortos** – Michael Crichton
716. **Sob o sol da Toscana** – Frances Mayes
717. **Batom na cueca** – Nani
718. **Vida dura** – Claudia Tajes
719. **Carne trêmula** – Ruth Rendell
720. **Cris, a fera** – David Coimbra
721. **O anticristo** – Nietzsche
722. **Como um romance** – Daniel Pennac
723. **Emboscada no Forte Bragg** – Tom Wolfe
724. **Assédio sexual** – Michael Crichton
725. **O espírito do Zen** – Alan W. Watts
726. **Um bonde chamado desejo** – Tennessee Williams
727. **Como gostais** *seguido de* **Conto de inverno** – Shakespeare
728. **Tratado sobre a tolerância** – Voltaire
729. **Snoopy: Doces ou travessuras? (7)** – Charles Schulz
730. **Cardápios do Anonymus Gourmet** – J.A. Pinheiro Machado
731. **100 receitas com lata** – J.A. Pinheiro Machado
732. **Conhece o Mário?** vol.2 – Santiago
733. **Dilbert (3)** – Scott Adams
734. **História de um louco amor** *seguido de* **Passado amor** – Horacio Quiroga
735(11). **Sexo: muito prazer** – Laura Meyer da Silva
736(12). **Para entender o adolescente** – Dr. Ronald Pagnoncelli
737(13). **Desembarcando a tristeza** – Dr. Fernando Lucchese
738. **Poirot e o mistério da arca espanhola & outras histórias** – Agatha Christie
739. **A última legião** – Valerio Massimo Manfredi
741. **Sol nascente** – Michael Crichton
742. **Duzentos ladrões** – Dalton Trevisan
743. **Os devaneios do caminhante solitário** – Rousseau
744. **Garfield, o rei da preguiça (10)** – Jim Davis
745. **Os magnatas** – Charles R. Morris
746. **Pulp** – Charles Bukowski
747. **Enquanto agonizo** – William Faulkner
748. **Aline: viciada em sexo (3)** – Adão Iturrusgarai
749. **A dama do cachorrinho** – Anton Tchékhov
750. **Tito Andrônico** – Shakespeare
751. **Antologia poética** – Anna Akhmátova
752. **O melhor de Hagar 6** – Dik e Chris Browne
753(12). **Michelangelo** – Nadine Sautel
754. **Dilbert (4)** – Scott Adams
755. **O jardim das cerejeiras** *seguido de* **Tio Vânia** – Tchékhov
756. **Geração Beat** – Claudio Willer
757. **Santos Dumont** – Alcy Cheuiche
758. **Budismo** – Claude B. Levenson
759. **Cleópatra** – Christian-Georges Schwentzel
760. **Revolução Francesa** – Frédéric Bluche, Stéphane Rials e Jean Tulard
761. **A crise de 1929** – Bernard Gazier
762. **Sigmund Freud** – Edson Sousa e Paulo Endo
763. **Império Romano** – Patrick Le Roux
764. **Cruzadas** – Cécile Morrisson
765. **O mistério do Trem Azul** – Agatha Christie
768. **Senso comum** – Thomas Paine
769. **O parque dos dinossauros** – Michael Crichton
770. **Trilogia da paixão** – Goethe
773. **Snoopy: No mundo da lua! (8)** – Charles Schulz
774. **Os Quatro Grandes** – Agatha Christie
775. **Um brinde de cianureto** – Agatha Christie
776. **Súplicas atendidas** – Truman Capote
779. **A viúva imortal** – Millôr Fernandes
780. **Cabala** – Roland Goetschel
781. **Capitalismo** – Claude Jessua
782. **Mitologia grega** – Pierre Grimal
783. **Economia: 100 palavras-chave** – Jean-Paul Betbèze

784. **Marxismo** – Henri Lefebvre
785. **Punição para a inocência** – Agatha Christie
786. **A extravagância do morto** – Agatha Christie
787(13). **Cézanne** – Bernard Fauconnier
788. **A identidade Bourne** – Robert Ludlum
789. **Da tranquilidade da alma** – Sêneca
790. **Um artista da fome** *seguido de* **Na colônia penal e outras histórias** – Kafka
791. **Histórias de fantasmas** – Charles Dickens
796. **O Uraguai** – Basílio da Gama
797. **A mão misteriosa** – Agatha Christie
798. **Testemunha ocular do crime** – Agatha Christie
799. **Crepúsculo dos ídolos** – Friedrich Nietzsche
802. **O grande golpe** – Dashiell Hammett
803. **Humor barra pesada** – Nani
804. **Vinho** – Jean-François Gautier
805. **Egito Antigo** – Sophie Desplancques
806(14). **Baudelaire** – Jean-Baptiste Baronian
807. **Caminho da sabedoria, caminho da paz** – Dalai Lama e Felizitas von Schönborn
808. **Senhor e servo e outras histórias** – Tolstói
809. **Os cadernos de Malte Laurids Brigge** – Rilke
810. **Dilbert (5)** – Scott Adams
811. **Big Sur** – Jack Kerouac
812. **Seguindo a correnteza** – Agatha Christie
813. **O álibi** – Sandra Brown
814. **Montanha-russa** – Martha Medeiros
815. **Coisas da vida** – Martha Medeiros
816. **A cantada infalível** *seguido de* **A mulher do centroavante** – David Coimbra
819. **Snoopy: Pausa para a soneca (9)** – Charles Schulz
820. **De pernas pro ar** – Eduardo Galeano
821. **Tragédias gregas** – Pascal Thiercy
822. **Existencialismo** – Jacques Colette
823. **Nietzsche** – Jean Granier
824. **Amar ou depender?** – Walter Riso
825. **Darmapada: A doutrina budista em versos**
826. **J'Accuse...! – a verdade em marcha** – Zola
827. **Os crimes ABC** – Agatha Christie
828. **Um gato entre os pombos** – Agatha Christie
831. **Dicionário de teatro** – Luiz Paulo Vasconcellos
832. **Cartas extraviadas** – Martha Medeiros
833. **A longa viagem de prazer** – J. J. Morosoli
834. **Receitas fáceis** – J. A. Pinheiro Machado
835(14). **Mais fatos & mitos** – Dr. Fernando Lucchese
836.(15). **Boa viagem!** – Dr. Fernando Lucchese
837. **Aline: Finalmente nua!!! (4)** – Adão Iturrusgarai
838. **Mônica tem uma novidade!** – Mauricio de Sousa
839. **Cebolinha em apuros!** – Mauricio de Sousa
840. **Sócios no crime** – Agatha Christie
841. **Bocas do tempo** – Eduardo Galeano
842. **Orgulho e preconceito** – Jane Austen
843. **Impressionismo** – Dominique Lobstein
844. **Escrita chinesa** – Viviane Alleton
845. **Paris: uma história** – Yvan Combeau
846(15). **Van Gogh** – David Haziot

848. **Portal do destino** – Agatha Christie
849. **O futuro de uma ilusão** – Freud
850. **O mal-estar na cultura** – Freud
853. **Um crime adormecido** – Agatha Christie
854. **Satori em Paris** – Jack Kerouac
855. **Medo e delírio em Las Vegas** – Hunter Thompson
856. **Um negócio fracassado e outros contos de humor** – Tchékhov
857. **Mônica está de férias!** – Mauricio de Sousa
858. **De quem é esse coelho?** – Mauricio de Sousa
860. **O mistério Sittaford** – Agatha Christie
861. **Manhã transfigurada** – L. A. de Assis Brasil
862. **Alexandre, o Grande** – Pierre Briant
863. **Jesus** – Charles Perrot
864. **Islã** – Paul Balta
865. **Guerra da Secessão** – Farid Ameur
866. **Um rio que vem da Grécia** – Cláudio Moreno
868. **Assassinato na casa do pastor** – Agatha Christie
869. **Manual do líder** – Napoleão Bonaparte
870(16). **Billie Holiday** – Sylvia Fol
871. **Bidu arrasando!** – Mauricio de Sousa
872. **Os Sousa: Desventuras em família** – Mauricio de Sousa
874. **E no final a morte** – Agatha Christie
875. **Guia prático do Português correto - vol. 4** – Cláudio Moreno
876. **Dilbert (6)** – Scott Adams
877(17). **Leonardo da Vinci** – Sophie Chauveau
878. **Bella Toscana** – Frances Mayes
879. **A arte da ficção** – David Lodge
880. **Striptiras (4)** – Laerte
881. **Skrotinhos** – Angeli
882. **Depois do funeral** – Agatha Christie
883. **Radicci 7** – Iotti
884. **Walden** – H. D. Thoreau
885. **Lincoln** – Allen C. Guelzo
886. **Primeira Guerra Mundial** – Michael Howard
887. **A linha de sombra** – Joseph Conrad
888. **O amor é um cão dos diabos** – Bukowski
890. **Despertar: uma vida de Buda** – Jack Kerouac
891(18). **Albert Einstein** – Laurent Seksik
892. **Hell's Angels** – Hunter Thompson
893. **Ausência na primavera** – Agatha Christie
894. **Dilbert (7)** – Scott Adams
895. **Ao sul de lugar nenhum** – Bukowski
896. **Maquiavel** – Quentin Skinner
897. **Sócrates** – C.C.W. Taylor
899. **O Natal de Poirot** – Agatha Christie
900. **As veias abertas da América Latina** – Eduardo Galeano
901. **Snoopy: Sempre alerta! (10)** – Charles Schulz
902. **Chico Bento: Plantando confusão** – Mauricio de Sousa
903. **Penadinho: Quem é morto sempre aparece** – Mauricio de Sousa
904. **A vida sexual da mulher feia** – Claudia Tajes
905. **100 segredos de liquidificador** – José Antonio Pinheiro Machado

906. **Sexo muito prazer 2** – Laura Meyer da Silva
907. **Os nascimentos** – Eduardo Galeano
908. **As caras e as máscaras** – Eduardo Galeano
909. **O século do vento** – Eduardo Galeano
910. **Poirot perde uma cliente** – Agatha Christie
911. **Cérebro** – Michael O'Shea
912. **O escaravelho de ouro e outras histórias** – Edgar Allan Poe
913. **Piadas para sempre (4)** – Visconde da Casa Verde
914. **100 receitas de massas light** – Helena Tonetto
915(19). **Oscar Wilde** – Daniel Salvatore Schiffer
916. **Uma breve história do mundo** – H. G. Wells
917. **A Casa do Penhasco** – Agatha Christie
919. **John M. Keynes** – Bernard Gazier
920(20). **Virginia Woolf** – Alexandra Lemasson
921. **Peter e Wendy** *seguido de* **Peter Pan em Kensington Gardens** – J. M. Barrie
922. **Aline: numas de colegial (5)** – Adão Iturrusgarai
923. **Uma dose mortal** – Agatha Christie
924. **Os trabalhos de Hércules** – Agatha Christie
926. **Kant** – Roger Scruton
927. **A inocência do Padre Brown** – G.K. Chesterton
928. **Casa Velha** – Machado de Assis
929. **Marcas de nascença** – Nancy Huston
930. **Aulete de bolso**
931. **Hora Zero** – Agatha Christie
932. **Morte na Mesopotâmia** – Agatha Christie
934. **Nem te conto, João** – Dalton Trevisan
935. **As aventuras de Huckleberry Finn** – Mark Twain
936(21). **Marilyn Monroe** – Anne Plantagenet
937. **China moderna** – Rana Mitter
938. **Dinossauros** – David Norman
939. **Louca por homem** – Claudia Tajes
940. **Amores de alto risco** – Walter Riso
941. **Jogo de damas** – David Coimbra
942. **Filha é filha** – Agatha Christie
943. **M ou N?** – Agatha Christie
945. **Bidu: diversão em dobro!** – Mauricio de Sousa
946. **Fogo** – Anaïs Nin
947. **Rum: diário de um jornalista bêbado** – Hunter Thompson
948. **Persuasão** – Jane Austen
949. **Lágrimas na chuva** – Sergio Faraco
950. **Mulheres** – Bukowski
951. **Um pressentimento funesto** – Agatha Christie
952. **Cartas na mesa** – Agatha Christie
954. **O lobo do mar** – Jack London
955. **Os gatos** – Patricia Highsmith
956(22). **Jesus** – Christiane Rancé
957. **História da medicina** – William Bynum
958. **O Morro dos Ventos Uivantes** – Emily Brontë
959. **A filosofia na era trágica dos gregos** – Nietzsche
960. **Os treze problemas** – Agatha Christie
961. **A massagista japonesa** – Moacyr Scliar
963. **Humor do miserê** – Nani
964. **Todo o mundo tem dúvida, inclusive você** – Édison de Oliveira
965. **A dama do Bar Nevada** – Sergio Faraco
969. **O psicopata americano** – Bret Easton Ellis
970. **Ensaios de amor** – Alain de Botton
971. **O grande Gatsby** – F. Scott Fitzgerald
972. **Por que não sou cristão** – Bertrand Russell
973. **A Casa Torta** – Agatha Christie
974. **Encontro com a morte** – Agatha Christie
975(23). **Rimbaud** – Jean-Baptiste Baronian
976. **Cartas na rua** – Bukowski
977. **Memória** – Jonathan K. Foster
978. **A abadia de Northanger** – Jane Austen
979. **As pernas de Úrsula** – Claudia Tajes
980. **Retrato inacabado** – Agatha Christie
981. **Solanin (1)** – Inio Asano
982. **Solanin (2)** – Inio Asano
983. **Aventuras de menino** – Mitsuru Adachi
984(16). **Fatos & mitos sobre sua alimentação** – Dr. Fernando Lucchese
985. **Teoria quântica** – John Polkinghorne
986. **O eterno marido** – Fiódor Dostoiévski
987. **Um safado em Dublin** – J. P. Donleavy
988. **Mirinha** – Dalton Trevisan
989. **Akhenaton e Nefertiti** – Carmen Seganfredo e A. S. Franchini
990. **On the Road – o manuscrito original** – Jack Kerouac
991. **Relatividade** – Russell Stannard
992. **Abaixo de zero** – Bret Easton Ellis
993(24). **Andy Warhol** – Mériam Korichi
995. **Os últimos casos de Miss Marple** – Agatha Christie
996. **Nico Demo: Aí vem encrenca** – Mauricio de Sousa
998. **Rousseau** – Robert Wokler
999. **Noite sem fim** – Agatha Christie
1000. **Diários de Andy Warhol (1)** – Editado por Pat Hackett
1001. **Diários de Andy Warhol (2)** – Editado por Pat Hackett
1002. **Cartier-Bresson: o olhar do século** – Pierre Assouline
1003. **As melhores histórias da mitologia: vol. 1** – A.S. Franchini e Carmen Seganfredo
1004. **As melhores histórias da mitologia: vol. 2** – A.S. Franchini e Carmen Seganfredo
1005. **Assassinato no beco** – Agatha Christie
1006. **Convite para um homicídio** – Agatha Christie
1008. **História da vida** – Michael J. Benton
1009. **Jung** – Anthony Stevens
1010. **Arsène Lupin, ladrão de casaca** – Maurice Leblanc
1011. **Dublinenses** – James Joyce
1012. **120 tirinhas da Turma da Mônica** – Mauricio de Sousa
1013. **Antologia poética** – Fernando Pessoa

1014. **A aventura de um cliente ilustre** *seguido de* **O último adeus de Sherlock Holmes** – Sir Arthur Conan Doyle
1015. **Cenas de Nova York** – Jack Kerouac
1016. **A corista** – Anton Tchékhov
1017. **O diabo** – Leon Tolstói
1018. **Fábulas chinesas** – Sérgio Capparelli e Márcia Schmaltz
1019. **O gato do Brasil** – Sir Arthur Conan Doyle
1020. **Missa do Galo** – Machado de Assis
1021. **O mistério de Marie Rogêt** – Edgar Allan Poe
1022. **A mulher mais linda da cidade** – Bukowski
1023. **O retrato** – Nicolai Gogol
1024. **O conflito** – Agatha Christie
1025. **Os primeiros casos de Poirot** – Agatha Christie
1027(25). **Beethoven** – Bernard Fauconnier
1028. **Platão** – Julia Annas
1029. **Cleo e Daniel** – Roberto Freire
1030. **Til** – José de Alencar
1031. **Viagens na minha terra** – Almeida Garrett
1032. **Profissões para mulheres e outros artigos feministas** – Virginia Woolf
1033. **Mrs. Dalloway** – Virginia Woolf
1034. **O cão da morte** – Agatha Christie
1035. **Tragédia em três atos** – Agatha Christie
1037. **O fantasma da Ópera** – Gaston Leroux
1038. **Evolução** – Brian e Deborah Charlesworth
1039. **Medida por medida** – Shakespeare
1040. **Razão e sentimento** – Jane Austen
1041. **A obra-prima ignorada** *seguido de* **Um episódio durante o Terror** – Balzac
1042. **A fugitiva** – Anaïs Nin
1043. **As grandes histórias da mitologia greco-romana** – A. S. Franchini
1044. **O corno de si mesmo & outras historietas** – Marquês de Sade
1045. **Da felicidade** *seguido de* **Da vida retirada** – Sêneca
1046. **O horror em Red Hook e outras histórias** – H. P. Lovecraft
1047. **Noite em claro** – Martha Medeiros
1048. **Poemas clássicos chineses** – Li Bai, Du Fu e Wang Wei
1049. **A terceira moça** – Agatha Christie
1050. **Um destino ignorado** – Agatha Christie
1051(26). **Buda** – Sophie Royer
1052. **Guerra Fria** – Robert J. McMahon
1053. **Simons's Cat: as aventuras de um gato travesso e comilão – vol. 1** – Simon Tofield
1054. **Simons's Cat: as aventuras de um gato travesso e comilão – vol. 2** – Simon Tofield
1055. **Só as mulheres e as baratas sobreviverão** – Claudia Tajes
1057. **Pré-história** – Chris Gosden
1058. **Pintou sujeira!** – Mauricio de Sousa
1059. **Contos de Mamãe Gansa** – Charles Perrault
1060. **A interpretação dos sonhos: vol. 1** – Freud
1061. **A interpretação dos sonhos: vol. 2** – Freud
1062. **Frufru Rataplã Dolores** – Dalton Trevisan
1063. **As melhores histórias da mitologia egípcia** – Carmem Seganfredo e A.S. Franchini
1064. **Infância. Adolescência. Juventude** – Tolstói
1065. **As consolações da filosofia** – Alain de Botton
1066. **Diários de Jack Kerouac – 1947-1954**
1067. **Revolução Francesa – vol. 1** – Max Gallo
1068. **Revolução Francesa – vol. 2** – Max Gallo
1069. **O detetive Parker Pyne** – Agatha Christie
1070. **Memórias do esquecimento** – Flávio Tavares
1071. **Drogas** – Leslie Iversen
1072. **Manual de ecologia (vol.2)** – J. Lutzenberger
1073. **Como andar no labirinto** – Affonso Romano de Sant'Anna
1074. **A orquídea e o serial killer** – Juremir Machado da Silva
1075. **Amor nos tempos de fúria** – Lawrence Ferlinghetti
1076. **A aventura do pudim de Natal** – Agatha Christie
1078. **Amores que matam** – Patricia Faur
1079. **Histórias de pescador** – Mauricio de Sousa
1080. **Pedaços de um caderno manchado de vinho** – Bukowski
1081. **A ferro e fogo: tempo de solidão (vol.1)** – Josué Guimarães
1082. **A ferro e fogo: tempo de guerra (vol.2)** – Josué Guimarães
1084(17). **Desembarcando o Alzheimer** – Dr. Fernando Lucchese e Dra. Ana Hartmann
1085. **A maldição do espelho** – Agatha Christie
1086. **Uma breve história da filosofia** – Nigel Warburton
1088. **Heróis da História** – Will Durant
1089. **Concerto campestre** – L. A. de Assis Brasil
1090. **Morte nas nuvens** – Agatha Christie
1092. **Aventura em Bagdá** – Agatha Christie
1093. **O cavalo amarelo** – Agatha Christie
1094. **O método de interpretação dos sonhos** – Freud
1095. **Sonetos de amor e desamor** – Vários
1096. **120 tirinhas do Dilbert** – Scott Adams
1097. **200 fábulas de Esopo**
1098. **O curioso caso de Benjamin Button** – F. Scott Fitzgerald
1099. **Piadas para sempre: uma antologia para morrer de rir** – Visconde da Casa Verde
1100. **Hamlet (Mangá)** – Shakespeare
1101. **A arte da guerra (Mangá)** – Sun Tzu
1104. **As melhores histórias da Bíblia (vol.1)** – A. S. Franchini e Carmen Seganfredo
1105. **As melhores histórias da Bíblia (vol.2)** – A. S. Franchini e Carmen Seganfredo
1106. **Psicologia das massas e análise do eu** – Freud
1107. **Guerra Civil Espanhola** – Helen Graham
1108. **A autoestrada do sul e outras histórias** – Julio Cortázar
1109. **O mistério dos sete relógios** – Agatha Christie
1110. **Peanuts: Ninguém gosta de mim... (amor)** – Charles Schulz

1111. **Cadê o bolo?** – Mauricio de Sousa
1112. **O filósofo ignorante** – Voltaire
1113. **Totem e tabu** – Freud
1114. **Filosofia pré-socrática** – Catherine Osborne
1115. **Desejo de status** – Alain de Botton
1118. **Passageiro para Frankfurt** – Agatha Christie
1120. **Kill All Enemies** – Melvin Burgess
1121. **A morte da sra. McGinty** – Agatha Christie
1122. **Revolução Russa** – S. A. Smith
1123. **Até você, Capitu?** – Dalton Trevisan
1124. **O grande Gatsby (Mangá)** – F. S. Fitzgerald
1125. **Assim falou Zaratustra (Mangá)** – Nietzsche
1126. **Peanuts: É para isso que servem os amigos (amizade)** – Charles Schulz
1127(27). **Nietzsche** – Dorian Astor
1128. **Bidu: Hora do banho** – Mauricio de Sousa
1129. **O melhor do Macanudo Taurino** – Santiago
1130. **Radicci 30 anos** – Iotti
1131. **Show de sabores** – J.A. Pinheiro Machado
1132. **O prazer das palavras** – vol. 3 – Cláudio Moreno
1133. **Morte na praia** – Agatha Christie
1134. **O fardo** – Agatha Christie
1135. **Manifesto do Partido Comunista (Mangá)** – Marx & Engels
1136. **A metamorfose (Mangá)** – Franz Kafka
1137. **Por que você não se casou... ainda** – Tracy McMillan
1138. **Textos autobiográficos** – Bukowski
1139. **A importância de ser prudente** – Oscar Wilde
1140. **Sobre a vontade na natureza** – Arthur Schopenhauer
1141. **Dilbert (8)** – Scott Adams
1142. **Entre dois amores** – Agatha Christie
1143. **Cipreste triste** – Agatha Christie
1144. **Alguém viu uma assombração?** – Mauricio de Sousa
1145. **Mandela** – Elleke Boehmer
1146. **Retrato do artista quando jovem** – James Joyce
1147. **Zadig ou o destino** – Voltaire
1148. **O contrato social (Mangá)** – J.-J. Rousseau
1149. **Garfield fenomenal** – Jim Davis
1150. **A queda da América** – Allen Ginsberg
1151. **Música na noite & outros ensaios** – Aldous Huxley
1152. **Poesias inéditas & Poemas dramáticos** – Fernando Pessoa
1153. **Peanuts: Felicidade é...** – Charles M. Schulz
1154. **Mate-me por favor** – Legs McNeil e Gillian McCain
1155. **Assassinato no Expresso Oriente** – Agatha Christie
1156. **Um punhado de centeio** – Agatha Christie
1157. **A interpretação dos sonhos (Mangá)** – Freud
1158. **Peanuts: Você não entende o sentido da vida** – Charles M. Schulz
1159. **A dinastia Rothschild** – Herbert R. Lottman
1160. **A Mansão Hollow** – Agatha Christie
1161. **Nas montanhas da loucura** – H.P. Lovecraft
1162(28). **Napoleão Bonaparte** – Pascale Fautrier
1163. **Um corpo na biblioteca** – Agatha Christie
1164. **Inovação** – Mark Dodgson e David Gann
1165. **O que toda mulher deve saber sobre os homens: a afetividade masculina** – Walter Riso
1166. **O amor está no ar** – Mauricio de Sousa
1167. **Testemunha de acusação & outras histórias** – Agatha Christie
1168. **Etiqueta de bolso** – Celia Ribeiro
1169. **Poesia reunida (volume 3)** – Affonso Romano de Sant'Anna
1170. **Emma** – Jane Austen
1171. **Que seja em segredo** – Ana Miranda
1172. **Garfield sem apetite** – Jim Davis
1173. **Garfield: Foi mal...** – Jim Davis
1174. **Os irmãos Karamázov (Mangá)** – Dostoiévski
1175. **O Pequeno Príncipe** – Antoine de Saint-Exupéry
1176. **Peanuts: Ninguém mais tem o espírito aventureiro** – Charles M. Schulz
1177. **Assim falou Zaratustra** – Nietzsche
1178. **Morte no Nilo** – Agatha Christie
1179. **Ê, soneca boa** – Mauricio de Sousa
1180. **Garfield a todo o vapor** – Jim Davis
1181. **Em busca do tempo perdido (Mangá)** – Proust
1182. **Cai o pano: o último caso de Poirot** – Agatha Christie
1183. **Livro para colorir e relaxar** – Livro 1
1184. **Para colorir sem parar**
1185. **Os elefantes não esquecem** – Agatha Christie
1186. **Teoria da relatividade** – Albert Einstein
1187. **Compêndio da psicanálise** – Freud
1188. **Visões de Gerard** – Jack Kerouac
1189. **Fim de verão** – Mohiro Kitoh
1190. **Procurando diversão** – Mauricio de Sousa
1191. **E não sobrou nenhum e outras peças** – Agatha Christie
1192. **Ansiedade** – Daniel Freeman & Jason Freeman
1193. **Garfield: pausa para o almoço** – Jim Davis
1194. **Contos do dia e da noite** – Guy de Maupassant
1195. **O melhor de Hagar 7** – Dik Browne
1196(29). **Lou Andreas-Salomé** – Dorian Astor
1197(30). **Pasolini** – René de Ceccatty
1198. **O caso do Hotel Bertram** – Agatha Christie
1199. **Crônicas de motel** – Sam Shepard
1200. **Pequena filosofia da paz interior** – Catherine Rambert
1201. **Os sertões** – Euclides da Cunha
1202. **Treze à mesa** – Agatha Christie
1203. **Bíblia** – John Riches
1204. **Anjos** – David Albert Jones
1205. **As tirinhas do Guri de Uruguaiana 1** – Jair Kobe
1206. **Entre aspas (vol.1)** – Fernando Eichenberg
1207. **Escrita** – Andrew Robinson

1208. **O spleen de Paris: pequenos poemas em prosa** – Charles Baudelaire
1209. **Satíricon** – Petrônio
1210. **O avarento** – Molière
1211. **Queimando na água, afogando-se na chama** – Bukowski
1212. **Miscelânea septuagenária: contos e poemas** – Bukowski
1213. **Que filosofar é aprender a morrer e outros ensaios** – Montaigne
1214. **Da amizade e outros ensaios** – Montaigne
1215. **O medo à espreita e outras histórias** – H.P. Lovecraft
1216. **A obra de arte na era de sua reprodutibilidade técnica** – Walter Benjamin
1217. **Sobre a liberdade** – John Stuart Mill
1218. **O segredo de Chimneys** – Agatha Christie
1219. **Morte na rua Hickory** – Agatha Christie
1220. **Ulisses (Mangá)** – James Joyce
1221. **Ateísmo** – Julian Baggini
1222. **Os melhores contos de Katherine Mansfield** – Katherine Mansfield
1223. (31). **Martin Luther King** – Alain Foix
1224. **Millôr Definitivo: uma antologia de A Bíblia do Caos** – Millôr Fernandes
1225. **O Clube das Terças-Feiras e outras histórias** – Agatha Christie
1226. **Por que sou tão sábio** – Nietzsche
1227. **Sobre a mentira** – Platão
1228. **Sobre a leitura** *seguido do* **Depoimento de Céleste Albaret** – Proust
1229. **O homem do terno marrom** – Agatha Christie
1230. (32). **Jimi Hendrix** – Franck Médioni
1231. **Amor e amizade e outras histórias** – Jane Austen
1232. **Lady Susan, Os Watson e Sanditon** – Jane Austen
1233. **Uma breve história da ciência** – William Bynum
1234. **Macunaíma: o herói sem nenhum caráter** – Mário de Andrade
1235. **A máquina do tempo** – H.G. Wells
1236. **O homem invisível** – H.G. Wells
1237. **Os 36 estratagemas: manual secreto da arte da guerra** – Anônimo
1238. **A mina de ouro e outras histórias** – Agatha Christie
1239. **Pic** – Jack Kerouac
1240. **O habitante da escuridão e outros contos** – H.P. Lovecraft
1241. **O chamado de Cthulhu e outros contos** – H.P. Lovecraft
1242. **O melhor de Meu reino por um cavalo!** – Edição de Ivan Pinheiro Machado
1243. **A guerra dos mundos** – H.G. Wells
1244. **O caso da criada perfeita e outras histórias** – Agatha Christie
1245. **Morte por afogamento e outras histórias** – Agatha Christie
1246. **Assassinato no Comitê Central** – Manuel Vázquez Montalbán
1247. **O papai é pop** – Marcos Piangers
1248. **O papai é pop 2** – Marcos Piangers
1249. **A mamãe é rock** – Ana Cardoso
1250. **Paris boêmia** – Dan Franck
1251. **Paris libertária** – Dan Franck
1252. **Paris ocupada** – Dan Franck
1253. **Uma anedota infame** – Dostoiévski
1254. **O último dia de um condenado** – Victor Hugo
1255. **Nem só de caviar vive o homem** – J.M. Simmel
1256. **Amanhã é outro dia** – J.M. Simmel
1257. **Mulherzinhas** – Louisa May Alcott
1258. **Reforma Protestante** – Peter Marshall
1259. **História econômica global** – Robert C. Allen
1260. (33). **Che Guevara** – Alain Foix
1261. **Câncer** – Nicholas James
1262. **Akhenaton** – Agatha Christie
1263. **Aforismos para a sabedoria de vida** – Arthur Schopenhauer
1264. **Uma história do mundo** – David Coimbra
1265. **Ame e não sofra** – Walter Riso
1266. **Desapegue-se!** – Walter Riso
1267. **Os Sousa: Uma família do barulho** – Mauricio de Sousa
1268. **Nico Demo: O rei da travessura** – Mauricio de Sousa
1269. **Testemunha de acusação e outras peças** – Agatha Christie
1270. (34). **Dostoiévski** – Virgil Tanase
1271. **O melhor de Hagar 8** – Dik Browne
1272. **O melhor de Hagar 9** – Dik Browne
1273. **O melhor de Hagar 10** – Dik e Chris Browne
1274. **Considerações sobre o governo representativo** – John Stuart Mill
1275. **O homem Moisés e a religião monoteísta** – Freud
1276. **Inibição, sintoma e medo** – Freud
1277. **Além do princípio de prazer** – Freud
1278. **O direito de dizer não!** – Walter Riso
1279. **A arte de ser flexível** – Walter Riso
1280. **Casados e descasados** – August Strindberg
1281. **Da Terra à Lua** – Júlio Verne
1282. **Minhas galerias e meus pintores** – Kahnweiler
1283. **A arte do romance** – Virginia Woolf
1284. **Teatro completo v. 1: As aves da noite** *seguido de* **O visitante** – Hilda Hilst
1285. **Teatro completo v. 2: O verdugo** *seguido de* **A morte do patriarca** – Hilda Hilst
1286. **Teatro completo v. 3: O rato no muro** *seguido de* **Auto da barca de Camiri** – Hilda Hilst
1287. **Teatro completo v. 4: A empresa** *seguido de* **O novo sistema** – Hilda Hilst

1289. **Fora de mim** – Martha Medeiros
1290. **Divã** – Martha Medeiros
1291. **Sobre a genealogia da moral: um escrito polêmico** – Nietzsche
1292. **A consciência de Zeno** – Italo Svevo
1293. **Células-tronco** – Jonathan Slack
1294. **O fim do ciúme e outros contos** – Proust
1295. **A jangada** – Júlio Verne
1296. **A ilha do dr. Moreau** – H.G. Wells
1297. **Ninho de fidalgos** – Ivan Turguêniev
1298. **Jane Eyre** – Charlotte Brontë
1299. **Sobre gatos** – Bukowski
1300. **Sobre o amor** – Bukowski
1301. **Escrever para não enlouquecer** – Bukowski
1302. **222 receitas** – J. A. Pinheiro Machado
1303. **Reinações de Narizinho** – Monteiro Lobato
1304. **O Saci** – Monteiro Lobato
1305. **Memórias da Emília** – Monteiro Lobato
1306. **O Picapau Amarelo** – Monteiro Lobato
1307. **A reforma da Natureza** – Monteiro Lobato
1308. **Fábulas** *seguido de* **Histórias diversas** – Monteiro Lobato
1309. **Aventuras de Hans Staden** – Monteiro Lobato
1310. **Peter Pan** – Monteiro Lobato
1311. **Dom Quixote das crianças** – Monteiro Lobato
1312. **O Minotauro** – Monteiro Lobato
1313. **Um quarto só seu** – Virginia Woolf
1314. **Sonetos** – Shakespeare
1315. (35). **Thoreau** – Marie Berthoumieu e Laura El Makki
1316. **Teoria da arte** – Cynthia Freeland
1317. **A arte da prudência** – Baltasar Gracián
1318. **O louco** *seguido de* **Areia e espuma** – Khalil Gibran
1319. **O profeta** *seguido de* **O jardim do profeta** – Khalil Gibran
1320. **Jesus, o Filho do Homem** – Khalil Gibran
1321. **A luta** – Norman Mailer
1322. **Sobre o sofrimento do mundo e outros ensaios** – Schopenhauer
1323. **Epidemiologia** – Rodolfo Sacacci
1324. **Japão moderno** – Christopher Goto-Jones
1325. **A arte da meditação** – Matthieu Ricard
1326. **O adversário secreto** – Agatha Christie
1327. **Pollyanna** – Eleanor H. Porter
1328. **Espelhos** – Eduardo Galeano
1329. **A Vênus das peles** – Sacher-Masoch
1330. **O 18 de brumário de Luís Bonaparte** – Karl Marx
1331. **Um jogo para os vivos** – Patricia Highsmith
1332. **A tristeza pode esperar** – J.J. Camargo
1333. **Vinte poemas de amor e uma canção desesperada** – Pablo Neruda
1334. **Judaísmo** – Norman Solomon
1335. **Esquizofrenia** – Christopher Frith & Eve Johnstone
1336. **Seis personagens em busca de um autor** – Luigi Pirandello
1337. **A Fazenda dos Animais** – George Orwell
1338. **1984** – George Orwell
1339. **Ubu Rei** – Alfred Jarry
1340. **Sobre bêbados e bebidas** – Bukowski
1341. **Tempestade para os vivos e para os mortos** – Bukowski
1342. **Complicado** – Natsume Ono
1343. **Sobre o livre-arbítrio** – Schopenhauer
1344. **Uma breve história da literatura** – John Sutherland
1345. **Você fica tão sozinho às vezes que até faz sentido** – Bukowski
1346. **Um apartamento em Paris** – Guillaume Musso
1347. **Receitas fáceis e saborosas** – José Antonio Pinheiro Machado
1348. **Por que engordamos** – Gary Taubes
1349. **A fabulosa história do hospital** – Jean-Noël Fabiani
1350. **Voo noturno** *seguido de* **Terra dos homens** – Antoine de Saint-Exupéry
1351. **Doutor Sax** – Jack Kerouac
1352. **O livro do Tao e da virtude** – Lao-Tsé
1353. **Pista negra** – Antonio Manzini
1354. **A chave de vidro** – Dashiell Hammett
1355. **Martin Eden** – Jack London
1356. **Já te disse adeus, e agora, como te esqueço?** – Walter Riso
1357. **A viagem do descobrimento** – Eduardo Bueno
1358. **Náufragos, traficantes e degredados** – Eduardo Bueno
1359. **Retrato do Brasil** – Paulo Prado
1360. **Maravilhosamente imperfeito, escandalosamente feliz** – Walter Riso
1361. **É...** – Millôr Fernandes
1362. **Duas tábuas e uma paixão** – Millôr Fernandes
1363. **Selma e Sinatra** – Martha Medeiros
1364. **Tudo que eu queria te dizer** – Martha Medeiros
1365. **Várias histórias** – Machado de Assis
1366. **A sabedoria do Padre Brown** – G. K. Chesterton
1367. **Capitães do Brasil** – Eduardo Bueno
1368. **O falcão maltês** – Dashiell Hammett
1369. **A arte de estar com a razão** – Arthur Schopenhauer
1370. **A visão dos vencidos** – Miguel León-Portilla
1371. **A coroa, a cruz e a espada** – Eduardo Bueno
1372. **Poética** – Aristóteles
1373. **O reprimido** – Agatha Christie
1374. **O espelho do homem morto** – Agatha Christie
1375. **Cartas sobre a felicidade e outros textos** – Epicuro
1376. **A corista e outras histórias** – Anton Tchékhov
1377. **Na estrada da beatitude** – Eduardo Bueno

lepmeditores
www.lpm.com.br
o site que conta tudo

IMPRESSÃO:

PALLOTTI
GRÁFICA

Santa Maria - RS | Fone: (55) 3220.4500
www.graficapallotti.com.br